Cristianismo y mitos clásicos en el arte moderno

José María Blázquez

Cristianismo y mitos clásicos en el arte moderno

CÁTEDRA
HISTORIA/SERIE MENOR

1.ª edición, 2009

Ilustración de cubierta: *El Calvario bretón* (1889), de Paul Gauguin.
Royal Museums of Fine Arts of Belgium © Martin, J./Anaya

Juan Ignacio Luca de Tena, 15. 28027 Madrid
Depósito legal: M. 28.989-2009
I.S.B.N.: 978-84-376-2586-7
Printed in Spain
Impreso en Fernández Ciudad, S. L.
Coto de Doñana, 10. Pinto (Madrid)

Índice

Abreviaturas

AEA	*Archivo Español de Arte.*
BSAA	*Boletín del Seminario de Estudios de Arte y Arqueología.*
CMGR	*Colloque sur la Mosaïque Gréco-romaine* (I-VIII).
EAA	*European Association of Archaeologists.*
JDI	*Jahrbuch des Deutschen Archäologischen Instituts.*
KJVFG	*Kölner Jahrbuch für Vor- und Frühgeschichte.*
LIMC	*Lexicon Iconographicum Mythologiae Classicae.*
OCMA	J. D. Reid, *The Oxford Guide to Classical Mythology in the Arts 1300-1990*, Oxford, 1993.

Prólogo

Los estudios sobre las religiones del Mundo Antiguo, a los que nos hemos dedicado durante toda nuestra vida profesional, nos han incitado a conocer la pervivencia del cristianismo y de la mitología clásica en los grandes artistas del mundo moderno. Cristianismo y mundo clásico son las dos grandes raíces de nuestra cultura a través de los siglos. Este volumen recoge una serie de artículos aparecidos en diferentes revistas nacionales y extranjeras, algunos de difícil consulta. Hemos tenido la costumbre de recoger nuestra producción científica en diferentes volúmenes, siguiendo las indicaciones de discípulos, colegas y amigos. Así han aparecido: *Imagen y mito: estudios sobre las religiones mediterráneas e ibéricas,* Madrid, 1917; *Nuevos estudios sobre la romanización,* Madrid, 1989; *Aportaciones al estudio de la España Romana en el Bajo Imperio,* Madrid, 1990; *Religiones en la España antigua,* Madrid, 1991; *Urbanismo y sociedad en Hispania,* Madrid, 1991; *Fenicios, griegos y cartagineses,* Madrid, 1992; *Mosaicos romanos de España,* Madrid, 1993; *Cástulo, ciudad ibero-romana;* Madrid, 1994; *España romana,* Madrid, 1996; *Intelectuales, ascetas y demonios al final de la Antigüedad,* Madrid, 1998; *Mitos, dioses y héroes en el Mediterráneo antiguo,* Madrid, 1999; *Los pueblos de España y el Mediterráneo en la Antigüedad,* Madrid, 2000; *Religiones, ritos y creencias funerarias en la Hispania prerromana,* Madrid, 2001; *El mediterráneo y España en la Antigüedad,* Madrid, 2003; *El Mediterráneo: historia, arqueología, religión, artes,* Madrid, 2006; *Arte y religión en el Mediterráneo antiguo,* Madrid, 2008.

Hemos procurado poner al día los trabajos en la bibliografía fundamental. Agradecemos vivamente a Ediciones Cátedra, que ha publicado gran parte de nuestra obra, que haya acogido el presente volumen y particularmente al señor Raúl García.

J. M. BLÁZQUEZ

Capítulo primero

Temas de la mitología clásica en las pinturas de la corte de Felipe II

La formación mitológica del príncipe Felipe II. Viajes por Europa

Felipe II había recibido de su padre Carlos V, desde muy joven, una buena educación sobre mitología clásica. Basta recordar algunos datos. En los viajes que realizó en su juventud estaba en continuo contacto con obras de arte de mitología griega y romana. En Génova ocupó un palacio construido por Andrea Doria en Fassolo, donde se alojó en una habitación decorada con una tapicería con una escena mitológica de Júpiter. Era un sobrio edificio, al que se accedía por dos puertas adornadas con sendas figuras de Neptuno y de Júpiter y otros temas clásicos como la lucha de Centauros y Lapitas, el combate de Hércules y el Centauro, Ninfas, Heracles y el Cancerbero. En un arco levantado en Puerta de Vaca, en Génova, Felipe II pudo ver un Júpiter y un Apolo. Sobre un arco construido en Milán había un Hércules y referencias a Atlante. En el Palacio del Té en Mantua el príncipe pudo admirar la figura de un Hércules[1]. El fin de este viaje era la presentación y el juramento del príncipe Felipe II en los Países Bajos. A la entrada de la ciudad de Lovaina se encontró con las historias de Darío III, de Alejandro Magno, de Hércules y de Príamo, entre otros.

María de Hungría, hermana de Carlos V, trajo a España las pinturas más importantes de su colección, que pasarían luego a las colecciones re-

---

[1] F. Checa, *Felipe II mecenas de las artes*, Madrid, 1992, págs. 2-75.

gias: *Venus y Cupido, Oxión y Tántalo* de Tiziano, y un *Tántalo* de Miguel de Coxcie. Todas estas obras influyeron en el conocimiento mitológico y en la formación artística del joven Felipe II. María de Hungría poseía una excelente colección de tapices entre los que se encontraban *La historia de Escipión,* que pasó a formar parte de la colección real española por disposición testamentaria. Doña Juana, reina de Portugal, recibió además *Psiquis y Cupido,* y la *Historia de Paris,* y otras de tema mitológico[2].

En Bruselas, a la llegada de Felipe II, la diosa *Palas Atenea* coronaba una galería levantada para celebrar un torneo, y en el arco triunfal de entrada se comparaban gráficamente las hazañas de Felipe II con los doce trabajos de Hércules[3]. En el arco de los españoles de Brujas se colocaron figuras de Túbal, de Hércules, de Adriano, de Trajano, junto a las de Neptuno, Marte, Júpiter y Mercurio[4].

La figura de Hércules era la emblemática de la dinastía de los Habsburgo, motivo por el que era continuamente representado. En Bethime se levanta un arco adornado con las leyendas de Hércules y un segundo con las leyendas de Apolo y Dafne.

En 1549 María de Hungría ofreció unas magníficas fiestas al emperador y a su hijo Felipe II en su palacio de Binche. La sala baja del edificio estaba cubierta con una tapicería de historias romanas. Encima del ventanal de la sala principal del palacio se representó un Prometeo atado en el Cáucaso, con el águila comiéndole el hígado; a Sísifo subiendo el peñasco hasta la cumbre del monte, y a Tántalo, al que se le escapaba el agua. Dos medallones de mármol con los retratos en busto de Elio Adriano y de Julio César coronaban dos chimeneas, entre las que se colocaron dos pinturas que representaban a Apolo y Marsias tañendo la vihuela, y a Marsias desollado. La salita en la que Carlos V comía habitualmente estaba cubierta con una tapicería donde se representaba a Ver-

---

[2] F. Checa, *op. cit.*, págs. 76-79. Nicolo Boldrini en 1566 realizó un grabado con el tema mitológico de Venus y Cupido en un bosque (Ch. Mezentseva, *Parkstone Amora,* Besançon, 1966, págs. 54-55, lám. 100). Correggio realizó un cuadro de *Venus, Cupido y Sátiro* (J. Brown, *El triunfo de la pintura,* Madrid, 1996, fig. 59). La pintura del Renacimiento se inspiró frecuentemente en acontecimientos de la Historia Antigua. Baste recordar *Sodoma, Las bodas de Alejandro Magno con Roxana,* obra en torno al 1512-1519 (Ch. McCorquodale, *Renaissance: Meisterwerke der Malerei,* Künzelsau, pág. 221, fig. 227), la *Batalla de Alejandro Magno* (Ch. McCorquodale, *op. cit.*, pág. 128, fig. 289) o el *Rechazo de Atila por el Papa León I en 452,* pintura de Rafael ejecutada en torno a 1513-1514 (S. Buck y P. Hohenstatt, *Raphael,* Colonia, 1998, págs. 84-85, fig. 106).

[3] F. Checa, *op. cit.*, pág. 81.

[4] F. Checa, *op. cit.*, pág. 82. C. Gómez-Centurión, «El felicísimo viaje del príncipe don Felipe, 1548-1551», en *Felipe II: un monarca y su época. La monarquía hispánica,* Madrid, 1998, págs. 81-96 (fundamental sobre los viajes del rey).

tumno y a Pomona, y el dosel con la leyenda de Paris. Todas estas obras de arte y la temática sobre la mitología clásica fueron determinantes en los gustos del joven Felipe II. Gran parte de estas obras pasaron después, por herencia de María de Hungría, a ser propiedad de Felipe II[5].

En el año 1549 Carlos V y Felipe II asistieron al triunfo más espectacular de este viaje. Uno de los arcos estaba decorado con los trabajos de Hércules y con las figuras de Júpiter, de Apolo, de Mercurio, de Palas Atenea, de Marte, de Saturno y de Neptuno. Las referencias a Hércules se repiten en el arco construido sobre el puente de Santa Catalina, de orden dórico, al igual que lo era el anterior. Aquí se colocaron figuras de Hércules con las dos columnas, y una escena de lucha con Anteo. En el arco de la calle Alta, Felipe II y su padre sostenían la bola del mundo, como Atlas. En el arco triunfal de la villa, la figura de Amberes estaba rodeada de un río, imagen de tipo clásico, y de Mercurio, el dios del comercio.

En estos viajes, que tuvieron lugar desde 1548 a 1551, Felipe II entró directamente en contacto con el mundo mitológico de la Antigüedad grecolatina[6].

Entre los años 1554 y 1559 Felipe II realizó un viaje al norte de Europa que marcó, sin duda, sus gustos artísticos y afianzó el conocimiento mitológico dél joven príncipe hispano. El motivo de su viaje era el matrimonio con María Tudor, tras la muerte de su primera espo-

---

[5] F. Checa, *op. cit.*, págs. 82-82, 92. Por ejemplo, las pinturas de *Prometeo, Ticio, Sísifo y Tántalo.* Acerca de estas obras, F. Checa, *Tiziano y la monarquía hispánica*, Madrid, 1994, págs. 92-93, 263-265. Sobre la mitología en la obra de Tiziano, págs. 91-108. Véase también D. Angulo, *La mitología y el arte español del Renacimiento*, Madrid, 1952, y R. López Torrijos, *La mitología en la pintura española del Siglo de Oro*, Madrid, 1986. Un *Marsias desollado*, obra de Tiziano entre 1570 y 1576, se conserva en el Museo Estatal de Kromeriz (A. Walther, *Tizian*, Leipzig, 1997, pág. 74, lám. 94; M. Kaminski, *Titian*, Colonia, 1998, págs. 121-123, fig. 131). Rafael, entre los años 1509 y 1511, pinta un *Apolo y Marsias* (S. Buck y P. Hohenstatt, *op. cit.*, pág. 46, fig. 58), y entre 1514-1518, un *Juicio de Paris* (S. Buck y P. Hohenstatt, *op. cit.*, pág. 94, fig. 119). El tema de Venus y Cupido es posiblemente la composición de inspiración clásica preferida por los pintores renacentistas. Basta recordar, además de los varios citados en este trabajo, el cuadro de Palma Vecchio realizado entre 1522 y 1524 (Ch. McCorquodale, *op. cit.*, pág. 203, fig. 203). Una pintura de Venus y Cupido, de Tiziano, hacia 1550, se conserva en la Galleria degli Uffizi de Florencia (M. Kaminski, *op. cit.*, fig. 101; A. Walther, *op. cit.*, pág. 68, lám. 70); y una segunda de *Venus vendando los ojos de Cupido*, igualmente de Tiziano, datada hacia 1565, está en la Galleria Borghese de Roma (M. Kaminski, *op. cit.*, pág. 118, fig. 129). Un fresco con el tema de Vertumno y Pomona decora la Villa Medicea en Poggio a Caiano, mandada construir por Lorenzo el Magnífico entre los años 1480 y 1485, obra de Pontormo, datada entre los años 1519-1521 (D. Kristof, *Jacopo Carrucci, known as Pontormo*, Colonia, 1998, pág. 76).

[6] F. Checa, *Felipe II*, págs. 82-85.

sa, María de Portugal. El cuarto arco de la entrada triunfal, en Londres, estaba decorado con Orfeo y las Musas[7].

La colección de pinturas mitológicas

Gil Sánchez de Bazán inventarió en 1553 la colección de pintura del príncipe Felipe II, colección que pone al descubierto los gustos artísticos del heredero de Carlos V. Abunda relativamente la pintura mitológica de contenido erótico, entre la que se encuentran algunas de las obras cumbres del genio de Tiziano, el pintor preferido por el príncipe. Se trata de tres pinturas: *Danae,* pintada entre 1549 y 1550, *Venus mirando al espejo sostenido por Cupido,* y *Venus y Marte* más una joven desnuda[8].

Encargos regios de pintura mitológica

Poco tiempo después de la vuelta del viaje de los Países Bajos, Felipe II aumenta la petición de pintura mitológica a Tiziano. En 1559 Tiziano informa al rey de que ya ha enviado los de *Diana y Acteón* y *Diana y Calisto,* y que están terminados *El rapto de Europa* y *Acteón,* pinturas todas encargadas al pintor previamente. En estos años se fechan algunas obras maestras de la colección regia, entre otras: *Danae, Venus y Adonis, Diana y Acteón, Diana y Calisto* y *El rapto de Europa,* todas ellas escenas inspiradas en las *Metamorfosis* de Ovidio[9].

---

[7] F. Checa, *Felipe II,* pág. 86.

[8] F. Checa, *Felipe II,* págs. 97-98; A. Walther, *op. cit.,* págs. 70-71, lám. 58, para el cuadro de *Danae;* G. Cavalli-Bjorkman, «Temas mitológicos en la colección artística de Felipe II», en *Felipe II: un monarca y su época. Un príncipe del Renacimiento,* Madrid, 1998, págs. 228, 231. Una *Venus mirándose en el espejo sostenido por un Eros,* obra de Tiziano hacia el año 1555, se conserva en la National Gallery of Art de Washington (A. Walther, *op. cit.,* pág. 209, lám. 73; J. Walker, *National Gallery ofArt,* Washington, 1984, págs. 208-209). Ya entre 1511 y 1512, Sebastiano del Piombo pintó una muchacha desnuda mirándose en el espejo (S. Zuffi y F. Castria, *La pintura italiana: los maestros de siempre y sus grandes obras,* Madrid, 1997, pág. 211, fig. 216); Veronés, hacia 1580, pintó un *Marte y Venus,* probablemente para Rodolfo II (S. Zuffi y F. Castria, *op. cit.,* págs. 216-217; F. Puigdevall, *Los grandes maestros del Museo del Prado,* vol. II: *Las colecciones de pintura extranjera,* Madrid, 1997, pág. 46); Marcantonio Raimondi, en 1508, en un grabado representó a *Marte, Venus y Cupido* con estilo diferente a los citados antes (Ch. Mezentseva, *op. cit.,* págs. 47-48, lám. 91). Sandro Botticelli, en 1480, pintó un cuadro de *Venus y Marte,* hoy en la National Gallery de Londres (M. Wundram, *Painting of the Renaissance,* Colonia, 1997, págs. 34-35), y una segunda de Piero del Cosimo, de fecha algo posterior, 1498, *ibíd.,* págs. 42-43). Una pintura de Tintoretto, de 1555, representa a *Vulcano sorprendiendo a Marte y Venus en adulterio* (M. Wundram, *op. cit.,* pág. 113).

[9] F. Checa, *Felipe II,* págs. 134-135.

La herencia paterna de pinturas mitológicas y nuevos encargos

Felipe II había heredado de su padre una excelente colección de obras de arte de tema mitológico: *Venus y la música*, de Tiziano, de 1548, los *Amores de Júpiter*, de Correggio, regalo del duque de Mantua a Carlos V en 1530, *Io y Ganímedes* y *Leda*. Entre 1568 y 1571 Tiziano, por encargo del rey hispano, pintó *Tarquinio y Lucrecia*. La *Danae* era un desnudo para ser visto de frente, en cambio, *Perseo y Andrómeda* estaban concebidos para ser admirados de espaldas, como informa el propio Tiziano por carta a Felipe II durante su viaje a Inglaterra[10]. Se tiene noticia de que Bergamasco y Cincinato propusieron una *Historia de Ulises* para decorar la parte inferior de la galería[11].

De los distintos conjuntos de pinturas al fresco que realizó Gaspar Becerra a partir de 1562 en el Alcázar de Madrid, Valsaín y El Pardo, sólo subsisten los frescos con la *Historia de Danae* de una torre del palacio de El Pardo[12]. Obra de colaboración de Gaspar Becerra es *La fábula de la Medusa*[13].

---

[10] F. Checa, *Felipe II*, págs. 135-137; *ídem, Tiziano y la monarquía hispánica, op cit.*, págs. 96-97, 102, 114-115, 118-119, 262, 266-267, 269; M. Wundram, *op. cit.*, págs. 95-96, 104-105; M. Kaminski, *op. cit.*, 95-96, figs. 98-100; A. Walther, *op. cit.*, págs. 68, lám. 60; Ch. McCorquodale, *op. cit.*, pág. 319, fig. 224. Ya Caesare de Sesto en 1513 realizó una *Leda y el cisne* (Ch. McCorquodale, *op. cit.*, pág. 192, fig. 192), y otra pintura del mismo tema se debe a Correggio entre 1531 y 1532 (M. Wundram, *op. cit.*, pág. 104).

[11] F. Checa, *Felipe II*, pág. 139. La temática clásica había penetrado profundamente en el arte de la corte del emperador Carlos V, como lo prueba el escudo de acero, oro y plata, decorado con una gran cabeza de Medusa (1541), de Carlos V, obra de Filippo Francesco Negrolí, armero milanés (*El Punto de las Artes*, 149, 1998, pág. 1).

[12] F. Checa, *Felipe II*, pág. 140. G. Cavalli-Bjorkman, *op. cit.*, págs. 229-235, menciona las siguientes pinturas de tema mitológico en la colección de Felipe II: cuatro grandes cuadros de Correggio encargados por Federico Gonzaga como regalo a Carlos V: *Júpiter reduciendo a Ganímedes, Leda, Io* y *Danae* (1530-1532). Entre 1532 y 1534 Carlos V trajo *Los amores de Júpiter*, de Correggio, que permanecieron en España gran parte del siglo XVI. *Danae e Io* fueron enviados a Praga en 1601. *Ticio* y *Sísifo* fueron encargados por María de Hungría en 1548 y 1549 respectivamente. *Tántalo* e *Ixión* se han perdido. Este cuadro preparó las seis «Poesías» que Tiziano hizo entre 1552 y 1562 para Felipe II, inspiradas en temas clásicos: *Danae, Venus y Adonis, El rapto de Europa*, entregadas entre 1554 y 1562, *Perseo y Andrómeda* y *Medusa y Jasón*, que no fue entregada, y la *Bacanal de Andros* y *Ofrenda a la diosa de los amores* (J. M. C. Valdovinos, *El Pardo: colecciones de pintura*, Barcelona, 1994, págs. 264-265, 258-259). Sobre las relaciones entre Tiziano y la corte de Felipe II, véase M. Mancini, «El mundo de la corte entre Felipe II y Tiziano: cartas y correspondencia», *Felipe II: un monarca y su época. Un príncipe del Renacimiento, op.cit.*, págs. 237-249.

[13] F. Checa, *Felipe II*, pág. 141.

Felipe II coleccionista

El rey manifestó pronto su pasión por el coleccionismo artístico como no se conocía antes en Europa. En el inventario de 1569 se menciona la *Danae* de Tiziano. En 1582 Argote de Molina hace interesantes anotaciones acerca de la colocación de los cuadros de tema mitológico que tenía el rey. En la primera sala de palacio presidía la pintura flamenca, un cuadro de *Júpiter y Antíope,* de Tiziano, obra muy estimada por el rey, y la *Venus del Pardo.* En el aposento de la camarera había un fresco titulado *La fábula de Perseo,* de Gaspar Becerra, que éste realizó en colaboración con los pintores italianos Juan Bautista Bergamasco y Rómulo Cincinato[14].

En la segunda pieza del guardarropa del Alcázar de Madrid se colocó una excelente colección de pintura mitológica: *Júpiter y Venus, Leda y Júpiter,* de Correggio, *Marte,* y *Marte y Venus, Neptuno, Proserpina y Plutón, Baco, Venus y Baco, Hércules y Cupido,* y *Cupido y Venus.* Estas obras constituían «un tratado de mitología», en frase de F. Checa[15]. En la pieza de contaduría se encontraban *Las tres Gracias,* de Hans Baldung, y el *Suplicio de Tántalo* y *El juicio de Paris.*

---

[14] F. Checa, *Felipe II,* pág. 143; *ídem, Tiziano y la monarquía hispánica, op. cit.,* pág. 97; A. Walther, *op. cit.,* págs. 79-80, lám. 51. El célebre encuentro de Perseo y Andrómeda fue pintado por Tiziano (J. Brown, *op. cit.,* págs. 292-293).

[15] F. Checa, *Felipe II,* pág. 160. Para *La Bacanal, Ofrenda a Venus, Danae recibiendo la lluvia de oro, Venus y el organista,* y *Venus y Adonis,* todas de Tiziano, véase: F. Puigdevall, *op. cit.,* págs. 39-43; S. Alcolea, *Museo del Prado,* Barcelona, Ediciones Gráficas, 1991, página 297, fig. 152; pág. 299, fig. 154. Las composiciones de temas báquicos fueron particularmente preferidas, al igual que las de Venus, por los artistas del Renacimiento. Basta recordar el *Baco* de Caravaggio del año 1598 (I. F. Walther, *Malerei der Welt,* Colonia, 1995, págs. 230-231), o el *Triunfo de Baco y Ariadna* de Annibale Carracci, obra de 1595-1605 (I. F. Walther, *op. cit.,* págs. 224-225), o el *Joven Baco,* del mismo artista (I. F. Walther, *op. cit.,* págs. 214-215), o *Baco y Ariadna* de Tiziano, de 1522-1523 (A. Walther, *op. cit.,* pág. 66, lám. 24). Un Neptuno en su cuádriga de hipocampos dibujó Leonardo da Vinci en 1504 (S. Buck y P. Hohenstatt, *op. cit.,* pág. 62, fig.78). Se conocen cinco cartones de tema mitológico de Gaspar Becerra para decorar el Alcázar: *Neptuno, Diana y Ceres, Minerva, Vulcano, Ninfa y Sátiro* («La mitología clásica como modelo estético», *Felipe II: un monarca y su época. Un príncipe del Renacimiento, op. cit.,* págs. 380-382). Se conservan también varios cartones para la decoración del palacio de El Pardo, del mismo Gaspar Becerra: *La decapitación de la Medusa* y *Perseo recibiendo en escudo de Minerva* («La mitología clásica como modelo estético», págs. 378-380, n. 79.1).

Nuevos viajes y festejos del monarca

En la entrada triunfal de la corte a Toledo, después del matrimonio de Felipe II con Isabel de Valois, las alusiones al mundo clásico fueron numerosas en la ciudad. Según el programa de Alvar Gómez de Castro, figuraban esculturas de Baco embriagado, en forma de fuente, o esculturas de dioses como las que coronaban el primero de los arcos, que era una gran figura entronizada, con una serpiente enroscada al cuello. A la subida del Alcázar se encontraban figuras de Hércules, Gerión y Caco. Carros triunfales con imágenes mitológicas salían de la ciudad[16].

En el año 1565 Isabel de Valois viajó a Bayona. A su paso por Valladolid, en la Puerta del Campo, se construyó en su honor un castillo en el que figuraban imágenes de Júpiter y Neptuno, obras de Benito Babuyate. Varios carros transportaban la historia de Jasón y el Vellocino de oro, en bronce, y las nueve Musas. En Bayona se celebraron torneos mitológicos, con representaciones de Neptuno, cuatro hipocampos, y Orfeo sobre cuatro Ninfas. Otro día se celebró una naumaquia, espectáculo típicamente romano. También pasearon la ciudad carros con figuras de la Virtud y de Cupido. Este mismo año las damas de la corte representaron escenas mitológicas[17].

Mitología y joyería

Los temas mitológiocos de las pinturas se documentan también en la orfebrería. Entre las joyas de Isabel de Valois figuran camafeos decorados con temas romanos, con un grifo, un carro tirado por leones, un segundo por Sirenas, Baco rodeado de sátiros, y tapices con las historias de Eneas y de Hércules[18].

Don Juan de Austria y la pintura mitológica

El hijo natural de Carlos V fue reconocido como hermano por Felipe II en 1559. Fue también gran aficionado a la pintura de tema mitológico.

---

16 F. Checa, *Felipe II, op. cit.*, pág. 163.
17 F. Checa, *Felipe II, op. cit.*, págs. 166-167.
18 F. Checa, *Felipe II, op. cit.*, págs. 167-168.

En la decoración pictórica de la Galera Real, relacionada con Juan de Austria, debida en gran parte al humanista Juan de Mal Lara, en la que se señalaban las buenas cualidades del héroe guerrero, figuraba la nave de Argos, en clara referencia a don Juan de Austria como un nuevo Jasón. En el borde del barco aparecía Hércules con su clava. Se añadieron referencias a Marte, a Neptuno, a los dioses y a las Ninfas marinas, a Mercurio, a Prometeo, a Ulises, a Alejandro Magno, a Palas Atenea, a Perseo y a un unicornio. Todas ellas, al igual que las citadas representaciones de arcos, carros, tapices y camafeos, indican muy claramente el alto grado de cultura mitológica de la corte, y los gustos del rey.

Don Juan de Austria poseía pintura de los dioses marinos, *Venus con Júpiter,* y *Venus y Cupido*[19].

Nuevas pinturas y relieves mitológicos

La celebración de la boda de Felipe II con Ana de Austria fue festejada con desfiles de carros triunfales decorados con figuras mitológicas como Hércules y Vulcano. El festival terminó en el Palacio del Condestable, donde se vuelven a encontrar escenas mitológicas de todo tipo[20]. El Alcázar de Segovia, como residencia de los reyes, fue

---

19 F. Checa, *Felipe II,* pág. 175. La figura de Hércules siguió teniendo interés grande para los artistas del siglo XVII. Basta recordar los cuatro *Trabajos de Hércules* de Guido Reni (J. Brown, *op. cit.,* págs. 74-75) o los diez de Zurbarán, cobrados en 1634 (J. M. Carrascal, *Zurbarán,* Madrid, 1973, págs. 110-113). Un *Unicornio recostado sobre una joven* pintó Domenichino poco después de la muerte de Felipe II, en 1602 (I. F. Walther, *op. cit.,* pág. 235). A Pontormo, entre 1532 y 1534, se debe un cuadro de *Venus y Cupido* (D. Krystof, *op. cit.*, págs. 108-109, fig. 100). Piero di Cosimo pintó un *Prometeo* (A. Chastel, *La grande officina: arte italiana 1460-1500,* Milán, 1996, pág. 301, fig. 301).

20 F. Checa, *Felipe II,* pág. 186; *ídem, Tiziano y la monarquía hispánica, op. cit.,* páginas 99-108, 116-117, 120-125, 265-266, 267-268, 293 *(Venus y Adonis,* de Veronés), 300 *(Rapto de Europa,* de Lendro da Ponte) (A. Walther, *op. cit.,* págs. 71-72, láms. 59, 71-72, 84; S. Zuffi y F. Castria, *op. cit.,* pág. 234, figs. 237-238; J. Brown, *op. cit.,* pág. 104, fig. 93; pág. 117, fig. 104; págs. 178-179, figs. 160-161; M. Kaminski, *op. cit.,* págs. 106-108, figs. 112-113). El tema de *Danae* se repite en otra pintura de Tiziano, del Ermitage (en San Petersburgo) fechada entre 1552 y 1553. La fecha de la *Danae* del Prado es 1553 y 1554. Jan Gossaert, en 1527, fue el autor de otra *Danae,* probablemente por encargo del emperador Rodolfo II (S. Zuffi y F. Castria, *op. cit.,* pág. 285, fig. 293), aunque con una disposición de las figuras totalmente diferente de las de Tiziano. Este último es autor, en 1559, de una *Muerte de Acteón,* cuadro que actualmente está en la National Gallery de Londres (A. Walther, *op. cit.,* pág. 72, lám. 78). Hacia 1580 Veronés pinta un cuadro de *Venus y Adonis* de estilo muy diferente (S. Zuffi y F. Castria, *op. cit.,* pág. 221). Sebastiano del Piombo, en 1511-1512, había realizado una *Muerte de Adonis* (Ch. McCorquodale,

adornado con un tapiz de gran calidad artística que representaba *El rey Ciro*[21].

La entrada del rey en las ciudades, como en Sevilla en 1570, fue acompañada de levantamiento de arcos decorados con figuras mitológicas. Sobre un arco de orden dórico se encontraba un coloso, imagen de Hércules (cubierto con la piel del león de Nemea), patrono mítico de la monarquía hispana, que entregaba a Felipe II tres manzanas, símbolos de las virtudes heroicas del príncipe: moderación, templanza y generosidad[22].

La figura de Hércules siempre estuvo presente en el arte del tiempo de Carlos V, así como en el reinado de su hijo. En los retratos de Francesco Terzio de 1569, Felipe II está representado junto a dos inscripciones que mencionan el mito de Hércules. La presencia del *Carro del Sol* guiado por Apolo es clara alusión a la mitología solar[23].

Otras veces las referencias a la mitología clásica no sólo se encontraban en la decoración de pinturas, de tapices o de arcos, sino que se imitaban monumentos enteros, como sucedió en Toledo en 1565, con motivo del traslado del cuerpo de san Eugenio desde París. Con tal motivo se hizo una reproducción de la estatua ecuestre de Marco Aurelio en el Capitolio romano[24].

Decoración mitológica en la biblioteca de Palacio

Escenas mitológicas y figuras de científicos de la Antigüedad clásica adornan las paredes de la Biblioteca de El Escorial. Así, en la sala segunda se colocaron los retratos de Arquímedes, rodeado de máquinas y de espejos, de Ptolomeo y de Aristóteles, y en la tercera había retratos de Julio César, del emperador Augusto y de Vespasiano[25]. En 1593 entraron en El Escorial retratos de famosos intelectuales de la Antigüedad: Aristóteles, Hesíodo, Pítaco, Teofrasto, Ovidio, Séneca y Plutarco[26].

---

op. cit., pág. 211, fig. 216). Un cuadro muy parecido al de *Venus y Adonis* del Museo del Prado, de Tiziano, se encuentra en la National Gallery de Washington (Ch. McCorquodale, *op. cit.*, págs. 212-213).

[21] F. Checa, *Felipe II, op. cit.*, pág. 186.

[22] F. Checa, *Felipe II, op. cit.*, págs. 188-189.

[23] F. Checa, *Felipe II, op. cit.*, pág. 195.

[24] F. Checa, *Felipe II, op. cit.*, pág. 289.

[25] F. Checa, *Felipe II, op. cit.*, pág. 377.

[26] F. Checa, *Felipe II, op. cit.*, pág. 381.

En la Sala Grande de la Biblioteca los temas mitológicos son frecuentes. Pellegrino Tibaldi se ocupó de esta decoración. La Filosofía está acompañada de las figuras de Sócrates y de Platón, de Aristóteles y de Séneca. Las alegorías de la Filosofía y de la Teología llevan como acompañantes *La Escuela de Atenas,* obra de Bartolomé Carducho, con la disputa entre Zenón y Sócrates sobre la posibilidad del conocimiento. En otros casos se representan las artes liberales, muy relacionadas con la Ciencia. En las artes del Trivium figura la Gramática, junto a Marco Terencio Varrón y Sexto Pompeyo, las historias de la *Construcción de la Torre de Babilonia* y *La Escuela de Gramática de Nabucodonosor.* La Retórica está escoltada, por parte de Grecia, por Isócrates y Demóstenes; y por parte de Roma, por Cicerón y Quintiliano. Como representantes de la Historia aparecen Cicerón obteniendo la libertad de Cayo Rabirio, y la historia de *Hércules Gálico.* Junto a la Dialéctica aparecen Méliso y Zenón en un lado, y Protágoras y Orígenes en el otro. En las artes del Quadrivium, la Aritmética está acompañada por Arquitas de Tarento, Jenócrates de Calcedonia; y la Historia, por los Gimnosofistas. A la Música escoltan Túbal y Pitágoras, Anfión y Alfeo, a los que se suman Apolo, Miseno, Pan, y Mercurio, y la historia de *Orfeo y Eurídice.* Junto a la Geometría se sitúan Aristarco y Arquímedes, que resuelve unas operaciones matemáticas, y, fuera de la escena, Dicearco de Sicilia y Eratóstenes de Cirene. Euclides y Ptolomeo escoltan a la Astrología, recostada sobre el globo de la Tierra[27].

También se representan en la Biblioteca las disciplinas que en el Renacimiento contaban con mayor aceptación: la Historia natural y la Moral (Plinio y Tito Livio), la Poesía epica (Homero y Virgilio), la Lírica (Píndaro y Horacio), y la Geografía (Dicearco)[28].

Algunas otras pinturas de temas clásicos cabe recordar, como un fresco de El Pardo con la *Leyenda de Perseo* y *El Vellocino de Oro,* de Gaspar Becerra, que introdujo en Castilla la técnica manierista[29]. A este mismo artista se atribuyen unos dibujos de Ceres y de Diana para el Alcázar[30]. Otra obra importante es *La Religión socorrida por España,* de Ti-

---

[27] F. Checa, *Felipe II,* págs. 390-394. *La Escuela de Atenas* fue tema tratado también por Rafael en 1510-1511 (S. Buck y P. Hohenstatt, *op. cit.,* págs. 44, 56-59, figs. 53, 72-74; Ch. McCorquodale, *op. cit.,* pág. 197). Peter Brueghel el Viejo pintó una *Torre de Babel* en 1563 (M. Wundram, *op. cit.,* pág. 135).

[28] F. Checa, *Felipe II, op. cit.,* pág. 367.

[29] J. Brown, *La Edad de Oro de la pintura en España,* Madrid, 1990, pág. 57, fig. 51.

[30] F. Barrios, «Sólo Madrid es Corte», en *Felipe II: un monarca y su época. La monarquía hispánica, op. cit.,* págs. 167-184.

ziano, realizada entre 1572 y 1575, que en origen (en 1571) era una pintura de tipo mitológico con Minerva y Neptuno[31].

En las artes menores también estuvieron presentes los temas mitológicos, como sucede en la arqueta de taller alemán fechada en el último tercio del siglo XVI, decorada con la *Leyenda de Teseo*[32].

Esculturas de tema clásico

La misma preferencia por temas clásicos documentada en la pintura se da también en la escultura.

Las fuentes de los jardines de Aranjuez están decoradas con figuras de Neptuno, de Hércules y de Apolo, y con otras estatuas clásicas o sus imitaciones. Todo este material artístico llegaba de Italia. En 1561 el cardenal Montepulciano, Giovanni Ricci, envió a Felipe II *El Espinario,* célebre escultura en bronce de época helenística[33]. En el Jardín de Aranjuez estuvo posiblemente la *Venus* atribuida a Ammannati, inspirada en la *Afrodita Medici,* fechada a comienzos del Helenismo, derivada de un original de Praxíteles[34], o la *Afrodita Capitolina*[35], de los seguidores de Praxíteles.

En la colección de Felipe II se conservaban unas copias renacentistas de relieves *(Aristóteles y Platón),* y retratos antiguos, de copistas anónimos, de Venecia o de Roma: *Julio César, Trajano, Antinoo, Vitelio, Julia Domna* y *Cabeza de un gladiador*[36].

Bronces de tema clásico

Dos buenos bronces de tema clásico se guardaron en las colecciones de Felipe II: *La caza de Meleagro,* de G. Bandini, y un *Hércules con la clava,* de P. Jacopo Alari Bonacolsi[37].

---

31 F. Checa, *Tiziano y la monarquía hispánica, op. cit.,* págs. 58-59, 259; A. Walther, *op. cit.,* pág. 73, lám. 92.

32 H. Kamen, «Anna de Austria», en *Felipe II: un monarca y su época, op. cit.,* págs. 269, 518.

33 F. Checa, *Felipe II, op. cit.,* pág. 129, lám. XX.

34 M. Bieber, *The Sculpture of the Hellenistic Age,* Nueva York, 1955, pág. 20, figuras 30-31.

35 M. Bieber, *op. cit.,* pág. 20, figs. 34-35; RCA, «La Antigüedad Clásica como modelo estético», en *Felipe II: un monarca y su época. Un príncipe del Renacimiento, op. cit.,* págs. 382-385.

36 RCA, «Una época de coleccionistas», *Felipe II: un monarca y su época. Un príncipe del Renacimiento, op. cit.,* págs. 632-636 núms. 253-255.

37 RCA, *op. cit.,* págs. 637-639, núms. 256-257.

Se deduce del examen de este material, y de los trabajos de Fernando Checa, de Angulo y de R. López Torrijos, que los temas mitológicos fueron numerosos en el arte español de la corte de Felipe II, y escasos fuera de ella. Basta recordar que entre las pinturas de El Greco sólo figuran el *Laoconte*[38], inspirado en la escultura original de Apolonio y de Taurisco de Tralles hacia el año 100 a.C. La obra de El Greco se data entre 1606 y 1614, y las figuras de *Pandora* y *Epimeteo* entre 1600 y 1610[39]. Esta mitología abundante y variada se relaciona en los temas con la italiana[40] y no con la del resto de Europa[41], según se ha visto en las notas.

---

[38] H. E. Wethey, *El Greco y su escuela,* vol. I: *Textos e ilustraciones,* Madrid, 1967, página 98, lám. 128; A. Walther, *op. cit.,* págs. 240-241; F. Marías, *El Greco,* París, 1997, fig. 277; J. M. Pita Andrade, *El Greco,* Verona, 1986, págs. 156-159.

[39] H. E. Wethey, *op. cit.,* pág. 25, lám. 330; J. M. Pita Andrade, *op. cit.,* pág. 165.

[40] En los grabados de artistas italianos son igualmente frecuentes los temas mitológicos: *Narciso,* de A. Frantuzzi de Trento, 1530; *Circe y los compañeros de Ulises,* de J. Vicentino, 1540; *Píramo y Tisbe,* de M. Raimondi, 1505; el citado *Marte, Venus y Cupido,* del mismo artista, 1508; *Las sibilas de Cumas y Tiburtina,* 1520-1523, del mismo; *Apolo y Dafne,* de A. Veneciano, 1516; *Venus y Eros,* de G. Chini, 1556; *Venus y Cupido en un bosque,* de N. Boldrini, 1566 (Ch. Mezentseva, *op. cit.,* figs. 50, 52, 90-91, 94-95, 97, 100). Aquí se encuentran temas mitológicos desconocidos en la pintura de un estilo artístico diferente.

[41] Basta examinar la obra de Durero, artista típico del Renacimiento en Alemania. Los temas mitológicos son, como indica E. Panofsky, relativamente pocos dentro de su numerosíma obra, estimada en 325 piezas, y son las siguientes: *Grifo, Dioses marinos, La muerte de Orfeo* (cuatro), *Rapto de las Sabinas, Rapto de Europa, Apolo y Diana* (dos), *Centauresa amamantando a una cría, Familia de Centauros, Sátiro* y *Rapto de Proserpina* (E. Panofsky, *Vida y arte de Alberto Durero,* Madrid, 1982, figs. 19, 47-48, 49-52, 53, 57, 119, 124, 121-128, 143). A Lucas Cranach se debe un *Venus y Cupido* (A. Stange, *Aldeutsche Malerei des 14. bis 16. Jahrhunderts,* Colonia, 1950, pág. 145). Pequeñas variantes de temas mitológicos se documentan en distintos grabados: *Mercurio, Venus y Cupido,* 1520, de Hans Binghman el Viejo; *Artemisa,* 1540, de G. Penez; *Tritón y Sirena,* 1553, de Lucas van Leiden; *Dafne persiguiendo a Apolo,* 1558, de H. Cock (Ch. Metzentseva, *op. cit.,* figuras 66, 72, 111, 125).

El presente trabajo continúa la serie de otros estudios nuestros dedicados a la mitología clásica en el arte: J. M. Blázquez, «Temas del mundo clásico en el arte del siglo XX», *Revista de la Universidad Complutense,* XXI, 23 (1972), págs. 1-21 (cap. XIII de esta edición); *ídem,* «El mundo clásico en Picasso», en *Discursos y ponencias del IV Congreso Español de Estudios Clásicos,* Madrid, 1973, págs. 141-155 (cap. XI de esta edición); *ídem,* «Temas del mundo clásico en las pinturas de Kokoschka y Braque», en *Miscelánea de arte,* Madrid, 1982, págs. 269-274 (cap. IX de esta edición); *ídem,* «Mujeres de la mitología griega en el arte español del siglo XX», en *La mujer en el arte español,* Madrid, 1997, páginas 571-581; *ídem,* «Mujeres de la mitología clásica en la pintura de Max Beckmann», *Anales de Historia del Arte,* 7 (1997), págs. 257-269; *ídem,* «El mundo clásico en Dalí», *Goya,* 265-266 (1998), págs. 238-249 (cap. XIX de esta edición); J. M. Blázquez y M. P. García-Gelabert, «Temas del mundo clásico en el arte moderno español», en *La visión del mundo clásico en el arte español,* Madrid, 1993, págs. 403-415 (cap. XII de esta edición).

Capítulo II

Mitos clásicos en la Gemäldegalerie Alte Meister de Kassel

La Galería de Pintura de los Antiguos Maestros de Kassel, Alemania, conserva entre sus ricas colecciones de pintura europea muchos cuadros que representan mitos clásicos. Su estudio sirve muy bien para conocer el tema durante varios siglos en Europa a partir del Renacimiento. Es un muestreo necesariamente incompleto[1], pero muy significativo, ya que mucha pintura de varios países que alcanzaron gran importancia en las Bellas Artes, como España, Francia e Italia, está escasamente representada, y muchos mitos de gran contenido simbólico,

[1] J. M. Blázquez, «Temas del mundo clásico en el arte del siglo xx», art. cit. (cap. XIII de esta edición); *ídem,* «El mundo clásico en Picasso», art. cit. (cap. XI de esta edición); *ídem,* «Temas del mundo clásico en las pinturas de Kokoschka y Braque», art. cit. (cap. IX de esta edición); *ídem,* «Mujeres de la mitología clásica en la pintura de Max Beckmann», art. cit.; *ídem,* «Mujeres de la mitología griega en el arte español del siglo xx», art. cit.; *ídem,* «El mundo clásico en Dalí», art. cit. (cap. XIX de esta edición); *ídem,* «El mito griego de Leda y el cisne en los mosaicos hispanos del Bajo Imperio y en la pintura europea», *Sautuola,* VI (1999), págs. 555-565 (cap. III de esta edición); *ídem,* «Temas de la mitología clásica en las pinturas de la corte de Felipe II», en *IX Jornadas de Arte: el arte en las cortes de Carlos IV y Felipe II,* Madrid, 1998, págs. 321-330 (cap. I de esta edición); *ídem,* «Mitos clásicos en la pintura moderna», art. cit. (cap. IV de esta edición); *ídem,* «Mitos clásicos en los periódicos y revistas de Madrid de finales del siglo xx», en *X Jornadas de Arte: el arte español del siglo XX, su perspectiva al final del milenio,* Madrid, 2001, págs. 275-295 (cap. XV de esta edición).

o no están representados, o son muy escasos. Se agrupan las pinturas por mitos.

Juicio de Paris

El mito del *Juicio de Paris* ha gozado siempre de gran aceptación entre los artistas desde el Renacimiento[2]. La Gemäldegalerie Alte Meister de Kassel exhibe varios cuadros con este mito. El más antiguo es obra de Franz Floris (1519/1520-1570)[3], pintor holandés, que visitó en 1541 Italia y permaneció algún tiempo en Roma y en Mantua y, posiblemente, también en Venecia y en Génova. En 1548 abrió un taller grande en Antiverpen, en el que tuvo muchos colaboradores. Es el principal representante de la tendencia artística romana.

Las tres diosas, Hera, Atenea y Afrodita, lucharon por la manzana de oro, que se adjudicaría a la más bella entre las tres. Zeus, el padre de los hombres y de los dioses, mandó al pastor Paris que decidiera entre las tres diosas. Hermes, el mensajero de los dioses, condujo a las diosas al monte Ida, donde Paris pastoreaba sus rebaños. Las tres intentaron seducir al juez. Paris zanjó la disputa declarando a Afrodita la diosa más bella, sobornado por la diosa que le prometió el amor de Helena, la mujer más bella del mundo, según cuentan Higinio en sus *Fábulas* y Ovidio en sus *Heroidas* V, 35 y ss., 16.71 y ss. Este cuadro es la obra principal de este artista; se data en 1548, a comienzos de su carrera. Algún detalle del cuadro indica bien claramente sus conocimientos profundos de la Antigüedad, como las ruinas del fondo, la victoria alada y, especialmente, el sarcófago convertido en fuente con la imagen del río Escamandro, que corría por el monte Ida. El niño tumbado delante de Afrodita es copia de la escultura conservada en el Jardín del Belvedere de Roma. Todos los personajes que participan en la acción, salvo Hermes, están desnudos o semidesnudos. El paisaje es de gran novedad entre las representaciones del mito, al estar Paris sentado a la sombra de un árbol. Lleva el cayado de pastor que le identifica.

---

[2] Para la iconografía de este mito en el arte antiguo véase *LIMC* VIII.1, págs. 179-188; VIII.2, págs. 105-124; y en el arte occidental, J. D. Reid, *The Oxford Guide to Classical Mythology in the Arts 1300-1990s*, Nueva York, 1993, págs. 821-831 (en adelante *OCMA)*. Una de las mejores representaciones del mito en la Antigüedad se halla en un mosaico de Casariche (Sevilla), fechado en el siglo IV (J. M. Blázquez, *Mosaicos romanos de España*, Madrid, 1993, págs. 421-422).

[3] B. Schnackenburg, *Gemäldegalerie Alte Meister: Gesamtkatalog*, Maguncia, 1996, página 118, lám. 8, cat. 1001.

El segundo cuadro es obra del holandés Moses van Uyttenbroeck (1595/1600-1646/11647), que desde 1638 trabajó para el gobernador Frederik Hendrik. Recurre fundamentalmente a temas mitológicos y bíblicos en sus pinturas.

Su *Juicio de Paris* está inspirado en el *Asno de oro* de Apuleyo[4]. La escena es totalmente diferente de la composición anterior. Las diosas están vestidas y situadas delante de Paris, semidesnudo, sentado en el suelo junto a dos vacas, próximas a unos corpulentos árboles. Al lado derecho corre un rico río debajo de un puente; al fondo del paisaje crece un típico arbolado. Las tres diosas se representan de diferente manera. Afrodita presenta su cuerpo desnudo, Juno lleva una corona, un cetro y un collar de perlas, símbolos de poder y de riqueza y Minerva ofrece la victoria en la guerra.

Franz Ludwig Raufft[5] (1660-1719) es el autor del tercer cuadro con este mito, conservado en la Galería de Kassel. Estudió arte en París y en Italia. Trabajó en Roma, donde llegó a ser miembro de la Sociedad de Pintores de los Países Bajos. Vendió varios cuadros a la corte de Kassel. Fue pintor de esta corte desde 1709.

La escena en este cuadro se desarrolla en la foresta del monte Ida, junto al río. Paris sentado sobre una roca, está acompañado de su perro. Las tres diosas se encuentran ante del pastor. Afrodita, vencedora, está sobre un peñasco, las otras diosas en la ribera. El cuadro, de tonalidades oscuras, presagia tormenta.

Allessandro Turchi (Verona, 1578-Roma, 1649)[6] pintó también un *Juicio de Paris* guardado en este museo. Su arte está influido por la obra de Carracci. Entre 1614 y 1615 trabajó en Roma. El artista expresa magníficamente en los rostros de las tres diosas el resultado de la competición. Paris entrega la manzana de oro a Afrodita, cuyo gesto denota una gran alegría. Los cuatro personajes se presentan semidesnudos. Las dos diosas descartadas en la competición expresan actitudes despreciativas.

Cornelis van Poelenburch (1594/1595-1667), artista holandés, del año 1617 a 1625 residió en Roma, estancia que interrumpió para ser pintor de la corte de Cosimos II en Florencia. En 1628 trabajó también en la corte del gobernador Haag. Entre 1617 y 1641 sirvió, igualmente, al rey Carlos I de Inglaterra. Este autor cambió el paisaje en el *Jui-*

[4] B. Schnackenburg, *op. cit.*, pág. 300, lám. 106, cat. 190.

[5] B. Schnackenburg, *op. cit.*, págs. 272-228, lám. 227, cat. 1202.

[6] B. Schnackenburg, *op. cit.*, pág. 299, lám. 328, cat. 542.

cio de Paris[7] según el modelo de la comedia titulada *Paris Oordeel* de P. C. Hooft. Presenta la situación antes de celebrarse el juicio. Las diosas discuten si deben someterse a la decisión de un mortal, mientras Paris recibe ciertas indicaciones del dios Mercurio, mensajero de Zeus, que se acerca a las diosas por la espalda. Dos diosas se presentan semidesnudas. Hacia las diosas camina un jovencillo desnudo.

Juicio de Midas

El Museo de Kassel conserva un cuadro con el *Juicio de Midas,* obra del taller de Hendrick van Balen *(ca.* 1565-1632)[8]. Según el mito, Pan descubrió la flauta de los pastores en el país de Midas, rey de Frigia; pidió a Apolo, dios de la música, que se celebrase un concurso musical. El árbitro sería Tmolus, rey de Lidia, que concedió la victoria a la música de la lira de Apolo. Midas, que estaba enamorado de la flauta de Pan, rechazó la victoria de Apolo. En castigo a su estupidez, Apolo le tiró de las orejas y las transformó en las de un asno. El poeta Ovidio, contemporáneo de Augusto, en sus *Metamorfosis* (XI.85 y ss.) cantó este mito, al igual que lo hizo Higinio en sus *Fábulas* (191 y 274).

Vincenzo Damini (Venecia, 1695/1696-Acquila, 1749) pintó un *Juicio de Midas* que fue comprado antes de 1730[9] por el duque Carlos. Se detecta en esta composición un influjo de la pintura caracterizada por los contrastes de luz y sombra, propios del arte de Giovanni Battista Piazzetta. La distribución de los personajes es muy original. Apolo, tocando la lira, se sienta en un gran trono rodeado de personajes semidesnudos que le observan atentamente.

Del taller del holandés Pieter Lastman salió un *Juicio de Midas,* el tercero que conserva la Gemäldegalerie de Kassel[10]. Este pintor holandés vivió en Ámsterdam de 1583 a 1633. A partir de 1602 pasó varios años en Italia, sobre todo en Venecia y Roma. El mito se sitúa en la falda de una montaña. El rey está sentado y rodeado de un numeroso séquito.

---

[7] B. Schnackenburg, *op. cit.,* pág. 219, lám. 111, cat. 542.

[8] B. Schnackenburg, *op. cit.,* págs. 45-46, lám. 26, cat. 1013. Para la iconografía del mito en el arte antiguo véase *LIMC,* VIII.1, pág. 847; en el arte occidental, *OCMA,* págs. 662-665.

[9] B. Schnackenburg, *op. cit.,* pág. 100, lám. 349, cat. 873.

[10] B. Schnackenburg, *op. cit.,* pág. 168, lam. 197, cat. 188.

El Hades

Una pintura anónima, obra de un artista de los Países Bajos, datada en torno a 1575, representa al Hades[11] según la descripción de Virgilio en el libro VI de la *Eneida,* cuando Eneas baja a los infiernos. Este mito simboliza el paso de la vida humana a los campos Elíseos o al Orco. La composición es una alegoría del camino de la vida de la humanidad a través de los vicios y virtudes con la posibilidad de mejorar la situación hacia la felicidad. La escena se sitúa en el interior de una cueva con dos entradas. A través de la entrada de la izquierda se ve un río serpenteante. En el centro de la composición se encuentra, de pie, un esqueleto que indica el paso de la vida a la ultratumba. A la izquierda se apelotonan todos los personajes desnudos. Son los difuntos, ya desposeídos de todas las cosas que han usado durante la vida. A la derecha caminan hacia el Hades los vivos. Unos son ricos, como lo indican bien los vestidos lujosos, y otros miserables, pues visten andrajos.

Los griegos representan a Hades en varias ocasiones: en un mosaico de Macedonia[12], en una pintura de Orco II, entre los etruscos[13], y

---

[11] B. Schnackenburg, pág. 1208, lám. 16, cat. 1177. En el arte antiguo, *LIMC,* IV.1, págs. 384-388; IV.2, págs. 219-221; 224-226. En el Hades griego se representan algunos condenados a castigo. En el arte Occidental, *OCMA,* págs. 480-489.

[12] M. B. Sakellariou, *Macedonia: 4000 years of Greek History and Civilization,* Atenas, 1994, págs. 96-97; C. Bearzot (ed.), *I macedoni: da Filippo II alla conquista romana,* Milán, 1993, págs. 5, 157-159, 184-186; J. J. Pollitt, *El arte helenístico,* Madrid, 1989, págs. 307-310. Fechada entre 340-330 a.C., la de Virginia.

[13] M. Pallottino, *La peinture étrusque,* Ginebra, 1953, pág. 97. Tumba Golini I, Orvieto, de las últimas décadas del siglo IV a.C. con los difuntos de las familias Lecate y Leinie delante de Hades y de Perséfone. Tumba de Orco II, Tarquinia, del siglo II a.C., con Hades y Proserpina entronizados. A La izquierda se halla Gerión. Estas pinturas son la escena más completa de mundo de ultratumba, derivada posiblemente de la célebre *Nekyia* (país de los muertos), pintada en Delfos por Polignoto de Tasos (A. Blanco, *Arte griego,* Madrid, 1982, págs. 191-197). Comenzando la descripción por la izquierda se encuentran Ayas y las sombras de los muertos, evocadas por Tiresias. Al otro lado, Agamenón. A la derecha de la antigua entrada se pintó el suplicio de Sísifo. Al comienzo de la pared de la tumba se halla el héroe Teseo, amenazado por el demonio terrorífico Tuchulca. También se representa un demonio alado y un joven servidor junto a una mesa del banquete místico (M. Pallottino, *op. cit.,* págs. 111-114; S. Steingräber, *Catalogo ragionato della pittura etrusca,* Milán, 1985, págs. 284, 339, láms. 128-134). El Hades etrusco estaba poblado de terroríficos demonios, masculinos y femeninos, alados, antecedente de los demonios cristianos: tumba de Anina, Tarquinia, de la segunda mitad del siglo III a.C. (S. Steingräber, *op. cit.,* págs. 287-288, láms. 11-12), etc.

en varios vasos apulios[14], fechados en el 330 a.C. Los artistas cristianos representaron frecuentemente el infierno, o el *Juicio Final*, equivalente del Hades griego, como Luca Signorelli, Miguel Ángel, Stefan Lochner, autor desconocido conservado en el Museo Nacional de Lisboa, Rodin *(Puerta del Infierno)*, Antony Caro *(Juicio Final)*, etc. Philips Ryland ha rememorado los primeros antecedentes del tema del *Juicio Final* en el arte de Occidente.

LAOCONTE

Theodor Rombouts (1597-1637) pintó un Laoconte ceñido por los anillos de unas serpientes[15] que rodean su cuerpo, acompañado de sus dos hijos. Como otros pintores holandeses, visitó Italia desde 1616, y estuvo en Roma en 1620. En 1625 fue maestro de pintura en su ciudad natal. Su obra acusa influencia de Rubens y de los seguidores de Caravaggio.

Laoconte era sacerdote de Apolo en Troya. Apolo lo odiaba por hacer el amor delante de su estatua, lo que era un sacrilegio. Los troyanos encargaron a Laoconte que ofreciera el sacrificio de un toro para que el dios del mar, Poseidón, acumulase tempestades en el momento en que los griegos simulaban que se retiraban y abandonaban el cerco de Troya. En el momento en el que Laoconte se disponía a sacrificar el toro, salieron del mar gigantescas serpientes y mataron al padre y a los dos hijos[16].

---

[14] A. Eliot, *Mitos*, Barcelona, 1976, págs. 282-283. En un jarro de Apulia, datado en torno al 330 a.C., se representa magníficamente la concepción del hombre griego sobre la ultratumba. Hades está entronizado en el interior de un templete. Delante se encuentra Perséfone, de pie, con un cetro flamígero en la mano. En el ángulo superior derecho se hallan los dos amigos, Teseo y Pirítoo, delante de Dice, la diosa de la justicia. Debajo se encuentran los tres jueces infernales: Eaco, Triptólemo y Radamanto. En la parte superior izquierda, Megara lamenta la muerte de los hijos de Héracles. Debajo, Orfeo conduce un grupo de difuntos hasta el templete. Bajo éste, Héracles sujeta al Cancerbero encadenado junto a Hermes, mensajero de los dioses; ambos descendieron sin daño al Hades. Delante, Hécate sostiene las teas encendidas. A los lados, Sísifo y Tántalo expían sus delitos.

[15] B. Schnackenburg, *op. cit.*, págs. 253-254, lám. 61, cat. 947. Para la iconografía de este mito en el arte antiguo *LIMC*, VI.1, págs. 96-201; VI.2, pág. 95; en el arte occidental, *OCMA*, págs. 624-626.

[16] M. Bieber, *The Sculpture of the Hellenistic Age*, Nueva York, 1955, págs. 135-135, figuras 530-533; J. J. Pollitt, *op. cit.*, págs. 204-205, s. I. Obra de Hegesandro, Polidoro y Atenodoro de Rodas.

Posiblemente este cuadro es obra temprana de su carrera. La postura violenta del sacerdote, que quiere librarse de los anillos de las serpientes que estrangulan su cuerpo, se documenta ya en la pintura de Guido Renis *Atalanta e Hipomenes,* obra de 1618, conservada en el Museo del Prado. El fondo de la composición es oscuro, color que da un carácter tétrico a la escena, acentuado por yacer muerto ya detrás del sacerdote de Apolo uno de los hijos. El segundo, aterrorizado, intenta librarse de la serpiente, que, enroscada en el hermano y en el padre, se dirige hacia él para estrangularlo (Higinio, *Fáb.* 14.135; Virgilio, *En.* II, 199 y ss.).

Diana y Acteón

Hendrick van Balen, en compañía de J. Brueghel el Viejo, representó el mito de *Diana y Acteón*[17] en un cuadro que compró el duque Carlos en 1730.

Según el mito, casualmente, el cazador Acteón, al pasear por los bosques, contempló a la diosa de la caza Diana que se bañaba en compañía de su séquito de jóvenes muchachas, todas desnudas. La diosa convirtió al cazador en un ciervo echándole unas gotas de agua encima. Sus propios perros lo devoraron, según la narración del poeta Ovidio en sus *Metamorfosis* (III, 138 y ss.).

La acción la sitúan, siguiendo la narración de Ovidio, en un bosque. Diana se queda estupefacta al ver pasar a Acteón delante de ella. Tres Ninfas se quedan atónitas ante Acteón, que pasea tranquilamente por el bosque.

Hendrick van Balen y J. Tíleus representaron el mismo mito[18]; la composición en este cuadro es de una gran originalidad. La escena se sitúa en un camino que atraviesa un frondoso bosque junto a un río.

---

[17] B. Schnackenburg, *op. cit.*, págs. 44-45, lám. 25, cat. 64. Para la iconografía en el arte antiguo véase *LIMC*, I.1, págs. 464-465; 1.2, págs. 145-303. En mosaicos hispanos, J. M. Blázquez, *Mosaicos romanos...*, *op. cit.*, pág. 405; G. López Monteagudo y M. P. San Nicolás Pedraz, «El mito de Europa en los mosaicos hispano-romanos: análisis iconográfico e interpretativo», *Espacio, Tiempo y Forma*, 8 (1995), págs. 381-436; *ídem*, «La iconografía del *Rapto de Europa* en el Mediterráneo Occidental: a propósito de una lucerna de Sássari», *L'Africa Romana*, 1991, págs. 1005-1018; *ídem*, «Astarté-Europa en la Península Ibérica, un ejemplo de *Interpretatio* romana», *Complutum*, Extra 6.1 (1996), págs. 451-470. En el arte occidental, *OCMA*, págs. 17-25.

[18] B. Schnackenburg, *op. cit.*, pág. 45, lám. 26, cat. 63.

Las Ninfas, semidesnudas, se agrupan en ambas riberas, mientras Acteón se halla sentado tranquilamente.

Diana y las Ninfas

Del taller de Pedro Pablo Rubens es un cuadro que representa a Diana saliendo a cazar acompañada de Ninfas, de hombres y de perros[19].

El pintor flamenco Abraham Janssens (Antwerpen, 1575-1632) se formó artísticamente en Roma, donde recibió la influencia de Rubens y de Caravaggio. Pintó un cuadro con Diana, desnuda, recostada en el suelo, acompañada de Ninfas y de un amorcillo, que dispara el arco. Dos sátiros a la sombra de un árbol escuchan atentamente. La vista de Diana y de su séquito estaba vedada a los mortales y se castigaba con su muerte[20].

El pintor italiano Luca Cambiaso, que trabajó dos años para Felipe II, desde 1583 hasta su muerte, hizo un cuadro con el mito de Diana cuando descubre el embarazo de Calisto, Ninfa de su séquito seducida por Zeus. Calisto está arrodillada, con el rostro compungido, rodeada de Diana y de otras Ninfas, todas desnudas. Diana, como castigo, la transformó en osa, según Ovidio (*Met.* II, 442 y ss.; Higinio, *Fáb.* 155, 17-177)[21].

Baco y sus acompañantes

Los mitos báquicos han inspirado frecuentemente a los artistas de todas las épocas y de todas las tendencias hasta el presente.

Jacob Jordaens (Antwerpen, 1593-1678) realizó un *Triunfo de Baco.* En 1615 fue maestro de pintura en la Escuela de San Lucas y en 1621 decano de esta prestigiosa institución. Muertos Rubens y Van Dyck llegó a ser el tercer artista más importante del barroco flamenco y el pintor más cotizado en el norte de Europa. Su arte es de gran originalidad. En su cuadro, Baco, desnudo, es un joven coronado con un racimo de uvas; sostiene en su mano derecha el tirso, decorado también con racimos de uvas y coronado por una copa de la que sale una llama, de-

[19] B. Schnackenburg, *op. cit.*, pág. 269, lám. 42. cat. 93. Para la iconografía de este mito en el arte occidental, *OCMA*, págs. 215-232, 346, 706-722, 985-986.

[20] B. Schnackenburg, *op. cit.*, págs. 150-151, lám. 54, cat. 83.

[21] B. Schnackenburg, *op. cit.*, págs. 75-76, lám. 293, cat. 948.

talle de gran novedad. Sus seguidores se agolpan a su alrededor. De sus tradicionales acompañantes, Sátiros, Ménades, Pan y Silenos, sólo está presente en este cuadro un Sátiro. La comitiva expresa magníficamente en sus gestos la alegría de la vida humana, y más cuando corre el vino de por medio. Un joven bebe el sabroso licor de una voluminosa botella.

El mencionado pintor holandés Moses van Uyttenbroeck realizó otro *Triunfo de Baco*[22]. El artista sigue la descripción de Ovidio *(Met.* IV, 24 y ss.) y la de Higinio *(Fab.* 2, 4, 129, 132, 134, 167, 169), y destaca la belleza de Baco desnudo y entronizado entre sus jóvenes seguidores, que van desnudos; Sileno, como de costumbre, hombre maduro, barbudo y panzudo, cabalga un asno.

Venus, Cupido, Baco y Ceres

Pedro Pablo Rubens, pintor que trabajó para la corte de España, prestó atención a este mito. En él, las diosas Ceres y Venus están colocadas una enfrente de la otra, totalmente desnudas. Venus está sentada en el suelo, y Cupido, alado, se encuentra a su espalda. Delante de la diosa semiarrodillada, se halla Ceres, con corona de cereales sobre la cabeza, atributo de la diosa. Sostiene un cesto repleto de ofrendas. Entre ambas diosas se encuentra el joven Baco, que ofrece a Venus una fuente[23] llena de vino y a su acompañante Cupido un racimo de uvas. Esta escena se basa en un refrán de la obra del poeta romano Terencio, que dice: «sin comida y sin bebida no hay amor». Como prototipo para la imagen de Ceres, arrodillada, se puede recordar la escultura de época helenística de Doidalsas de Bitinia.

Cornelis van Poelenburch, pintor holandés del siglo XVII, se ocupó del mito de Venus, Baco y Ceres en las nubes. Venus es una dama de cuerpo carnoso, sentada desnuda; delante de la diosa, desnuda también, se encuentra Ceres de espaldas. Entre ambas, un joven Baco de pie levanta una copa llena de vino[24].

---

22 B. Schnackenburg, *op. cit.*, págs. 259-260, lám. 37, cat. 83.

23 B. Schnackenburg, *op. cit.*, págs. 259-260, lám. 37, cat. 85. Para la iconografía de este mito en el arte occidental véase *OCMA*, pág. 351.

24 B. Schnackenburg, *op. cit.*, pág. 220, lám. 112, cat. 193.

Baco y sus acompañantes como alegoría del otoño

El pintor alemán Ottmar Elliger el Joven (Hamburgo, 1666-San Petersburgo, 1735) representó este mito[25]. Se sitúa en la falda del Parnaso, lugar de culto a las Musas. Baco descansa sentado en el suelo, recostado contra el cuerpo desnudo de Ceres, bien caracterizada por los frutos del campo y por las espigas y flores. Acompañan a los dioses tres amorcillos.

Bodas de Baco y de Ariadna en Naxos

Al pintor alemán Johann Georg Platzer (1704-1761), que vivió en el sur de Tirol y perteneció a la Academia de Viena, se debe la representación del mito de *La boda de Baco y Ariadna en Naxos*[26]. La feliz pareja ocupa el centro de la composición. Baco está de pie, desnudo, con la cabeza coronada y levanta su brazo izquierdo en señal de felicidad y de alegría. Ariadna, a su lado, vestida, está sentada, mientras contempla embelesada a su esposo. Una multitud feliz de Ménades, Sátiros, Silenos, Pan, bailotean próximos a la pareja. La escena se ubica en el campo[27] (Ovidio, *Heroidas* X; *Met.* 164 y ss.).

Girolamo Troppa, artista italiano nacido en Rocchette/Sabina, que en 1710 marchó a Roma, es autor de una *Boda de Baco y Ariadna*[28]. La hija del rey cretense Minos, que salvó a Teseo del Laberinto, fue abandonada en la isla de Naxos, donde Baco la encontró y se casó con ella. La escena en este cuadro se coloca al aire libre, como en la composición anterior. A la derecha baila un cortejo de Ménades semidesnudas de abultados senos. La Ménade que encabeza la comitiva toca un pandero, como es habitual. El centro de la composición lo ocupan Ariad-

---

[25] B. Schnackenburg, *op. cit.*, pág. 114, lám. 281, cat. 1160. Sobre los mitos de Dionisos véase: K. M. D. Dunbabin, *The Mosaics of Roman North Africa: Studies in Iconography and Patronage,* Oxford, 1978, pásg. 173-187; J. M. Blázquez, *Mosaicos romanos...*, págs. 275-332.

[26] Sobre su iconografía en el arte antiguo véase *LIMC,* III.1, págs. 484-488; III.2, págs. 445-446. M. Fuchs, «La mosaïque dite de Bacchus et Ariane à Vallon», *CMGR VIII,* págs. 190-204 con paralelos. En el arte occidental, *OCMA,* págs. 362-369.

[27] B. Schnackenburg, *op. cit.*, pág. 217, lám. 288, cat. 646.

[28] B. Schnackenburg, *op. cit.*, pág. 298, lám. 322, cat. 977.

na sentada, semidesnuda, que contempla embelesada a Baco, colocado delante de ella, semidesnudo, que dirige la cabeza al cielo y se apoya en un tirso pelado. A la izquierda del cortejo de Ménades cabalga un asno Sileno, ebrio, al que sostienen los acompañantes para que no se caiga de la caballería. Varios amorcillos revoletean por el cielo. Delante de la pareja se encuentran desnudas un par de Ménades. Un Sátiro ofrece a la pareja un jarro de bronce lleno de vino. El mito de las bodas de Baco y Ariadna gozó de gran aceptación entre los musivarios del Mundo Antiguo, y se lograron obras de gran calidad artística, como el pavimento de Macedonia[29] y un segundo de Mérida fechado en torno al año 400[30]. El mito reaparece, frecuentemente, con carácter funerario en los sarcófagos de época imperial[31] (Higinio, *Fáb.* 2, 4, 129, 132, 134, 167, 179; Ovidio, *Met.* III, 259 y ss.; 581 y ss.; IV, 512 y ss.; V, 38 ss.; *Faust.* I, 353 y ss.; VI, 489 y ss.).

Bacanal infantil

El pintor flamenco Thomas Willeboirts Bosschaert (Bergenopzomm 1613/1614-1657) es el autor de una escena báquica de gran originalidad, que lleva por título *Bacanal infantil*[32]. A la izquierda del cuadro, un niño tumbado, colocado de perfil, duerme encima de una sábana, que levanta una muchacha colocada detrás de un árbol. A él se dirigen tres *putti,* desnudos. Dos de ellos conducen al tercero. Dos están coronados con ramos de flores y de pámpanos de uva, respectivamente. Un niño sentado bebe de una garrafa y un compañero levanta una copa para que se la llene de vino. Situado de espaldas, se sienta en el suelo un niño que sostiene una jarra colocada sobre un puchero redondo, agallonado y tapado con una tapadera. Al lado del joven está colocado un cesto lleno de racimos de uvas y de manzanas. El mito se desarrolla bajo un lienzo.

---

[29] D. Pandermalis, *Macedonia: The Historical Profile of Northern Greece,* Tesalónica, 1992, págs. 44-45.

[30] A. Blanco, *Mosaicos romanos de Mérida,* Madrid, 1978, pág. 34, lám. 26.

[31] R. Turcan, *Les sarcophages romains à représentations dionysiaques: essai de chronologie et d'histoire religieuse,* París, 1966, págs. 463, 476, 480-484, 489-491, 498-506, 510-535, 576-578.

[32] B. Schnackenburg, *op. cit.,* 325, lám. 61, cat. 132. Para la iconografía en el arte occidental, *OCMA,* págs. 258-272.

Sileno ebrio

Del taller de Rubens salió un cuadro que representa a Sileno, maestro de Baco, que destaca por su sabiduría entre los acompañantes del dios, ebrio, desnudo, con tupida barba, gordo e inclinado hacia un cesto de uvas. Sileno seguía a Baco siempre en su peregrinar por montañas y por bosques[33].

Hércules borracho

Del mismo taller procede un Hércules borracho. Este es un hombre joven, barbado, que camina tambaleándose, apoyado en una Ménade y en un Sátiro que lleva un jarro de vino. A las espaldas del Sátiro se encuentra un hombre[34]. En los mosaicos romanos báquicos marcha frecuentemente Hércules borracho[35]. Simboliza la vida viciosa.

Ninfas y Sátiros

Un cuadro con este mito es una copia del pintor holandés Gerard van Honthorst. Se representa una Ninfa en el lienzo, desnuda de la cintura para arriba, sentada, despreocupada, con el brazo izquierdo apoyado en la cabeza, que sonriente mesa la barba a un Sátiro, desnudo, que ríe. El mito es un símbolo de la pareja feliz.

Un seguidor del arte del pintor holandés Cornelis van Poelenburch realiza un cuadro en el que pinta a un Sátiro que descubre a una ninfa tumbada sobre una roca en el campo, un día en que el cielo amenaza con una tormenta[36].

Las Ninfas son jóvenes que habitan los campos, los bosques y las aguas. Personifican los espíritus de los campos y simbolizan la fecun-

---

[33] B. Schnackenburg, *op. cit.*, 263, lám. 41, cat. 94. En el arte antiguo, *LIMC,* VIII.1, págs. 119-120; VIII.2, págs. 761-763. En el arte occidental *OCMA,* págs. 1000-1004.

[34] B. Schnackenburg, *op. cit.*, pág. 264, lám. 41, cat., 84. En el arte antiguo, *LIMC,* VI.1, pág. 459; VI.2, págs. 147-148. Hércules en el arte occidental, *OCMA,* páginas 510-560.

[35] J. M. Blázquez, *Mosaicos romanos..., op. cit.*, págs. 293-294; J. Lancha, *Mosaïque et culture dans l'Occident romain (Ier-IVe s.),* Roma, 1997, pág. 237.

[36] B. Schnackenburg, *op. cit.*, pág. 220, lám. 112, cat. 1055. Sobre la iconografía en el arte occidental, *OCMA,* págs. 977-984.

didad de la naturaleza. En la obra de Homero eran hijas de Zeus y a ellas se dirigían plegarias. Habitaban las grutas, donde pasaban el tiempo cantando o bailando. Con cierta frecuencia acompañan en la caza a Artemis, hermana de Apolo nacida en Delos (Homero, *Iliada* XX, 8 y ss.; XXIV, 615 y ss.; *Odisea,* X, 349 y ss.; XVII, 240; Porfirio, *Antro de las ninfas).* Los Sátiros, llamados también Silenos, son genios de la naturaleza, incorporados al cortejo de Dionisio. Una veces se les representaba como machos cabríos, otras veces con la parte inferior del cuerpo en forma de caballo. Tenían siempre el miembro viril erecto (Homero, *Himno a Afrodita,* 262; Str. X, 471).

Sátiro entre campesinos

El pintor flamenco Jacob Jordaens trata este tema en un cuadro. En él se sienta un Sátiro, con barba, desnudo, de semblante serio, a la cabecera de una mesa, comiendo en compañía de campesinos. Enfrente se encuentra una madre con su niño en brazos. En el centro de la mesa un joven barbudo sopla una cuchara. A su lado, de pie, una vieja de cara arrugada, cubierta la cabeza con un sombrero picudo, habla con el Sátiro, mientras dos mozalbetes contemplan la escena[37] con gran atención.

Una escena parecida la realiza por segunda vez el mismo artista con ciertas variantes en los personajes presentes y en el local. El gato tumbado de la primera pintura es en la segunda un perro sentado debajo de la mesa[38].

Escena báquica

Un último mito báquico de los expuestos en la Gemäldegalerie Alte Meister de Kassel cabe recordar[39]. El cuadro salió de los pinceles del pintor francés Nicolas Poussin (1594-1665). El contenido del mito no es totalmente claro. Las figuras principales, generalmente, se interpretan como Pan, arrodillado, cabalgado por Venus. Delante, Cupido lleva los atributos de Pan, la flauta y el tirso. Un amorcillo apoya a la diosa, mientras que un Fauno carga a sus costillas una cesta, una jarra de vino

[37] B. Schnackenburg, *op. cit.,* pág. 152, lám. 48, cat. 101. Para la iconografía de los Sátiros en el arte occidental, *OCMA,* págs. 966-976.

[38] B. Schnackenburg, *op. cit.,* pág. 163, lám. 52, cat. 102.

[39] Sobre Baco en el arte occidental, *OCMA,* págs. 272-285.

y un *pedum,* el callado báquico. El mito se sitúa en un bosque[40]. Pan es el dios de los pastores y de los rebaños, originario de la Arcadia. Se le representa con un cuerpo mitad hombre y mitad animal, con dos cuernos sobre la frente. Vive en la sombra de los bosques, junto a las fuentes. Persigue a las Ninfas y a las muchachas. Formaba parte del cortejo de Dioniso (Homero, *Himno a Pan;* Ovidio, *Fast.* II, 267 y ss.; IV, 762; Macrobio, *Saturnalia* V, 22, 9 y ss.). Silenos son los Sátiros ancianos (Apodoro, *Biblioteca* II, 5, 4; Virgilio, *Bucólicas* VI).

FIESTA DE BACO

Gérard de Lairesse (1640-1711), principal representante del academicismo holandés, sitúa *La fiesta de Baco* en un campo boscoso, en el que se hallan una crátera, una escultura y una edificación clásica. Baco semidesnudo, con la cabeza coronada, apoyada en el tirso, ocupa el centro de la composición. Sus acompañantes se divierten tranquilamente al son del pandero y de flautas[41].

ZEUS Y CALISTO

Pedro Pablo Rubens pintó el mito de Zeus y Calisto, Ninfa del séquito de Diana, que quedó embarazada por Zeus, que se aproximó a la Ninfa metamorfoseándose como Diana. Calisto, desnuda, está echada en el suelo y Zeus, arrodillado, semidesnudo, acaricia a la Ninfa para convencerla de que acepte sus amores. El águila, atributo de Zeus, con las alas extendidas, contempla atenta la escena, que se sitúa en un bosque, junto a un río (Higinio *Fáb.* 125; Ovidio *Met.* V, 13-28).

MELEAGRO Y ATALANTA

Del taller de Rubens procede un cuadro con este mito. Su autor es el holandés Adriaen van der Werff (Roterdam, 1659-1722)[42]. El mito cuenta que Diana envió como castigo un jabalí, que arrasó los alrede-

---

[40] B. Schnackenburg, *op. cit.,* pág. 222, lám. 359, cat. 459.

[41] B. Schnackenburg, *op. cit.,* pág. 260, lám. 37, cat. 86.

[42] B. Schnackenburg, *op. cit.,* pág. 322, lám. 219, cat. 944. En el arte antiguo *LIMC,* VI.1, pág. 418; VI.2, págs. 211-212. En mosaicos hispanos, J. M. Blázquez, *Mosaicos romanos..., op. cit.,* 413-414. Meleagro y Atalanta en el arte occidental, *OCMA,* págs. 655-657.

dores de Calidón, por la negligencia de sus habitantes en cumplir los sacrificios. El rey Oineus ofreció una recompensa al que trajera la piel del animal. Su hijo Meleagro, acompañado por los héroes de Grecia y Atalanta, amada por Meleagro, participan en la caza de la fiera. El cuadro presenta a ambos amantes en amigable conversación, con el jabalí ya muerto[43], acompañados de un joven que toca la trompeta de caza.

Atalanta e Hippomenes

Obra del artista holandés Bartholomeus Breenbergh (Deventer, 1598-Ámsterdam, 1657)[44]. Durante diez años, a partir de 1619, trabajó en Roma. Según el mito, Atalanta no quiso casarse y se mantuvo virgen, consagrada a Artemis. Al igual que la diosa, cazaba en los bosques. Para alejar a los pretendientes anunció que su esposo sería el que la venciera en la carrera. Corría con una lanza, y atravesaba con ella al que le adelantaba. Afrodita entregó a Hippomenes tres manzanas de oro, que dejaba caer al suelo cuando Atalanta se adelantaba en la carrera. Por cogerlas perdió la carrera, según Ovidio *(Met.* X, 599 y ss.; XI, 195 y ss.; *Fast.* II, 628 y ss.; III, 853 y ss.; Higinio, *Fáb.* 1-4)[45]. El artista representa en el cuadro la carrera de los participantes en tamaño diminuto. En primera fila se encuentran los cadáveres de los competidores a los que Atalanta ha dado muerte.

La niñez de Zeus

Del taller del holandés Jacob Jordaens salió un cuadro del mito con la niñez de Zeus[46]. Una dama desnuda, arrodillada, ordeña una cabra. A sus espaldas un viejo Pan ofrece un cuerno de leche al niño Zeus[47]. El mismo artista realizó el mismo mito con ligeras variantes. Añadió a la escena una dama sentada con un jarro, que contempla la

[43] B. Schnackenburg, *op. cit.*, págs. 263-264, lám. 41, cat. 88.

[44] La iconografía de este mito en el arte antiguo, *LIMC,* V, pág. 465; V.2, pág. 328. En el arte occidental, *OCMA,* págs. 237-239.

[45] B. Schnackenburg, *op. cit.*, 68, lám. 114, cat. 207.

[46] Este mito en el arte antiguo, *LIMC,* VIII.1, pág. 317. En el arte occidental, *OCMA,* págs. 1068-1107.

[47] B. Schnackenburg, *op. cit.*, pág. 163, lám. 54, cat. 104.

escena, mientras un viejo Sileno toca la doble flauta[48]. Según el mito, Zeus era hijo del Titán Cronos y de Rea. Un oráculo había advertido a Cronos que un hijo le destruiría; para liberarse de esta amenaza, Cronos devoraba a sus hijos. Rea, para salvar a su sexto hijo, dio a luz de noche a Zeus, en secreto, y por la mañana entregó a su esposo una piedra envuelta en pañales. La infancia de Zeus se desarrolló en un antro cretense, donde su madre lo confió a las Ninfas; su nodriza fue la Ninfa o cabra Amaltea, que le dio su leche (Calímaco, *Himno a Zeus).*

Zeus y Danae; Venus en la fragua de Vulcano

Dos cuadros de lino unidos fueron realizados para el duque Carlos. En cada uno de ellos se representó un mito diferente. Uno se refiere a Danae, hija del rey de Argos, Acrisios, que encerró a su hija en una torre para evitar que quedara en estado, pues un oráculo le había profetizado que el hijo que naciera mataría al abuelo. Zeus se enamoró de Danae y se acercó a ella metamorfoseándose en figura de lluvia de oro (Ovidio, *Met.* IV, 609 y ss.; Higinio, *Fáb.* 63, 155, 224). En el segundo se encuentra la fragua del esposo de Venus, Vulcano. Estos dos cuadros fueron diseñados para el comedor del desarapecido castillo de Kassel[49]. Tanto Danae como Venus yacen recostadas, semidesnudas[50].

Plutón y Proserpina

Este mito es obra del pintor holandés Cornelis van Haarlem (Haarlem, 1562-1638). Plutón desnudo, sentado de espaldas, abraza a su esposa Proserpina, que intenta zafarse de los abrazos de Plutón.

Plutón, hijo de Hades, raptó a Proserpina, hija de Zeus y de Ceres, en un coche de caballos, y la llevó a su reino para convertirla en su esposa. La postura de Proserpina, con el rostro vuelto y el brazo izquierdo extendido, indica que su unión amorosa era forzada[51] (Ovidio, *Met.* V,

---

[48] B. Schnackenburg, *op. cit.*, pág. 159, color, cat. 103.

[49] B. Schnackenburg, *op. cit.*, pág. 227, lám. 276, cat. 1111.

[50] La iconografía de estos mitos en el arte antiguo, *LIMC,* VIII.1, pág. 296; VIII.2, pág. 213; I, págs. 125-127; I.2, pág. 130. En el arte occidental, *OCMA,* págs. 506-509.

[51] B. Schnackenburg, *op. cit.*, 85, lám. 92, cat. 1059. En el arte antiguo, *LIMC,* I, págs. 400-403; LV.2, págs. 212-219, 225, 230-234. En el arte occidental, *OCMA,* páginas 858-862.

341 y ss.). La escena se sitúa en el Hades; al fondo se encuentran los tres jueces infernales, Minos, Radamanto y Aecus, de los que habla Estrabón en su *Geografía* (111.2.13).

«Putti»

El pintor de Cremona, Panfilo Nuvolone (1560-Milán, 1631), en varios cuadros pintó *putti* tocando diferentes instrumentos musicales. Los cuerpos desnudos y gordinflones de los *putti* destacan sobre los fondos oscuros. Las pinturas fueron encargadas para decorar una estancia del Palacio Ducal de Milán, dedicada a la celebración de fiestas y a dar conciertos de música[52].

Herse con sus sirvientas espera a Mercurio

Los pintores flamencos Hendrick van Balen y Jan Brueghel el Viejo representaron el mito de *Herse con sus sirvientas espera a Mercurio.* El primer artista viajó por Italia y permaneció mucho tiempo en Venecia. Entre sus alumnos contó a Anton van Dyck.

Herse era hija del rey del Ática, Cecrops, y amante de Mercurio, mensajero de Zeus. Cuando su hermana Agelauros, por celos, prohibió la entrada en la habitación a Mercurio, convirtió en piedra a la hermana, según Ovidio *(Met.* VIII, 14 y ss.; II, 708 y ss.; 559; 708). En el cuadro, Herse está sentada, acompañada de tres sirvientes, todas desnudas menos una. Un amorcillo vuela y se dispone a coronar a Herse[53].

Mercurio y Battus

El pintor holandés Jacob Pynas (Ámsterdam, 1592) pintó este mito, según el cual, Mercurio, después de robar los bueyes, sobornó al único testigo de su robo, Battus, un viejo pastor, dándole una vaca. Battus prometió al dios ser tan silencioso sobre el robo como una pie-

---

[52] B. Schnackenburg, *op. cit.,* págs. 208-209, láms. 325-326, cat. 240 s.f.

[53] B. Schnackenburg, *op. cit.,* pág. 45, lám. 25, cat. 65. La iconografía de este mito en el arte occidental, *OCMA,* págs. 577-578.

dra. Cuando Mercurio cambió de idea le ofreció un buey más bonito. Battus descubrió dónde se ocultaba el rebaño robado. Entonces Mercurio le transformó en una piedra (Ovidio, *Met.* II, 676 y ss.; Higinio, *Fáb.* 14, 145). La escena está representada en una foresta próxima a un río. El pastor está sentado en una roca y Mercurio delante. Al fondo se encuentran un buey y dos caballos[54].

Mercurio adormece a Argos con la flauta

Al pintor holandés Barent Fabritius (Ámsterdam, 1624-1673) se debe la representación de este mito. Trabajó en Ámsterdam y en Leiden. Según el mito (Ovidio, *Met.* 1, 668 y ss.), Zeus transformó a su amante Io en una vaca para ocultar sus amoríos a su esposa Hera, quien recibió como regalo la vaca. La esposa de Zeus, desconfiando, encargó a Argos, el de los cien ojos, vigilar a la vaca. Para libertar a Io, transformada en vaca, Zeus envió a Mercurio, que adormeció a Argos con la música de su flauta, y le cortó la cabeza. La escena se sitúa junto a un río. Mercurio toca la flauta sentado en una roca junto a Argos, que queda dormido. Dos vacas y dos cabras, estupefactas, contemplan la escena[55].

Narciso se contempla en una fuente

El pintor holandés Daniel Vertangen (Ámsterdam, *ca.* 1608-1681/1684) pintó el mito de Narciso, joven, acompañado de su galgo sentado, contemplando su rostro en una fuente. La escena se sitúa en un bosque[56].

El ciego adivino Tiresias y el pequeño Narciso

Giulio Carpioni (1611-1674), artista veneciano, vivió en Roma después de 1631. Según el mito, la Ninfa Liriope, madre de Narciso, consultó al ciego vidente Tiresias si su hijo llegaría a viejo. Tiresias le respondió afirmativamente, pero con la condición de que no se conocie-

[54] B. Schnackenburg, *op. cit.*, págs. 224-225, lám. 106, cat. 611.

[55] B. Schnackenburg, *op. cit.*, pág. 115, lám. 131, cat. 262. En el arte antiguo, *LIMC,* VI.1, págs. 525-526.

[56] B. Schnackenburg, *op. cit.*, pág. 307, lám. 113, cat. 202.

ra a sí mismo. Muchas doncellas y Ninfas se enamoraron de él sin conseguir su amor. Las doncellas despechadas por Narciso pidieron venganza a Némesis, amada de Zeus y metamorfoseada en cisne. Un día muy caluroso, después de una cacería, se inclinó sobre una fuente para beber y contempló su rostro reflejado en el agua. Narciso se enamoró del reflejo de su rostro y murió muy joven de tristeza (Ovidio, *Met.* III, 339 y ss.). El artista ha elegido el momento en que la madre presenta ante el ciego Tiresias al niño Narciso. Al lado de la madre se encuentran otras damas. Todas están impacientes por conocer el resultado de la consulta[57].

Rapto de Europa

El artista holandés Dirk Bleker (Haarlem, 1622-1672), pintó un *Rapto de Europa* con una gran originalidad[58]. Europa sentada sobre un toro atraviesa a paso lento, acompañada de dos damas, un río[59]. Según el mito, Zeus, enamorado de Europa, se acercó cuando jugaba con sus amigas en la plaza. Zeus se convirtió en un toro blanco. Cuando Europa montó el toro, éste se levantó y se echó al mar y llegó a Creta (Ovidio, *Met.* II, 838 y ss.; *Fast.* V, 603 y ss.; Higinio, *Fáb.* 178).

Sacrificio de Ifigenia

El artista alemán Magnus de Quitter (Kassel, 1694-1744) es autor de un cuadro con el mito del *Sacrificio de Ifigenia*[60]. Según el mito, el rey de Micenas, Agamenón, se paró con el ejército, que se dirigía a sitiar Troya, en la isla de Aulis, debido a la calma de los vientos. El adi-

---

[57] B. Schnackenburg, *op. cit.*, pág. 77, lám. 330, cat. 1158. En el arte antiguo, *LIMC*, VI.1, pág. 703.

[58] Sobre este mito en el arte antiguo, *LIMC*, IV.1, págs. 77-78; IV.2, págs. 32-47. En mosaicos hispanos en J. M. Blázquez, *Mosaicos romanos..., op. cit.*, pág. 401. En el arte occidental, *OCMA*, págs. 421-429.

[59] B. Schnackenburg, *op. cit.*, págs. 62-63, lám. 142, cat. 280.

[60] Sobre la iconografía en el arte antiguo, *LIMC*, V.1, págs. 708-714; 719-722; 729-731; VI.2, págs. 466-467; 473-475. Una de las mejores representaciones de este mito ha aparecido en Ampurias, copia de un cuadro griego, fechado entre los años 360 y 330 a.C., del ambiente pictórico de Nicómaco (390-340 a.C.), de Melantio (370-330 a.C.), de Apeles (360-330 a.C.) y de Action (de la segunda mitad del s. IV a.C.) (J. M. Blázquez, *Mosaicos romanos..., op. cit.*, págs. 388-389). Este mito en el arte occidental, *OCMA*, págs. 559-605.

vino Calcas echó la culpa de la calma al rey, por haber matado una cierva consagrada a Diana. Para tranquilizar a la diosa debía sacrificar a su hija. Agamenón la hizo venir de su patria. Cuando comenzó el sacrificio, Diana ocultó el altar con una nube y se la llevó a Tauris (Ovidio, *Met.* II, 248 y ss.; Eurípides, *Ifigenia en Áulide, Ifigenia en Táuride;* Higinio, *Fáb.* 98, 120, 238, 261). El pintor ha elegido el momento en que Diana ocultó a Ifigenia al ser sacrificada en presencia de su padre[61].

LAS TRES GRACIAS

El artista alemán Bartholomeus Frans Douven (Düsseldorf, 1688) ejerció como pintor de la corte en Colonia. Realizó un cuadro con el mito de las Tres Gracias, desnudas según costumbre, junto a un puteal en el bosque. El fondo de la composición es oscuro, de este modo resaltan los cuerpos jóvenes de las Tres Gracias, Aglaia, Eufrosine y Talia, que pertenecían al séquito de Afrodita[62].

La Gemäldegalerie de Kassel guarda un segundo cuadro con el mismo mito, obra del artista italiano Pietro Liberi (Padua, 1614-Venecia, 1687). Intervienen Venus, Cupido y las Tres Gracias. Venus corona a Cupido (Higinio, *Fáb.* Pref.; Ovidio, *Met.* VIII, 362 y ss.; XVIII, 192 y ss.) con una corona de rosas rojas y blancas[63].

AFRODITA Y CUPIDO

El mito de la entrega por parte de Afrodita a Cupido de una flecha encendida fue representado por el pintor holandés Godfried Schalcken (1643-1706). La diosa Afrodita, hija de Zeus y de la Titánida Dione, vino al mundo de la espuma del mar y fue saludada en Chipre por el dios Cupido. Por encargo suyo encendió Cupido el fuego del amor mediante una flecha ardiente. El artista ha elegido el momento en que Afrodita, semidesnuda, sentada, entrega la flecha ardiendo a Cupido[64]

---

[61] B. Schnackenburg, *op. cit.,* pág. 226, lám. 279, cat. 1071.

[62] B. Schnackenburg, *op. cit.,* pág. 105, lám. 225, cat. 325. Para la iconografía en el arte antiguo, *LIMC,* III.1, págs. 191-205; III.2, págs. 151-167; VI.1, pág. 244. En el arte occidental, *OCMA,* págs. 474-480.

[63] B. Schnackenburg, *op. cit.,* pág. 70, lám. 331, cat. 557.

[64] B. Schnackenburg, *op. cit.,* pág. 281, lám. 216, cat. 307. Sobre la iconografía en el arte antiguo, *LIMC,* III.1, págs. 419-420, III.2, págs. 655-656. El tema en mosaicos hispanos, J. M. Blázquez, *Mosaicos romanos..., op. cit.,* pág. 420. En el arte occidental, *OCMA,* págs. 115-122, 144.

Palma el Joven, *Afrodita y Cupido en la fragua de Vulcano*, Gemäldegalerie Alte Meister, Kassel.

(Ovidio, *Met.* VIII, 266 y ss.; 819 y ss.; IV, 10 y ss.; V, 1 y ss., 311 y ss., 330 y ss.).

El mismo artista holandés representó el mito de Afrodita, desnuda, sentada sobre una roca, junto a Cupido. El fondo es de color oscuro. Un rayo de luz penetra por las nubes e ilumina a la diosa Afrodita, que es una joven y espléndida muchacha[65].

Afrodita y Cupido en la fragua de Vulcano

El artista veneciano Palma el Joven *(ca.* 1548-1628), trabajó para el palacio del Dux de Venecia y para la catedral de San Marcos. Muerto Tintoretto fue el pintor más importante de los que trabajaron en Venecia. En este cuadro describe el mito de Afrodita, tumbada sobre el lecho, desnuda y besada por Cupido en la boca. Al fondo se ve la fragua de Vulcano; su esposo es feo y cojo, pero buen conocedor del arte de la forja[66].

Afrodita en la fragua de Vulcano

El autor italiano, Pietro Liberi, se ocupó en su trabajo del mito de Afrodita en la fragua de su esposo Vulcano. La diosa penetra en la estancia mediante un tragaluz, acompañada de su séquito y de Cupido, armado con su flecha, para pedirle que fabrique armas para entregar a su hjo Eneas y con ellas poder conquistar Italia, su nueva patria (Virgilio, *En.* VIII, 369)[67].

Afrodita en el taller de Pigmalión

El mito de *Afrodita en el taller de Pigmalión* fue elegido por el pintor alemán Mattäus Gundelach (Kassel, 1566-Augsburgo, 1658/1659). Según el mito, Pigmalión, rey de Chipre, esculpió una estatua de la Ninfa Galatea y se enamoró tanto de su obra que pidió a Afrodita que diera vida a la escultura (Ovidio, *Met.* X, 243 y ss.). El pintor recoje el momento en que Pigmalión hace su petición a Afrodita. La escultura se encuentra situada a sus espaldas. La diosa ocupa el centro de la composi-

---

65 B. Schnackenburg, *op. cit.*, pág. 281, lám. 217, cat. 306.

66 B. Schnackenburg, *op. cit.*, pág. 213, lám. 306, cat. 502.

67 B. Schnackenburg, *op. cit.*, pág. 170, lám. 332, cat. 558.

ción, semidesnuda, colocada de tres cuartos y sentada sobre un tronco de árbol. A su espalda se encuentra una espléndida muchacha vestida y a la izquierda Cupido, que disparada su flecha, hiere de amor a Pigmalión[68].

Afrodita y Adonis

El artista alemán Philipp Peter Roos (St. Goar, 1657-Roma, 1706) representó a Afrodita y a Adonis, acompañados de un perro de caza blanco, que ocupa el centro de la composición. Afrodita está sentada, desnuda y vuelve la cabeza para contemplar el bello animal[69].

Del taller del pintor italiano Francesco Albani (Bolonia, 1578-1660) salió un cuadro que representa a Adonis, que, conducido por amorcillos, descubre a Afrodita tumbada en una colchoneta, en el interior de una tienda, durmiendo tranquilamente. La escena se coloca en el campo. Tres amorcillos juguetean subidos a un árbol.

Otros tiran de un carro. Adonis lleva su perro de caza y la lanza de cazador[70] (Ovidio, *Met.* X, 345 y ss.; Higinio, *Fáb.* 58, 161, 164, 251; Teócrito XV, 102; 136 y ss.).

Neptuno y otros dioses festejan a Afrodita

El mencionado pintor alemán Franz Ludwig Raufft, realizó un cuadro en el que Neptuno, montado en su carro marino tirado por caballos, y otros dioses festejan a Afrodita, conducida en otro carro a la que corona un amorcillo[71].

La educación de Cupido por Afrodita y por Mercurio

Al pintor italiano Benedetto Luti (Florencia, 1666-Roma, 1724) se debe el cuadro que trata de la *Educación de Cupido por Afrodita y por Mercurio.* Cupido aprendió de su madre Afrodita y de Mercurio las

---

[68] B. Schnackenburg, *op. cit.*, pág. 137, lám. 250, cat. 925.

[69] B. Schnackenburg, *op. cit.*, pág. 256, lám. 266, cat. 1131. En el arte antiguo, *LIMC*, I.1, págs. 224-226; I.2, págs. 160-165. En el arte occidental, *OCMA*, págs. 26-29.

[70] B. Schnackenburg, *op. cit.*, pág. 39, lám. 319, cat. 1163.

[71] B. Schnackenburg, *op. cit.*, págs. 226-227, lám. 275, cat. 1109. En el arte antiguo, *LIMC*, II.1, págs. 133-134; II.2, pág. 138. En el arte occidental, *OCMA*, págs. 914-920.

ciencias y las artes. En la escena participan los tres. Cupido ocupa el centro de la composición y enseña a Mercurio, sentado en el suelo, un párrafo de un libro abierto. Afrodita, desnuda, sentada, contempla complacida la escena. La mano derecha de la diosa lleva un arco[72].

La fiesta de Venus

Al artista italiano Giulio Carpioni se debe un cuadro que describe la *Fiesta de Venus,* en la que participan varias personas en un día tormentoso. Dos amorcillos desnudos bailan, mientras un varón está tumbado tranquilamente en el suelo. En un grupo se encuentran Venus, desnuda, echada en el suelo, un varón desnudo y una joven. A su espalda asoma un personaje detrás de una roca[73].

Leda y sus hijos

Gianpietrino y Bernazzano, el primero, posible alumno de Leonardo da Vinci en Milán, de cuya vida se desconoce todo, se ocuparon en su obra de este mito. El paisaje es obra del segundo pintor.

Leda era una de las hijas del rey de Etolia. Fue seducida por Zeus, que se metamorfoseó en cisne[74]. De este amor nacieron dos gemelos de dos huevos. De un huevo salieron Helena y Clitemnestra, y del segundo, Cástor y Pólux. Leda ocupa el centro de la composición, semiarrodillada desnuda, sostiene a un hijo; los otros tres juegan a su alrededor, tumbados en el suelo. El niño de la izquierda mira a Leda ensimismado. A su espalda se halla roto un gran cascarón de huevo. Gianpietrino prescindió del cisne en esta composición y se concentró en el resultado de la unión amorosa de Leda con Zeus[75] (Higinio, *Fáb.* 77; Ovidio, *Met.* VIII, 300 y ss.; Eurípides, *If. en Ául.* 49 y ss.; *Mel.* 17 y ss.; 214; 257; 1149).

---

[72] B. Schnackenburg, *op. cit.,* pág. 175, lám. 344, cat. 1030.

[73] B. Schnackenburg, *op. cit.,* pág. 77, lám. 330, cat. 1000. Sobre la iconografía de este mito en el arte occidental, *OCMA,* págs. 114-144.

[74] Para la iconografía de este mito en el arte antiguo, *LIMC,* VI.1, pág. 244.

[75] B. Schnackenburg, *op. cit.,* 123. lám. 294, cat. 966.

Leda y el cisne

El artista italiano Allessandro Turchi es autor de un cuadro de *Leda y el cisne*[76]. Leda en esta composición está desnuda, recostada en el suelo. El cisne está echado sobre su cuerpo y picotea el seno. La expresión de la cara de Leda es de satisfacción. Dos amorcillos contemplan la escena tranquilamente[77].

Hércules elige entre dos caminos

Este mito está descrito en una copia de Annibale Carracci (Bolonia, 1560-1609). El joven Hércules se encuentra en la tesitura de elegir entre la virtud y el vicio. Cada una de las dos mujeres, bellas, le ofrecen el camino. Hércules está sentado en el centro, desnudo, dudando cuál de los dos caminos debe elegir[78].

Faetón

La sequía de la tierra durante el viaje de Faetón al sol fue un mito tratado por el artista alemán, Johann Rottenhammer (Munich, 1569-Augsburgo, 1569). Trabajó en Roma y diez años en Venecia[79], y en Italia recibió el influjo de Tintoretto y de Veronés. Colaboró con Jan Brueghel el Viejo. El dios Sol, como reconocimiento de su paternidad, quiso cumplir cualquier deseo del hijo. Faetón pidió a su padre dirigir el carro solar, pero perdió el control de los caballos. El sol se aproximó tanto a la tierra que ésta se secó. Finalmente, Zeus intervino y arrojó con su rayo a Faetón al río Po (Ovidio, *Met.* II, 19 y ss.). La escena re-

---

[76] Sobre la iconografía de este mito en el arte antiguo, *LIMC,* VI.1, págs. 232-234; 236-241; V1.2, pág. 107. Este mito en mosaicos hispanos, J. M. Blázquez, «El mito griego de Leda y el cisne en mosaicos romanos del Bajo Imperio y en la pintura europea», art. cit. (cap. III de esta edición). M. P. San Nicolás Pedraz, «Leda y el cisne en los mosaicos romanos», *Espacio Tiempo y Forma. Prehistoria y Arqueología,* 12 (1999), págs. 347-387.

[77] B. Schnackenburg. *op. cit.,* pág. 299, lám. 320, cat. 544.

[78] B. Schnackenburg, *op. cit.,* pág. 78. lám. 314, cat. 1004. Para la iconografía de este mito en el arte occidental, *OCMA,* págs. 527-530.

[79] La iconografía de este mito en el arte antiguo en *LIMC,* V.1, págs. 350-355; V.2, págs. 311-313.

presenta la caída de Faetón sobre el Po, cuando en él se baña la gente y donde hombres y mujeres charlan amigablemente sentados en la orilla, a la sombra de los árboles[80].

Ceres

El citado artista alemán Ottmar Elliger el Joven representa al verano bajo la alegoría de Ceres como una matrona sentada a la sombra de un árbol, acompañada de su séquito[81] (Homero, *Il.* 1, 228; 416 y ss.; II, 302; III, 454; VIII, 70 y ss.; IX, 410 y ss.; XI, 330 y ss.).

Perseo y Andrómeda

Este cuadro, que tiene por tema Perseo, salió de los pinceles del artista alemán Johann Martin Pictorius (1672-1720). Andrómeda es una joven desnuda a la que Perseo suelta de la roca a la que estaba encadenada. Dos amorcillos contemplan la liberación[82].

Palma el Joven se ocupó de este mito de modo totalmente diferente. Andrómeda, desnuda, está encadenada a un peñasco. Perseo, desde el aire, defiende su cuerpo con un escudo y lleva casco sobre la cabeza. Ataca a un gigantesco monstruo marino, que se dispone a devorar a Andrómeda. Andrómeda era hija del rey de Etiopía, Cefeo, y de Casiopea, que pasaba por ser la más bella de todas las Nereidas. Estas, celosas, suplican al dios del mar, Poseidón, que se vengase por ellas. El dios para complacerlas envió a un monstruo para que asolase el país de Cefeo. El oráculo de Amón, el más famoso de Egipto, consultado por el rey, predijo que el país se vería libre del monstruo, si Andrómeda era expuesta al monstruo encadenada a una roca. Perseo, de vuelta de su expedición contra las Gorgonas, hijas de divinidades, vio a la doncella y se enamoró de ella, y prometió a Cefeo liberar a su hija si se la entregaba en matrimonio. Perseo cumplió su cometido. Se llevó a Andrómeda, primero a Argos y luego a Tirinto.

---

[80] B. Schnackenburg, *op. cit.*, pág. 256, lám. 255, cat. 604.

[81] B. Schnackenburg, *op. cit.*, pág. 114, lám. 281, cat. 1160.

[82] B. Schnackenburg, *op. cit.*, pág. 216, lám. 282, cat. 1184. La iconografía de este mito en el arte antiguo, *LIMC,* V.I, pág. 344; V.2, págs. 307-308. El tema en mosaicos hispanos, J. A. Blázquez, *Mosaicos romanos..., op. cit.*, pág. 430. En el arte occidental, *OCMA,* págs. 875-883.

Perseo tuvo varios hijos de su esposa (Higinio, *Fáb.* 64; Ovidio, *Met.* IV, 670 y ss.)[83].

Un tercer cuadro que se ocupa de este mito se expone en la Gemäldegalerie de Kassel. Es obra de Alessandro Turchi. Andrómeda, desnuda, está encadenada a una roca de pie, junto a un río. Delante de ella se encuentran varios hombres y mujeres en actitud triste. Uno, con turbante en la cabeza, se enjuga las lágrimas. Debe ser el padre. En el cielo, Perseo cabalga un caballo blanco y se dirige velozmente a atacar al monstruo marino, que abre sus descomunales fauces[84] dispuesto a tragarse a Perseo.

El baño de las Ninfas

El pintor alemán Christian Wilhelm Dietrich (Weimar, 1712-Dresde, 1774) visitó Italia para ampliar su formación artística. Ejerció el cargo de inspector de la Galería de Dresde. Dominaba a la perfección el arte de pintar propio de los artistas holandeses, italianos y franceses. Su obra más famosa es *El baño de las Ninfas.* En un paisaje de ruinas y de peñascales se bañan en el río las Ninfas. Un segundo cuadro, muy parecido, se perdió en la Segunda Guerra Mundial[85].

El rapto de las Ninfas por Tritones y por Sátiros

Giuseppe Cesari (Arpino, 1568-Roma, 1640) dedicó algún tiempo a pintar este mito. Los Sátiros y las Ninfas personificaban el poder de la naturaleza[86]. Los Tritones eran hijos del dios del mar Poseidón y de Anfitrite, reina del mar (Ovidio, *Her.* VI, 49 y ss.; Higinio, *Fáb.* Pref 18; Píndaro, *Píticas,* IV, 19 y ss.).

Triunfo de Galatea

Paolo de Matteis (Nápoles, 1662-1718) visitó, para perfeccionar su formación artística, París y Roma. La obra con la que alcanzó más justa fama es el *Triunfo de Galatea,* que habitaba el mar en calma y fue amada de Polifemo, cíclope sicialiano de cuerpo monstruoso, cuyo

---

[83] B. Schnackenburg, *op. cit.,* pág. 213, lám. 306, cat. 500.

[84] B. Schnackenhurg, *op. cit.,* pág. 299, lám. 328, cat. 543.

[85] B. Schnackenburg, *op. cit.,* pág. 102, lám. 283, cat. 1185. En el arte antiguo, *LIMC,* VIII.1, págs. 896-897; VIII.2, pág. 596. En el arte occidental, *OCMA,* págs. 706-723.

[86] B. Schnackenburg, *op. cit.,* pág. 81, lám. 309, cat. 599.

amor no fue correspondido por estar Galatea enamorada del bello Acis, hijo de Pan y de una Ninfa. Polifemo descubrió a los amantes y con una roca aplastó a Acis, dios del río próximo a Etna. Galatea convirtió en río a su amado muerto, por intercesión de su madre, divinidad marina (Higinio, *Fáb.* 8; Ovidio, *Met.* XIII, 750)[87].

Un segundo *Triunfo de Galatea* es obra del pintor, también italiano, Giuseppe Bartolomeo Chiusi (1654-1727). Este artista fue uno de los más famosos pintores de Roma en su época. En su cuadro representó a Galatea recostada sobre una roca, acompañada de amorcillos y de otros seres mitológicos[88].

PIRAMUS Y THISBE

El citado artista alemán Johann Martin Pictorius se inspiró para hacer un cuadro en el mito de Piramus y Thisbe, que se unieron antes de casarse, versión llevada al lienzo. Thisbe quedó en estado y se suicidó. Su amante, al saberlo, siguió su ejemplo (Higinio, *Fáb.* 242-243)[89].

HÉRCULES Y ONFALE

Al pintor italiano Francesco Ruschi (Roma, 1610-Venecia, 1661) se debe una representación del mito de *Hércules y Onfale*[90], en la que muestra a Hércules charlando amigablemente con Onfale[91].

Onfale era la reina de Lidia, en cuya corte Hércules fue esclavo. Onfale impuso a Hércules el cometido de librar su reino de bandidos y de monstruos. Por este motivo, luchó el héroe contra los Cércopes, que eran dos bandidos, de elevada estatura y enorme fuerza, que asaltaban a los viajeros y les asesinaban; contra Sileo, viñador que detenía a los viajeros y les obligaba a trabajar en su viña y contra los Itonos. Onfale, agradecida y sabiendo quiénes eran los padres de Hércules, se enamoró y se casó con el héroe (Higinio, *Fáb.* 32).

---

[87] B. Schnackenburg, *op. cit.*, pág. 180, lám. 311, cat. 552. La iconografía de este mito en el arte occidental, *OCMA*, págs. 444-452.

[88] B. Schnackenburg, *op. cit.*, págs. 81-82, lám. 344, cat. 550.

[89] B. Schnackenburg, *op. cit.*, pág. 216, lám. 282, cat. 1183. En el arte antiguo, *LIMC*, VII.1, págs. 605-607; VII.2, págs. 488-489. Este mito en mosaicos hispanos, J. M. Blázquez, *Mosaicos romanos...*, *op. cit.*, pág. 430. En el arte occidental, *OCMA*, págs. 962-966.

[90] La iconografía de este mito en el arte antiguo, *LIMC*, VII.1, págs. 45-48; VII.2, págs. 30-33. En el arte occidental, *OCMA*, págs. 540-544.

[91] B. Schnackenburg, *op. cit.*, pág. 268, lám. 333, cat. 910.

La Luna visita a Endimión durante el sueño

Francesco Trevisani (1656-1746) en un cuadro famoso suyo se ocupó de este mito. La Luna respondió al amor del bello pastor Endimión. Durante la noche abandonó su carro y visitó a su amado para besarle (Higinio, *Fáb.* 271). Este mito se utilizó para simbolizar el amor platónico. En la escena, Endimión yace dormido entre peñascales y la Luna, volando, se acerca sigilosamente al pastor y le besa en la sien[92].

El mismo mito inspiró al artista holandés Adriaen van der Werff. La composición está concebida de diferente manera. Endimión yace tumbado en el suelo, durmiendo placidamente en el bosque. La Luna, sentada a su lado, le toca suavemente[93].

Flora y los «putti»

Al mismo artista holandés se debe un cuado en el que Flora, símbolo de la vegetación, con corona en sus manos, dispersó a los *putti*[94] (Ovidio, *Fast.* V, 20 y ss.; Plinio, XVIII, 28, 284 y ss.; Varrón, *De lingua latina,* 74; VII, 45).

Los dioses en las nubes

El taller del pintor holandés Cornelis van Poelenburch realizó un cuadro en el que presentaba a los dioses banqueteando alegremente entre las nubes[95] (Higinio, *Fáb.* 273).

La Lucha de los Lapitas y de los Centauros

La lucha feroz entre los Centauros y los Lapitas con ocasión de las bodas de Pirítoo y de Hypodamia fue pintada por el artista alemán Johann Georg Platzer. Pirítoo es un héroe tesalio que pertenecía a la raza

---

[92] B. Schnackenburg, *op. cit.,* pág. 298, lám. 345, cat. 551. La iconografía de este mito en el arte antiguo, *LIMC,* III.1, págs. 721-735; VIII.2, págs. 460-463.

[93] B. Schnackenburg, *op. cit.,* pág. 323, lám. 220, cat. 308.

[94] B. Schnackenburg, *op. cit.,* pág. 322, lám. 221, cat. 315. En el arte antiguo, *LIMC,* IV.1, págs. 137-139. En el arte occidental, *OCMA,* págs. 439-442.

[95] B. Schnackenburg, *op. cit.,* pág. 220, lám. 111, cat. 198.

de los lapitas, que habitaba en las proximidades del Pindo y del Pelión. Con ocasión de las bodas de Pirítoo con Hypodamia, hija del rey Enomao, los Lapitas y los Centauros, que habían sido invitados, llegaron a las manos (Higinio, *Fáb.* 33)[96].

Los artistas se servían de los mitos para simbolizar diferentes problemas y aspectos de la vida humana y de la sociedad que se dan en todas las épocas y en todas las culturas. Por esta razón, los mitos clásicos en la civilización occidental, heredera de la cultura grecorromana, son eternos.

La mayoría de los artistas citados, que representaron mitos clásicos en sus obras, conocían el arte italiano, e incluso muchos de ellos permanecieron bastantes años en Italia. No sólo en el estilo acusan influjos artísticos de la pintura italiana, sino en los mitos elegidos, bien documentados en Italia.

Baste recordar un pequeño muestreo de la gran vigencia de la mitología clásica que estos artistas holandeses y alemanes conocieron directamente y que explica su tendencia a representar mitos en sus pinturas. Ya Luca Signorelli, en 1501, pintó *Los condenados,* hoy en la catedral de Orvieto[97]. A Sebastiano del Piombo se debe en 1512 *La muerte de Adonis,* hoy en la Galería de los Uffizi[98]; a Berruguete, *Festival de los dioses*[99]; a Dosso Dossi, *Júpiter Mercurio y la Virtud*[100], de 1530, hoy en el Kunsthistorisches Museum de Viena; a Correggio, 1532, *Iupiter e Io*[101]; a Miguel Ángel, 1541, *El Juicio Final* de la Capilla Sixtina[102]; a Jacopo Zucchi, 1589, *Amor y Psyque*[103]. El interés de los artistas italianos por la mitología clásica empezó antes de la generación de Botticelli, 1400-1500,

---

[96] B. Schnackenburg, *op. cit.,* pág. 217, lám. 288, cat. 647. Sobre la iconografía de este mito en el arte antiguo, *LIMC,* VI.1, págs. 232-234; 236-241; VI.2, pág. 107. En el arte occidental, *OCMA,* págs. 289-295.

[97] P. Pfisterer y A. Rühl, *Renaissance: das 16. Jahrhundert. Galerie der Grossen Meister,* Colonia, 2000, pág. 89; Ch. McCorquodale, *Renaissance: Meisterwerke der Malerei,* Künzelsau, 995, pág. 38. Años antes de 1485, Sandro Botticelli había pintado *El nacimiento de Venus,* y *Palas Atenea con un Centauro.* A. Chastel, *La grande officina: arte Italiana 1460-1500, op. cit.,* pág. 227.

[98] U. Pfisterer y A. Rühl, *op. cit.,* págs. 30-31. Sebastiano del Piombo hacia 1511-1512 pintó una *muerte de* Adonis (Ch. McCorquodale, *op. cit.,* pág. 311). Un año después Cesare da Sexto pinto *Leda y el cisne* (Ch. McCorquodale, *op. cit.,* pág. 192).

[99] U. Pfisterer y A. Rühl, *op. cit.,* págs. 34-35.

[100] U. Pfisterer y A. Rühl, *op. cit.,* pág. 67; McCorquodale, *op. cit.,* pág. 257. En años anteriores, en torno al 1522-1524, Palmer Vecchio pintó *Venus y el amor* (Ch. McCorquodale, *op. cit.,* pág. 203).

[101] U. Pfisterer y A. Rühl, *op. cit.,* págs. 70-71; Ch. McCorquodale, *op. cit.,* pág. 279.

[102] U. Pfisterer y A. Rühl, *op. cit.,* págs. 88-89.

[103] U. Pfisterer y A. Rühl, *op. cit.,* pág. 225.

como lo indican *Las tres Gracias* de Francesco del Cossa, en la actualidad en Ferrara, Palazzo Schifonoia[104]; el *Rapto de Europa* de Francesco de Giorgio, hoy en el Louvre de París[105]; Apolo y Marsias, de Perugino, conservado en el mismo museo francés[106]; *Prometeo,* de Piero di Cosimo, en la actualidad en el Museo de Estrasburgo[107]; y *Muerte de Procris,* obra del mismo artista italiano, en la National Gallery de Londres[108]. Mitos clásicos representan igualmente los artistas italianos en escultura, corno *Baco y Ariadna,* de Tullio Lombardo, hoy en el Kunsthistorisches Museum de Viena[109]. Sólo a Botticelli se deben varios mitos clásicos como *Palas,* en torno a 1485-1490; *Venus y Marte,* hacia 1485; *Venus Capitolina; Venus,* 1485-1490. Esta diosa también fue representada por Lorenzo de Credi en los mismos años[110].

Los artistas italianos actuales prestan gran atención a los mitos clásicos, para simbolizar graves problemas del mundo actual[111], al igual que lo hacen los grandes colosos del arte moderno, como Picasso[112], Giorgio de Chirico[113] y Paul Klee[114].

---

[104] U. Chastel, *op. cit.,* pág. 199.

[105] U. Chastel, *op. cit.,* pág. 202.

[106] U. Chastel, *op. cit.,* pág. 294.

[107] U. Chastel, *op. cit.,* pág. 300.

[108] U. Chastel, *op. cit.,* pág. 301.

[109] U. Chastel, *op. cit.,* pág. 172.

[110] A. Grömling y T. Lingesleben, *Botticelli 1444/45-1510,* Colonia, 1998, págs. 64-67, 80-82. En cambio, Ghirlandaio es pintor exclusivamente de temas religiosos y no se ocupó de mitos clásicos. A. Quermann, *Domenico di Tommaso di Currado Bigordi, Ghirlandaio 1449-1494,* Colonia, 1998. Mantegna sólo representó algunos pocos mitos clásicos como unas *Bacanales* hacia 1470; una *Batalla de los dioses marinos,* de la misma fecha, ambos dibujos, y una *Introducción del culto de Cibeles en Roma,* 1505-1506 (N. Bätz, *Andrea Mantegna 1430/31-1506,* Colonia, 1998, págs. 86-87, 106-107).

[111] *Il mito e il classico nell'arte contemporanea italiana 1960-1990,* Milán, 1995. Un escritor italiano actual como Dario Fo ha pintado frecuentemente mitos clásicos, como los de Core, Deméter, Centauro, Neso, Hércules y Deiamira, Danza de Bacantes, de Eurípides, Faunos y Bacantes, Sátiro y Bacantes, etc. *(Federico Fellini and Dario Fo: disegni geniali,* Milán, 1999, págs. 179-196).

[112] J. Thimme, *Picasso und die Antike: mythologische Darstellungen, Zeichnungen, Aquarelle, Quaschen, Druckgraphik, Keramik, Kleinplastik,* Karlsruhe, 1994.

[113] *Giorgio de Chirico e il mito, 1920-1970,* Milán, 1996.

[114] P. Kort (ed.), *Paul Klee in der Maske des Mythos. In the Mask of Myths,* Múnich, 1999. En general, E. Lucie-Smith, *Erotik in der Kunst,* Múnich, 1997; E. M. Moormann y W. Uitterhoeve, *De Anteón a Zeus: temas de mitología clásica en la literatura, la música, las artes plásticas y el teatro,* Madrid, 1997; S. Zuffi, *Arte e erotismo,* Milán, 2001. Con muchos mitos citados en este trabajo.

Capítulo III

El mito griego de Leda y el cisne en mosaicos hispanos del Bajo Imperio y en la pintura europea

En el simposio de arqueología romana celebrado en Segovia, organizado por mi maestro J. Maluquer y publicado por el Instituto de Arqueología y Prehistoria de la Universidad de Barcelona, M. A. García Guinea publicó el trabajo titulado «Los mosaicos tardorromanos de Quintanilla de la Cueza (Palencia)», págs. 187-191, entre los cuales había un mosaico de *Leda y el cisne,* que su descubridor explica así:

> El mosaico n. 12 llamado también de «Leda» debió ser uno de los más bellos y mejor realizados de todo el conjunto. Destacan las orlas laterales (este-oeste), con bellísimas alfombras polícromas [...]. El centro lo ocupa un gran emblema de pequeñas teselas representando la figura de Leda con el cisne en su brazo (lám. IX, n. 12 del plano). Desgraciadamente fue también destrozado en gran parte. Ocupa la cubierta de un *hyppocaustum* y en alguna zona del oeste está vencido y totalmente desnivelado[1].

El mito de Leda es bien conocido. Pertenecía a la zona de Deucalión. Leda era hija del rey de Etolia, Testio, y de Eurítemis, descen-

---

[1] M. A. García Guinea, *Guía de la villa romana de Quintanilla de la Cueza,* Palencia, 1982; y J. M. Blázquez, *Mosaicos romanos de España,* Madrid, 1993, pág. 400.

diente de Eolo y de Cálice, una de las hijas de Eolo. Sus hermanas fueron Altea, famosa por ser la madre de Meleagro e Hipermestra. Según estas tradiciones mitológicas, sus hermanas fueron Melanipe y Clitia. Según una tercera leyenda, Glauco, hijo de Sísifo, pasó por Lacedemonia en busca de sus caballos, que había perdido. Allí se unió con Pantidia. Ésta casó luego con Testio, y de estos amores nació Leda. Testio casó a su hija Leda con Tindareo, que, expulsado de Lacedemonia por Hipocoonte y sus hijos, se había refugiado en Etolia. Leda después acompañó a su esposo hasta Lacedemonia cuando Héracles repuso en el trono a Tindareo. Éste y Leda tuvieron varios hijos: Timandra, esposa de Equemo; Clitemnestra, esposa de Agamenón, Helena y los Dióscuros (Cástor y Póllux). Por otra parte, Zeus, el padre de los hombres y de los dioses, fue el progenitor de algunos de estos hijos, para lo cual se metamorfoseó en cisne, acosando a Leda. Ésta le rehuía pero el dios, para unirse en brazo amoroso a ella, la transformó en oca.

El trágico griego Eurípides (485/484-407/406 a.C.) cuenta (escolio a *Orestes* 447) que Leda, como fruto de su unión con Zeus, puso un huevo o dos, de los que nacieron Cástor y Clitemnestra, y Helena y Póllux. La cáscara de este huevo, o huevos, se guardaba en el templo de las Leucípidas de Esparta[2].

La *Odisea* (XI, 298-299), poco después del 700 a.C. menciona a Leda. A partir de esta fecha se la cita con frecuencia en la mitología griega y latina. A ella alude Píndaro en sus *Nemeas* (IX, 150), Apolonio de Rodas en sus *Argonáuticas* (escolio a I, 146). También Eurípides (*Ifigenia en Áulide,* 49-50; *Mel.,* 17-18; 214; 257; 1149), Apolodoro en su *Biblioteca* (I, 7, 10; III, 5-6); el geógrafo griego Estrabón (X, 461); Virgilio en la *Eneida* (Servio, *ad Aen.,* VIII, 130); Higinio en sus *Fábulas* (77); y Pausanias (III, 1.4; 13.8; 16.1; 21.2).

Hemos publicado[3] varios trabajos relativos a la pervivencia de la mitología clásica en el arte moderno. En esta ocasión tan sólo preten-

[2] P. Grimal, *Diccionario de la mitología griega y romana,* Barcelona, 1960.

[3] J. M. Blázquez, «Temas del mundo clásico en el arte del siglo xx», art. cit. (cap. XIII de esta edición); *ídem,* «El mundo clásico en Picasso», art. cit. (cap. XI de esta edición); *ídem,* «Temas del mundo clásico en las pinturas de Kokoschka y Braque», art. cit. (cap. IX de esta edición); *ídem,* «Mujeres de la mitología clásica y en la pintura de Max Beckmann», art. cit.; *ídem,* «Mujeres de la mitología griega en el arte español del siglo xx», art. cit.; *ídem,* «El mundo clásico en Dalí», art. cit. (cap. XIX de esta edición); J. M. Blázquez y M. P. García Gelabert, «La visión del mundo clásico en el arte español», art. cit.

demos recoger algunos ejemplos artísticos con el tema de *Leda y el cisne* desde el Renacimiento hasta el arte actual.

El tema tuvo gran aceptación en el arte antiguo. Basta leer la entrada de la voz «Leda» en el *Lexicon Iconographicum Mythologiae Classicae*[4]. Esa frecuencia —aunque menor, por ejemplo, que la del tema de Venus— tiene continuidad en el arte de las Edades Moderna y Contemporánea.

La primera pintura que es obligado mencionar es la *Leda y el cisne* de Leonardo da Vinci, extraviada desde el siglo XVII, de la que se hicieron muchas copias, de las cuales se tiene como la más fiel la de Cesareo da Sesto, fechada con posterioridad al año 1513. El cuadro fue descrito por Cassiano del Pozzo, en 1623, en Fontainebleau. Las dos parejas de niños que acompañan a la diosa son Cástor y Póllux, Helena y Clitemnestra. Leonardo ideó su composición durante su segundo viaje a Florencia y la realizó en su segunda visita a Milán. La mayoría de las copias que se hicieron se deben a pintores lombardos. El grupo rezuma gran erotismo, muy del gusto de la corte de Fontainebleau. En la cumbre del arte del Renacimiento el cuadro de Leonardo da Vinci constituye una gran novedad, aunque no fue la primera pintura que trataba este episodio mitológico. La pintura de Leonardo, que se fecha entre 1507 y 1513, representa a Leda de pie, abrazando al cisne, que dirige la cabeza hacia la diosa (que ladea la cabeza en actitud complaciente), en un paisaje agreste[5]. Se con-

---

[4] L. Kahl y N. Icard-Gianolio, «Leda», *LIMC*, VI, págs. 231-249, láms. 108-139. Sobre Leda en el arte de la época romana: C. Saliou, «Léda callipyge au pays d'Aphrodite. Remarques sur l'organisation, la fonction et l'iconographie d'un mosaïque de Palaepaphos (Chypre)», *Syria*, 67 (1990), págs. 369-375; M. Houroth, «Leda mit dem Schwan», *Antike Welt*, 21 (1990), pág. 115; J. R. Clarke, «New Light on the iconography of Jupiter, Ganymede, and Leda in the Painting of the House of Jupiter and Ganymede at Ostia Antica», *KJVFG*, 24 (1991), págs. 171-175; A. Dierichs, «Es muss nicht immer Timotheos sein: Leda und der Schwan in Wandmalereien aus den Vesuvstädten», *KJVFG*, 25 (1992), págs. 51-64; S. Montero y S. Perea, *Romana religio / Religio romanorum: diccionario biblio-temático de religión romana*, Madrid, 1999, pág. 242. Véase también: I. Aghion, C. Barbillon y F. Lissarrague, *Héros et dieux de l'Antiquité: guide iconografique*, París, 1994, págs. 175-176; C. B. Bailey (ed.), *Les amours des dieux*, París, 1991. Catálogo de la Exposición, núm. 46. Sobre Leda en el arte a lo largo de su historia, véase la síntesis de C. Alcalde Martín, «El mito de Leda: sus metamorfosis en la Historia del Arte», en J. L. Calvo Martínez (ed.), *Religión, magia y mitología en la Antigüedad clásica*, Granada, 1998, páginas 9-37.

[5] F. Debolini, *Leonardo: un hombre universal en los límites de la mente y del arte*, Madrid, 1999, pág. 94; P. C. Marani, *Leonardo: catalogo completo dei dipinti*, Florencia, 1989, y Ch. McCorquodale, *Renaissance: Meisterwerke der Malerei*, *op. cit.*, pág. 92, fig. 192. Otra copia se encuentra en el Museo Boomansvanbenningen de Rotterdam. Para Correggio, cfr. I. F. Walther, *Malerei der Welt*, *op. cit.*, pág. 174.

servan varios bocetos previos. Un dibujo, hoy en la Biblioteca Real del Castillo de Windsor, agrupa varios dibujos de ensayo sobre la forma del peinado. Como puntualiza F. Debolini,

> el tema del nudo, el entrelazamiento y el remolino derivado de Verrochio, aparecen con insistencia en las realizaciones artísticas y científicas de Leonardo. El movimiento en espiral de la figura, en el que se basan también los detalles de la cabellera, constituye igualmente la estructura de la mujer, del cisne y de los detalles totémicos sobre la alfombra.

En la colección del duque de Devonshire, Chatsworth, se conserva un dibujo de Leda con el cisne arrodillado, que precedió a la Leda de pie. Unos niños contemplan la escena amorosa. Leda abraza al cisne, que se aproxima en una actitud del cuello y de las alas muy próxima a la composición anterior. Leda dobla la cabeza en una postura parecida y el peinado es casi idéntico[6]. La ya citada Biblioteca Real de Windsor conserva un dibujo de Rafael (1483-1520), realizado entre los años 1505 y 1506, de *Leda y el cisne,* inspirado en la obra de Leonardo, pues la postura del cuerpo es prácticamente la misma. El cisne se encuentra colocado a la izquierda de Leda, que también le abraza, pero el ave carece de alas[7]. La postura de Leda reaparece en el *Triunfo de Galatea,* de Rafael[8], obra realizada en el año 1511.

El mito de *Leda y el cisne* tuvo aceptación en el Renacimiento y en siglos posteriores, como se aprecia en la tabla siguiente[9], relativa exclusivamente a pinturas, grabados y dibujos:

---

[6] F. Debolini, *op. cit.,* pág. 95.

[7] F. Debolini, *op. cit.,* pág. 95.

[8] F. Debolini, *op. cit.,* 60-61; L. Becherucci, *Rafaello: The Paintings, the Drawings,* Londres, 1998; y M. Clayton, *Raphael and his Circle: Drawings from Windsor Castle,* Londres, 1999, pág. 575.

[9] Extractada de *OCMA,* págs. 629-635.

Leda y el cisne en la pintura de los siglos XVI-XX

(Por orden cronológico.
Cuando no se indica otra cosa, son pinturas)

Pintor	*Título/tema y fecha de composición*	*Localización*
Giorgione	Leda y el cisne (c. 1505-1510)	Padua, Museo Civico
Baldassare Peruzzi	Leda y el cisne con Cástor y Póllux (1510-1511)	Roma, Villa Farnesina
Leonardo da Vinci	Leda	Perdida
Leonardo (variante de Giampetrino)	Leda semiarrodillada	Colección Neuwied
Miguel Ángel	Leda y el cisne (1529-1530)	Florencia, Casa Buonarrotti
Correggio	Leda y el cisne (Los amores de Júpiter) (1530-1532)	Berlín-Dahlem, Gemäldegalerie
Marcantonio Raimondi	Leda (c. 1527-1534)	—
Agostino Veneziano	Leda	—
Luca Cambiaso	Leda y el cisne (fresco) (1544)	Génova, Pal. Prefectura
Georg Pencz	Leda y el cisne (1500)	Madrid, Museo del Prado
Jacopo Tintoretto	Leda y el cisne (1551-1555)	Florencia, Pal. Vecchio
Bacchiacca	Leda y el cisne (1557)	Rotterdam, Boymans Museum
Bacchiacca	Leda	Troyes, Musée de Beaux Arts
Baccio Bandinelli	Leda (1560)	Milán, Bibl. Ambrosiana
Ghirlandaio	Leda (1577)	Roma, Galería Borghese
Paolo Veronese	Leda y el cisne (1580?)	Ajaccio, Museo Fresch
Michiel Coxie	Leda y el cisne (grabado) (1592)	Londres, British Museum
Cavaliere di Arpino	Leda (fresco) (1594-1595)	Roma, Palacio Orsini
J. Heintz el Viejo	Leda y el cisne (c. 1610)	Viena, Albertina Museum
P. P. Rubens	Leda y el cisne (1603-l604)	N. York, col. privada
P. P. Rubens	Leda (1636-1637)	Madrid, Pal. El Pardo
Sebastiano Mazzoni	Leda, el cisne, ninfas y amorcillos (c. 1640)	Florencia, col. Gregori
Nicolas Poussin	Leda (c. 1665)	Yorkshire, col. Worsley
Nicolas Poussin	Leda	Chantilly, Musée Condé
Il Guercino	Leda y el cisne (fresco) (c. 1666)	Cento, Casa Pannini
Pier Francesco Mola	Leda y el cisne (1666-1668)	Londres, National Gallery
Anónimo italiano	Leda y el cisne (siglo XVII)	Braunschweig, Museum Ulrich
Luca Giordano	Júpiter y Leda (c. 1700)	Aranjuez, Palacio Real
François Le Moine	Leda y el cisne (c. 1720)	Burdeos, colección privada
Adrian van der Werff	Leda y el cisne (1722)	Génova, Museo de Arte
Pieter van der Werff	Leda y el cisne (c. 1722)	N. York. Metropolitan Museum
Charles N. Natoire	Leda (serie «Historia de los dioses») (c. 1731)	Champagne, Chateau Godefroy
Charles N. Natoire	Leda (sin el cisne) (c. 1766)	París
Charles N. Natoire	Venus, Flora y Leda	Valenciennes, Musée
Charles N. Natoire	Leda y el cisne	Troves, Musée Beaux Arts

Jean François de Troy	Leda con el cisne (c. 1734)	Berlín, Schloss Charlottenburg
François Boucher	Leda y el cisne (c. 1741-1742)	Estocolmo, Nationalmuseum
Niccholas Lancret	Júpiter y Leda (1743)	París
Pierre Gobert	(Alegoría del tema de Leda)	Madrid, Museo del Prado
Clément Belle	Leda (cartón para tapiz) (1778)	París, Louvre
Anton von Maron	Leda y el cisne (1785)	San Petersburgo, Ermitage
Anónimo francés	Leda y el cisne (siglo XVIII)	Bowes Museum, Barnard Castle
Théodore Géricault	Leda y el cisne (1816-1817)	París, Louvre
Francesco Hayez	Leda (1822)	—
Francesco Hayez	Leda y el cisne (1840)	Ranci Ortigosa, col. Ispra
Charles Paul Landon	Leda, Póllux y Helena (c. 1826)	Louvre/depos. Fointainebleau
Eugène Delacroix	Leda (c. 1827)	Lost
Eugène Delacroix	Leda y el cisne (fresco) (1834)	Valmont, abadía
Léon Riesener	Leda y el cisne (1840)	Rouen, Musée
Bertel Thorwaldsen	Leda y el cisne (1841)	Copenhague, Mus. Thorwaldsens
Gustave Moreau	Leda (1846)	París, Musée Moreau
Gustave Moreau	Leda (c. 1875)	París, Musée Moreau
Gustave Moreau	Leda (c. 1875)	París, col. privada
Gustave Moreau	Leda (c. 1875)	París, col. Mante
Gustave Moreau	Leda (acuarela color) (c. 1875-1880)	París, Musée Moreau
Gustave Moreau	Leda y el cisne (acuarela color) (c. 1882)	París, col. Zarifi
J. J. Eeckhout	Leda (c. 1861)	Oldenburg, Gemäldegalerie
Hans Makart	Leda (1865)	Salzburgo, col. Mielichhofer
Hans Makart	Leda con el cisne (1865-1868)	Ilocalizable
Hans Makart	Leda con el cisne (1868-1870)	Viena, col. Decker
Alfred Henri Bramtot	Leda (1887)	—
Paul Cézanne	Leda y el cisne (c. 1886-1890)	Merío, Foundation Barnes
Lovis Corinth	Leda (1890)	Ilocalizable
Lovis Corinth	Leda con el cisne (1902)	Colección privada
Lovis Corinth	Leda con el cisne (litografía) (1910)	—
Lovis Corinth	Leda montando el cisne (1911)	Ilocalizable
Lovis Corinth	Leda con el cisne (aguafuerte) (1914)	Ilocalizable
Lovis Corinth	Leda con el cisne (1919)	Londres, col. Goeritz
Lovis Corinth	Leda con el cisne (fotografía color) (1920)	—
Lovis Corinth	Leda con el cisne (aguafuerte) (1924)	Ilocalizable
Alfred von Hildebrand	Leda (dibujo) (c. 1900-1910)	Florencia, col. Brewster
Félicien Rops	Leda (aguafuerte) (c. 1890)	—
J. L. Gérôme	Leda y el cisne (c. 1895)	N. York, col. Forbes
Henri Fantin-Latour	Leda (1899)	—
Émile-Antoine Bourdelle	Leda (3 frescos) (1912-1913)	París, Teatro Ch. Elysées
Arthur B. Davies	Leda y los Dióscuros (1905)	Chicago, Art Institute
Arthur B. Davies	Leda (litografía) (1921)	—

Albert-Valentin Thomas	Leda (1905)	—
Christian Rohlfs	Leda y el cisne (acuarela color) (1906)	Widdersberg, col. privada
Christian Rohlfs	Leda y el cisne (acuarela color) (1908)	Gotinga, col. privada
Christian Rohlfs	Leda y el cisne (acuarela color) (1917)	Oldenburg, col. privada
George Storey	Leda (1906)	—
Émile Bernard	Leda (1911)	Col. privada
Gustav Klimt	Leda (1917)	Destruido
Max Ernst	Leda y el cisne (1927)	Col. Mairlot
Eric Gill	Leda (grabado) (1924)	Londres, Victoria Albert Museum
Eric Gill	«Leda Waiting»: «Leda Loved» (grabados) (1920)	N. York, col. Doubleday
Raoul Dufy	Leda y el cisne (5 acuarelas color) (c. 1926)	Todas ilocalizables
Raoul Dufy	Leda y el cisne (aguada) (c. 1926)	—
Raoul Dufy	Leda y el cisne en un paisaje (aguada) (c. 1928)	N. York, Perls Galleries
Raoul Dufy	Leda (1928)	—
Franz von Struck	Leda (hay 2 versiones) (c. 1926)	Ilocalizables
D. H. Lawrence	Leda (acuarela color) (1928)	Col. S. Eckman jr.
Kert-Xavier Roussel	Leda y el cisne (tinta) (c. 1930)	—
Francis Picabia	Leda (1931)	—
Francis Picabia	Leda (1937-1938)	—
Giorgio de Chirico	Leda (1934)	Roma, col. privada
Man Ray	Leda y el cisne (1941)	Rochester (Min.), col. Taswell
Mark Rothko	Leda (exhibida en 1943)	—
Henri Matisse	Leda y el cisne (tríptico) (c. 1945)	París, residencia Anchorena
Henri Matisse	Leda y el cisne (dibujo) (1949)	París, Archivo Matisse
Sidney Nolan	Leda y el cisne (1945)	Col. del artista en 1961
Sidney Nolan	Leda y el cisne (numerosas) (1957-1960)	Colecciones privadas
André Masson	Leda (aguafuerte) (1947)	—
Max Beckmann	Leda (1948)	N. York, col. Rickey
Paul Delvaux	Leda o El sueño (1948)	Col. privada
Salvador Dalí	Leda atómica (1949)	N. York, col. privada
Salvador Dalí	Leda y el cisne (aguafuerte) (1964)	Rotterdam
Oskar Kokoschka	Leda con el cisne (litografía) (1951)	—
Paul Wunderlich	Leda y el cisne (1963)	—
Paul Wunderlich	Leda con el cisne (1966)	—
Roy Lichtenstein	Leda y el cisne (dibujos abstractos) (1968)	N. York, col. privada
Robert Motherwell	Leda (collage) (1975)	Col. privada
Earl Staley	Leda y el cisne (I y II) (1978-1980)	Houston, col. privada

Uno de los ejemplos más destacados es la composición de Miguel Ángel[10], donde Leda aparece recostada con el cisne echado sobre ella, postura frecuente en el arte del siglo XX. El diseño de Miguel Ángel fue copiado numerosas veces, por ejemplo: Cornelio de Vos (British Museum); Rosso Fiorentino, hacia 1538 (Museo de la Royal Academy, Londres); y varias copias anónimas en la National Gallery de Londres, en la Gemäldgalerie de Dresde; en el Museo Correr de Venecia, etc.

La obra de Antonio Correggio (1489-1534), realizada en 1530-1532, forma parte de una serie que el pintor realizó sobre los amores de Júpiter. Tiene copias en el Museo del Louvre, en el Hotel de Ville de Versalles, en la Galería Borghese de Roma y en el Museo del Prado, en este caso, copia de Eugenio Cajés.

La iconografía de Leda y el cisne fue introducida en la España renacentista por dos piezas excepcionales llegadas de Italia. Se trata de dos relieves, uno de la colección Medinaceli (ahora exhibido en la Casa de Pilatos, en Sevilla), que es antiguo; otro, del siglo XVI, colocado sobre una chimenea en el palacio de Carlos V en Granada, en el conjunto monumental de la Alhambra, estudiado ahora por C. Alcalde[11]. El modelo clásico para estos relieves de *Leda y el cisne* es el grupo helenístico, atribuido al escultor Timoteo, de mediados del siglo IV a.C., obra de la que se conserva una copia —posiblemente la mejor de todas— en el Museo Capitolino de Roma[12].

Como se aprecia en la tabla anterior, el mito de Leda y el cisne ha sido tratado por grandes pintores como Correggio, Rubens, Tintoretto, Moreau[13].

Los artistas españoles del siglo XX se han inspirado igualmente en este episodio: Gargallo (1906), Dalí[14]. Las dos pinturas son de gran originalidad. En el óleo titulado *Leda atómica*, de la que se conservan varios bocetos indicativos de las variantes que fue introduciendo el artis-

---

[10] Ch. McCorquodale, *op. cit.*, pág. 163.

[11] C. Alcalde, *op. cit.*, págs. 15-16; y, más extensamente: C. Alcalde y M. I. Torné, «La chimenea genovesa del palacio de Carlos V y el mito de Leda», *Florentia Iliberritana*, 8 (1997), págs. 19-38.

[12] O. Höfer e I. Bloch, «Leda in der Kunst», en W. H. Roscher, *Ausführliches Lexikon der griechischen und römischen Mythologie*, vol. 2-2, cols. 1925-1927, Leipzig, 1894-1897; C. Alcalde, «El mito de Leda», art. cit., fig. 2.

[13] J. M. González de Zárate, *Mitología e historia del arte*, Vitoria, 1997, pág. 123.

[14] R. Descharnes y G. Néret, *Salvador Dalí (1904-1989): la obra pictórica 1946-1988*, Colonia, 1994, págs. 424-425, figs. 937-938; págs. 234-235, fig. 1196; R. Descharnes, *Dalí: la obra y el hombre*, Barcelona, 1989, págs. 314-315 y 352; y *Dalí de Draeger*, Barcelona, 1968, figs. 39-40.

Salvador Dalí, *Leda atómica*, Colección del Estado Español.

ta, la mujer está sentada sobre un taburete y sujeta la cabeza del cisne que la mira. Sobre la interpretación de la *Leda atómica,* Salvador Dalí escribió: «La *Leda atómica* es el cuadro clave de nuestra vida. Todo se halla suspendido en el espacio, sin que nada roce con nada. Hasta la propia muerte se eleva a distancia de la tierra.» En la otra versión, Leda está sentada de perfil y abraza al cisne que se posa sobre las piernas de la mujer buscando la cópula.

El tema de Leda ha sido tratado también por Ávalos[15] y Sotomayor; y por otros renombrados artistas extranjeros del siglo XX. El cuadro de Gustav Klimt[16] muestra a una Leda en posición muy original, tumbada en la cama boca abajo con las piernas recogidas. Sobre sus caderas se desliza el cuello del cisne que sorprende a la mujer durante el sueño. La *Leda* de Max Beckmann, al igual que la de la obra de Miguel Ángel, está recostada, y el cisne sustituye a un varón, echado sobre ella, fundiéndose en un abrazo[17], y en la *Leda y el cisne* de Mühlenweg[18], Leda está sentada, en complicada postura, en un paisaje idílico. Leda está dormida plácidamente en el suelo, y hacia ella se encamina el cisne para sorprenderla. La composición transmite una sensación de obscenidad a pesar de la inocencia de la escena campestre. Para atenuar la sensualidad, el pintor coloca varias ninfas y a Amor tocando música, así como a varios *putti* alrededor del grupo central.

Llama la atención que grandes pintores renacentistas de temas mitológicos no se interesaran por el episodio de Leda. Basta citar algunos ejemplos. Leda está ausente en la obra de Alberto Durero, la cual, sin embargo, está plagada de temas mitológicos clásicos: *Circe y Odiseo* (1493); *Grifo: La muerte de Orfeo,* cuatro piezas (1484-1494); *El rapto de las sabinas; Apolo* (1495); *Némesis* (1501-1502); *Apolo y Diana* (1501-1503); *Apolo del Belvedere; Centauresa amamantando a su cría; Familia de centauros* (1504-1505); *Sátiro músico y ninfa con un niño; Apolo y Diana* (1505); *El rapto de Proserpina* (1516)[19]. Tampoco el mito de Leda llamó la atención de Tiziano, cuya producción pictórica mitológica es abundante: *La leyenda de Polidorus; El nacimiento de Adonis* (1508-1510); *Orfeo y Eurídice,* hacia 1510; *Venus dormida* (1508-1513); *Flora* (1515-1520); *El culto de Venus* (1518); *Baco y Ariadna* (1520-1522); *Bacanal; Venus de Urbi-*

15 De tema clásico Ávalos tiene una *Minerva,* en Mérida, y *El rapto de Europa,* cfr. M. Bazán, *Juan de Ávalos,* Badajoz, 1996, pág. 259, y A. Delgado un *Leda y el cisne.*

16 G. Fliedl, *Gustav Klimt, 1862-1918,* Colonia, 1998, pág. 204.

17 S. Lackner, *Max Beckmann,* Nueva York, 1991, pág. 36.

18 B. Stark y E. Faude, *Fritz Mühlennweg Malerei,* Lenwil, 1999, fig. 76.

19 E. Panofsky, *Vida y arte de Alberto Durero,* Madrid, 1982, figs. 5, 10, 49-51, 53, 57, 119-123, 129, 243.

no (1538); *Júpiter y Cupido* (1544-1546); *Venus y Cupido con un organista* (1548-1550); *Venus y Cupido* (1550); *Danae y la niñera,* dos pinturas (1553-1554); *Venus y Adonis* (1553-1554); *Diana y Cupido* (1556-1560); *Diana y Acteón* (1556-1559); *Venus cegando a Cupido* (1565); *Muerte de Acteón* (1559-1575); y *El desollamiento de Marsias* (1575-1576)[20].

Excepto Pencz y Raimondi, los grabadores del Renacimiento no prestaron especial atención al tema de Leda[21], aunque se encuentran otros mitos clásicos como el de *Píramo y Tisbe,* de A. Altdorfer (1513); *Ulises y Penélope,* de autor anónimo italiano (siglo XVI); *Narciso,* de A. Fantucci, 1630; *Circe y los compañeros de Ulises,* de G. Nicola Rossigliani (1540); *Marsias sacando la flauta de Minerva fuera del agua,* 1540, del mismo autor; *El rey Midas en la competición entre Apolo y Marsias,* del mismo; *Mercurio, Venus y Cupido,* 1520, de H. Burgkmair; *Artemisia,* 1540, de G. Pencz; *Orestes y Electra,* 1503-1505, de M. Raimondi; *Píramo y Tisbe,* 1505, del mismo grabador, así como *Venus, Marte y Cupido,* 1508. La *Sibila de Cumas* y la *Sibila de Tibur; Apolo y Dafne; Venus en el rosal,* 1556, de G. Gini; *Venus y Cupido,* de N. Boldrini; *Combate entre Troilo y Pirro,* 1560-1570, de E. Delaime; *Diana,* 1509, de Lucas van Leyden; *Tritón y Sirenas dentro de roleos,* 1509, del mismo grabador; y *Dafne perseguida por Apolo,* 1558, de H. Cock.

Artistas modernos en los que el mito clásico está muy presente tocan rara vez el tema de Leda, como De Chirico[22], del que sólo se conoce una *Leda* de 1934; Kokoschka[23], P. Delvaux[24] y Max Ernst[25]. No aparece en Otto Dix[26], Kandinsky[27], E. Nolde[28] o G. Münter[29]. No fue tema apreciado, en general, entre los expresionistas alemanes[30].

---

[20] M. Kaminski, *Titian,* Colonia, 1908, págs. 8-9, 28, 12-33, 44, 63-65, 84-85, 95-98, 118-119, 121-123; A. Walther, *op. cit.,* láms. 17, 20-21, 23-24, 28, 31, 41, 58-60, 70-73, 76-79, 89, 94, 101.

[21] Cfr. Ch. Mezentseva, *The Renaissance Engravers,* Bournemouth, 1996, láms. 45, 49-50, 52-54, 66, 72, 86, 91, 94-97, 100, 107, 110-116, 125.

[22] *Giorgio De Chirico e il mito, 1920-1970,* Milán, 1996.

[23] J. M. Faerna (ed.), *Oskar Kokoschka,* Barcelona, 1995.

[24] M. Rombaut, *Paul Delvaux,* Barcelona, 1991. Hay dibujos y comentarios sobre el pintor en F. Calvo Serraller, «El peculiar surrealismo de Delvaux», en *El País,* 21 de febrero de 1998, suplemento «Babelia», pág. 20.

[25] P. Gimferrer, *Max Ernst,* Barcelona, 1993; E. Quinn, *Max Ernst,* Barcelona, 1997.

[26] *Otto Dix,* Milán, 1997; E. Karcher, *Otto Dix,* Colonia, 1991.

[27] U. Becks-Malorny, *Kandinsky,* Colonia, 1994.

[28] W. Haftmann, *Emil Nolde,* Colonia, 1994; R. Chiappini, *Emil Nolde,* Milán, 1994.

[29] A. Hoberg y H. Fiedel, *Gabriele Münter, 1877-1962: Retrospective,* Múnich, 1992.

[30] M. M. Moeller, *Meisterwerke des Expressionismus: Gemälde, Aquarelle, Zeichnungen, und Druckgraphik aus dems Brücke-Museum Berlin,* Stuttgart, 1990; *ídem, Die «Brücke»:*

En España, tampoco lo trata Gregorio Prieto[31], cuya producción se ocupa frecuentemente de temas clásicos. Los tres grandes colosos del arte pictórico español de todos los tiempos —Velázquez[32], Goya[33], y Picasso[34]— no se interesaron por el mito de Leda. Entre las abundantes colecciones del Museo del Prado[35] sólo se encuentra la citada versión de Cajés y otra debida a Georg Pencz[36], pintada hacia 1500. A estos cuadros, cabe añadir la pintura de Pierre Gobert (1662-1774), otras veces atribuida a Nicolás de Larghillières (1656-1746), en el Museo del Prado (n.° inv. 2274), que lleva por título *La duquesa de Borgoña con su hijo,* pero el tema es claramente alusivo al mito de Leda.

Domingo Fernández (1862-1920), pintor de la Academia española en Roma, pinta en 1888 un óleo sobre lienzo con el tema de *Leda y el*

Gemälde, Zeichnungen, Aquarelle und Druckgraphik von Ernst Ludwig Kirchner, Karl Schmidt-Rottluff, Erich Hecker, Max Pechstein, Emil Nolde und Otto Mueller, Múnich, 1995; W. Haftmann, *Emil Nolde,* Colonia, 1978; *ídem, Emil Nolde: ungemalte Bilder,* Colonia, 1996. Tampoco Odilon Redon, véase M. López Blázquez, *Odilon Redon 1840-1916,* Madrid, 1995, aunque sí pinta otros mitos clásicos: Pegaso y la hidra (1907); El carro de Apolo y Orfeo (1900); Nacimiento de Venus (1912); Andrómeda y el monstruo (dos) (1900) *(op. cit.,* figs. 41, 44-47, 48-49). Tampoco toca el tema de Leda el artista contemporáneo Aligi Sassu, que pinta numerosos temas clásicos: Los Dióscuros (1931); La muerte de César (1938-1939); Los argonautas; Los gigantes que lucharon contra Júpiter (1939); El rapto de Europa, Hércules y el toro (1948); El ojo del Minotauro (1966); El juicio de Paris (1939); Prometeo (1954); El fauno y la ninfa (1975); Los argonautas en el bosque (1976); El ave Fénix (1975); Los caballos de Atalante (1972); Los centauros enamorados (1979); La aparición de la centauresa (1978), entre dos varones; El Minotauro (1981). Los mitos clásicos no son tema frecuente en la pintura de los expresionistas, aunque se encuentran algunos casos notables, como El juicio de Paris, de H. Gressing (1908 o 1909), y La infancia de Zeus (1905), de L. Corinth (éste tiene varias obras con el tema de Leda). Sobre los expresionistas y sus sucesores, cfr. T. Parson e I. Gale, *Historia del postimpresionismo,* Madrid, 1994.

[31] *Gregorio Prieto en las vanguardias,* Toledo, 1997.

[32] J. Brown, *Velázquez: pintor y cortesano,* Vitoria, 1992; J. López Rey, *Velázquez, el pintor de los pintores: la obra completa,* Colonia, 1998; y F. Marías, *Velázquez: pintor y criado del rey,* Vitoria, 1992.

[33] P. Glassier, J. Wilson y F. Lachemal, *Goya: Life and Work,* Colonia, 1994; y J. Tomdinson, *Francisco de Goya y Lucientes, 1746-1826,* Londres, 1994.

[34] C. P. Warncke, *Pablo Picasso, 1881-1973,* Colonia, 1982; R. Langley, *Picasso,* Madrid, 1991; G. Bondaille, *Picasso: dibujos,* Barcelona, 1986; K. Gallwitz, *Picasso Laureatus: sein malerisches Werk seit 1945,* Lucerna-Frankfurt, 1971; J. Leymarie, *Picasso: métamorphoses et unité,* Ginebra, 1971; *Picasso 1881/1973,* Barcelona, 1974; *Picasso, 1900-1906: catalogue raissonné de l'oeuvre peint,* París, 1966; y F. Mourlot y W. Rubin, *Pablo Picasso: a Retrospective,* Nueva York, 1980.

[35] J. R. Buendía *et al., El Prado: colecciones de pintura,* Madrid, 1994; y F. Puigdevall, *op. cit.*

[36] Museo del Prado, *Catálogo de pinturas,* Madrid, 1996, pág. 279, n. 2999.

cisne, que se conserva actualmente en el Museo de Bellas Artes de Sevilla[37].

El último cuadro de un pintor español que trata el tema de Leda es la obra del ya citado Sotomayor, en el Casino de Madrid. La postura de los amantes es original. Leda permanece sentada de frente, muy tranquila, y a su lado está el cisne. Una *Leda y el cisne* es obra de Álvaro Delgado.

Volviendo al material arqueológico —musivario— es preciso recordar que la ciudad de Alcalá de Henares ha propocionado un mosaico con este tema, de gran originalidad. El cisne está posado sobre un taburete dispuesto a asaltar a Leda desnuda, que camina delante de él intentando escapar al acoso amoroso de Zeus metamorfoseado en cisne. Encima del animal se lee: ADVLTERIVM/IOVIS; y LEDA sobre el cisne. La fecha de este mosaico es finales del siglo IV o comienzos del siguiente. La inscripción tiene sentido jocoso[38].

El pavimento de Quintanilla de la Cueza, citado al principio de este trabajo, está muy deteriorado. No hay que descartar que el destrozo fuera causado por cristianos[39], aunque en la fecha propuesta para la composición del mosaico el cristianismo había avanzado poco en estas áreas de la Península Ibérica. Fue más temprano en la Bética.

Un tercer mosaico hispano con el tema de *Leda y el cisne,* fechado en la segunda mitad del siglo II d.C., ha aparecido en Itálica[40], como parte de los *Amores de Júpiter.* La composición es muy del estilo de aquella, posterior, de Miguel Ángel. En el arte del siglo XX, el mito de *Leda y el cisne* está representado con menor frecuencia que otros episodios legendarios del acervo clásico.

JOYERÍA

Finalmente queremos recordar una excepcional pieza de joyería que se debe incluir entre las obras del arte español contemporáneo. Se trata de un broche de *Leda y el cisne,* realizado en 1997 por la firma Carrera y Carrera. Esta firma de joyeros madrileños tiene sus orígenes en 1885. Hoy día, más de un siglo después, sus piezas son considera-

---

37 E. Valdivieso, *Historia de la pintura sevillana,* Sevilla, 1986, págs. 459-460, fig. 420.

38 J. M. Blázquez, *Mosaicos romanos..., op. cit.,* págs. 399-400; y D. Fernández Galiano, *Complutum,* II (1984), págs. 203-213, figs. 13-14, láms. CIX-CXII.

39 J. M. Blázquez, *Mosaicos romanos..., op. cit.,* págs. 541-550.

40 A. Blanco, *Mosaicos romanos de Itálica,* vol. I, Madrid, 1978, págs. 27-28, lám. 2.

das verdaderas obras de arte, que están inspiradas a menudo en la mitología clásica o en piezas de orfebrería arqueológica. Cada pieza que sale de su taller va más allá del puro objeto comercial; se catalogan como obras de arte, y como tales están depositadas en los fondos patrimoniales de diversos museos de Madrid, Washington, Holanda, Japón[41]. En este caso se trata de una extraordinaria pieza realizada en oro de dieciocho quilates, rubíes y diamantes[42]. El cuerpo de Leda presenta distintos tonos del amarillo que añaden sombras a las formas desnudas, producidos por las distintas intensidades del pulido y la pátina. El oro brilla en el peinado, que contrasta con el moreno del cuerpo. Sobre la cabeza lleva una corona de oro blanco con diamantes y rubíes. También el oro blanco y los rubíes, cortados en casetones cuadrados, rodean el brazo. Un rubí pende del collar, también de oro blanco, como una lágrima sobre el pecho. El cisne, que aproxima el pico a la boca de Leda, se muestra perfectamente acoplado sobre el vientre de la mujer, a la que parece sujetar haciendo presión con las alas sobre las piernas de la dama, cuyo sexo queda tapado por el cuerpo del animal. Éste está realizado todo él en tonos blancos: el blanco del oro que dibuja su contorno y el blanco magníficamente destellante de los diamantes sobre todo su cuerpo a modo de plumaje.

[41] Véase *Arte y Joya*, junio-julio de 1990, págs. 46-51 y 136.

[42] Tomado de la la portada de *Joya-Moda*, 3, mayo de 1997.

Quiero agradecer a varias personas diversas informaciones que he incluido en este trabajo: a Miguel Ángel Elvira (Museo del Prado), a Enrique Arias y a Guadalupe López Monteagudo (ambos del CSIC), y especialmente al doctor Sabino Perea, que ha enriquecido este trabajo con noticias de pintores que han tratado el tema de Leda, así como por las referencias bibliográficas, que he incorporado a este estudio.

Capítulo IV

Mitos clásicos en la pintura moderna

Los mitos clásicos están presentes en la pintura moderna y contemporánea, no en todos los artistas, pero sí en muchos de ellos. Al tema hemos dedicado ya varios trabajos[1]. Basta recordar el papel desempeñado por los mitos clásicos en los maestros de la pintura moderna, como Picasso[2], Dalí[3], De Chirico[4], Klee[5], y en los impresionistas[6]. En

[1] J. M. Blázquez, «Temas del mundo clásico en el arte del siglo XX», art. cit. (cap. XIII de esta edición); *ídem,* «El mundo clásico en Picasso», art. cit. (cap. XI de esta edición); *ídem,* «Temas del mundo clásico en las pinturas de Kokoschka y Braque», art. cit. (cap. IX de esta edición); *ídem,* «Mujeres de la mitología clásica, en la pintura de Max Beckmann», art. cit.; *ídem,* «Mujeres de la mitología griega en el arte español del siglo XX», art. cit.; *ídem,* «El mundo clásico en Dalí», art. cit. (cap. XIX de esta edición); *ídem,* «El mito griego de Leda y el cisne en los mosaicos hispanos del Bajo Imperio y en la pintura europea», art. cit. (cap. III de esta edición); *ídem,* «Temas de la mitología clásica en las pinturas de la corte de Felipe II», art. cit. (cap. I de esta edición).

[2] J. Thimme, *Picasso und die Antike: mythologische Darstellungen, Zeichnungen, Aquarelle, Guaschen, Druckgraphik, Keramik, Kleinplastik, op. cit.*

[3] J. M. Blázquez, «El mundo clásico en Dalí», art. cit.

[4] *Giorgio de Chirico e il mito, 1920-1970,* Milán, 1996.

[5] A. A. Gürgel, en P. Kort (ed.), *Paul Klee in der Maske des Mythos,* Bonn, 1999, págs. 269, 285.

[6] N. Wolf, *La pintura del Romanticisrno,* Colonia-Madrid, 1999; cfr. J. M. Blázquez, «Mitos griegos en la pintura expresionista», *Goya,* 281 (2001), págs. 113-123 (cap. V de esta edición).

el presente trabajo hacemos unas catas en la pintura moderna, desde finales del siglo XVIII hasta un decenio después del final de la Segunda Guerra Mundial. El tema daría para un grueso volumen, pero sólo se pretende dar una panorámica general y señalar los principales mitos elegidos por los pintores. Se agrupan los mitos en las diferentes tendencias del arte y por artistas, para conocer los mitos predilectos.

PINTORES ROMÁNTICOS Y SIMBOLISTAS

Los pintores del romanticismo se inspiraron en los mitos clásicos para transmitir, mediante ellos, su mensaje a los contemporáneos. El primer artista que hay que citar en el tiempo, 1795, es el inglés Johann Heinrich Füssli, que en una pintura al óleo sobre lienzo representó a *Escila y Caribdis*[7], un tema tomado de los viajes de Ulises narrados en la *Odisea*. No es un mito, sino una leyenda épica. Füssli fue un partidario ferviente de la Revolución francesa, y en esta leyenda homérica aludió, sin duda, a muchos contemporáneos. Ulises lucha contra un monstruo, que vive en el castillo de un tirano, lo que sugiere una alusión a la opresión aristocrática. En lo alto del acantilado se encuentra la cabeza de Medusa, de Escila devorando a los compañeros de Ulises. La escena es un símbolo de la lucha del individuo.

En este mismo año 1795, William Blake, en un monotipo en color —técnica inventada por este artista— trató el mito de Hades, dios de los muertos, hijo de Cronos y de Rea. En la escena del reino subterráneo aparecen, en el interior de una caverna, lechuzas, un asno, un cocodrilo y tres damas: una, triste, sentada en el suelo, colocada de frente, y las otras dos a su lado, de perfil. El fondo del cuadro es de color oscuro, que contrasta con el color rosáceo del cuerpo de las mujeres[8].

Pocos años antes otro artista inglés, Dante Gabriel Rossetti, en 1874, pintó un óleo sobre lienzo, con *Proserpina*[9], reina del Hades y esposa de Plutón. Está representada como una bellísima dama, en plena juventud, con larga cabellera ondulante, ricamente vestida, sostiene en

[7] N. Wolf, *op. cit.*, pág. 68.

[8] N. Wolf, *op. cit.*, pág. 70.

[9] N. Wolf, *op. cit.*, pág. 89. Sobre la iconografía de Proserpina en el mundo antiguo, véase *LIMC*, VIII.1, suplemento, págs. 956-978. Sobre Hades, *LIMC*, V.1, págs. 370-406.

su mano la granada, fruto que simboliza la inmortalidad en las creencias griegas. Rossetti representó ocho veces el mismo tema.

El príncipe de los pintores románticos, Eugène Delacroix, pintó dos veces, en óleo sobre lienzo, en 1838 y en 1868, un mito clásico: el de *Medea furiosa*[10] antes de matar a sus hijos, tenidos de Jasón. Esta composición está presente en mosaicos hispanos, como el magnífico de Torre de Palma (Portugal), de época constantiniana. En 1850 pintó, en óleo sobre lienzo, un enorme cuadro con el mito de *Apolo vencedor de Pitón*[11], que inspiró una composición de idéntico motivo a Odilon Redon. La serpiente Pitón ocupó el oráculo de Delfos hasta que el dios Apolo la mató y ocupó su lugar. Otros mitos elegidos por Delacroix fueron el de *Leda y el cisne, Orfeo civilizando a los griegos, Hércules en ayuda de Hesíone* (1852), *Clío, Neptuno, Minerva y Mercurio,* todos ellos cuadros del año mencionado[12].

Los artistas simbolistas que seguían estas tendencias se inspiraron con mayor frecuencia que los románticos en la mitología clásica. Rossetti es el autor de un óleo de gran originalidad, realizado en 1877, que lleva por título *Astarté Syriaca*[13], la diosa fenicia del amor y de la fecundidad, que se corresponde con la Ishtar de los babilonios y con la Inanna de los sumerios. El artista estiliza los rasgos de la modelo para darle una impresión de gran sexualidad. Las túnicas de la diosa y de sus dos acompañantes son de color verde, con dominio absoluto de las tonalidades por parte del artista. Todo el cuadro rezuma sensualidad: los brazos desnudos de la diosa, su juventud y su cabellera ondulante. Al mismo artista se debe un óleo sobre lienzo que representa a *Venus Verticula* en el busto de una bella muchacha desnuda, con larga cabellera, rodeada de flores. Venus era una diosa romana protectora de los jardines, de los huertos y de los hortelanos, de la belleza y del amor. La flecha que sostiene la dama en la mano, las mariposas, la granada en la mano de la muchacha simbolizan a Eros, el dios del amor, y a la muerte representada por Tánatos[14], mito tratado soberbiamente por A. Delgado[15].

---

[10] G. Néret, *Eugène Delacroix, 1768-1863,* Colonia, 1993, págs. 42-43.

[11] Sobre Apolo vencedor de Pitón en el arte antiguo, *LIMC,* II.1, 1984, págs. 301-303.

[12] G. Nèret, *op. cit.,* págs. 67-70; B. Jobert, *Delacroix,* París, 1997, pág. 181, fig. 150; pág. 51, fig. 178; pág. 222, fig. 184; figs. 185-198, 200, 262.

[13] M. Gibson, *El simbolismo,* Colonia, 1997, pág. 27. Sobre el simbolismo en España véase F. Calvo Serraller, *Pintura simbolista en España (1890-1930),* Madrid, 1997.

[14] M. Gibson, *op. cit.,* pág. 77.

[15] *Eros y Thánatos: pinturas de Álvaro Delgado; con poemas de Antonio Gamoneda,* Madrid, 2000. El tema de Eros y Thánatos fue tratado también por Picasso entre los años 1966-1973 (J. Thimme, *op. cit.,* págs. 69-72).

Fernand Khnopff, con su cuadro titulado *Las caricias de la esfinge,* de 1896, óleo sobre lienzo, con los dos rostros juntos, simboliza la soledad del artista con lo imaginario. La esfinge es una mujer-pantera, que encarna la seducción fatal. El cuerpo de la esfinge es de felino y el rostro, de mujer. Este cuadro es un magnífico ejemplo del simbolismo[16]. También representó[17] una *Medusa durmiente,* cuya cabeza está rodeada de serpientes, en técnica de pastel sobre papel. Es un ave rapaz colocada de espaldas al espectador, posada sobre un tronco, con cabeza de mujer, que sobrevuela el rostro a su izquierda. Los tonos son oscuros, muy diferentes de los empleados en el lienzo anterior. Fernand Khnopff[18] en 1888 realizó una sanguina sobre papel: un soberbio cuerpo de mujer con los brazos levantados sobre la cabeza en actitud indolente, apoyada en una máscara humana. Representa a Ishtar, la diosa de la fecundidad babilónica.

El artista francés Henri Fantin-Latour (1836-1904) pintó en 1892 un óleo sobre lienzo con la imagen de *Helena,* mujer tenida por la más bella del mundo, esposa de Menelao, raptada por Paris, hecho que en el relato de Homero fue la causa de la guerra de Troya. Es representada en esta obra desnuda, recostada en el suelo, con cabellera rubia —los griegos creían que las rubias eran más sensuales y atractivas— rodeada de hombres de todas las edades, para simbolizar la atracción que ejerció Helena en todos los hombres que la conocieron. La escena se sitúa en un boscoso jardín[19].

El pintor también de nacionalidad francesa Georges Lacombe[20], hacia 1895, pintó una madera policromada con la imagen de Isis, la diosa-virgen egipcia, en tonos oscuros, que constrasta con el rojo de una túnica que cuelga de sus manos.

Gustave Moreau pintó en 1886 en *La Esfinge* a una dama hermosa sentada en una roca, con las alas azuladas dirigidas a lo alto, y con el cuerpo de tonos azulados. Los hombres, que no supieron resolver sus enigmas, cuelgan de la roca o yacen tumbados muertos a sus pies. Este mito griego, inmortalizado por Sófocles en una de sus tragedias más famosas, el *Edipo rey,* inspiró al artista en varias ocasiones. Esta versión es menos académica que la realizada en 1864[21].

---

16 M. Gibson, *op. cit.,* págs. 28, 86, 87.

17 M. Gibson, *op. cit.,* pág. 87.

18 M. Gibson, *op. cit.,* pág. 88.

19 M. Gibson, *op. cit.,* pág. 39.

20 M. Gibson, *op. cit.,* pág. 44.

21 M. Gibson, *op. cit.,* pág. 50.

Odilon Redon realizó en 1912 una obra (óleo y pastel) con el motivo del *Nacimiento de Venus*[22], de tonos amarillentos y fondo azulado, de gran originalidad. Este mito había inspirado ya frecuentemente a los artistas de la Antigüedad. Basta recordar la pintura pompeyana con Venus recostada desnuda sobre la concha, acompañada de dos erotes alados, uno de ellos cabalgando un delfín y el otro asomándose detrás de la concha[23]. El *Nacimiento de Venus* desde el interior de una concha se repitió en mosaicos hispanos, como los hallados en Murcia y en Cártama (Málaga)[24]. En mosaicos africanos aparece *Venus en la concha*, sostenida por Tritones, acompañada de erotes, de peces y a veces de barcos. La diosa se mira al espejo. El *Triunfo de Venus* aparece en un mosaico de Cartago fechado a finales del siglo IV o comienzos del siguiente[25]; en Djemila, la antigua Cuicul, en la Casa del Asno, de la misma fecha[26], y en Setif, la antigua Sitifis[27], obra contemporánea de la anterior. En un mosaico sirio, de influjo africano, se repite el mismo mito[28]. La originalidad del cuadro de Odilon Redon es situar la concha verticalmente, no en sentido horizontal, sobre el mar, como es su iconografía habitual, y destaca también su tonalidad y la ausencia de erotes y de peces.

El mismo artista representó en 1883 una cabeza de *Cíclope*[29] —hijo de Urano y de Gea, ser de enorme estatura y con un solo ojo—, ejecutada en tonos oscuros, que encajan bien en el carácter sombrío y asesino del Cíclope, el cual se dispone a devorar a los compañeros de Ulises. La boca enorme y el único ojo de tamaño descomunal acentúan la sensación de monstruosidad del devorador de hombres. En 1898-1900 volvió Odilon Redon a tratar este mito en un óleo sobre

---

[22] M. Gibson, *op. cit.*, pág. 60. Sobre la iconografía del nacimiento de Venus en la Antigüedad, *LIMC*, II.I, págs. 113-117.

[23] A. Maiuri, *La peinture romaine*, Ginebra, 1957, pág. 7.

[24] J. M. Blázquez, *Mosaicos romanos de España*, *op. cit.*, págs. 415-418; *ídem*, *Mosaicos romanos de Córdoba, Jaén y Málaga*, Madrid, 1981, págs. 85-88, láms. 70-71; *ídem*, *Mosaicos romanos de Sevilla, Granada, Cádiz y Murcia*, Madrid, 1982, págs. 62-63, fig. 21.

[25] K. M. D. Dunbabin, *The Mosaics of Roman North Africa: Studies in Iconography and Patronage*, *op. cit.*, págs. 156-158, lám. 150.

[26] K. M. D. Dunbabin, *op. cit.*, págs. 44, 134, 156, lám. 151.

[27] K. M. D. Dunbabin, *op. cit.*, págs. 32, 156, lám. 149.

[28] J. Balty, *Mosaïques antiques de Syrie*, Bruselas, 1977, págs. 16-19, con una imagen de la *toilette* de Venus en la concha, procedente de Shahba-Philippopolis, fechado a la mitad del siglo III.

[29] M. Gibson, *op. cit.*, pág. 60. Sobre las imágenes del Cíclope en la Antigüedad, *LIMC*, VIII.1, suplemento, págs. 1011-1019.

tela titulado *El Cíclope*. Esta vez, el monstruo surge de las aguas, y mira con su ojo único a una nereida desnuda recostada insinuante delante de él, como ajena a su presencia. En este cuadro dominan los tonos rosas, con toques de verde y amarillo. El cielo es oscuro. El artista retrata magníficamente la ferocidad del Cíclope[30]. Hacia 1900 pinta un óleo sobre tela[31] con el tema de *Andrómeda y el monstruo,* representado por una gigantesca cabezota simiesca que expresa voluptuosidad y sentido de posesión. El monstruo está pintado con colores oscuros. La nereida, desnuda, duerme tranquila. Debajo del monstruo el artista empleó el color verde, que contrasta vivamente con el tono oscuro general. El trágico ateniense Eurípides dedicó una tragedia a Andrómeda, que a su muerte se convirtió en constelación. El mito cuenta que Andrómeda fue expuesta a un monstruo y atada a una roca. El héroe Perseo, enamorado de ella, la liberó. Esta escena está representada ya en una pintura pompeyana, y tuvo gran aceptación posterior en el arte.

Ese mismo año (1900) Odilon Redon[32], a la hora de pintar un óleo, se inspiró en un tema clásico: el de Orfeo, el cantor tracio que amansaba a las fieras con su música, mortal que regresó del reino infernal, del Hades, por lo que representa el símbolo del triunfo de la vida sobre la muerte. En esta obra el cuerpo de Orfeo y el fondo son de color amarillo, tono que contrasta vivamente con el blanquecino del cuerpo y los oscuros (verdes y marrones) de la vegetación que hay detrás de él. En 1909, en un óleo sobre tela, el artista encontró inspiración nuevamente en un mito clásico, en su obra titulada *El carro de Apolo*[33], en el cual los caballos encabritados arrastran el carro con el dios, en pie sobre él, hacia lo alto del cielo. Las tonalidades de la obra son las características de este artista: dominio del verde sobre un panorama oscuro que destaca en la composición. En este cuadro, que simboliza el triunfo de la ley, el carro y el dios están representados con la misma actitud que en la obra anterior, salvo por la distinta posición de los caballos encabritados. Odilon Redon tenía predilección por una serie determinada de mitos clásicos a los que recurría una y otra vez. De 1912 data una obra titulada *Nacimiento de Venus,* esta vez de tona-

---

[30] M. López Blázquez, *Odilon Redon, 1840-1916,* Madrid, 1998, fig. 49; M. Brizi y B. Ravena, *Le nu dans la peinture impresioniste,* Milán, 1991, pág. 58, fig 49.

[31] M. López Blázquez, *op. cit.,* fig. 48.

[32] M. López Blázquez, *op. cit.,* fig. 46.

[33] M. López Blázquez, *op. cit.,* fig. 44. Otro carro de Apolo, óleo sobre tela, data de 1912; M. Gibson, *Odilon Redon, 1840-1916: el príncipe de los sueños,* Colonia, 1998, pág. 87. Del carro sólo se representan los cuatro caballos entre nubes y mariposas.

lidades suaves, rosas, blanquecinas, beiges y violetas[34]. La diosa se encuentra en pie sobre una concha vertical sobre las olas del mar, postura de gran originalidad. En 1910 el mismo artista pintó a *Pandora* como una mujer desnuda en el campo, rodeada de flores y árboles. Artísticamente este cuadro se aproxima al *Nacimiento de Venus* de 1912[35]. En 1907 Odilon Redon pinta un óleo sobre tela con el tema clásico de *Pegaso y la Hidra.* Cuenta este mito que la diosa, protectora de Atenas, entregó a Belerofonte, el caballo alado, para que luchara contra la Quimera. El caballo alado, hijo de Poseidón y de la Gorgona, vuela sobre la Hidra, lo que simboliza la superación del hombre sobre los instintos del mundo inferior. Pegaso salta encabritado, y destaca el perfil desafiante de sus dientes, afilados como púas, que surgen violentos de la boca abierta. El artista empleó sus colores preferidos. Las alas de Pegaso son verdes.

Odilon Redon volvió más tarde a componer cuadros con mitos ya familiares para él, por ejemplo, un tercer *Nacimiento de Venus,* donde la concha flota sobre un mar tranquilo y Venus está sentada, despreocupada, en su interior[36]. En la Rosendahl Art Foundation (en USA), se conserva una obra en pastel de este artista con el tema de *La caída de Ícaro.* Este personaje, según el mito, fue encerrado por su padre Dédalo en el laberinto de Creta, del que logró salir gracias a unas alas de cera. Al acercarse demasiado al sol en su alto vuelo, las alas se derritieron e Ícaro cayó en picado al suelo. En el cuadro, al fondo, se encuentra un gran sol de amarillo fuerte y delante de él una gran cabeza alada, con un fuerte contraste de colores que no se observa en otras composiciones del artista[37].

M. Gibson[38] ha reproducido, en su estudio sobre Odilon Redon, un pastel con *Pegaso* encabritado, todo él de color azul, con las alas blancas, sobre una roca de color marrón azulado. Los colores de la figura contrastan con los del fondo, el azul y el verde del cielo.

La lucha de los centauros, tan del gusto de los artistas griegos, no podía estar ausente en la obra de un pintor que conocía bien la mitología griega hasta el punto de ser un motivo capital de su obra. En una acuarela, pluma y tinta china sobre papel, representó un *Combate de*

---

[34] M. López Blázquez, *op. cit.,* fig. 47; M. Brizi y B. Ravena, *op. cit.,* fig. 52.

[35] M. Brizi y B. Ravena, *op. cit.,* pág. 81.

[36] M. Gibson, *Odilon Redon,* pág. 17.

[37] M. Gibson, *Odilon Redon,* págs. 48-49. Sobre Ícaro en la iconografía antigua, *LIMC,* III.1, págs. 313-321.

[38] M. Gibson, *Odilon Redon,* pág. 63.

centauros armados con lanza[39], y en un pastel *La lucha de la mujer y del centauro*[40], ser mitológico que es mitad hombre y mitad caballo.

Cabe recordar una última obra, al carboncillo y coloreado al pastel, fechada en 1894, con *Edipo y la Esfinge*[41], mito que ya había tratado G. Moreau en 1864[42]. Este pastel es de una gran originalidad compositiva. Delante de un arco, Edipo, del que sólo se representa el busto, habla tranquilamente con la esfinge alada, sentada en el suelo. En el pastel de G. Moreau, la Esfinge salta sobre un Edipo desnudo, en un paisaje rocoso. Odilon Redon[43] conoció, sin duda, *La Quimera* de Moreau, obra de 1862, de gran originalidad. El artista pintó a la Quimera saltando sobre una roca, como una dama desnuda que se abraza al cuello. La Quimera era un animal monstruoso con cabeza de león, cuerpo de cabra y la parte posterior de serpiente.

George Frederick Watts es el autor de un óleo sobre lienzo con el mito de *Minotauro*[44], fechado hacia 1877. Este mito fue inmortalizado por Picasso, que le dedicó un conjunto importante de obras[45], y por Dalí[46]. También se representa en los mosaicos hispanos, en Pamplona[47], Córdoba[48], y Torre de Palma en Portugal[49]. El cuerpo de Minotauro pintado por George Frederick Watts[50] es un cuerpo humano grueso y musculoso. El monstruo está colocado de tres cuartos, de espaldas al observador. El artista declaró que pintaba ideas, no objetos. Se proponía, según sus palabras, sugerir ideas e incentivar la imaginación para, de este modo, despertar los sentimientos más nobles del hombre.

---

[39] M. Gibson, *Odilon Redon,* pág. 64. Sobre las imágenes de los centauros en el arte clásico, *LIMC,* VIII.1, suplemento, págs. 671-727.

[40] M. Gibson, *Odilon Redon,* pág. 65; M. Brizzi y B. Ravena, *op. cit.,* pág. 59, fig. 50.

[41] M. Gibson, *Odilon Redon,* pág. 56.

[42] M. Gibson, *Odilon Redon,* pág. 56.

[43] M. Gibson, *Odilon Redon,* pág. 63.

[44] M. Gibson, *El simbolismo, op. cit.,* págs. 78-79. Sobre la iconografía del Minotauro en el mundo antiguo, *LIMC,* VI.1, págs. 574-581.

[45] Entre los años 1933 y 1938. J. Thimme, *op. cit.,* págs. 23-46.

[46] R. Descharnes y G. Néret, *Salvador Dalí, 1904-1989: la obra pictórica, op. cit.,* págs. 276-277, 345; V. Charles, *Salvador Dalí,* Bournemouth, 1999, pág. 112, fig. 94-R.

[47] J. M. Blázquez y M. H. Mezquíriz, *Mosaicos romanos de Navarra,* Madrid, 1985, págs. 56-60, lám. 36; J. M. Blázquez, *Mosaicos romanos de España, op. cit.,* pág. 403.

[48] J. M. Blázquez, *Mosaicos romanos de Córdoba, Jaén y Málaga, op. cit.,* págs. 46-47, lám. 35; J. M. Blázquez, *Mosaicos romanos de España, op. cit.,* pág. 403.

[49] J. M. Blázquez, *Mosaicos romanos de España, op. cit.,* págs. 286-289; W. A. Daszewski, *La mosaïque de Thésée: études sur les mosaïques avec représentations du labyrinthe de Thésée et du Minotaure,* Varsovia, 1977.

[50] M. Gibson, *El simbolismo, op. cit.,* págs. 118-119.

Al pintor suizo Arnold Böcklin se debe un óleo sobre lienzo, 1895, de *Venus Genitrix,* de gran originalidad. Forma un tríptico, con Venus de pie, de frente y semidesnuda, ladeada hacia la izquierda, con un manto oscuro. En el lado derecho hay una dama sentada, con un niño y dos cestos repletos de frutos, y en el lado izquierdo un erote, situado de espaldas, alado e inclinado, y encima, dos amantes. En este autor los mitos clásicos ocupan un lugar destacado en su inspiración. En 1854 se data un óleo sobre lienzo con *Sirio huyendo ante Pan* en un paisaje agreste. La dama huye despavorida ante el asalto de Pan, que está ya a punto de apresarla. Sirio era una de la Nereidas, y Pan el dios de los pastores y de los rebaños. El artista ha expresado magníficamente el pavor de la mujer, que pide auxilio con la cabeza inclinada y los brazos levantados al cielo[51]. En 1853 trabajó en un óleo sobre lienzo, con el mito de *Pan silbando a un mirlo.* Pan está recostado entre espesos matorrales[52]. Durante el decenio de 1870, el artista prestó especial atención a los mitos clásicos. En la *Lucha de centauros,* 1872, expresa magníficamente la ferocidad del combate. El color rojo de los cuerpos recuerda la sangre derramada[53]. Otras composiciones de corte clásico son: *Centauro junto al agua,* témpera de 1872, donde se ve al Centauro tumbado, fatigado tras la lucha[54]; *Ninfa sobre las espaldas de Pan,* témpera de 1874, con una ninfa desnuda que es una joven hermosa que contrasta con la fealdad y la vejez de Pan, que la lleva como dulce carga[55]; y *Sirenas,* témpera de 1875. Las Sirenas —divinidades marinas— atraen a los navegantes con sus cantos misteriosos, tal como se narra en un célebre episodio de la *Odisea.* El tema es frecuente en el arte antiguo y moderno. Basta recordar, entre las obras musivarias de época romana, los casos de la Casa de Dioniso y de Ulises[56] en Dugga, la antigua Thugga, fechados a mitad del siglo III. De 1872 data *Venus Anadiomene saliendo del mar,* témpera donde se ve a un erote coronando a Venus desnuda,

---

[51] G. Magnaguagno y L. Steiner (eds.), *Arnold Böcklin, Giorgio de Chirico, Max Ernst,* Berlín, 1998, pág. 47, fig. 10.

[52] G. Magnaguagno y J. Steiner, *op. cit.,* pág. 54, fig. 18.

[53] G. Magnaguagno y J. Steiner, *op. cit.,* pág. 60, fig. 24.

[54] G. Magnaguagno y J. Steiner, *op. cit.,* pág. 60, fig. 25.

[55] G. Magnaguagno y J. Steiner, *op. cit.,* pág. 60, fig. 26.

[56] K. M. D. Dunbabin, *op. cit.,* págs. 42, 147, 183, lám. 15; G. Poinsot, «Quelques remarques sur les mosaïques de La Maison de Dionysos et d'Ulysse à Thugga Tunisie», en *CMGR,* I, págs. 219-231, con paralelos en pavimentos de Tor Marancio, de Scrofano, de Thaenae, de Utica, de Cherchell, de Uthina, de Cartago y de Ameixoal (Lusitania, Portugal). Sobre la iconografía de las Sirenas en el mundo antiguo, *LIMC,* VI.1, págs. 962-964.

en un paisaje marino, rodeada por un velo. Los erotes sobrevuelan la zona superior de la escena[57]. El prototipo se remonta a un original griego del siglo IV a.C. realizado por Praxíteles[58]. Pintó también una Afrodita saliendo del mar, cuya cabellera se mezcla con la arena de la playa. Al mismo artista griego se debe una Afrodita coronada (Plinio, *Historia natural*, XXXIV, 69), que es la representada en el lienzo de Arnold Böcklin con aire nuevo, fantasía y acierto. A partir de 1872 el pintor realizó un cuadro, a la témpera, con la poetisa Safo[59], una de las máximas figuras de la lírica griega, que vivió hacia el año 600 a.C. El artista representa a la poetisa de espaldas, semidesnuda, sosteniendo la lira, en un bosque.

Todavía es posible recordar algún otro mito griego en la pintura de Arnold Böcklin, de esa misma época. En 1878 realiza dos cabezas de *Medusa*, cuyos cabellos son serpientes. Los rostros denotan cierta melancolía[60]. Un estilo similar se encuentra en la soberbia cabeza de Medusa del templo de Apolo en Dídima[61], en Asia Menor.

Cerramos finalmente este repaso a la obra mitológica de Arnold Böcklin con su óleo sobre lienzo, del año 1882, de *Prometeo*, el hombre que, según el relato mítico, entregó el fuego a la humanidad y fue condenado a que un águila le devorara continuamente el hígado, que se regeneraba sin cesar. En esta pintura Prometeo está tumbado sobre una roca, encadenado, mirando al cielo. Los colores sombríos utilizados por el artista están a tono con la severidad del terrible castigo. Las nubes presagian tormenta. Algunas tonalidades claras hacen, por su contraste, que el cuadro parezca más trágico aún[62].

El tema de la utilización de los mitos clásicos por los pintores simbolistas no se agota con las obras a las que nos hemos referido. Es preciso señalar algunas otras destacadas por su valor artístico, como *El beso de la Esfinge*, óleo sobre lienzo, 1895, de Franz von Stuck. La Esfinge se sienta sobre una roca y besa frenéticamente a un varón desnudo, arrodillado delante de ella. El color dominante es el rojo oscuro, sombrío, que simboliza probablemente la muerte que se cernía sobre el desventurado amante.

---

[57] G. Magnaguagno y J. Steiner, *op. cit.*, pág. 63, fig. 29.

[58] M. Bieber, *The Sculpture of the Hellenistic Age, op. cit.*, pág. 21.

[59] G. Magnaguagno y J. Steiner, *op. cit.*, pág. 68, fig. 31.

[60] G. Magnaguagno y J. Steiner, *op. cit.*, pág. 71, figs. 40-41.

[61] J. M. Blázquez, *Grecia helenística*, Madrid, 2000, pág. 55. Sobre la iconografía de Medusa en el mundo antiguo, *LIMC*, IV.1, págs. 285-362.

[62] G. Magnaguagno y J. Steiner, *op. cit.*, pág. 77, fig. 47.

Frantisek Kupka, en un óleo sobre tabla de 1900, realizó un cuadro de gran originalidad, y posiblemente un *unicum*. Se titula *Balada de Epona*, la diosa gala protectora de los caballos, de la que nos han llegado numerosas imágenes antiguas en territorio francés. Sobre dos caballos, uno grande y otro pequeño, cabalgan dos mujeres desnudas, una rubia y otra morena, junto a la playa. Ambas son las mujeres ligadas a la vida del pintor: su compañera y su amiga[63].

Valentin Abeksan Orovitch Servo pintó en 1910 dos cuadros muy parecidos con el tema de *El rapto de Europa*[64]. Europa está acurrucada sobre el lomo del toro, agarrada a uno de los cuernos. El mito cuenta que Zeus se metamorfoseó en toro para raptar a Europa. En el primer caso, el mito se sitúa en el mar azulado, con delfines saltando y el toro nadando entre las olas. En el segundo caso, únicamente se ve la silueta del toro. Este último está representado sobre porcelana pintada, y el primero en temple sobre lienzo. El tema se representó tempranamente en las metopas arcaicas del arte griego de Selinunte[65] y es muy frecuente en mosaicos[66].

Alberto Martini, 1903, simbolizó, bajo la imagen de una vieja escuálida, *El fin de Venus*, realizado en técnica de plumilla y tinta sobre papel blanco y gris. Este cuadro está inspirado, indudablemente, en los varios que representan la ruina de la belleza femenina. A Néstor, 1922-1923, se debe una acuarela con *Sátiro en el jardín de las Hespérides*, que es una cabeza varonil colocada en posición de tres cuartos, con el rostro pensativo y la mano derecha sosteniendo la barbilla. La cabeza presenta grandes cuernos de carnero[67]. Los sátiros eran divinidades de los bosques y montañas; y el Jardín de las Hespérides era, en la mitología griega[68], un jardín lleno de fuentes de ambrosía, el manjar de los dioses, consagrado a Hera, que plantó allí las manzanas que posteriormente fue a buscar Heracles.

Merece la pena también recordar otras obras de artistas simbolistas, como la *Galatea* de Gustave Moreau[69], realizada en acuarela en 1896.

---

[63] M. Gibson, *El simbolismo, op. cit.*, pág. 136.

[64] M. Gibson, *El simbolismo, op. cit.*, págs. 186-187. Sobre la iconografía del rapto de Europa en el periodo grecorromano, *LIMC*, IV.1, págs. 76-92.

[65] U. Pugliese Carratelli, *The Greek World: Art and Civilization in Magna Graecia and Sicily*, Milán, 1996, pág. 407; *ídem, I Greci in Occidente*, Caleppio di Settala, 1996, pág. 407.

[66] U. López Monteagudo y P. San Nicolás, «El mito de Europa en los mosaicos hispanorromanos: análisis iconográfico», *Espacio, Tiempo y Forma*, 8 (1995), págs. 383-438.

[67] M. Gibson, *El simbolismo, op. cit.*, pág. 200.

[68] Sobre los sátiros y sus representaciones artísticas en la Antigüedad, *LIMC*, III.1, págs. 413-566.

[69] M. Gibson, *El simbolismo, op. cit.*, pág. 7.

Galatea era hija de Nereo y de una ninfa marina; era pretendida por el Cíclope Polifemo, pero ella no correspondió a ese amor, pues estaba enamorada, a su vez, del pastor Acis, el cual fue aplastado con una roca por el despechado Polifemo[70]. El mito aparece en un mosaico de Córdoba[71] fechado en torno al año 200, que se remonta a una pintura helenística en la que Polifemo y Galatea aparecen ya como dos amantes, al igual que en alguna pintura pompeyana. Entre 1894 y 1896 el mismo pintor representó, en un óleo sobre lienzo, a *Júpiter y Sémele,* que deseaba contemplar al padre de los hombres y de los dioses en todo su esplendor divino. Sémele no pudo resistir y murió carbonizada. Estos dos cuadros están muy cargados de simbolismo, alejado del gusto moderno pero cercano al de Moreau[72]. Finalmente hemos de mencionar el cuadro titulado *El lamento de Orfeo,* óleo sobre lienzo fechado en 1896, de Alexandre Léon. Orfeo está tendido en una playa, semidesnudo y en actitud triste, sujetando la lira con la mano izquierda, mientras que con la otra se tapa los ojos[73].

Famosos son los dibujos a tinta de Aubrey Beardsley inspirados en la *Lisístrata* de Aristófanes, un escritor de comedias ático que vivió a mediados del siglo V a.C., de un fuerte realismo que raya en la pornografía, y de una gran ironía y comicidad[74].

Los artistas simbolistas se inspiraron en sus pinturas en los mitos, los cuales fueron utilizados como metáforas pictóricas capaces de expresar la problemática del mundo que tocó vivir a los artistas que los llevaron a los lienzos. Se puede alargar mucho la lista de pintores y obras que tienen mitos clásicos en el arte simbolista. Una mirada al reciente libro titulado *Los pintores del alma: el simbolismo idealista en Francia,* Madrid, 2000, del que son autores J. D. Jumeau-Lafond y G. Solana, alarga considerablemente el número de artistas ya citados. Merece la pena recordar el *Narciso,* óleo sobre lienzo de 1893, de G. Desvallières[75]. Narciso se sienta sobre un muro y contempla su rostro en el agua. Narciso se enamoró de sí mismo al ver su imagen reflejada en un pe-

---

70 M. Gibson, *El simbolismo, op. cit.,* pág. 208. Sobre la iconografía antigua del mito de Galatea, *LIMC,* VII.1, págs. 785-824.

71 J. M. Blázquez, *Mosaicos romanos de España, op. cit.,* págs. 388-392.

72 M. Gibson, *El simbolismo, op. cit.,* págs. 6-7.

73 M. Gibson, *El simbolismo, op. cit.,* pág. 20. Sobre Orfeo en el arte clásico antiguo, *LIMC,* VII.1, págs. 81-105.

74 V. de Carlo, *Lisistrata di Aristofane,* Milán, 1991. Picasso hizo varios dibujos sobre las escenas de esta comedia.

75 J. D. Jumeau-Lafond y G. Solana, *op. cit.,* págs. 102-103. Sobre Narciso en la iconografía clásica, *LIMC,* VI.1, págs. 703-711.

Edgar Maxence, *Cabeza de divinidad, ¿Mercurio?*, París, colección particular.

queño remanso de agua de una fuente, y se suicidó ante la imposibilidad de satisfacer su pasión. A su lado se encuentra una dama desnuda. La escena se desarrolla en un jardín. También debemos recordar una cabeza de Mercurio, dios del comercio y mensajero de los dioses[76], obra de Edgar Maxence, 1907, acuarela y aguada sobre papel. Es la cabeza de un joven con expresión meditabunda, con alas sobre su cabeza, pintada sobre un fondo azul claro. Se observa en esta composición un contraste vivo de colores[77].

La caída de Safo es un óleo sobre lienzo, sin fecha, de Gustave Moreau, tema clásico, no mito, al que el artista volvió con regularidad. El martirio consiste en la caída de la poetisa desde lo alto de la roca de Leucades. Safo y Orfeo eran para G. Moreau símbolos del artista que lucha por alcanzar su ideal, el que es capaz de sacrificar su vida. *Hércules y la Hidra de Lerna,* que narra el episodio de uno de los siete trabajos de Hércules impuestos por Euristes, es un óleo de Moreau, de 1875. La pintura expresa el sentido político en el contexto franco-alemán del momento. Hércules contempla al monstruo antes del combate.

Otra obra digna de mención es la *Psique,* de Armand Point, 1898, lápiz con retoques de guache sobre papel. Psique quedó inmortalizada en la novela de Apuleyo titulada *El asno de oro,* del siglo II d.C., y en la escultura helenística fechada hacia el año 130 a.C. Venus ordenó a Psique que llevara a Proserpina una caja de oro, que no podía abrirse, a fin de que Proserpina depositara en ella algo de su belleza. Psique no se contuvo y quedó sumida en una gran tristeza antes de que Amor la salvase. El tema de Psique inspiró igualmente a varios simbolistas, como Armand Point y Waterhouse[78]; *La toilette de Thetis,* diosa de la fecundidad de las aguas, lápiz negro y mina de plomo sobre calco, 1895, de Pierre Puvis de Chavannes[79]; *Isis,* de Odilon Redon, 1890, papel de china pegado a papel, forma parte de la serie titulada *Tentaciones de san Antonio,* con predominio de fondos oscuros en las escenas[80]; *Pandora,* 1895-1900, óleo sobre madera, de Ary Renan: colocada en una gruta junto al río, Pandora abrió por curiosidad la caja cuya custodia se le había encomendado, motivo por el cual se propagaron todos los males por la tierra. La escena se sitúa en una cueva de estalactitas de colo-

---

[76] J. D. Jumeau-Lafond y G. Solana, *op. cit.,* págs. 176-177.

[77] J. D. Jumeau-Lafond y G. Solana, *op. cit.,* págs. 196-197.

[78] J. D. Jumeau-Lafond y G. Solana, *op. cit.,* págs. 216-217. Sobre Psique en el arte antiguo, *LIMC,* VII.1, 1994, págs. 569-585.

[79] J. D. Jumeau-Lafond y G. Solana, *op. cit.,* págs. 226-227.

[80] J. D. Jumeau-Lafond y G. Solana, *op. cit.,* págs. 238-239.

res oscuros[81]. A este mismo autor se debe una *Safo* de 1893; *Adonis,* óleo sobre lienzo, 1900, de Salomon Léon. La escena se sitúa en el interior de un edificio de cúpula, lo que es una gran novedad. La expresión de Adonis, el amante de Afrodita, que por rechazar las caricias de la diosa encontró la muerte en una cacería, es de gran tristeza y presagio de una muerte cercana[82]; y *La desesperación de la esfinge,* óleo sobre lienzo de 1890, de Alexandre Léon, obra cumbre del expresionismo francés, por su técnica, por su temática y por su pensamiento idealizado. La Quimera está tumbada asomándose a una roca próxima a un río con la mirada dirigida a lo alto. La Quimera se siente abandonada y triste, símbolo del momento por el que atravesaba el mundo[83].

Surrealistas en Nueva York

Un grupo importante de artistas unidos al movimiento surrealista, huidos de Europa por la tragedia de la Segunda Guerra Mundial, coincidieron en Nueva York. Algunos de ellos tomaron los temas de la mitología clásica como motivos de sus obras en la década de 1940. Basta recordar a Esteban Francés[84], 1939, con *Laberinto* (del que salió Teseo gracias al hilo que le entregó Ariadna, enamorada de él, cuando fue a Creta a matar al Minotauro encerrado allí), óleo y grattage/lienzo; a Hans Hoffmann[85], con *Leda,* 1945, óleo y contrachapado. De Leda se enamoró Zeus, y se transformó en cisne para poder tener relación sexual con ella. Este mito ha tenido gran aceptación a través de los siglos desde que, ya en el Renacimiento, lo pintara Tiziano. Otra *Leda y el cisne* se debe a Correggio[86], 1531-1532, óleo sobre lienzo, y todas las recordadas en el trabajo nuestro sobre el tema, que llega hasta la pintura actual[87]. Basta citar algunos de estos nombres señeros: Lovis Corinth, siete cuadros (1890-1924); Christian Rohlfs, tres cuadros (1906-1917); Gustav Klimt (1917); Max Ernst (1927), Raoul Dufy, cuatro cuadros

---

[81] J. D. Jumeau-Lafond y G. Solana, *op. cit.,* págs. 244-245.

[82] J. D. Jumeau-Lafond y G. Solana, *op. cit.,* págs. 246-247.

[83] J. D. Jumeau-Lafond y G. Solana, *op. cit.,* págs. 258-259.

[84] M. González (coord.), *Surrealistas en el exilio y los inicios de la Escuela de Nueva York,* Madrid, 2000, pág. 64.

[85] M. González, *op. cit.,* pág. 250.

[86] M. Wundram, *op. cit.,* pág. 104.

[87] Véase más arriba, cap. III, págs. 67-69; M. de Andrés (coord.), *Álvaro Delgado,* Orense, 1999, págs. 66 y 71.

(1926, 1928); Francis Picabia (1931, 1937-1938); Henri Matisse, dos cuadros (1945, 1949); Max Beckmann (1948), Dalí (1949, 1949); Oskar Kokoschka (1951); Paul Wunderlich (1963, 1966); Roy Lichtenstein (1968), etc., a los que hay que añadir las obras de artistas españoles, como Domingo Fernández, Sotomayor, Ávalos y Álvaro Delgado.

Kurt Seligmann, 1944[88], realizó varios grabados relacionados con Edipo, el rey de Tebas que mató a su padre Layo y se casó con su madre Yocasta. Esta trama es el tema de la tragedia de Sófocles *Edipo rey*. Los grabados del citado artista se titulan *El mito de Edipo, El asesinato de Layo* y *Edipo en Colono*.

Stanley W. Hayler pintó en 1943 un grabado al aguafuerte con el tema de *Laoconte*[89]. Laoconte era sacerdote del templo troyano de Apolo Timbreo. Cuando los griegos dejaron delante de Troya el caballo de madera y se embarcaron, los troyanos pidieron al sacerdote que hiciera un sacrificio en honor de Poseidón, dios del mar, para que naufragara la flota griega. Durante la ceremonia salieron del mar dos gigantescas serpientes que estrangularon a los hijos de Laoconte, que pereció también en su intento de salvarlos. Esta escena fue cantada por Virgilio en la *Eneida* (II, 199-277). El episodio fue inmortalizado en un magnífico grupo escultórico, fechado en el siglo I, obra cumbre del arte helenístico, obra de los escultores Atenodoro, Agesandro y Polidoro de Rodas, los mismos artistas que trabajaron en la Gruta de Tiberio en Sperlonga[90]. A S. W. Hayler se debe una obra, 1945, con el tema de *Amazona*, aguafuerte, grabado y buril. Las amazonas ayudaron a los troyanos en la guerra[91]. André Racz pintó en 1945 un *Perseo decapitando a Medusa*[92], una de las Gorgonas, monstruos marinos que aparecen ya en las escenas míticas del arcaísmo griego, como en una ánfora beocia del siglo VII a.C.[93], en una metopa del templo de Selinunte[94] en torno al 519 a.C., y en un templo de Corfú. Finalmente

[88] M. González, *op. cit.*, págs. 200-201.

[89] M. González, *op. cit.*, pág. 287.

[90] J. J. Pollitt, *El arte helenístico*, Madrid, 1989, págs. 203-206; M. Bieber, *op. cit.*, páginas 134-138, figs. 530-533; J. Charbonneaux, R. Martin y F. Villard, *Grecia helenística (330-50 a.C.)*, Madrid, 1970, págs. 333-334, fig. 362; A. Blanco, *Arte griego*, Madrid, 1982, págs. 377-378.

[91] M. González, *op. cit.*, pág. 288.

[92] M. González, *op. cit.*, pág. 289.

[93] K. Papaioannou, *Griechische Kunst*, Friburgo, 1972, lám. 33. Sobre el mito de la Gorgona y Perseo, véase S. Percea Yébenes, *Mitos griegos e historiografía antigua*, Sevilla, 2000, págs. 21-101.

[94] K. Papaioannou, *op. cit.*, fig. 221.

hay que mencionar un *Pegaso* realizado en 1943 con buril por la artista Ann Ryan[95].

Impresionistas franceses

Los impresionistas franceses[96] no se ocuparon, en general, de llevar a sus lienzos los mitos clásicos. No los trataron ni Monet[97], ni Degas[98], ni Toulousse Lautrec[99], ni Gauguin[100], ni Rousseau[101], ni Van Gogh[102]. Henri Matisse[103] pintó un *Ícaro*[104], y Renoir[105] es el autor de un *Juicio de Paris,* 1908. Por su parte, Cezanne[106] no se ocupó de los mitos clásicos pero pintó dos cuadros con *Las tentaciones de san Antonio,* tema ya tratado por El Bosco y sus seguidores[107], y de gran aceptación entre los artistas de todas las épocas. Flaubert escribió una obra teatral con ese tema. En pintura, ha sido tratado por Ernst[108], Rivera[109], Saura[110],

---

95 M. González, *op. cit.,* pág. 229. Sobre Pegaso en el mundo antiguo, *LIMC,* VII.1, 1994, págs. 214-230.

96 I. F. Walther, *El impresionismo,* Colonia, 1997.

97 P. Hayes Tucker *et al., Monet im 20. Jahrhundert,* Singapur, 1999; D. Wildenstein, *Monet or the Triumph of Impresionism,* Colonia, 1999.

98 B. Growe, *Edgar Degas, 1834-1917,* Colonia, 1994; A. Roquebert, *Degas,* Barcelona, 1988; T. Schneider, *Edgar Degas,* Barcelona, 1999.

99 M. Arnold, *Henri de Toulouse-Lautrec, 1864-1901: el teatro de la vida,* Colonia, 1994; G. Néret, *Henri de Toulouse-Lautrec, 1864-1901,* Colonia, 1999.

100 I. F. Walther, *Paul Gauguin 1848-1903,* Colonia, 1992; A. Bowness, *Gauguin,* Londres, 1991.

101 C. Stabenow, *Henri Rousseau, 1844-1910,* Colonia, 1992; F. C. Marchetti, *Rousseau,* Milán, 1999.

102 R. Mezger e I. F. Walther, *Van Gogh: la obra completa,* Colonia, 1997; A. Torterolo, *Van Gogh,* Colonia, 1999.

103 En general sobre este pintor, V. Essers, *Matisse, 1862-1954: maestro del color,* Colonia, 1993; G. Néret, *Henri Matisse,* Colonia, 1997.

104 G. Crepaldi, *Henri Matisse,* Colonia, 1998, págs. 118-119.

105 H. Feist, *Pierre Auguste Renoir, 1841-1919: el sueño de la armonía,* Colonia, 1990; B. Ehrlich, *Renoir: His Life, Art and Letters,* Hong-Kong, 1988, pág. 288; G. Crepaldi, *Renoir,* Colonia, 1999.

106 H. Düchting, *Cézanne,* Colonia, 1994, pág. 33; U. Becks-Malorny, *Paul Cézanne, 1839-1906: precursor de la modernidad,* Colonia, 1995, pág. 35.

107 J. L. Porfirio, *Las tentaciones. Un pintor: Jerónimo Bosco. Un escritor: Antonio Tabucchi,* Barcelona, 1989; L. van Puyvelde, *La renaissance flamande: de Bosch à Breughel,* Bruselas, 1971, págs. 47-48.

108 U. Bischoff, *Max Ernst, 1891-1976: más allá de la pintura,* Colonia, 1993, pág. 75; E. Quinn, *Max Ernst,* Barcelona, 1997, págs. 244-245.

109 A. Kettenmann, *Diego Rivera, 1886-1957: un espíritu revolucionario en el arte moderno,* Colonia, 1997, pág. 70.

110 J. Ríos, *Las tentaciones de Antonio Saura,* Madrid, 1991, fig. 63.

Dalí[111], Corinth[112], que representó a Antonio rodeado de mujeres desnudas, Morelli[113], Ensor[114], etc. Cézanne debió sentir atracción por el tema de *Las tentaciones de san Antonio* porque invitaba a una composición con mujeres desnudas, muy del gusto de los impresionistas. Llama poderosamente la atención que mitos del Renacimiento y del Barroco donde frecuentemente aparecen escenas de personas desnudas no captaran el interés de los artistas franceses. Entre aquellas obras maestras cabe citar varias obras de Tiziano, como *La Bacanal*[115]; *Ofrenda a Venus*[116]; *Danae recibiendo la lluvia de oro*[117]; *Venus recreándose con el amor y la música*[118]; *Venus y Adonis*[119]. De Veronés, *Venus y Adonis*[120]. De Guido Reni, *Hipómenes y Atalanta*[121]. De C. Giaquinto, *Nacimiento y triunfo de Baco*[122]. Todas estas pinturas citadas están en el Museo del Prado, a las que cabe añadir otras obras maestras del Renacimiento: *Marte y Venus*[123], de Botticelli, 1480; *Venus*[124] de Piero di Cosimo, 1498; *La muerte de Procris,* 1510, del mismo autor[125]; *Diana descubre el desliz de Calisto,* de Palma el Viejo[126], obra de 1525; *Júpiter y Antíope* (1524-1525), de Correg-

---

111 R. Descharnes, *Salvador Dalí,* París, 1987, págs. 142-143; V. Charles, *op. cit.,* páginas 132-133, fig. 96.

112 G. Bussmann, *Lovis Corinth: Carmencita, Malerei an der Kante,* Frankfurt, 1985, pág. 13, datada en 1897. Este artista pintó *El caballo de Troya,* 1924 (K. A. Schroeder [ed.], *Lovis Corinth,* Múnich, 1992, pág. 72, lám. 72), tema de una pintura pompeyana (A. Maiuri, *op. cit.,* pág. 75) y del arcaísmo griego (P. Hampe y E. Simon, *Un millénaire d'art grec, 1600-600,* París, 1980, pág. 79, fig. 117, obra fechada hacia el 670 a.C.). *El caballo de Troya* lo ha representado también M. Luisa Campoy en un bronce de gran originalidad, con los artistas, en el interior del caballo. Esta escultora también tiene un bronce de la diosa *Roma.*

113 C. Juler, *Les orientalistes de l'école italienne,* Courbevoie, 1987, pág. 179.

114 U. Becks-Malorny, *James Ensor, 1860-1949,* Colonia, 2002, págs. 36-37.

115 F. Puigdevall, *op. cit.,* pág. 39; A. Walther, *op. cit.,* pág. 39, lám. 28; S. Zuffi y F. Castria, *La pintura italiana: los maestros de siempre y sus grandes obras, op. cit.,* pág. 139. El tema de las Bacanales fue también tratado por Picasso entre los años 1954-1960 (J. Thimme, *op. cit.,* págs. 65-67).

116 F. Puigdevall, *op. cit.,* pág. 40; A. Walther, *op. cit.,* lám. 21.

117 F. Puigdevall, *op. cit.,* pág. 41; A. Walther, *op. cit.,* lám. 58, *Danae,* 1553-1554, en el Museo del Prado.

118 F. Puigdevall, *op. cit.,* pág. 42.

119 F. Puigdevall, *op. cit.,* pág. 41; A. Walther, *op. cit.,* 71, lám. 72.

120 F. Puigdevall, *op. cit.,* pág. 46; S. Zuffi y F. Castria, *op. cit.,* pág. 221.

121 F. Puigdevall, *op. cit.,* pág. 54; S. Zuffi y F. Castria, *op. cit.,* págs. 264-265.

122 F. Puigdevall, *op. cit.,* pág. 66.

123 M. Wundram, *op. cit.,* pág. 35; A. Grömsling y T. Lingesleben, *Alessandro Botticelli, 1444/45-1510,* Colonia, 1998, págs. 66-67.

124 M. Wundram, *op. cit.,* pág. 42.

125 M. Wundram, *op. cit.,* pág. 42.

126 M. Wundram, *op. cit.,* pág. 103.

gio[127]; *Leda y el cisne,* 1531-1532, del mismo artista, así como *Júpiter e Io,* de la misma fecha y pintor[128]; *Venus y Cupido,* 1545, de Agnolo Bronzino[129]; *Venus, Vulcano y Marte,* 1555, de Tintoretto[130]; *Diana Cazadora,* 1550, de la escuela de Fontainebleau; *Danae,* de Correggio[131], de 1531-1532; *Venus dormida,* de Giorgione[132], de 1510; *Venus de Urbino,* de Tiziano[133]; *El rapto de Ganímedes,* de Correggio[134]; *Marte y Venus encadenados por el Amor,* de Veronés[135], 1580; *Venus Anadiomene,* de Tiziano[136]; *Baco y Ariadna,* de Tiziano[137], 1522-1523; *Diana descubre el desliz de Calisto,* de Tiziano[138], 1556-1559; *Venus y el organista,* de Tiziano[139], 1548-1550.

En todos estos ejemplos de representaciones míticas aparecen desnudos humanos. A los que hay que añadir los de época barroca: *Baco,* de Caravaggio[140], 1591-1593; *El Cíclope Polifemo lanza una roca a Acis,* 1595-1605, de Aníbal Carracci[141]; *Triunfo de Neptuno y Anfitrite,* 1634, de Nicolás Poussin[142]; *Triunfo de Baco y Ariadna,* 1593-1605, de Carracci[143], *Saturno vencido por el amor,* 1645-1646, de Simón Vouer[144]; *Midas ante Baco,* 1630, de Poussin[145]; *Eco y Narciso,* 1627-1628, del mismo autor[146]; *Venus del espejo,* 1615, de P. P. Rubens[147], tema representado ya en

---

127 M. Wundram, *op. cit.,* pág. 104

128 M. Wundram, *op. cit.,* pág. 105.

129 M. Wundram, *op. cit.,* pág. 110.

130 M. Wundram, *op. cit.,* pág. 113

131 M. Wundram, *op. cit.,* pág. 141.

132 S. Zuffi y F. Castrina, *op. cit.,* pág. 141.

133 S. Zuffi y F. Castrina, *op. cit.,* pág. 191; A. Walther, *op. cit.,* pág. 78, lám. 41.

134 S. Zuffi y F. Castrina, *op. cit.,* pág. 104; A. Walther, *op. cit.,* pág. 71, láms. 51-52.

135 S. Zuffi y F. Castrina, *op. cit.,* págs. 204-205.

136 S. Zuffi y F. Castrina, *op. cit.,* págs. 216-217.

137 A. Walther, *op. cit.,* pág. 21, lám. 2.

138 A. Walther, *op. cit.,* pág. 39, lám. 21.

139 A. Walther, *op. cit.,* pág. 41, lám. 59. Otros mitos clásicos en este pintor son: *Diana y Acteón,* 1586-1589 *(ibíd.,* 70, lám. 73); *Muerte de Acteón,* 1559 *(ibíd.,* pág. 72, láms. 78-79) y *Ninfa y pastor,* 1570-1576 *(ibíd.,* pág. 72, lám. 101). Este autor se refiere a los mitos clásicos en la pintura de Tiziano en págs. 62-74. Sobre los cuadros mitológicos de Tiziano en la corte hispana, F. Checa, *Tiziano y la monarquía hispana: usos y funciones de la pintura veneciana en España (siglos XVI y XVII),* Madrid, 1994, págs. 88-125.

140 I. F. Walther, *La pintura del Barroco,* Colonia, 1997, págs. 10, 32.

141 I. F. Walther, *La pintura,* pág. 3.

142 I. F. Walther, *La pintura,* pág. 15.

143 I. F. Walther, *La pintura,* pág. 29.

144 I. F. Walther, *La pintura,* pág. 42.

145 I. F. Walther, *La pintura,* pág. 47.

146 I. F. Walther, *La pintura,* pág. 48.

147 I. F. Walther, *La pintura,* pág. 81.

época romana en los mosaicos del África Proconsular con el *Triunfo de Venus,* e inmortalizado por Velázquez[148]; el *Rapto de las hijas de Leucipo,* 1618, de Rubens[149], o *Las Tres Gracias* —cuadro que recuerda una pintura pompeyana del Museo Nacional de Nápoles—, 1639, del mismo artista[150]; *Homenaje a Pomona,* 1622, de Jordane[151]. Estos son cuadros conservados en el Museo del Prado, pero la lista podría alargarse extraordinariamente. Esta enumeración, que muestra una gran variedad temática, es indicativa del gran conocimiento que tenían los artistas del Renacimiento y del Barroco de la mitología y de la cultura clásica. Incluso aquellos pintores cuya producción es principalmente religiosa, como El Greco[152] o Zurbarán[153], hicieron incursiones en la

---

148 N. Wolf, *Diego Velázquez, 1599-1660: The Face of Spain,* Colonia, 1999, páginas 73-74. A Velázquez se deben varios cuadros con mitos, como *Marte,* óleo y canvas, 1639-1641 *(ibíd.,* pág. 9); *Baco,* óleo y canvas, 1628-1629 *(ibíd.,* págs. 20-21); *La fragua de Vulcano,* 1630, óleo y canvas *(ibíd.,* págs. 22-23); *Mercurio y Argos,* 1659, óleo y canvas *(ibíd.,* pág. 73); y diferentes cuadros de personajes ilustres de la Antigüedad, como Esopo *(ibíd.,* pág. 59). Véase también la obra de F. Marías, *Velázquez, pintor y criado del rey,* Hondarribia,1999, pág. 75; *(Los borrachos),* pág. 86; *(La fragua de Vulcano),* pág. 130; *(Esopo),* pág. 131; *(Menipo),* pág. 134; *(Marte),* págs. 169-170; *(La Venus del Espejo),* págs. 202-203; *(Mercurio y Argos);* J. López-Rey, *Velázquez, el pintor de los pintores: la obra completa,* Colonia, 1998, págs. 66-67; *(Los Borrachos),* págs. 76-77; *(La fragua de Vulcano),* págs. 122-123; *(Marte),* págs. 126-127 *(Menipo),* págs. 157-159; *(La Venus del Espejo),* págs. 156-157 y 160-167; *(La fábula de Aracne y las Sibilas),* págs. 222-223; *(Apolo y Marsias, Mercurio y Argos, Venus y Adonis, Psique y Cupido);* J. Brown y C. Garrido, *Velázquez: la técnica de un genio,* Madrid, 1998, págs. 31-39; *(Los borrachos),* págs. 46-56; *(La fragua de Vulcano),* páginas 156-162; *(Menipo),* págs. 163-167; *(Esopo),* págs. 168-173; *(Marte),* págs. 195-205; *(Minerva y Aracne, Las hilanderas),* págs. 206-214; *(Mercurio y Argos).* Este último tema también fue tratado por Rubens.

149 I. F. Walther, *La pintura,* pág. 98.

150 I. F. Walther, *La pintura,* pág. 100; Marino Marini, entre otros muchos artistas del siglo XX, pintó tres veces *Las Tres Gracias,* 1943, 1945 y 1960; E. Steingräber (coord.), *Marino Marini: aus der Sammlung Marino Marini, Gemälde, Skulpturen, Zeichnungen,* Bonn, 1995, figs. 6, 43, 72.

151 I. F. Walther, *La pintura,* pág. 108; A Marino Marini se deben varias composiciones con el tema de Pomona, diosa etrusca protectora de los huertos y los frutales, en pinturas, dibujo y escultura (E. Steingräber, *op. cit.,* figs. 74, 94; A. M. Hammacher, *Marino Marini: Skulpture, Painting, Drawing,* Nueva York, 1970, figs. 49-50, 52, 68, 70-71, 85-86, 92-96, 122-123; 150-153).

152 J. Brown *et al., El Greco de Toledo,* Madrid, 1982, págs. 218-219, 256-257, lám. 69; H. E. Wethey, *El Greco y su escuela,* vol. II: *Catálogo comentado,* Madrid, 1967, pág. 98, láms. 128-129; J. M. Pita Andrade, *El Greco,* Verona, 1986, págs. 147, 152, 156-157; F. Marías, *El Greco,* París, 1997, fig. 27; J. Álvarez Lopera (ed.), *El Greco: Identity and Transformation. Crete, Italy, Spain,* Milán, 1999, pág. 159.

153 S. Alcolea, *Zurbarán,* Barcelona, 1989, págs. 28, 30; E. A. Pérez Sánchez, *Zurbarán,* Madrid, 1973, págs. 110-113; E. Valdivieso, *Zurbarán, IV centenario,* Sevilla, 1997,

pintura de tema mitológico. Al primero se debe un *Laoconte*[154], y al segundo *Los doce trabajos de Hércules*[155], tema inmortalizado magistralmente en el arte griego en las metopas del templo de Zeus en Olimpia, levantado por el arquitecto Libón de Elis entre 468 y 460 a.C.

Si dedicamos una somera mirada a la obra de los grabadores del Renacimiento, observamos también una fuerte presencia de mitos clásicos, incluso algunos cuyos temas se iban a abandonar después. Basta recordar en tal sentido a *Narciso,* de Antonio Fantuzzi[156]; *Circe y los compañeros de Ulises,* 1540, de Nicola Rossigliani[157]; *Hércules, Venus y Cupido,* 1520, de Hans Burgkmair[158]; *Artemisa,* 1540, de Georg Pencz[159]; *Orestes y Electra,* 1503-1505, de Marcantonio Raimondi[160]; *Píramo y Thisbe*[161], 1505, y *Marte, Venus y Cupido,* 1508, del mismo autor[162], que también realiza, hacia 1520-1523 *Las Sibilas de Cumas y de Tibur*[163]; *Apolo y Dafne,* de Agostino dei Musi[164]; *Venus ante un rosal,* 1556, de Giorgio Ghisi[165]; *Venus y Cupido en un bosque,* 1566, de Nicolò Boldini[166]; *Diana,* 1533, de Lucas de Leiden[167], y *Dafne perseguida por Apolo,* 1558, de Hieronymus Cock[168]. Algunos de estos mitos no aparecen representados en las pinturas del Renacimiento y del Barroco, y mucho menos

págs. 23-24. En la España del Barroco se pretendía impregnar los mitos representados en la pintura de cierta ideología o cultura de valores éticos. Véase a este respecto, *Calderón de la Barca y la España del Barroco,* Madrid, 2000, donde se citan varias obras mitológicas: *El nacimiento de Venus,* de Cornelio de Vos, *Narciso* y *Prometeo trayendo el fuego,* estas dos últimas de J. Cossiers; *La caída de Faetón,* de J. van Eyck, etc. *(ibíd.,* págs. 322-323, fig. 25; págs. 324-325, fig. 126; págs. 316-317, fig. 122; págs. 318-319, fig. 123). Calderón escribió autos sacramentales de tema clásico: *El pastor Fido, Psiquis y Cupido, El divino Orfeo, Andrómeda y Perseo, El verdadero dios Pan, El laberinto del mundo,* etc.

154 La iconografía de Laoconte en el mundo antiguo se puede consultar en *MMC,* VI.1, págs. 196-201.

155 Para el estudio iconográfico de esta saga en la Antigüedad, *MMC,* V.I, páginas 6-111.

156 Ch. Mezentseva, *op. cit.,* fig. 50.

157 Ch. Mezentseva, *op. cit.,* fig. 53.

158 Ch. Mezentseva, *op. cit.,* fig. 60.

159 Ch. Mezentseva, *op. cit.,* fig. 72.

160 Ch. Mezentseva, *op. cit.,* fig. 87.

161 Ch. Mezentseva, *op. cit.,* fig. 90.

162 Ch. Mezentseva, *op. cit.,* fig. 91.

163 Ch. Mezentseva, *op. cit.,* fig. 94.

164 Ch. Mezentseva, *op. cit.,* fig. 95.

165 Ch. Mezentseva, *op. cit.,* fig. 97.

166 Ch. Mezentseva, *op. cit.,* fig. 100.

167 Ch. Mezentseva, *op. cit.,* fig. 110.

168 Ch. Mezentseva, *op. cit.,* fig. 125.

en el arte moderno, que en este aspecto tiene un gran empobrecimiento respecto a la cultura mitológica de épocas anteriores.

Paul Delvaux

Interesa al contenido de este trabajo profundizar algo más en el impacto de los mitos de la Antigüedad en el arte moderno, para lo cual hemos seleccionado un grupo de artistas de primera fila. El primero de ellos es Paul Delvaux, pintor en el que los mitos griegos son una fuente de inspiración continua. Ya en 1939 pintó un óleo sobre madera con el tema de Pigmalión. Una dama desnuda, de cuerpo cansino, se abraza a una escultura de joven en un patio[169]. En 1937 pintó por primera vez un mito griego que iba a ser muy querido por el artista: *El nacimiento de Venus,* óleo en canvas. La escena es de gran originalidad, ya que Venus está acompañada de una dama, ambas desnudas y coronadas, de pie dentro de una bañera, con un paisaje montañoso al fondo[170]. Posteriormente, en 1943, volvió al mismo tema. La diosa del amor duerme tranquilamente, semidesnuda, con los brazos apoyados en la cabeza, debajo de un baldaquino. La acompañan las muchachas, con hombros y espalda al descubierto. En el lado derecho se sitúa un templo dórico[171]. Al año siguiente vuelve al mismo tema. Esta vez Venus duerme plácidamente en una cama. La escena se sitúa en el interior de una habitación con vistas al exterior. Junto a la pared hay dos esqueletos[172], uno de varón, al que

[169] M. Rombant, *Paul Delvaux,* Barcelona, 1993, fig. 31.

[170] M. Rombant, *op. cit.,* fig. 23.

[171] M. Rombant, *op. cit.,* fig. 46. La postura de estas Venus, tumbadas, se inspira posiblemente en la *Venus de Urbino,* óleo sobre lienzo de Tiziano (A. Walther, *op. cit.,* pág. 106).

[172] M. Rombant, *op. cit.,* fig. 54. La muerte ocupa un lugar preferente en la pintura de los siglos XIX y XX, véase J. M. Blázquez, «La pintura religiosa de Gutiérrez Solana y la iconografía de la muerte en la pintura contemporánea», *Anales de Historia del Arte,* 9 (1999), págs. 295-313 (cap. XIV de esta edición). En ese estudio se citan veintiséis artistas, pero en realidad hay muchos más pintores modernos en cuyas obras la muerte ocupa un lugar preferente. Basta recordar a Ensor [U. Becks-Malorny, *James Ensor, op. cit.,* pág. 51 (1896), págs. 64-65 (1892), pág. 70 (1897), pág. 71 (1888), pág. 74 (1891), pág. 75 (1885), pág. 77 (1891), pág. 79 (1892), pág. 82 (1904), pág. 83 (1904), pág. 88 (1915), página 89 (1896-1897), pág. 90 (1925)]. También en la obra de Álvaro Delgado y de Salvador Dalí: *Jinete de la muerte,* 1933; *El caballero de la muerte,* 1935; *Rostro de guerra,* 1940-1941; *Calavera,* 1939; *Cráneo humano,* 1951; *Escena de café,* 1941; *Estudio para la campaña antivenérea,* 1942; *Sin título,* 1942; *Resurrección de la carne,* 1940-1945; *La muerte misma,* 1950; *Cuerpos femeninos formando un cráneo,* etc. (R. Descharnes y G. Néret, *op. cit.,* figs. 460, 546-547, 556-559, 803, 807, 1035). El existencialismo insistía desde el punto de vista filosófico en la idea de la muerte, coincidiendo con los artistas.

se le notan algunas costillas y varias venas. Es una característica de P. Delvaux la inclusión de esqueletos en sus cuadros, quizás como alusión a la brevedad de la belleza humana. Ese mismo año, 1944, pintó de nuevo un óleo sobre lienzo[173] con una *Venus dormida.* La diosa ocupa el centro de la composición, en un patio rodeado de un templo, de un edificio, de un arco, de varias cariátides y de un grupo de caballos, todo ello de tipo clásico. Venus está acompañada por varias damas desnudas y una vestida. Otro *Nacimiento de Venus de la espuma del mar* data de 1947, igualmente óleo sobre lienzo. Esta composición es muy original: tres damas desnudas se encuentran metidas en el agua, en un puerto, coronadas con flores. En la azotea de un edificio se encuentra Venus, también coronada, con un manto caído por la espalda[174]. El modelado de los desnudos femeninos es perfecto.

André Masson

El pintor surrealista André Masson se inspiró en mitos clásicos para la realización de alguna de sus obras. En 1939 realiza un óleo en canvas con el mito de *Los caballos de Diomedes,* que están encabritados y mordiendo a los extranjeros. Diomedes era un rey de Tracia que poseía grandes yeguadas, cuyos caballos alimentaba con la carne de los extranjeros que pasaban por allí, que es precisamente la escena que refleja el cuadro. Nota el espectador en esta composición un juego de colores muy acentuado[175]. El mito fue tratado ya en una de las metopas del templo de Zeus en Olimpia. Un año antes, 1938, en un óleo, se ocupó del tema de *El hilo de Ariadna,* composición en tonos marrones, que es un *unicum* en los cuadros de temática mitológica griega, lo que indica un profundo conocimiento de ella por parte del artista. Ariadna salió del laberinto gracias al hilo[176]. Este mismo año realiza un óleo en canvas, con el motivo de *Pigmalión,* rey de Chipre enamorado de Afrodita. Es una pintura surrealista en grado sumo[177]; y al año alguiente, 1939, realiza *El taller de Dédalo,* escultor

[173] M. Rombant, *op. cit.,* fig. 55.
[174] M. Rombant, *op. cit.,* fig. 69.
[175] D. Ades, *André Masson,* Barcelona, 1994, fig. 46.
[176] D. Ades, *op. cit.,* fig. 50. Sobre la iconografía del laberinto, *LIMC,* VI.I, páginas 175-176.
[177] D. Ades, *op. cit.,* fig. 67.

y arquitecto, dentro de la misma corriente artística[178]. La misma técnica de pintura y estilo siguió en 1939 en su *Edipo*[179], de fuerte estilo surrealista, que ya no abandonará en *Heráclito,* 1942, óleo y témpera[180]. En este cuadro se ocupa André Masson no de un mito, sino de un filósofo de la Antigüedad. Efectivamente, los pintores modernos no sólo se inspiran en los mitos clásicos, sino que también representaron, ya en escenas o bien a modo de retratos, a personajes históricos del Mundo Antiguo. Basta recordar la galería de hombres ilustres que decoraba la biblioteca de El Escorial en tiempos del rey Felipe II, tema al que dedicamos un trabajo hace unos años (cap. I de esta edición); o el *Arquímedes*[181] de José de Ribera, óleo sobre lienzo, 1630, o bien los retratos de *Esopo* y *Menipo* debidos a Velázquez, ya citados, etc.

En 1943 vuelve André Masson a tratar el mito griego, con la realización de una *Andrómeda,* a la témpera, de estilo surrealista[182], estilo que se repite en *El juego de los centauros*[183] óleo realizado en 1961, y, en 1969, en *Marsias degollado por Apolo,* por atreverse a competir con el dios en un certamen de flauta. Marsias, un viejo sátiro, está colgado de un árbol y un escita se dispone a degollarlo. El mito fue representado en escultura griega en época helenística[184] y en uno de los mosaicos romanos más tardíos, ya de época visigoda, donde se aprecia una clara descomposición de las formas artísticas y una carencia evidente del buen gusto artístico. Se trata del mosaico aparecido en Santisteban del Puerto (Jaén)[185]. El mito de Marsias captó la atención de los artistas del Renacimiento, como N. Rossigliani, que realizó dos grabados, uno de *Marsias sacando la flauta de Minerva del agua*[186], obra de 1540, y un segundo titulado *El rey Midas juzgando la competición entre Apolo y Marsias*[187], del mismo año:

---

178 D. Ades, *op. cit.,* fig. 66.

179 D. Ades, *op. cit.,* fig. 69.

180 D. Ades, *op. cit.,* fig. 82.

181 I. F. Walther, *op. cit.,* fig. 62.

182 D. Ades, *op. cit.,* fig. 85.

183 D. Ades, *op. cit.,* fig. 112.

184 M. Bieber, *op. cit.,* figs. 438-442. Sobre la iconografía de Marsias en el mundo antiguo, *LIMC,* VI.1, págs. 366-378; J. J. Pollitt, *op. cit.,* págs. 199-200, fig. 120.

185 J. M. Blázquez, *Mosaicos romanos de España,* págs. 391-393. También en Cádiz.

186 Ch. Mezentseva, *op. cit.,* fig. 53.

187 Ch. Mezentseva, *op. cit.,* fig. 54.

Un artista italiano contemporáneo: Aligi Sassu

Los artistas italianos se han inspirado siempre en los mitos clásicos. Tan solo hacemos en este trabajo una cala en uno de ellos, Aligi Sassu. Este artista comenzó a producir hace unos setenta años. De 1931 data su obra *Argonautas*[188], con los cuerpos de los cuatro varones pintados en color rojo. La expedición de Jasón a la Cólquida en busca del vellocino de oro ha inspirado frecuentemente a los artistas modernos. Baste recordar *Los Argonautas*[189], de M. Beckmann, 1949-1950. De la misma fecha data la obra titulada *Los Dióscuros,* que eran Cástor y Pólux, óleo en el que tres jóvenes están desnudos en el campo[190]. En 1935 representó *La muerte de Patroclo,* el gran héroe troyano, con los personajes en rojo, y un caballo. Está bien lograda la intensidad de la lucha y el caos producido por la muerte del héroe. En 1938 vuelve a representar la leyenda de *Los Argonautas,* epopeya celebrada por Apolonio de Rodas, con Jasón en el centro, sentado sobre una roca, rodeado de sus compañeros, todos desnudos[191]. En 1938 trata el tema de *La lucha de los gigantes contra Júpiter*[192], con gran cantidad de gigantes desnudos, amontonados, y varios ya muertos, tirados por el suelo. La Gigantomaquia es un tema muy del gusto del arte griego helenístico, inmortalizado en el gran Altar de Zeus en Pérgamo, hoy conservado en Berlín, que se empezó a construir en torno al año 180 a.C. para conmemorar las victorias de Eumenes, rey de Pérgamo, sobre Ponto y Bitinia. Representa la lucha de los dioses contra los gigantes. Es la obra clásica del barroco helenístico. En su realización trabajaron más de cuarenta escultores, que firmaron sus obras debajo de las figuras de gigantes ejecutadas por cada uno de ellos, aunque tales

188 R. Barletta, *El rojo es su barroco: el mundo de Aligi Sassu,* Barcelona, 1983, lám. III.

189 F. W. Fischer, *Der Maler Max Beckmann,* Colonia, 1972, pág. 56; S. Lackner, *Max Beckmann,* Londres, 1977, págs. 126-127; K. Gallwitz, *Max Beckmann Gemälde, 1905-1950,* Bonn, 1990, págs. 240-241.

190 R. Barletta, *op. cit.,* fig. 48; Carrà, en 1922, pintó también los Dióscuros, uno frente a otro, con un perro en medio de los dos (M. Carrà, E. Coen y G. G. Lemaire, *Carrà,* Florencia, 1998, pág. 50. Sobre la iconografía de los Dióscuros en el mundo antiguo, *LIMC,* III/.1, págs. 567-635.

191 R. Barletta, *op. cit.,* lám. VII.

192 Sobre la Gigantomaquia y sus representaciones en el mundo clásico, *LIMC,* IV.1, págs. 191-270.

nombres se han perdido[193]. La Gigantomaquia estaba ya representada en uno de los frontones del templo de Zeus en Olimpia. El cuadro del pintor italiano no se inspira en el friso del Altar de Zeus, pues el movimiento de las figuras es totalmente diferente. En un plato de cerámica representó *El rapto de Europa*[194], mito muy de actualidad, tratado por numerosos pintores en todas las épocas, Ávalos, Beckmann, etc. En 1948 fundió un bronce con el mito de *La lucha entre Heracles y el toro*[195], que es la escena de uno de los doce trabajos de Hércules, donde se refleja bien la ferocidad del combate. Al fondo de un cuadro con escena de canto, en la pared cuelga un cuadro de *Prometeo,* desnudo[196].

En 1954 decoró su chalet de Albisola con un fresco de *Venus Anadiomene,* ligeramente inspirado en las formas clásicas[197]. *El Minotauro* no podía faltar en la obra de este artista, que tanto apreciaba los mitos clásicos. De 1967 data la pintura al temple titulada *El ojo del Minotauro*[198]. En Codevilla, Voghera, en 1939, Aligi Sassu pintó un tema muy repetido en el Mundo Antiguo y por todos los artistas a partir del Renacimiento, *Las Tres Gracias*[199], que son las hijas de Eurínome y de Zeus. En 1975 trató el artista el tema del *Fauno y la ninfa.* En esta escena da la impresión de que el fauno viola a la joven[200]. La escena está inspirada en, pero no copiada de, esculturas helenísticas, como el *Hermafrodita y el sátiro* o *Sátiro y ninfa*[201]. Todavía en 1976 vuelve el pintor al tema tan querido por él de *Los Argonautas,* en el bosque, acrílico. Los Argonautas, desnudos, descansan alegres tras la fatiga de la navegación[202]. De 1978 data *La aparición de una joven centauresa,* que se encuentra en un prado en medio de dos jóvenes desnudos. En este cuadro se da un juego de *colores* contrastantes, amarillo, verde, azul intenso y marrón, que dan a la escena una sensación de alegría.

---

193 M. Bieber, *op. cit.,* págs. 113-118, figs. 458-470; J. J. Pollitt, *op. cit.,* págs. 168-195, figs. 97-109; J. Charbonneaux, R. Martin y F. Villard, *op. cit.,* págs. 265-286, figs. 286-305.

194 R. Barletta, *op. cit.,* pág. 109, fig. 126.

195 R. Barletta, *op. cit.,* pág. 109, fig. 127.

196 R. Barletta, *op. cit.,* pág. 111, fig. 131.

197 R. Barletta, *op. cit.,* pág. 124, fig. 142.

198 R. Barletta, *op. cit.,* pág. 136, fig. 156.

199 R. Barletta, *op. cit.,* pág. 140, fig. 159. El tema fue tratado también, entre 1909 y 1912, por Robert y Sonia Delaunay *(Robert Delaunay, Sonia Delaunay,* Múnich, páginas 76-79).

200 R. Barletta, *op. cit.,* pág. 184, fig. 216.

201 R. Bieber, *op. cit.,* págs. 164-165, figs. 625-626.

202 R. Bieber, *op. cit.,* pág. 185, fig. 217.

De gran originalidad es la obra *Pasifae y el Minotauro.* La composición se sitúa en un bosque próximo al mar. El Minotauro está sentado y levanta una gasa dentro de la cual se encuentra tumbada desnuda Pasifae[203]. Aligi Sassu no disimula su gusto por los centauros, pero no en escenas de lucha de unos contra otros (como las centauromaquias de las metopas del Partenón de Atenas) sino, al contrario, pinta unos *Centauros enamorados,* que expresan muy bien la fuerza del amor en la actitud del rostro y en las miradas[204].

Lempicka. Otros artistas

Se cierra este panorama del mito clásico en la pintura moderna con la mención de la *Andrómeda*[205], 1927-1928, óleo sobre lienzo de Lempicka, pintora polaca de la época del poscubismo[206].

En otros artistas de primera fila, la mitología clásica no desempeñó ningún papel en su producción pictórica, como Modiglani[207], F. Léger[208], Rouault[209], Chagall[210], Paul Outerbridge[211], en el arte erótico romántico[212]. Tampoco, como ya se ha indicado, en los impresionistas franceses.

---

[203] Barletta, *op. cit.,* lám. XXVI.

[204] R. Barletta, *op. cit.,* pág. 207, fig. 245. El mito de los centauros fue tratado por Picasso (J. Thimme, *op. cit.,* págs. 56-63).

[205] Sobre Andrómeda en el arte clásico, *LIMC,* I.1, págs. 774-790.

[206] G. Néret, *Tamara de Lempicka, 1898-1980,* Colonia, 1994, págs. 26-27.

[207] A. Ceroni, *Amedeo Modigliani peintre,* Milán, 1958; R. V. Gindertael, *Modigliani und der Montparnasse,* Múnich, 1974; W. Schmalenbach, *Modigliani,* Múnich, 1991.

[208] J. M. Faerna (ed.), *Fernand Léger,* Barcelona, 1995; C. Lancher, *Fernand Léger,* Nueva York, 1998.

[209] M. López Blázquez, *Rouault, 1871-1958,* Madrid, 1996; S. Koja, *Rouault,* Madrid, 1996.

[210] W. Haftmann, *Marc Chagall,* Colonia, 1972; C. Sorlier, *Marc Chagall,* Barcelona, 1981; J. Baal-Teshuva, *Marc Chagall,* Colonia, 1992; I. F. Walther y R. Metzger, *Marc Chagall, 1887-1985,* Colonia, 1993; D. Pertocoli, *Marc Chagall: il teatro dei sogni,* Milán, 1999.

[211] E. Dines-Cox y C. McCusker, *Paul Outerbridge, 1896-1958,* Colonia, 1999.

[212] Hans-Jürgen Dopp, *Romantique: Erotic Art of the Early 19th Century,* Singapur, 2000; V. Combalia y J. J. Lebel, *Jardin d'Eros,* Barcelona, 1999, pág. 155. Se confirma esta tendencia, aunque se documenta alguna excepción, como la *Leda y el cisne* de Jules Dubois, siglo XIX, realizado en cera roja sobre pizarra.

España

En España los artistas más señeros tampoco se inspiraron en la mitología grecorromana: Zuloaga[213], Solana[214], Cossío[215], Romero de Torres[216], Benjamín Palencia[217], Miró[218], J. Mir[219], Sorolla[220], Darío Regoyos[221], Iturrino[222], Uranga[223], Zubiarre[224], Echevarría[225], Arteta[226], Maeztu[227], Baroja[228], Russiñol[229], Nonell[230], etc.

---

213 E. Lafuente Ferrari, *La vida y el arte de Ignacio Zuloaga,* Madrid, 1972; *Ignacio Zuloaga, 1870-1945,* Bilbao, 1990; *Sorolla y Zuloaga,* Bilbao, 1997; *Sorolla y la Hispanic Society: visión de la España de entresiglos,* Madrid, 1998.

214 C. Alonso Fernández, *J. Solana: estudio y catalogación de su obra,* Madrid, 1974; E. M. Aguilera, *José Gutiérrez Solana: aspectos de su vida, su obra y su arte,* Barcelona, 1947; F. Olmeda, *Solana: los genios de la pintura española,* Madrid, 1990; F. Calvo Serraller y L. Alonso, *Gutiérrez Solana (1886-1945),* Madrid, 1992.

215 A. Gaya Nuño, *Francisco Gutiérrez Cossío: vida y obra,* Madrid, 1973.

216 F. Calvo Serraller, Julio *Romero de Torres (1874-1930),* Madrid, 1993.

217 J. Corredor Matheos, *Vida y obra de Benjamín Palencia,* Madrid, 1979.

218 W. Erben, *Joan Miró, 1893-1983: el hombre y su obra,* Colonia, 1992; P. Gimferrer, *Las raíces de Miró,* Barcelona, 1993.

219 E. Jardí, *J. Mir,* Barcelona, 1975.

220 *Sorolla en las colecciones valencianas: catálogo de la exposición,* Valencia, 1997; B. de Pantorba, *La vida y la obra de Joaquín Sorolla,* Madrid, 1970; *Sorolla y Zuloaga, op. cit.,* pág. 108, con la esposa del pintor contemplando la Venus de Milo.

221 R. Benet, *Darío de Regoyos: el impresionismo y más allá del impresionismo,* Barcelona, 1944; *Darío Regoyos, 1857-1913: catálogo de la exposición,* Madrid, 1986.

222 K. M. de Barañano y J. González de Durana, *Francisco Iturrino: obra gráfica,* Vitoria, 1888.

223 M. Flores, *Pablo Uranga: vida, obra y anécdotas,* San Sebastián, 1963; A. Brandiarán, *Pablo Uranga,* San Sebastián, 1992.

224 M. Llano, *Los Zubiarre,* Bilbao, 1978; Marqués de Lozoya, *Valentín de Zubiarre, 1879-1963,* Madrid, 1964.

225 Camón Aznar, *Juan de Echevarría,* Bilbao, 1977; J. de la Puente, *Echevarría, 1875-1931,* Madrid, 1974.

226 *Arteta en el Banco de Bilbao,* Madrid, 1973. A este autor se debe una mitológica: *Las Tres Gracias* (M. Marcos, *Arteta: estudio de la figura,* Bilbao, 1998, *passim).*

227 J. Francés, *Gustavo de Maeztu,* Madrid, 1919; *Gustavo de Maeztu,* Pamplona, 1986; C. Paredes, *Gustavo de Maeztu,* Pamplona, 1995.

228 J. Caro Baroja, *Imagen y derrotero de Ricardo Baroja,* Bilbao, 1981.

229 J. San Nicolás, *Paisaje y figura del 98,* Torrejón de Ardoz, 1997, págs. 91-100. En general los artistas vascos, salvo alguna excepción, no muestran preferencia por los mitos clásicos (M. Llano, *Pintura vasca,* Bilbao, 1980; *Pintores vascos en las colecciones de las Cajas de Ahorro,* Bilbao, 1994).

230 M. Doñate *et al.* (coords.), *Isidre Nonell (1872-1911),* Madrid, 2000.

En España, salvando el caso de Picasso, la pintura contemporánea presta poca atención a la mitología. Eso no quiere decir que no exista, sino que no es predominante y que es dispersa. Por ejemplo, entre los artistas españoles que trabajaban en París entre 1850 y 1900 sólo Ulpiano Checa, en una acuarela sobre papel, realiza una escena mitológica[231].

Entre los artistas de gran nivel, hay que recordar especialmente a Álvaro Delgado, que en 1999 expuso varias pinturas de Venus, diosa que siempre ha ejercido una gran atracción sobre los artistas de todos los tiempos: *Venus Aquitana,* 1997; Venus de *Cucuteni II,* 1997; *Venus de Cucuteni III,* 1997. En este pintor, uno de los grandes del siglo XX español, los mitos griegos ocupan un lugar preferente, como lo prueban, además de las obras ya citadas, su *Minerva y la lechuza,* 1998, y *Saturno*[232]. En este artista, el mito es tema recurrente. Tiene también un *Polifemo y Galatea,* 1993, en técnica mixta de papel pegado a tabla; *Venus de Cucuteni I,* 1997, óleo sobre fibrapán; *Venus ensimismada,* 1999, óleo sobre lienzo; *Leda,* 1997, técnica mixta sobre fibrapán; *Leda II,* 1997, la misma técnica; *Leda III,* 1997, óleo sobre conglomerado, de madera; *Minerva y la lechuza,* 1998, óleo sobre conglomerado; *Venus Calipigia,* 1999, óleo sobre fibrapán; *Venus y el mandil I y II,* 1999, óleos sobre tablex[233]. Otros pintores españoles del momento que han prestado atención a los temas mitológicos antiguos son Vaquero Turcios, hijo y pa-

---

231 C. González y M. Martí, *Pintores españoles en París (1850-1900),* Barcelona, 1996, pág. 95. Sin embargo, en ese periodo, alargándolo al primer tercio del siglo XX, los pintores europeos producen gran número de obras de tipo mitológico. Además de los ya citados, remitimos al estudio particular de B. Eschenburg, *Der Kampf der Geschlechter: der neue Mythos in der Kunst, 1850-1930,* Colonia, 1995, con pinturas de Gustave Moreau tituladas *Fée aux griffons (ibíd.* págs. 50-51), *Helena sobre las murallas de Troya (ibíd.,* pág. 63), *El viajero Edipo,* de 1888 *(ibíd.,* págs. 64-65), *Edipo y la Esfinge,* 1904 *(ibíd.,* págs. 192-193); de G. Adolf Mossa, *La Sirena harta,* 1905 *(ibíd.,* págs. 68-69); de Max Klinger, *Las Sirenas,* 1895 *(ibíd.,* págs. 76-77), *La belleza de Afrodita (ibíd.,* págs. 244-245); de Franz von Stuck, *Orestes y las Erinias,* 1905 *(ibíd.,* págs. 78-79), *Cabeza de Amazona,* 1897 *(ibíd.,* págs. 110-111), *Amazona herida,* 1904 *(ibíd.,* págs. 114-115), *Tilla Durieux como Circe,* 1912-1913 *(ibíd.,* págs. 162-163), *Ninfa de la fuente espiada por faunos,* 1911 *(ibíd.,* págs. 180-181); de Lovis Corinth, *El juicio de Paris,* 1907 *(ibíd.,* págs. 80-81), *Las armas de Marte,* 1899 *(ibíd.,* páginas 82-83), *Odiseo en lucha con el mendigo,* 1903 *(ibíd.,* págs. 100-101); de Otto Knille, *Tannhäuser y Venus,* 1873 *(ibíd.,* págs. 84-85); de Arnold Böcklin, *El borde del bosque con centauros y ninfas,* 1885 *(ibíd.,* págs. 88-89); de H. Höch, *Dama y Saturno,* 1922 *(ibíd.,* páginas 98-99); de Max Slevogt, *Danae,* 1895 *(ibíd.,* págs. 140-141). Todas estas pinturas están realizadas, generalmente, sobre lienzo.

232 M. de Andrés (coord.), *Álvaro Delgado, op. cit.,* págs. 66-79.

233 *Eros y Thánatos: pinturas de Álvaro Delgado, op. cit.,* págs. 19-20, 22, 24-27, 31, 32, 34-37.

dre, con *Prometeo* y el *Ave Fénix en Heliópolis*, dos murales en el edificio de la Unión y el Fénix de Madrid, en su sede del Paseo de la Castellana; el *Orfeo* del Teatro Real, y el *Laoconte* de la Fundación Juan March de Madrid, de Vaquero Turcios, padre.

A M. Alcorlo se debe la obra titulada *Las cuatro estaciones*, de gran originalidad y colorido, tema con connotaciones religiosas, muy del gusto de los artistas de la Antigüedad[234].

Los artistas de finales del XIX y del XX sustituyeron en cierta medida la temática histórico-heroica por la mitológica, y prefirieron llevar a su pintura gestas heroicas de la Antigüedad. Sirva como ejemplo de ello el famoso cuadro, al óleo, de Alejo Vera titulado *El último día de Numancia*, conservado en el Museo de Soria.

La pintura propiamente mitológica la cultivaron, por una parte, los alumnos de la Academia Española en Roma, y, por otra, pintores que podríamos llamar de segunda fila, pero que demuestran un buen gusto por la elección de los temas y una buena técnica pictórica. Esta idea la queremos ilustrar con un pintor y una pintura poco conocidos[235]. Se trata de *La ofrenda a Venus*, obra del pintor Plácido Francés y Pascual (Alcoy, 1834-Madrid, 1902). Se trata de una pareja de óleos que se complementan, firmados por el autor y fechados en 1880. Sus medidas son 169,5 × 123 cm (cada uno). El lienzo que el espectador ve a su izquierda muestra a Venus sentada en un carro, rodeada de amorcillos, detenida un momento en su avance por las nubes que casi ocultan el cielo. La diosa es una joven sensual, peinada y vestida al modo clásico, con gasas vaporosas en el pecho que acentúan su sensualidad. La mano derecha de Venus tapa tímidamente su seno derecho, mientras que la mano izquierda se alarga al espacio para recibir la ofrenda, que es la escena pintada en el óleo parejo. En éste, a la derecha del espectador, aparece una joven con túnica blanca y manto púrpura, volando (aunque no tiene alas), o mejor, levitando en el espacio, en el cielo, para ponerse a la misma altura que Venus. La sensación de ingravidez la remarcan varias palomas que revolotean bajo los pies, sin tocarlos. La joven lleva ceñida una diadema y la larga cabellera ondea levemente al viento. Está con los brazos extendidos ofreciendo a Venus una bandeja que contiene cajas de oro y collares de perlas. Toda la composición está dominada por tonos suaves —los azules y grises del cielo—,

---

[234] D. Parrish, *Season Mosaics of Roman North Africa*, Roma, 1984.

[235] Agradezco al doctor Sabino Perea Yébenes esta noticia, así como las fotografías de esta obra. Gracias también a U. López Monteagudo y a M.ª Cruz Martínez, que me han aportado noticias y bibliografía que he incorporado a este estudio.

sobre cuyo fondo contrasta el negro metálico del carro de Venus y el amarillo del vestido de la diosa en un lienzo, y, en el otro, el rojo del manto al viento de la joven. Este pintor realizó varias decoraciones de tema mitológico en grandes lienzos destinados a la decoración de palacios de Madrid y de Valencia. Es probable que esta pareja forme parte de una serie de los llamados «Amores de Venus», realizados por el artista alicantino para el palacete de los duques de Santoña.

En resumen, en el periodo estudiado brevemente en este trabajo, la mitología clásica está bien representada en el arte occidental, aunque no en todos los artistas. En todo caso, esta temática está menos presente que en los periodos del Renacimiento y del Barroco, y, en consecuencia, hay menos variedad en los mitos.

En la actualidad los estudiosos prestan especial atención a los mitos clásicos en el arte. Baste recordar unos cuantos títulos: A. Bueno, *Mitología en los cielos de Madrid*, Madrid, 1998; G. Dommermuth-Gudrich, *50 klassiker Mythen: die bekanntesten Mythen der griechischen Antike*, Hildesheim, 2000; F. Lammertse y A. Vergara, *Pedro Pablo Rubens: la historia de Aquiles*, Madrid, 2004; R. López Torrijos, *Mitología e historia en las obras maestras del Prado*, Madrid, 1998; E. M. Moormann y W. Uitterhoeve, *De Acteón a Zeus: temas de mitología clásica en literatura, música, artes plásticas y teatro*, Torrejón de Ardoz, 1997; *ídem*, *De Adriano a Zenobia: temas de historia clásica en la literatura, música, artes plásticas y teatro*, Tres Cantos, 1998; A. Ruiz de Elvira, *Mitología clásica y música occidental*, Alcalá de Henares, 1997; J. M. Blázquez, «Mitos clásicos de la Gemäldegalerie Alte Meister de Kassel», *Anales de Historia del Arte*, 17 (2007), págs. 193-221 (cap. II de esta edición); M. Á. Elvira, *Arte y mito: manual de iconografía clásica*, Madrid, 2008; C. Acidini y E. Capretti (dirs.), *Il mito di Europa: da fanciulla rapita a continente*, Florencia, 2003; L. Passerini, *Il mito d'Europa: radici antiche per nuovi simboli*, Florencia, 2002.

Capítulo V

Mitos griegos en la pintura expresionista

Los pintores expresionistas alemanes frecuentemente se inspiran en la mitología griega a la hora de confeccionar sus lienzos. El término expresionismo, que se aplica a la pintura alemana que se hace desde poco antes de la Primera Guerra Mundial hasta finales de la Segunda, aparece por primera vez en el catálogo de la exposición que tuvo lugar en Berlín en 1911, aplicado al español Picasso, que trabajaba en París, y a artistas franceses como Dufy, Marquet, Friesz, Braque y Derain. Ese mismo año de 1911, un crítico de arte de gran prestigio en aquel momento, Paul Ferdinand Schmidt, en la revista *Rheinlande,* empleó indistintamente el término «expresionistas» para designar a los pintores, tanto los que trabajaban en Francia como los alemanes, que formaban la vanguardia artística europea.

En el catálogo de la exposición celebrada en Colonia en 1912, se considera al Expresionismo como el movimiento más reciente de la pintura europea, salido del Naturalismo y del Impresionismo. Se buscaba simplificar y enfatizar las formas de expresión, alcanzar un ritmo y un color nuevos, así como una formulación decorativa y monumental. El catálogo considera que la base del Expresionismo son artistas como Paul Gauguin, Paul Cézanne y Vincent van Gogh.

La primera exposición de artistas alemanes clasificados como expresionistas se celebró en Bonn en 1913, y en ella colgaron sus cuadros Max Ernst, H. Nauen, Helmut Macke y H. Lampendonk.

En 1914 P. Fechter definió claramente lo que se entendía por la corriente artística expresionista. Para ese autor se trataba de un movimiento típicamente alemán que surge como reacción frente al Impresionismo, y que era paralelo al Cubismo francés y al Futurismo italiano. Esta nueva tendencia artística alemana había nacido en Múnich y en Dresde.

El Expresionismo alemán fue un fenómeno artístico coherente y que ejerció una gran fascinación en los años en los que en Alemania, y en todo el mundo, se sucedían las exposiciones sobre los pintores expresionistas alemanes, y cada año se publicaban más libros sobre ellos.

Años después el Expresionismo fue objeto de las represalias de los dirigentes nacionalsocialistas, que llegaron a destruir, en Berlín, un número cercano al millar de obras. El estudio que ahora presentamos es continuación de otros similares que hemos dedicado al mundo clásico en el arte.

Juicio de Paris

El mito es bien conocido. Los dioses, reunidos con ocasión de las bodas de Tetis y de Peleo, encargaron a Paris que fallara cuál de las tres diosas, Afrodita, Hera y Atenea, era la más bella. Este mito, cuya consecuencia final fue la guerra de Troya, también fue tratado por Dalí. Mereció desde los comienzos la atención de los expresionistas alemanes. Entre 1910 y 1911, Otto Mueller pintó un *Juicio de Paris,* que expresa magníficamente las características del artista y de la nueva corriente, que por aquel entonces daba sus primeros pasos. Las tres diosas están desnudas, en posturas diferentes: una está colocada de frente, la segunda sentada en el césped, de espaldas al espectador, y la tercera, de perfil, se inclina hacia el suelo; Paris, de espaldas y desnudo, contempla a las tres diosas. El marco general de la composición es una escena campestre.

Otto Mueller había conocido a los artistas que integraban el grupo *Die Brücke* (El Puente), que desde Dresde lideraban la revolución artística que por aquel año se fraguaba en Alemania. Este artista, desde sus inicios, pintó desnudos femeninos en el campo, siguiendo los cuadros de J. B. Corot, G. Courbet, E. Manet, J. Renoir, P. Cézanne, P. Gauguin, O. Redon y otros. El *Juicio de Paris* continúa esta tendencia. El artista escribió cuál era su programa artístico: expresar la experiencia del paisaje y de los seres humanos con la máxima simplicidad, lo que logra magníficamente en la obra que comentamos. El estudio de los cuatro cuerpos desnudos y del paisaje es de una asombrosa sencillez. Otto Mueller integra la figura humana en el paisaje. Esta tendencia es una de las características del artista que se refleja a través de su obra pictórica, que había aparecido en él antes de relacionarse con el grupo *Die Brücke.* Es el precursor de una tendencia representada por Pechstein,

Heckel y Kirchner; todos ellos pintaban desnudos al aire libre. Puede decirse que el estilo de Otto Mueller presenta caracteres bidimensionales en sus cuadros de desnudos, de contornos suaves y redondeados, como se documenta en los personajes que intervienen en el *Juicio de Paris.* Otto Mueller, como él mismo confiesa en 1919, tomó como modelo el arte egipcio, incluso en aspectos puramente técnicos.

Ernst Ludwig Kirchner, uno de los fundadores del grupo *Die Brücke,* en el año 1912 pintó otro *Juicio de Paris,* de características artísticas totalmente diferentes. Paris, vestido, está sentado, fumando, en un trono. Las tres diosas desfilan ante él. Las tres están pintadas en tonos amarillentos, color que contrasta violentamente con el vestido y trono de Paris, que es granate oscuro. Las dos primeras diosas están colocadas de tres cuartos, caminando. La tercera se encuentra sentada de perfil y levanta un espejo. El paisaje, que está escasamente presente en el cuadro, es insinuado por una hoja amarilla debajo del trono y por otras varias lanceoladas, color verde sobre fondo granate, en consonancia con Paris y su trono, debajo de la última diosa. Es interesante señalar que las tres diosas no posan su mirada en Paris, como era de esperar, la primera vuelve la cabeza, y las otras dos se inclinan hacia abajo. Las tres tienen un gran parecido con las *cocottes* que Kirchner pintará en Berlín entre 1913 y 1915.

Friedrich Karl Gotsch, alumno de Kokoschka, muy influido por Munch, que expuso su obra ya con veinte años, en 1954 pintó un tercer *Juicio de Paris,* de características artísticas totalmente diferentes. En esta obra predominan los colores verdosos y rojos. Paris está también sentado, cubre su cabeza con ancho gorro, se encuentra en actitud pensativa. Una diosa, de tonos verdes, está colocada desnuda, de espaldas al espectador. La segunda, con manto sobre los hombros, y la tercera, con el cabello rojo y verde y el cuello de color rosa, está situada de tres cuartos. El paisaje es secundario y poco marcado. Grandes manchones rojos, verdes, blancos y violetas dominan el fondo. El mito representado es el mismo que el de los artistas anteriores, pero ha cambiado totalmente la composición y el colorido.

El mito del juicio de Paris tiene aceptación entre los artistas actuales, baste recordar la pintura de Carlos D'Ors, 1988.

Rapto de Europa

Europa era hija de Agenor y de Telefasa. Fue amada por Zeus, que la raptó mientras jugaba en una playa de Tiro o de Sidón, metamorfoseándose, en toro. Pronto, los escultores griegos del periodo arcaico representaron este mito, que se encuentra ya en el siglo VI a.C. en un relieve del templo de Corfú y en otro del Tesoro de Delfos.

Max Beckmann es uno de los mejores exponentes del expresionismo alemán. Estudió en París, donde fue influido enormemente por la obra de Cézanne. Después se enfrentó al formalismo de la *Blaue Reiter.* Fue nombrado profesor en 1925 en el Museo de Frankfurt. A la llegada de Hitler al poder se retiró a Ámsterdam y a continuación marchó a América donde fue profesor de arte.

Representó el mito del *Rapto de Europa* en 1933, con una pintura de gran originalidad y totalmente innovadora. Europa, semidesnuda, en amarillo, está echada, colgada a ambos lados de la cruz del toro. La actitud de Europa es la de una mujer despavorida, como lo indica bien la boca abierta. El toro levanta la cabeza, como molestado por el peso que transporta. Los colores de la piel del toro son el amarillo y el marrón. El mito expresa magníficamente la situación lamentable en la que Europa estaba, con la subida de Hitler al poder. Los grandes artistas, como Beckmann y Picasso, intuyen los acontecimientos que se avecinan y los trasladan al lienzo a través de los mitos griegos. En esta pintura de Beckmann se observan grandes contrastes entre los diferentes colores usados por el artista. El color amarillento del cuerpo de Europa choca abiertamente con el azul claro del vestido a tablas, y con el marrón y el amarillo a trazos más intensos de la piel del toro. El mar, como telón de fondo, es azulado y el cielo amarillo, haciendo juego con la piel de Europa y del toro. En la pintura de Europa, R. Spieler detecta un influjo claro en un cuadro de corrida de toros pintado por Picasso en 1955.

En 1956, el citado Friedrich Karl Gotsch, al que se puede considerar como uno de los últimos representantes del expresionismo alemán, pintó igualmente el *Rapto de Europa.* Las características de estilo son las mismas que ya existían en el juicio de Paris. Se documenta en el cuadro un fuerte contraste de vivos colores, rojos, blancos, verdes, lilas y sonrosados, que son una constante en la paleta del pintor. Una característica del artista es también la forma de pintar las caras, pequeñas y de perfil oval, culminadas con una corona de hojas lanceoladas. Europa, que se encuentra entre los cuernos del animal, está colocada de tres cuartos, con la pierna izquierda apoyada en el cuello del toro. El cuerpo del animal está dibujado con contornos angulosos. Es difícil precisar el paisaje en el que el pintor situó la composición. Al parecer es el mar, pero la carencia de colores convencionales dificulta la identificación.

El mito del rapto de Europa goza de una gran aceptación en el arte actual. Baste recordar las obras de Patricia Gadea, en 1995. En ella,

Max Beckmann, *El rapto de Europa*, colección particular.

Europa es una pantera con el letrero «Europa»; a su lado se tumba una muchacha desnuda, junto a un espada; el cartel de los juegos olímpicos de 1984; de Ángel de Pedro, de 1997, con un ejecutivo delante de Europa subida al toro; de Vega, también de 1997, un bronce con Europa, delante del toro; del escultor colombiano F. Botero; de Ávalos, etc.

Las troyanas

Oskar Kokoschka es el principal representante del expresionismo en Viena y uno de los pintores más originales de este grupo. El pintor vienés, antes de realizar una serie de doce litografías, en 1972, sobre *Las troyanas* (tragedia representada en Atenas en el año 415 a.C.), del poeta trágico de Eurípides, había realizado un considerable número de grabados a la punta seca, inspirado en *Las ranas* de Aristófanes, en 1967, y en la *Pentesilea* de Kleist. Eurípides representó *Las troyanas,* en la que se cuenta la suerte desgraciada de las mujeres de Troya, después de la caída de la ciudad en manos de los griegos. Kokoschka simbolizó en sus litografías la desgraciada suerte de muchos miles de personas, ocasionada por la cruenta Segunda Guerra Mundial, desplazadas de sus hogares y alejadas de sus familiares. Kokoschka, según su propia confesión, y a consecuencia de la guerra, es partidario de la máxima estoica de que el hombre es un lobo para el hombre.

Las troyanas de Eurípides fue representada en plena guerra del Peloponeso, en el en el año que se embarcaron los atenienses en la catastrófica y descabellada expedición contra Siracusa. Ninguna obra de autor clásico era más apropiada ni cercana a la desastrosa situación en la que se encontraba Europa después de la guerra, situación que se extendía a gran parte del resto del mundo y que había dejado una honda huella en el espíritu del artista. Kokoschka no siguió la tragedia griega al pie de la letra, sino que tomó las escenas que juzgó más oportunas para sus propósitos, como Aquiles arrastrando el cadáver de Héctor, el llanto de Andrómeda sobre los restos del héroe troyano, los guerreros saliendo del caballo de Troya, la muerte de Príamo ante el altar en su palacio, los lamentos de Hécuba por la caída de Troya, el coro de las cautivas, etc. Otras veces dibuja escenas que en la obra de Eurípides únicamente estaban insinuadas. Las litografías se caracterizan por un dibujo sencillo, pero vigoroso. Con frecuencia, los personajes simplemente están esbozados, pero a pesar de ello poseen una gran fuerza. Una escena tan emotiva como la introducción del caballo de

Troya y otros episodios de la caída de la ciudad, son ya representados sobre una gran ánfora con relieves, hallada en la isla griega de Mykonos, que se puede fechar hacia el año 670 a.C. Siglos después, se repite el tema en una pintura pompeyana, hoy en el Museo Nacional de Nápoles; también en una pintura de Lovis Corinth del año 1924; un bronce de M. L. Campoy, de 1997, centra su atención en Epeo, constructor del caballo. La vida cotidiana y publicitaria también ha sucumbido a esta temática, y en las navidades de 1997, un gigantesco caballo, situado junto a las murallas de Troya, decoraba la fachada de uno de los edificios de El Corte Inglés de Madrid.

Antes de dibujar las litografías de *Las troyanas,* Kokoschka había realizado otras de temas clásicos, como dos carpetas, en 1961, sobre Grecia, ilustradas con textos de poetas de la Antigüedad, en las que aparecen plañideras, Olimpia, Delfos, etc.; entre 1964 y 1965 hizo cuarenta y cuatro litografías sobre la *Odisea;* diez grabados a la punta seca sobre *Pentesilea* en 1969; dos litografías de *Kouroi* para los juegos olímpicos de Múnich en 1972; dibujos de estatuillas de temas clásicos del Renacimiento italiano entre 1954 y 1957, y una estatua de bronce hecha por Antonio Pallaiuolo en torno a 1475; finalmente, una acuarela de las Tres Gracias en 1958. Kokoschka tenía precedentes en este tipo de litografías, baste recordar los discursos de la *Lisístrata* de Aristófanes del inglés Aubrey Beardsley (1872-1898). Picasso, en 1934, hizo seis aguafuertes y treinta y cuatro litografías sobre la *Lisístrata* de Aristófanes. Cabe recordar una última litografía de Kokoschka, realizada en 1919. En ella se representa a Orfeo entre Plutón y Proserpina. La infernal pareja está entronizada, hieráticamente, ante los reyes del infierno; de pie, Orfeo levanta el brazo derecho. La escena tiene lugar en una lúgubre sala abovedada de paredes oscuras. Kokoschka también pintó la despedida de Leónidas antes de la batalla de las Termópilas, y Eros y Psique.

Leda y el cisne

Según el mito, Leda era hija del rey de Etolia Testio, que entregó la mano de su hija a Tindareo, que había sido expulsado del reino de Lacedemonia por Hipocoonte. Zeus se metamorfoseó en cisne para unirse con Leda. En el arte del Renacimiento el mito de Leda tuvo muy buena aceptación. Baste recordar las pinturas de Leonardo da Vinci, de Miguel Ángel y de Correggio. Lo mismo sucedió en tiempos modernos; con el óleo de Klimt, de 1917, y las obras de Ávalos, Sotomayor, tres de Álvaro Delgado y algunas joyas actuales hechas con diamantes sobre oro.

En 1919, Dix pintó una *Leda y el cisne*, en postura de gran originalidad, como la de Klimt. Este artista, de baja extracción, ha sido clasificado por la crítica como artista político, ya que sus pinturas acusaban los males de la sociedad capitalista. En realidad tenía una animadversión a todo tipo de ideologías. La composición de Dix, toda ella, expresa violencia: Leda está caída de espaldas, rechaza, con las manos hacia delante y con una expresión de terror en la cara, el asalto del cisne, que se abalanza sobre ella. Esta actitud de violación encaja perfectamente en el espíritu del artista, que se inspiró para sus temas en *Los horrores de la guerra* de Goya, pintados entre 1810 y 1820. Él mismo se autorretrató como Marte, siendo soldado en 1915, tras el primer año de guerra. El cuadro de *Leda y el cisne* de Dix está en la misma dirección artística y conceptual: el aniquilamiento del individuo. Dix representó soberbiamente y con gran nitidez el tema bélico en estas obras, a lo que se unió la precisión en la reproducción de los detalles. En *Leda y el cisne,* al igual que en los lienzos de guerra, el artista emplea colores de gran viveza, muy en consonancia con la intención que Dix quería expresar. El cuerpo de Leda está realizado en rojo intenso; está representada como una mujer de cuerpo carnoso, voluminosos senos y manos grandes. El cisne, en blanco, se abalanza sobre Leda como un buitre sobre su presa. Las oscuras tonalidades del fondo dan un tinte sombrío a la composición, concebida como una violación y no como una unión amorosa. Una actitud de rechazo del cisne, no de violencia, se expresa magníficamente en dos mosaicos romanos hallados en Complutum (Alcalá de Henares) y en la Casa de Leda en Palaepaphos (Chipre), fechado este último en los siglos II y III. Los dos mosaicos siguen el mismo modelo: Leda camina semidesnuda, de espaldas al espectador, y rechaza al cisne con la mano derecha. En el mosaico de Alcalá de Henares se lee arriba, con grandes y gruesas letras, *adulterium Iovis.*

En 1948 Beckmann pintó una Leda de gran novedad. Leda está recostada semidesnuda, la abraza su esposo Tindareo, quien lleva sobre su cabeza una corona, propia de la realeza. El monarca está tumbado junto a ella y le susurra palabras amorosas al oído. El cuerpo de Tindareo es de color ocre oscuro, que hace juego con el fondo de la composición y contrasta fuertemente con el amarillento de su esposa.

Beckmann supo captar y expresar magníficamente la actitud de los amantes antes de la unión amorosa. Al fondo se ven los Dióscuros, que Cástor y Póllux, hijos de Leda. Beckmann se interesó por la descendencia dudosa del mito, de que Póllux es hijo de Zeus mientras que Castor lo es de Tindareo, ya que representó detrás de la ventana a un cisne que se aleja encima del mar. En 1950, año de su muerte, pintó un segundo lienzo con esta misma escena, en la que sustituye el cisne por una mandolina, que hace más atractivos los encantos de la mujer. La postura de la dama es idéntica, y la extremidad del instrumento musical semeja el cuello del cisne que toca el rostro de Leda. Esta actitud se repite en un mosaico romano del Bajo Imperio en una villa de Quintanilla de la Cueza (Palencia).

Los Argonautas

Max Beckmann también se interesó por el tema de los Argonautas y realizó un tríptico reflejando este mito, que relata cómo Jasón encabezó una expedición a la Cólquida, en el Mar Negro, para buscar el vellocino de oro. En un largo poema, la expedición fue contada por Apolonio de Rodas en el siglo III a.C. La fórmula del tríptico fue empleada por Max Beckmann con cierta frecuencia en sus cuadros. Un total de nueve, de escenas muy variadas, salieron de su paleta. La forma es una pervivencia de las piezas de altar de la época medieval, que relataban las leyendas de santos y de mártires.

El tríptico de *Los Argonautas* es el más sereno de todos los que pintó Beckmann, ya que en los primeros quedaba más patente el carácter atormentado del artista. En el panel izquierdo colocó a una mujer semidesnuda de generosos senos, con el cabello recogido en un moño sujeto por un lazo. Está colocada de tres cuartos, sentada sobre una máscara de bronce; sostiene en alto una gran espada, mira a un artista que pinta un cuadro. Delante de la dama crecen verdes plantas en un tiesto. En el cuadro central charlan dos varones desnudos, uno de tres cuartos y el segundo de espaldas al espectador. Al fondo, un marinero semidesnudo sube por una escalera a la nave Argos. Una lira está tirada en el suelo, sin duda alude al cantor Orfeo, que participó en la expedición a la Cólquida. En el panel derecho representó el artista cuatro muchachos en variadas posturas, tocando diferentes instrumentos musicales. Las tonalidades del tríptico son más bien oscuras. Esta obra es un excelente exponente de la última etapa artística del pintor. Jasón, el protagonista de la expedición, es un héroe emprendedor de aventuras.

Max Beckmann en principio denominó al tríptico *Los artistas.* El pintor que aparece retratado en la obra no es un reflejo del propio autor. Las músicas se han transformado en un coro.

El panel central es de carácter mitológico, que alude a un episodio descrito por Goethe y narrado por Filostrato, autor griego que vivió en el siglo III a.C., referente al viaje de los Argonautas. Los dos jóvenes son Jasón y Orfeo en la nave Argos. El viejo que sube por la escalera es Glauco, que asciende a la nave para profetizar el destino del viaje. Encima de la cabeza de Glauco se representa al sol y a la luna oscurecidos por un eclipse y el nacimiento de nuevos planetas. Orfeo y Jasón, ante este acontecimiento cósmico, aparentemente adverso, no abandonan el proyecto.

El sol eclipsado ya había aparecido en la pintura de Beckmann en 1917, en el *Descendimiento de la cruz*. La escalera ya estaba presente en *El sueño,* pintura de 1921. La pintura de Max Beckmann frecuentemente se ha caracterizado por su brutalidad y por la excesiva sexualidad que expresa, todo ello ausente en el tríptico de *Los Argonautas,* donde se observa la separación de los sexos, fenómeno poco frecuente en la obra del autor.

Ulises y la ninfa Calipso

Homero, en la *Odisea,* redactada poco después del 700 a.C., cuenta en inmortales versos el mito de Ulises y de la bella y sensual ninfa Calipso, que retuvo al héroe griego diez años y con el que tuvo varios hijos. Max Beckmann ha representado, en 1943, soberbiamente a los dos amantes, entregados a la pasión amorosa. Calipso está desnuda, colocada de tres cuartos sobre el blanco lecho, acariciando al héroe, recostado en la cama con la espada a sus espaldas y con las piernas protegidas por la armadura. Ulises tiene una actitud indolente, con las manos en la nuca. En vez de responder a las caricias de la ninfa, pierde la mirada en el infinito, pensando sin duda en su Ítaca natal, donde le espera su esposa Penélope. La pareja está rodeada de animales: un gato, una serpiente y un loro. Probablemente la ninfa promete al héroe juventud e inmortalidad si permanece a su lado. El gesto de Ulises expresa magníficamente que las proposiciones de la ninfa carecen de atractivo para él.

Sin duda, Max Beckmann —que durante el gobierno de Hitler tuvo que exiliarse a Holanda, y después a Norteamérica, y vio cómo su obra artística era perseguida— aludió en este cuadro, realizado en plena guerra mundial, a su situación espiritual de desterrado, de infeliz, a pesar de su buena situación económica en Norteamérica y a la nostalgia que sentía por su patria, a la que no volvería a ver. En sus diarios se llamó a sí mismo «pobre Odiseo», y a su vida «mi Odisea». Stephan Lackner califica el lienzo de *Ulises y la ninfa Calipso* como la primera obra del último periodo creativo de Beckmann. En él ya aparece el sello de su último estilo, que se caracteriza por el empleo de colores brillantes, fuertes y claros. El color gris es muy poco usado por el artista. El contorno en negro, que se ha señalado como una de las características del arte de Max Beckmann, reaparece con fuerza en esta pintura. El artista lo utilizó para resaltar la plasticidad de las figuras. El papagayo está presente en otros cuadros de Max Beckmann, como en *Mujer con papagayo,* de 1936; *El infierno de los pájaros,* de 1937; *Mujer recostada con papagayo,* de 1940; *Begin the beguine,* de 1946, etc. El gato, que también representó varias veces en su obra, igualmente llamó la atención de Picasso.

Ulises y las sirenas

Las sirenas son genios marinos, mitad mujer, mitad pez, que se mencionan por vez primera en la *Odisea* (XII, 1-200), donde se citan dos. Otras veces son cuatro. Los mitógrafos antiguos las calificaron de músicas notables, que conocen los instrumentos musicales, que tocan el terceto y el cuarteto. Según Apolodoro, en su *Biblioteca,* una tocaba la lira, otra cantaba y la tercera tocaba la flauta. Las sirenas habitaban en una isla del Mediterráneo y atraían con su música a los navegantes para que la nave se estrellara contra las rocas y así poder devorarlos. Los Argonautas, en su viaje a la Cólquida, se acercaron a la funesta isla, pero Orfeo cantó tan maravillosamente que eclipsó el canto de las sirenas. Otro héroe, Ulises, se acercó con su nave a la isla, pues quería oír el fatídico canto, pero antes había tapado los oídos de todos sus compañeros y él se había atado al mástil de la nave, para escuchar de este modo el canto y evitar así la posibilidad de caer en sus garras. La maga Circe había profetizado a Ulises el peligro que se avecinaba. Los musivarios del norte de África frecuentemente decoraron los suelos de las casas con este mito. Baste recordar los mosaicos de la casa de Dionisos y de Ulises, en Dugga, la antigua Thugga, de mediados del siglo III.

Max Beckmann, en 1933, ha representado a Ulises de espaldas, desnudo, atado al mástil del navío; a su izquierda un marinero rema; delante del héroe una sirena se inclina hacia él con cara sonriente. Posiblemente Max Beckmann alude a la situación anímica de su espíritu en aquel momento con esta representación (recordemos que Hitler acababa de llegar al poder). El artista tuvo predilección por composiciones en las que el mar era el telón de fondo, como *Joven en el mar,* de 1943; *La barcaza,* de 1926; *Siluro,* de 1933; *Viareggio,* de 1925; *Chateau de If,* de 1936; *Mar del Norte I,* de 1937, y *San Francisco,* de 1950.

La figura de Ulises sigue fascinando la imaginación de los artistas contemporáneos, baste recordar el dibujo de Eneko, de 1998, con Ulises dentro del barco y Penélope tejiendo el vestido; o la gigantesca escultura, de más de dos metros de altura, que representa a un Ulises de gran fuerza expresiva, obra del italiano Attardi, hecha en 1996.

Guerrero y mujer pájaro

En este cuadro de tonalidades un tanto oscuras, realizado en 1939, al comenzar la funesta Segunda Guerra Mundial, y cuando el expresionismo alemán estaba represaliado ya desde hacía años, Max Beckmann vuelve a la mitología para simbolizar los sentimientos del momento. No representa un episodio mitológico concreto; como escribe la hermana Wendy Beckett, el artista prefiere dar un sentimiento mitológico al lienzo para expresar su misterio, a contar un mito determinado. El cuadro recuerda al de *Ulises y las sirenas.* La mujer pájaro es una sirena y el guerrero que camina hacia ella, con espada, lanza en la mano derecha y casco sobre la cabeza, bien puede representar a Ulises, que marcha a la muerte segura. La sirena simboliza la destrucción y la seducción, probable alusión a la persecución del pintor por Hitler. El guerrero seguramente es el mismo artista, pues, como hemos visto, en sus escritos se identifica a sí mismo con Ulises. Beckmann ha cambiado el mito pero no su sentido. Detrás de la sirena están colocados dos personajes, uno de ellos masculino. El de la derecha podría ser una segunda sirena.

Perseo

Perseo es hijo de Zeus y de Danae. Era un héroe de Argos que cortó la cabeza de la Gorgona, mito representado en un relieve de Corfú del siglo VI a.C., como regalo al rey Polidectes. De la cabeza de la Gorgona salieron un caballo alado, Pegaso, y un gigante, Crisaor.

Max Beckmann pintó este mito en un tríptico de 1941. El artista buscó un mito que le permitiera escapar de la desastrosa situación a la que le había llevado el exilio provocado por el régimen hitleriano. Inmediatamente llama la atención del espectador, en el panel derecho, la jaula gigantesca, rellena de figuras monstruosas, y otras con cabezas humanas sobre patas de pájaros. Delante colocó el pintor un árbol, en cuyas ramas se sienta un gran pajarraco con cara de viejo. Probablemente Beckmann representó en este lienzo un viejo mito de la creación, que alude a varios mitos que tienen final poco feliz: el dueño de los ángeles destruyó a los hombres que encontraba, a continuación los grandes dioses crearon hombres con cuerpo de pájaros del desierto y siete reyes hermanos. En el texto en el que se inspira el artista se habla también del pájaro divino sobre el árbol. Probablemente hay que pensar en varias creaciones que tuvieron un mal fin, según la interpretación de F. W. Fischer. En opinión de este autor, para Beckmann este mito simboliza el sufrimiento sin sentido de la criatura, que encajaba muy bien en la situación catastrófica del momento.

En el panel central, Max Beckmann representó una composición emblemática con Perseo, Andrómeda y el monstruo del mar. El artista indica ya claramente la evolución anímica que ha seguido su espíritu. Según testimonio del mismo pintor, se asustó de la expresión de su creación pictórica. Este panel central representa la marcha de Perseo después de haber dado muerte a la Gorgona y liberado a Andrómeda, que estaba atada a una roca. Con esta hazaña, Perseo puso límites al poder de Poseidón y destruyó el mal augurio. Frecuentemente Max Beckmann reinterpreta los mitos antiguos de diferentes maneras. En esta pintura, Perseo carece del atractivo de un héroe que ayuda a los necesitados. Su apariencia es la de un pirata. Se duda si en este cuadro el artista pretendió hacer un análisis frío del mito o una reinterpretación. La crítica ha pensado que este cuadro simboliza la liberación de Holanda por los aliados.

El panel de la izquierda representa un local de Ámsterdam, con una ramera y un cocinero indonesio, personaje de gran sentido simbólico para Beckmann. Los grandes oídos del cocinero representan la sabiduría y la fuerza divina que tienen las orejas. Por esta razón, las leyendas indias y budistas representan a Buda con grandes orejas. El mismo cocinero tiene rasgos físicos de Buda. Beckmann conocía a fondo el panteón hinduista y las enseñanzas budistas. La mitología india sería un contrapeso a los héroes griegos de la guerra expresada en los otros dos paneles.

Personajes griegos

Max Beckmann realizó varios dibujos de personajes griegos. Uno de ellos, del filósofo Anaxágoras, perseguido por sus teorías avanzadas en la Atenas de Pericles, a mediados del siglo V a.C. El segundo de Forcis, personaje mitológico, hijo de Ponto y de Gea y hermano de Nereo. El tercero de Euforion, poeta nacido en Calcis de Eubea hacia el año 276/275. Estos dibujos, realizados con gran soltura, ilustran entre 1943 y 1944 el Fausto de Goethe.

El transporte de las esfinges

En 1945, año de la terminación de la guerra mundial, Beckmann realizó este cuadro. Se representa en él un desfile triunfal. Los prisioneros encerrados en una jaula son los militares y políticos alemanes, según una interpretación propuesta. También el artista pudo pensar en la revolución francesa, que llevó a juicio a los delincuentes. El varón en rojo podía representar al verdugo encargado de las ejecuciones. La dama cubierta con una piel de armiño elegantísima sería la reina de Francia, María Antonieta. Es indudable que el tema del lienzo es Francia y su liberación. Las dos esfinges simbolizan la incorporación de Francia, ya que una lleva el gorro de De Gaulle y la otra el gorro jacobino. La bandera roja quizás es la del partido comunista, triunfante en 1945. Los colores del fondo son los de la bandera francesa.

Júpiter o la tormenta

Poco antes de morir, Max Beckmann representó el mito de Júpiter. En esta obra da solución a un problema constante a lo largo de toda su vida, el del espacio, al que aquí representa sin límites, sin fondo y completamente negro, lo que produce una sensación de profundidad oscura. Las figuras carecen de límites, en opinión del crítico F. W. Fischer. La composición atrae al espectador, que se mezcla con el caos de las figuras. El artista transforma en esta obra el teatro del mundo en la infinitud.

Las amazonas o «Ensayo de ballet»

Este tríptico, realizado en 1950, sigue al octavo tríptico de 1946, que lleva por título *El comienzo,* y a *Los Argonautas,* de 1949-1950. Las amazonas eran hijas de Ares y de la ninfa Harmonía. Su reino se coloca indistintamente en el Cáucaso, en Tracia o en Escitia. Estaban gobernadas por una reina, en tanto que los hombres solamente eran cria-

Christian Rohlfs, *Prometeo*, Schleswig-Holsteinisches Landesmuseum, Schleswig.

dos suyos. Las tonalidades de la obra, rosas, blancas, amarillentas y azules, indican un momento psicológico alegre. En el panel de la derecha se encuentran dos mujeres de pie, una con lanza y la otra se mira en un espejo. Al fondo, dentro de un marco oval, aparece un autorretrato del pintor, con un solo ojo, como si de un cíclope se tratara. En el panel central, dos muchachas están sentadas, bebiendo, una enfrente de la otra, y una tercera, de pie. En el panel de la derecha, una muchacha se ejercita en un paso de danza, con la pierna levantada, delante de otra que se cubre la cabeza con una corona y agarra a una serpiente enroscada en su pierna derecha.

Christian Rohlfs, pintor expresionista también alemán, pintó en 1916 a una amazona desnuda galopando en un caballo y acompañada de su perro. Los tonos del caballo y del perro son oscuros, el de la amazona, marrón, y el del fondo de la composición, blanco, con pinceladas marrones. El artista representó magníficamente el esfuerzo de la carrera al galope en la actitud del caballo, del perro y de la amazona.

Prometeo

Rohlfs, que fundamentalmente se había dedicado a retratar paisajes en su primera etapa de pintor, en 1912 se fijó en el mito griego del titán Prometeo, que creó al primer hombre, al que entregó el fuego, engañando a Zeus, por lo que el padre de los dioses y de los hombres le encadenó en el Cáucaso y le condenó a que un águila le devorase el hígado, que continuamente se regeneraba. La pintura de Rohlfs es de gran originalidad, pues está alejada de las anteriores representaciones. En ella el artista acusa el influjo del nuevo arte de los años veinte. Prometeo está encadenado, tumbado, con la cabeza ladeada y todo el cuerpo de color marrón. Junto al titán griego, hijo de Japeto, posa el águila dispuesta a devorarle el hígado.

En 1942 Max Beckmann pintó un *Prometeo,* donde se identificó con el Titán, al que representa como Cristo en la cruz, como víctima y mártir. Un pájaro azul le pica el hígado, sede de la verdad, mientras que Prometeo grita de dolor. El círculo dentro del cual se encuentra Prometeo simboliza la esperanza de salvación. En la zona inferior, el artista colocó un cocinero, de espaldas, delante de una mesa llena de alimentos, entre los que figura una cabeza de cerdo. La mujer del lado izquierdo quema el pie de Prometeo con una antorcha, alusión al robo del fuego. La escena tiene un cierto sentido cómico. En 1940, Max Beckmann consideraba un milagro haber sobrevivido, tal y como escribe en su diario. Este pensamiento se encuentra en el trasfondo del mito griego. En una conferencia que dio en la Facultad de Filosofía de Washington, en 1950, afirmó que el arte, la religión y la creencia ayudan y liberan a la humanidad en su camino, idea posiblemente expresada en este cuadro.

VENUS

Otto Dix pintó en 1932 una Venus de aspecto juvenil, desnuda, de frente, con largos guantes, sobre fondo oscuro, con lo que resalta mucho el cuerpo. Los expresionistas no tomaron a Venus como motivo de sus composiciones. En cambio, un pintor contemporáneo de tendencia artística totalmente diversa como Paul Delvaux es autor de varios cuadros de Venus en diferentes actitudes; *Venus durmiendo,* dos, uno de 1943 y otro de 1944, y *El nacimiento de Venus,* de 1947.

Mitos que llamaron poderosamente la atención de Picasso, como el del Minotauro, que también atrajo el interés de Dalí, o el de las bacantes del cortejo de Dionisos están ausentes en los expresionistas.

El mito griego está presente en su obra. Se sirvieron de él para simbolizar algunos aspectos, generalmente tétricos, del mundo moderno. Son mitos eternos y sirven para todos los pueblos, culturas y siglos.

BIBLIOGRAFÍA

BLÁZQUEZ, J. M., «Temas del mundo clásico en el arte del siglo XX», *Revista de la Universidad Complutense,* XXI, 23 (1972), págs. 1-21.

— «El mundo clásico en Picasso», *Discursos y ponencias del IV Congreso Español de Estudios Clásicos,* Madrid, 1973, págs. 141-155.

— «Temas del mundo clásico en las pinturas de Kokoschka y Braque», *Miscelánea de Arte,* Madrid, 1982, págs. 262-274.

— «Mujeres de la mitología griega en el arte español del siglo XX», en *La mujer en el arte español,* Madrid, 1997, págs. 571-581.

— «Mujeres de la mitología clásica en la pintura de Max Beckmann», *Anales de Historia del Arte,* 7 (1997), págs. 257-269.

— «El mundo clásico en Dalí», *Goya,* 265-266 (1998), págs. 238-249.

— «Temas de la mitología clásica en las pinturas de la Corte de Felipe II», en *El arte en las cortes de Carlos V y de Felipe II,* Madrid, 1999, págs. 255-333.

BLÁZQUEZ, W. y GARCÍA-GELABERT, M. P., *Temas del mundo clásico en el arte moderno español,* Madrid, 1993, págs. 403-415.

BECKETT, W., *Beckmann and the Self,* Múnich, Nueva York, 1997.

ELGEN, D., *Expresionismo,* Colonia, 1993.

FAERNA, B., *Max Beckmann, 1884-1959,* Madrid, 1996.
FATH, M., *Friedrich Karl Gotsch (1900-1984): Gemälde,* Bonn, 1998.
FISCHER, F. W., *Max Beckmann,* Colonia, 1972.
GELLWITZ K. *et al., Max Beckmann,* Stuttgart, 1990.
KARCHER, E., *Dix,* Colonia, 1991.
LACKNER, S., *Beckmann,* Londres, 1991.
MAUR, K. V., *Max Beckmann: Meisterwerke 1907-1950,* Bonn, 1994.
Boeller, M. M., *Meisterwerke des Expresionismus: Gemälde, Aquarelle, Zeichnungen und Druckgraphik aus dem Brücke Museum,* Berlín, Stuttgart, 1990.
— *Die «Brücke»,* Múnich, 1995.
SCHMIDT, J. K. *et al., Otto Dix,* Milán, 1997.
SPIELER, R., *Max Beckmann, 1884-1950: der Weg zum Mythos,* Colonia, 1994.
SPIELMANN, H., *Kokoschka,* Madrid, 1975.
VOGT, P., *Christian Rohlfs, 1849-1938,* Bonn, 1996.

Capítulo VI

«Las tentaciones de san Antonio» en el arte contemporáneo

M. W. Blanch[1] ha estudiado las tentaciones de San Antonio en la pintura de los siglos XIV y XVI. Recoge algunas pinturas poco conocidas. Examina en primer lugar la evolución de la leyenda que trata este episodio de la vida del santo. Las más importantes son las leyendas de Patras, de autor desconocido, hacia el año 1000, famosas entre los siglos XI y XV, y la de Alfonso Buenhombre, hacia 1341. La primera es fundamental para comprender la imagen de la época sobre la mujer medieval. Las pinturas que se comentan son los cuadros de L. Borrasá, en Santa Margarida de Montbui; de J. Ferrer, en el santuario de la Granadella, desaparecido; del maestro Rubio, en paradero desconocido; uno de autor anónimo, en la Conda del Segre; de Sasetta, en la Universidad de Yale; de la Escuela Veneta (dos), en Francesco, Bassano; de Escuela Umbra, en Montefalco; de Fournier, en la Biblioteca de Malta; del maestro S. Fiorenzo, en Bastia; y de la Escuela de Nelli, en Florencia; y el tríptico de El Bosco.

[1] «San Antonio tentado por la lujuria: dos formas de representación en la pintura de los siglos XIV y XV», *Locus Amoenus*, 2 (1995), págs. 111-129. También L. Meiffret, *Saint Antoine eremite en Italie (1340-1540): programmes picturaux et dévotion*, Roma, 2004. Agradezco a la profesora M. Cruz Villalón, de la Universidad de Extremadura, la bibliografía suministrada.

Las tentaciones de san Antonio han sido motivo de inspiración de los artistas desde el Renacimiento, y continúan siéndolo hasta la actualidad.

Se ha considerado a Antonio (250-356) el fundador del monacato. Había nacido en Egipto. Hacia los veinte años se retiró a una aldea, después a una tumba vacía excavada en la falda de una montaña no lejos del Nilo, y poco después al desierto. Finalmente se marchó a las orillas del Mar Rojo rodeado de seguidores que le tuvieron por padre, y todos se dedicaron al ascetismo más riguroso y a la espiritualidad. Antonio sufrió las acometidas del demonio, tema que, a partir del Renacimiento, inspiró frecuentemente a los pintores. Poco después de su muerte, acaecida en torno al 356, Atanasio (295-373), obispo de Alejandría, se retiró al desierto de Egipto y redactó la *Vida de Antonio*, que pronto se convirtió en un *best-seller,* como cuenta Agustín (354-430) en *Las confesiones* (VIII, 6, 14 y ss.). Los pintores, de todos los sucesos de su vida, se fijaron exclusivamente en las tentaciones del demonio, que se prestaban a la fantasía de los artistas.

Los tres asaltos del demonio, contados por Atanasio, corresponden a las tres etapas decisivas de Antonio hacia la vida solitaria; cuando se retiró a una tumba (8-2-3), cuando se estableció en el desierto (12-13) y cuando se fue a vivir a las orillas del Mar Rojo (51-52). Atanasio descubre estas tentaciones:

Para el diablo es fácil transformarse en fieras malignas. De noche hacían tal ruido que todo el lugar parecía moverse. Los demonios casi rompieron las cuatro paredes del sepulcro, atravesaron los muros y se transformaron en bestias y en serpientes. De pronto toda la estancia se llenó de leones y de osos, de leopardos, de serpientes, de toros, de escorpiones y de lobos. Cada fiera se comportaba según su naturaleza. El león rugía e intentaba saltar encima. El toro pretendía cornearlo. La serpiente tocarlo, y no podía. El lobo se detenía en su acometida. La serpiente se retiraba y silbaba contra él. Todas las fieras eran terribles en su ira y en su ruido.

Los que iban a encontrarlo, oían muchos rumores y voces. De noche el monte parecía lleno de chispas. El viejo parecía combatir con seres invisibles (51-52).

Mientras vigilaba de noche, vio bestias; casi todos los animales que estaban en el desierto, saliendo de sus guaridas, le rodeaban, y él estaba en el centro de ellas. Abrían las bocas y querían morderlo.

Frecuentemente los diablos se aparecían en forma de mujeres.

Ya en el Renacimiento *Las tentaciones de san Antonio* fueron una fuente de inspiración para los artistas. Esta composición no es muy antigua, pues apareció en el año 400[2]. Baste recordar unos cuantos casos bien significativos, que son el obligado precedente, que hay que tener presente para estudiar el tema. Uno de los grandes artistas del Renacimiento, Grünewald (1470/1480-1528), pintó para el altar de Isenheim unas *Tentaciones de san Antonio,* óleo sobre tabla, hoy conservadas en el Museo de Unter den Linden. El artista representó una visión salvaje de horribles monstruos que, apelotonados, atacaban al santo tumbado en tierra. Al fondo, hay restos de una cabaña quemada. El Eterno contempla la escena, suspendido en el aire. El fondo está cubierto de altas montañas. Sobre el tejado de la cabaña luchan demonios con ángeles. Dominan las tonalidades oscuras. Hacia 1520, un artista desconocido, del sur del Rhin, representó a san Antonio suspendido en el aire, atacado por todo tipo de fieras salvajes. En 1490 El Bosco pintó unas *Tentaciones de san Antonio,* en la actualidad en el Museo del Prado[3]. El santo vestido de monje encapuchado ocupa el centro de la composición, acurrucado, los diablillos no turban la contemplación de Antonio. Una imitación de esta pintura son *Las tentaciones de San Antonio* de los Staatliche Museen de Berlín, que por la ejecución fina y elegante del cuadro resulta extraña al estilo del maestro. Otra de las obras maestras de El Bosco es *Las tentaciones de san Antonio* que se conservan en el Museo Nacional de Lisboa[4]. Es un tríptico de una fantasía desbordante por la variedad y por la cantidad de escenas, así como por el colorido. Se representan las más diferentes situaciones de la vida del santo, como el vuelo y la caída de Antonio, las más diversas tentaciones, los demonios con apariencia de sacerdotes, y los monstruos, más fantásticos.

Las tentaciones de san Antonio de El Bosco tuvieron seguidores después de la muerte del maestro. En 1652 un marchante de arte, Guillaume Forch, vendía cinco *Tentaciones de san Antonio* según El Bosco.

---

[2] P. Bianconi, *L'opera completa di Grünewald,* Milán, 1992, págs. 89-90, 93, láminas XLIII, XLVII-L.

[3] F. Puigdevall, *op. cit.*, pág. 105; W. Bosing, *El Bosco [1450 (?)-1516]: entre el Cielo y el Infierno,* Colonia, 1998, pág. 91.

[4] L. van Puyvelde, *op. cit.*, pág. 43, fig. 1; W. Bosing, *op. cit.*, págs. 91-95; y J. L. Porfirio, *op. cit.*

El más famoso de sus imitadores fue Jan Mandyn (1502-1559)[5], con *La tentación de san Antonio* del Museo de Haarlem. Usa símbolos, perspectivas y colores de El Bosco. Una réplica se conservaba en 1936 en la Galería Malimede de Colonia.

El epígono, el más personal y el más hábil de El Bosco, es P. Huys[6], que en 1577 pintó una *Tentación de san Antonio,* en la actualidad en el Museo Mayer van Bergh de Anvers, precedida en unos veinte años, 1547, por *La tentación de san Antonio* del Louvre, también imitación de aquella de El Bosco, que más que una tentación es una serie de molestias que inventa el diablo para vengarse del santo. De filiación dudosa, de calidad inferior y más próxima a la pintura de Brueghel el Viejo[7], y de tonalidades poco matizadas, es *La tentación de san Antonio* de los Museos Reales de Bruselas. El ejemplar del Museo Metropolitano de Nueva York es dudoso, por su tonalidad más débil. Esta última pintura se ha atribuido a un seguidor de Brueghel el Viejo. El Wallraf-Richartz-Museum de Colonia guarda dos obras de *La tentación de san Antonio.* Una es de D. Tethers (1610-1690)[8], y la segunda de J. Liss (1597-1631)[9]. Las dos son de gran originalidad en la composición. Teniers fue un artista holandés, uno de los mejores representantes de la pintura de este país por aquel entonces, con fantasías fabulosas, heredero de El Bosco y de Brueghel el Viejo. Los cuadros de Antonio simbolizan con sus escenas la firmeza del santo contra la oscuridad sin sentido. Este primer pintor sitúa la tentación no en el desierto, sino al pie de una montaña junto a una choza. El santo está arrodillado ante una roca, donde hay colocadas una calavera y una vasija de agua. Antonio viste un manto con capucha. Es un anciano asustado. Unos murciélagos revolotean sobre la escena principal. Antonio está rodeado de animales fantásticos. Una bruja a sus espaldas le indica la cueva. Las tonalidades em-

---

[5] L. van Puyvelde, *op. cit.,* págs. 47-48.

[6] L. van Puyvelde, *op. cit.,* págs. 50-51, fig. 10.

[7] L. van Puyvelde, *op. cit.,* pág. 71; R. H. Marijnissen, *Brueghel: das vollständige Werk,* Colonia, 2003; F. Grossmann, *Pieter Bruegel: Complete Edition of the Paintings,* Londres, 1995. En la Gemäldegalerie Alte Meister de Kassel se conserva un cuadro de Brueghel el Viejo, con *Las tentaciones de san Antonio* en un bosque (B. Schnackenburg, *Gemälde Alte Meister: Gesamtkatalog, op. cit.,* págs. 70-71, lám. 21, KG 60).

[8] C. Hasse y M. Schlangenhaufer, *Wallraf-Richartz-Museum Köln: vollständiges Verzeichnis der Gemäldesammlung,* Colonia, 1986, pág. 84, fig. 426; R. Budde y R. Krischel, *Das Wallraf-Richartz-Museum: hundert Meisterwerke von Simone Martini bis Edouard Munch,* Colonia, 2001, págs. 124-125. En la Gemäldegalerie Alte Meister de Kassel se conserva una copia de un cuadro de Teniers con *Las tentaciones de san Antonio.* El santo está sentado leyendo (B. Schnackenburg, *op. cit.,* pág. 294, lám. 69, GK 138).

[9] C. Hasse y M. Schlangenhaufer, *op. cit.,* pág. 52, fig. 545.

pleadas por el artista son el amarillo, el verde para los árboles y el marrón para el cielo, que parece de esta manera tormentoso, muy en consonancia con el contenido de la composición.

La escena de la *Tentación de san Antonio* de J. Liss es de gran originalidad y única en su género. Representa la tentación del demonio bajo la forma de una bella mujer. El fondo es marrón oscuro. Apenas destaca una lechuza a la que sólo le brillan los ojos, la boca abierta de una serpiente y la cabeza del demonio, de tez negruzca con orejas grandes y picudas, y con gesto de tentador. El santo es un anciano venerable que mira al cielo pidiendo socorro, con las manos en actitud de rechazar el jarro lleno de joyas que le ofrece una dama ricamente vestida, que interrumpe la lectura de las Sagradas Escrituras acompañada de un segundo demonio de gesto seductor. En el fondo de la composición arde una ciudad. Este tema es típico de la pintura holandesa temprana, así como de la italiana, y muy frecuente en el siglo XVII. En Holanda sigue la gran tradición de la pintura holandesa. Por el estilo, *La tentación de san Antonio* de J. Liss pertenece a la época de su estancia en Venecia.

La colección de pintura Thyssen-Bornemisza conserva dos cuadros de la *Tentación de san Antonio* pertenecientes a la primitiva pintura holandesa. El primero es obra del pintor Jan Wellens de Cock[10], muerto poco antes de 1527. Antonio es un viejo decrépito vestido como siempre, con saya con capucha echada a la cabeza, arrodillado y rezando el rosario. Delante se encuentran cinco jóvenes muchachas de pie, dos cubiertas por una seda transparente, y dos totalmente desnudas. De la última, sólo se ve la cabeza. La primera ofrece al santo un pequeño jarrón. La escena se sitúa a la entrada de una cueva. Una lechuza se posa en lo alto de un árbol. Dos monstruos acompañan a Antonio. Uno toca una flauta sentado a un lado de la entrada de la cueva. El segundo, de Aertgen van Leyden[11], que es un monstruo fantástico, asusta al ermitaño. El color amarillento del cuerpo de las cinco muchachas contrasta con las tonalidades oscuras que el artista ha dado al resto de la escena. La popularidad de los cuadros con *Las tentaciones de san Antonio* durante los siglos XVI y XVII obedece a que el pueblo creía que el poder del santo era grande contra las pestes de estos siglos, principalmente contra la erisipela, llamada «fuego de san Antonio». La pintura de Jan Wellens de Cock data de 1522. Van Cejelder dio a conocer esta pintura en compañía de otras tres versiones del mismo tema, atribu-

---

[10] C. Eisler, *Early Netherlandish Painting*, Londres, 1989, págs. 204-205.
[11] C. Eisler, *op. cit.*, págs. 246-247.

yéndolas todas ellas a Jan Wellens de Cock, que son: el tríptico del Oldseid Kammer; un panel rectangular que fue propiedad con la pintura de Thyssen, de la Goudstikker de Ámsterdam; y un tondo de la Gemäldegalerie de Dresde. Esta atribución es seguida por Ebbinger Wubbern. Las pinturas de Jan Wellens de Cock combinan una cierta libertad con una sencillez de la forma, mezcladas con la fantasía y la intuición típicas de Aertgen van Leyden (1498-1564), pintor holandés del que los Museos Reales de Bellas Artes de Bruselas son propietarios de un cuadro, igualmente en el que Antonio está arrodillado delante de un altar con un crucifijo, con los brazos abiertos. El santo viste sayal blanco, cubierto por capa oscura. A sus espaldas, caminando hacia el santo, una procesión de monstruosos diablillos. La escena se sitúa junto a un río. Toda la naturaleza está pintada de color oscuro, propio de la tentación que contrasta con los vestidos blancos de Antonio y de los demonios. Aertgen fue un artista modesto y de talento, muy admirado por compañeros pintores y por las sucesivas generaciones. De este artista se conoce un boceto de *La tentación de san Antonio,* en la actualidad en el Prentenkabinet del Rijksuniversiteit de Leiden,con muchos motivos individuales muy próximos a los de la composición de Bruselas.

Algunos otros cuadros con este tema en la pintura flamenca cabe recordar. El Museo del Prado conserva un cuadro con *La tentación de san Antonio* de J. Patinir (1480-1514)[12], pintor flamenco que trabajó en la primera mitad del siglo XVI. Las cuatro damas que rodean al asustado Antonio visten a la moda de la época, una de ellas le ofrece una manzana. El artista es el promotor del paisaje panorámico. En la segunda mitad del siglo se data *La tentación de san Antonio* de Willem van Haecht, de la colección O. Ferraris de Milán, en la que la fantasía del pintor se desborda.

«LAS TENTACIONES DE SAN ANTONIO» EN LOS IMPRESIONISTAS FRANCESES

Uno de los más grandes impresionistas franceses fue Cézanne (1839-1906), que pintó *Las tentaciones de san Antonio* tres veces en 1870[13], y dos entre 1873 y 1877[14]. *Las tentaciones de san Antonio* eran temas preferidos por artistas que pintaban, frecuentemente, desnudos femeni-

[12] L. van Puyvelde, *op. cit.*, pág. 111.
[13] S. Orienti, *Cézanne,* Milán, 1979, pág. 67, fig. 29.
[14] S. Orienti, *op. cit.*, pág. 99, figs. 268-269; y U. Becks-Malorny, *Paul Cézanne, op. cit.*, pág. 38.

nos. Cézanne fue en un periodo de su vida muy tímido con las mujeres y muy insociable, lo que levantaba una valla entre él y la gente con la que se relacionaba. Había abandonado a sus amigos, a sus padres y sus costumbres. Hajo Düchting escribe de sus cuadros que las mujeres aparecen siempre haciendo de víctimas pasivas o también de verdaderas *bêtes humaines,* «como es el caso de *La tentación de san Antonio.* El conflicto entre la carne y el espíritu desarrollado en estos cuadros es también representativo de los conflictos internos de Cézanne, de sus obsesiones sexuales, de sus inhibiciones y de su búsqueda de liberación en el arte». Cézanne encuentra motivo de inspiración para sus cuadros en la obra literaria de Flaubert y de Baudelaire. El primero escribió unas *Tentaciones de san Antonio.* Cézanne acentúa en sus tres cuadros el carácter sexual de las tentaciones. Desaparecen los monstruos. El santo se encuentra solo ante las damas totalmente desnudas. Los tres cuadros son diferentes en la composición. En el más antiguo, óleo sobre lienzo en torno a 1870, el santo ocupa el ángulo superior izquierdo. Rechaza a una mujer desnuda que se le echa encima. Otras tres se encuentran delante. La de la derecha está tumbada y pensativa. En primera fila, una de espaldas está en cuclillas y, entre las dos, una de frente. El fondo es oscuro «fuerte y contrasta con el color carnoso del cuerpo de las mujeres». El fondo detrás de san Antonio es verde. No está presente ningún monstruo, como en las pinturas anteriores, ni árboles ni ciudades que simbolizan la naturaleza. El cuadro se conserva en Zúrich.

En uno de los cuadros pintados entre 1873 y 1877, guardado en el Museo d'Orsay de París, también óleo sobre lienzo, *Las tentaciones* están tratadas de modo diferente. Como diferente también es el colorido. El centro lo ocupa una dama desnuda de pie, que se ha quitado el manto que levanta a sus espaldas. Ofrece su cuerpo al santo que, arrodillado delante de ella, la rechaza. Un gigantesco diablo le sostiene para echarle a la mujer. La dama está rodeada de niños. Hay un fuerte contraste en el colorido. El cuerpo del demonio es marrón. El del santo, verdoso oscuro. Los arbustos que indican que las tentaciones tienen lugar al aire libre, son verdosos. Los cuerpos desnudos son de color blanquecino. El fondo del lado derecho es azulado, al igual que el cielo. Se observa, pues, un fuerte contraste de colores.

El segundo cuadro de la misma fecha, igualmente óleo sobre lienzo, es una variante del anterior. La dama desnuda, de pie y con el manto echado a las espaldas, sobre un fondo de arbolado y rodeada de chiquillos, se dirige a Antonio, que la rechaza. El fondo de la mitad izquierda del cuadro es de diferente tonalidad, aquí blanquecina.

Odilon Redon[15], el dibujante más tenebroso del simbolismo, hizo diez litografías inspiradas en *La tentación de san Antonio* de Flaubert. Las litografías de Odilon Redon pertenecen al arte más innovador de finales del siglo XIX. Con sus litografías al carboncillo originó un nuevo concepto de la superficie del espacio desconocido hasta su tiempo. El artista utiliza principalmente los colores oscuros. Exploró el mundo atormentado de Flaubert, de Goya o de Baudelaire. Las *Tentaciones de san Antonio* se prestaban a la exploración de este mundo atormentado, fascinante y tan actual. La visión que expresa en las diez litografías, de 1890, es absolutamente personal. De mano maestra y con una gran riqueza de tonalidades, manifiesta unos grandes contrastes en el uso del color negro. El artista se planteó con las litografías graves problemas metafísicos.

En la misma corriente simbolista cabe colocar a Félicien Rops (1833-1898)[16]. F. Calvo Serraller, uno de los mejores críticos de arte en la actualidad, con motivo de la exposición de F. Rops en Madrid y reproduciendo el cuadro de *La tentación de san Antonio,* 1878, que nos ocupa, ha trazado una breve semblanza de la obra artística, que cae de plano en este dibujo de lápiz en color, conservado en el Cabinet des Estampes, Bibliothèque Royale Albert Ier, Bruselas. Aunque el artista fue un excelente pintor, sin embargo, la fama le vino de sus dibujos y de sus grabados. *La tentación de san Antonio* contribuyó a alcanzar la fama. Como dibujante y grabador fue uno de los mejores de su época. Llevó primero a Bélgica y después a París, continúa F. Calvo Serraller, la poesía cruel de sexo y de la blasfemia, bien expresadas en la obra que se comenta ahora, a través de una serie fascinante de imágenes escalofriantes, cuya turbadora belleza ha aumentado con el tiempo, muy al estilo de finales del siglo XIX. Los temas centrales de Rops fueron la mujer, la muerte y una visión sistemática de la religión, bien manifestadas las tres en *La tentación de san Antonio.* No alcanzó el éxito con el escándalo. En su obra habita la soledad y la angustia sentida por el artista que ama profundamente la vida. Hizo incursiones en lo fantásti-

[15] M. López Blázquez, *Odilon Redon, op. cit.,* figs. 42-43, y J. D. Jumeau-Lafond y G. Solana, *Los pintores del alma, op. cit.,* págs. 238, 240-241.

[16] M. Gibson, *El simbolismo, op. cit.,* pág. 100.

co y lo grosero. Hizo verosímil lo monstruoso, al no apartar los fantasmas de los lugares más negros de la realidad cotidiana. Piensa F. Calvo Serraller que es el amor y su profundo conocimiento del cuerpo de la mujer los que hacen tan fascinantemente salaces sus estampas pornográficas, lo que queda bien patente en *La tentación de san Antonio* y en la acuarela, pastel y aguada de 1878, que lleva por título *Pornokrates.* Ofrece el sexo «con descarada suntuosidad y el empaque monumental de un muy sabio clásico naturalista». F. Rops es un magnífico satírico y un iconoclasta mordaz, como en *La tentación de san Antonio.* Muy acertadamente escribe el crítico: «sean cuales sean sus imágenes pornográficas, profanadoras, vituperantes, queda en el paladar del contemplador junto al frenesí riente de lo desmesurado, un regusto amargo, inquietante y hasta melancólico». Es un genio del humor negro, pero al mismo tiempo un filósofo y un moralista.

En *La tentación de san Antonio* el artista ha sustituido el crucificado caído de lado por una bella y sonriente mujer. El santo se lleva las manos, despavorido, a la cabeza. Delante de él, sobre un pupitre, se encuentian las Sagradas Escrituras abiertas por la tentación de la mujer a José, representada en la parte superior del libro. Detrás de la cruz, un cerdo que apoya las patas delanteras en varios gruesos volúmenes simboliza la lujuria. Detrás de la cruz, y envuelto en su manto rojo, que le tapa los cuernos, un diablo saca la lengua esperando el desenlace. Dos diablillos con una calavera por cabeza revolotean. Queda bien patente que el cuerpo de la mujer desnuda es el símbolo de lo inmundo. En la citada acuarela, *Pornokrates,* 1878, una mujer desnuda conduce atado por una cuerda a un cerdo. En el cielo revolotean tres angelillos.

J. Ensor (1860-1949)[17] pintó dos obras, *Las tribulaciones de san Antonio* y *La tentación de san Antonio,* ambas en 1887. Ensor fue un pintor belga nacido en Ostende, excéntrico y aislado de las corrientes artísticas del momento como el impresionismo. Su pintura es muy expresiva, fantasmagórica, agresiva y chillona. Su punto de vista sobre los acontecimientos y el mundo eran profundamente subjetivos. Su universo es fantástico, como queda bien patente en sus dos cuadros, *La tentación de san Antonio,* uno de ellos conservado en el Museo de Arte Moderno de Nueva York, y el segundo guardado en una colección particular. Es, al mismo tiempo, irónico y sarcástico. Hace del mundo una crítica radical. Todas estas cualidades explican su interés por la figura de Don Quijote. Se acusa en su obra el influjo de El Bosco, de Brue-

[17] M. Draguet, *James Ensor ou la fantasmagorie,* Bruselas, 1999, págs. 116-122, fig. 129; y U. Becks-Malorny, *James Ensor, op. cit.*, 1999, págs. 36-37.

ghel, de Rembrandt y de Rops, entre otros. Los dos cuadros que tienen como protagonista a san Antonio son un excelente exponente de las corrientes artísticas del arte de Ensor. En ambos se observa una total libertad de imaginación. En *Las tribulaciones de san Antonio* hay un fuerte contraste de colores. En *La tentación de san Antonio* dominan los tonos amarillentos. La tentación se presta a una serie de visiones fantásticas y sin coherencia. El conjunto es al mismo tiempo caótico y nudoso. En el ángulo inferior izquierdo marcha una procesión de burgueses bien identificados por el sombrero de copa sobre sus cabezas. Esta procesión es una crítica social a la época en la que vivió el artista. Al otro lado del santo, Ensor ha coloreado un bestiario fantástico inspirado en las pinturas de Brueghel y de El Bosco. El centro inferior de la composición lo ocupa Antonio en oración, bien ajeno a todo lo que le rodea. En el lado derecho, una orquesta diabólica acompaña un friso de atormentados. Ensor ha introducido en la composición una serie de dioses tomados del paganismo, como la Diana de Éfeso, el fenicio Baal Moloch, devorador de los niños recién nacidos, y otras deidades orientales. En segundo plano el artista ha colocado un naufragio que da un tono dramático al conjunto. A la derecha del friso de cabezas cortadas, una serie de personajes se enzarzan en una lucha feroz. A la izquierda del santo, el ejército de demonios está desencadenado. En el cuadro se expresa magníficamente la profundidad de la perspectiva y una sensación aérea. En el cielo flotan una serie de monstruos inspirados en la tradición de esta clase de seres, que arranca de las pinturas de El Bosco y de Brueghel, y de *La tentación* de Schongauer. Ensor se separa de las representaciones contemporáneas de *La tentación* de Rops de 1879 y de Khnopff, cuatro años posterior. Se separa de la interpretación de la tentación basada en la sexualidad. *La tentación de san Antonio* de Ensor se sitúa en un lugar diferente. Estos dos cuadros marcan una evolución en el arte de Ensor.

Expresionistas alemanes

Uno de los más significativos representantes del expresionismo alemán, corriente artística represaliada por los sicarios de Hitler, es Lovis Corinth (1858-1925). Dos cuadros suyos tienen por tema *La tentación de san Antonio*. El primero de los cuadros sobre lienzo de lino, hoy en la Bayrische Staatsgemäldesammlung de Múnich, data de 1897[18]. El se-

[18] T. Deecke, *Lovis Corinth*, Madrid, 1999, pág. 26, fig. 19.

gundo es de 1908[19]. Es un óleo sobre lienzo y se conserva en la Tate Gallery de Londres. En los cuadros de Lovis Corinth las tentaciones han quedado reducidas a pura tentación carnal, al igual que en Cézanne, Rops, y al revés de lo que sucede en los artistas del Renacimiento, como Grünewald y El Bosco, en los que los monstruos desempeñan un papel preponderante. En el cuadro de Múnich, el santo está sentado, vestido de negro sayal. Se lleva las manos a la cabeza, aterrado ante la acometida de nueve mujeres, en diferentes posturas, todas ellas totalmente desnudas. Una de ellas, arrodillada delante de Antonio y apoyada en una de sus piernas, le ofrece una manzana símbolo de la tentación. La situada a sus espaldas le presenta un seno, al igual que la colocada en el centro de la composición. Al fondo de la escena, una mujer, de frente, abre los brazos. Otra, inclinada hacia Antonio y colocada detrás de la primera, le presenta un ramo de olivo, símbolo de la victoria, en este caso del pecado, junto a una calavera, que en otros cuadros está presente en la escena. En el ángulo superior derecho una muchacha come un racimo de uvas. En todas las mujeres el rostro expresa magníficamente el intenso deseo carnal de unirse con el santo. El mundo animal está presente a través de una serpiente que se dirige tentadora hacia el santo, y de una cabeza de fiera colocada en el ángulo superior izquierdo.

En el cuadro de 1908, Antonio ocupa el centro de la composición igualmente. Está arrodillado, semidesnudo, colocado de frente, sosteniendo en su mano derecha una calavera. Lee las Sagradas Escrituras al ser tentado, mientras mujeres desnudas le rodean. Una, tumbada, yace a su derecha; a su lado, otra extiende su brazo, intentando atraer la atención del santo. Una recostada sobre una rica cubierta de mueble intenta, igualmente, atraer su atención. En el ángulo superior izquierdo se encuentra una cuarta mujer, con el cabello flotando al aire. Una dama de pie, de espaldas, envuelta en una túnica transparente, ricamente enjoyada y encorvada, atrae la atención de Antonio. En el lado derecho del espectador, se hallan otras dos muchachas, una de ellas junto a dos monos. El mundo animal está representado por un caballo, colocado en el fondo, y por un elefante con sus servidores. El fondo está ocupado por unas nubes de color blanquecino oscuro, y por un árbol en el que se encarama una figura con un instrumento musical. Domina el cuadro el color amarillento del cuerpo de las mujeres, que contrasta con el rojo vivo del mantel y el marrón del paño, que cubre la cintura de Antonio, y con el oscuro de la piel del servidor con

[19] G. Bussmann, *Lovis Corinth. op. cit.*, pág. 13, fig. 15.

una sombrilla al hombro que conduce al elefante. En este cuadro, Antonio es más joven que en el anterior. También se inspira Lovis Corinth en la descripción de G. Flaubert. La dama central es la reina de Saba, que ha viajado desde su lejana tierra para ofrecerse a Antonio, que hacía penitencia en el desierto. Las damas desnudas, al igual que los monos, los camellos, el elefante, y sus servidores, formaban parte del cortejo de la reina.

Otto Dix (1891-1969) fue uno de los pintores alemanes represaliados por el nazismo, y su obra fue considerada arte degenerado. Pintó con mano maestra los horrores de la Primera Guerra Mundial, en la que había participado, y después los de la Segunda. Pintó dos obras sobre *La tentación de san Antonio*[20]. La primera data de 1937 y la segunda, de técnica mixta, que se encuentra en la actualidad en una colección privada de Ohringen, de 1940. Ambas son alegorías con una fuerte crítica social. En las dos, Dix ilustra magníficamente la megalomanía del periodo nazi. Dix afirmó de *La tentación de san Antonio* una vez: «Yo también he estado poseído del demonio, por esta razón, soy conocedor de este mundo.» En la segunda pintura, el santo con la cruz en la mano, cubierto con un tosco sayal que le cubre la cabeza, en cuclillas junto a un precipicio, y con rostro compungido, aguanta las acometidas de monstruos feroces, que le atacan, apelotonados, por la espalda. Junto al santo, una mujer desnuda, sentada en el suelo, le tienta con su juventud y belleza. El cuadro es fuertemente caricaturesco. Dix había manifestado dos años antes: «Mi ideal fue siempre pintar como los maestros de los principios del Renacimiento. Dix se sentía el heredero y el continuador de El Bosco y de Cranach, como queda bien confirmado en estos cuadros. Sin embargo, ambas pinturas y una tercera de 1939, titulada *Lot y sus hijas,* además de otra de la misma fecha, *San Cristóbal,* muestran la perversión de los valores artísticos, que se impuso con el llamado estilo *kitsch,* en los artistas oficiales del nazismo, caracterizado por P. Westheim, como la fuga romántica de un mundo ficticio, patético, teatral, que es la verdadera contramarca esencial del arte hitleriano. Tal era la corriente artística generalizada en el arte oficial alemán, cuando Dix pintó sus dos *Tentación de san Antonio* y *Lot y sus hijas*[21].

Estos cuadros son importantes dentro de la creación artística de Dix, pues su producción de los años treinta y cuarenta, representa una fase excepcional en la creación del artista. En las pinturas de estos años queda

[20] E. Karcher, *Otto Dix, op. cit.*, pág. 223.
[21] E. Karcher, *op. cit.,* págs. 218-219.

Max Ernst, *Las tentaciones de san Antonio,* detalle, Museum der Stadt Duisburg.

bien manifiesta, debido a la situación política del nazismo, una crisis de trabajo y de desarrollo interior. Por este motivo, las dos *Tentación de san Antonio,* al igual que *Lot y sus hijas,* son importantes. El artista se vio obligado a refugiarse en una temática que fuera aceptable para el nazismo. En estos años Dix pintó muchos paisajes, logrados de mano maestra, siguiendo los modelos del antiguo arte alemán. Dentro de esta corriente artística elegida por el pintor, de vuelta a los orígenes del arte alemán, hay que situar las dos *Tentación de san Antonio.* La obra artística de Dix fue perseguida no por razones políticas, sino por su concepción del mundo expresada en sus pinturas, alejadas del sentido de la vida imperante esos años. La pintura paisajista del tiempo de los nazis se inspiraba en Albrecht Altdorfer y en Caspar David Friedrich. Los modelos de Dix eran Cranach y Durero. El artista encontró refugio en temas bíblicos y del cristianismo primitivo, como *La tentación de san Antonio, Lot y sus hijas* y *San Cristóbal*[22].

Dentro de la misma corriente del expresionismo alemán se encuentra Max Ernst (1891-1971)[23], que pintó en óleo sobre lienzo, en 1945, una *Tentación de san Antonio,* en la actualidad en el Wilhelm-Lehmbruck Museum de Duisburg. En 1945 con esta pintura ganó Max Ernst un concurso de una compañía americana de películas. El artista explicó el simbolismo del cuadro: «El agua estancada simboliza el alma enfermiza de san Antonio, que pide socorro y luz, y recibe, como respuesta, el eco de su miedo y las carcajadas de los monstruos que brotan de la imaginación del santo.» Antonio, cubierto con su sayal rojo, sufre torturas horrorosas fruto de su imaginación, representadas por seres fantásticos. Los monstruos son mezcla de pájaros, de reptiles, de mamíferos y de hombres. Aunque la imaginación expresada en este cuadro y la temática artística se vincula estrechamente con el surrealismo, esta composición aúna influencias de la tradición alemana medieval, concretamente de temas datados por Grünewald. En amplias zonas de este cuadro Max Ernst ha usado la técnica de la decalcomanía, no en la figura de Antonio, para interpretar lo que la fantasía sugiere al artista, como monstruos. El fondo del paisaje con una dama desnuda, de pie y de frente, es parecido al representado en su cuadro, datado entre los años 1940 y 1942, que lleva por título *Europa después del diluvio II,* en la actualidad en el Wadsworth Atheneum de Hartford, también con una dama desnuda, colocada de frente.

---

[22] E. Karcher, *op. cit.*, pág. 219.

[23] E. Quinn, *Max Ernst, op. cit.*, figs. 286, 288; U. Bischoff, *Max Ernst, op. cit.*, página 75; y P. Gimferrer, *Max Ernst, op. cit.*, figs. 114-115.

LOS MURALES MEXICANOS

Diego Rivera (1886-1959) es el gran muralista mexicano. Ha introducido en el arte moderno el espíritu revolucionario. Rivera en 1897[24] pintó en óleo sobre lienzo, hoy en el Museo Nacional de Arte, en Ciudad de México, *Las tentaciones de san Antonio.* El artista, que tan magníficamente expresó en los murales a los nativos mexicanos, representó *Las tentaciones de san Antonio,* utilizando rábanos antropomorfos, que forman seres grotescos. El empleo de rábanos para representar figuras responde a la costumbre de Oaxaca, donde en los concursos de Navidad, se hacen composiciones con rábanos para representar escenas navideñas. Este óleo es el más original que los artistas de todos los tiempos han ideado para este tema.

«LAS TENTACIONES DE SAN ANTONIO» EN EL ARTE ESPAÑOL

Los artistas españoles del siglo XX también tomaron como motivo de inspiración para sus cuadros *Las tentaciones de san Antonio,* que no estaban ausentes del arte popular español. Baste recordar los cuadritos con *Las tentaciones de san Antonio* de la ermita de Fuente de Cantos (Badajoz) del siglo XVII, y los de otra ermita de las cercanías de Soria.

La fantasía desbordante y su tendencia a las escenas de fuerte sentido erótico atrajeron la imaginación de Dalí[25] hacia el tema de *Las tentaciones de san Antonio.* En 1946 Dalí envió al mencionado concurso que ganó Max Ernst un cuadro sobre el mismo tema. El santo está desnudo semiarrodillado y ofrece el crucifijo levantado contra las tentaciones, que en fila le acometen delante de él. Abre la marcha un furioso caballo de patas traseras muy altas, sigue un elefante que lleva sobre sus espaldas un candelabro coronado por una mujer desnuda que se abulta los senos. Los otros tres animales son igualmente elefantes de altas y delgadas patas. El primero transporta un obelisco. El segundo, dos edificios sobre una plataforma, el primero de ellos coronado por una cúpula. Debajo del frontón se asoma el cuerpo de una mujer de abultados senos. El último elefante lleva también un obelisco. Unos nubarrones

---

[24] A. Kettenmann, *Diego Rivera, 1886-1957, op. cit.*, pág. 70.

[25] R. Descharnes, *Dali: sein Werk, sein Leben,* Colonia, 2003, pág. 313.

en la mitad derecha de la composición ambientan muy bien la escena de unas tentaciones. El resto del cielo es de un azul intenso, como corresponde al cielo del desierto, que es una llanura impresionante. Caballo y elefantes, por la longitud de sus patas, son monstruos que por aquellos años acometían la fantasía desbordante del artista.

En 1964, Antonio Saura[26], el artista que hizo unas truculentas y atormentadas crucifixiones, pintó unas *Tentaciones de san Antonio,* como él mismo afirmó de su obra: «se trata de una solución acumulativa, excesiva, total, en donde todo el trabajo primario del *collage,* de elementos de revistas pornográficas de mujeres desnudas, etc., queda compuesto por una estructura expansiva, que interfiere y penetra las imágenes objetivas pegadas sobre el soporte». J. Ríos lo interpreta como «el delirio del santo en el cual él tiene deseo de las garras de animalizarse, y al final de volver a la materia». A. Saura recurre a la influencia de los graffiti populares de los muros, y la superposición sobre la imagen objetiva es mucho más confusa y proliferante. Admite el artista que las tentaciones son del pintor convertido en santo.

En 1972 el pintor canario Juan Ismael[27], en un óleo y arena sobre lienzo, pintó unas originalísimas *Tentaciones de san Antonio,* muy sencillas. La escena queda reducida a un arco de color marrón, al desierto de color violeta, a una mujer desnuda sostenida en el aire por cinco varillas sobre alfombra roja, y al suelo de color marrón. El cielo es azulado.

En el año 2001, en el Salón de los Trece de Madrid, presentó Celedonio Perellón un óleo con *Las tentaciones de san Antonio.* El santo ha encontrado refugio en un tronco de árbol. Está rodeado de cinco mujeres en diferentes posturas. La composición es única y de una gran originalidad.

Artistas italianos

Los artistas italianos del siglo xx no se olvidaron de *Las tentaciones de san Antonio.* D. Morelli (1826-1901)[28] pintó un óleo sobre tela con *La tentación de san Antonio,* en la actualidad en la Galería Nacional de Arte Moderno de Roma. El santo está sentado en el interior de una cueva, asfixiado por el calor y por la tentación carnal. Una estera cubre el cuerpo de una muchacha desnuda. Una segunda asoma la carita tentadora por una esquina. De esta pintura se conocen muchos bocetos.

---

[26] J. Ríos, *Las tentaciones de Antonio Saura, op. cit.*, págs. 130-133.

[27] C. E. Pinto, *Juan Ismael: antología,* Las Palmas de Gran Canaria, 1998, pág. 196.

[28] C. Juler, *Les orientalistes de l'école italienne, op. cit.*, pág. 179.

Ningún artista partió de la *Vida de Antonio* de Atanasio. Otras dos *Tentaciones de san Antonio* cabe recordar. Una es obra de un seguidor de Gregorio Prieto, V. Nello. Gran parte del cuadro, en la colección del pintor, es una copia exacta del *San Juan Bautista en el desierto* de El Bosco, del Museo Lázaro Galdiano, al que ha añadido un gran ojo y unas letras desperdigadas por la superficie del cuadro. Novedades son las cuatro amantes. La cabeza debajo de ellas con la boca bien abierta. El niño con una cinta enrollada y los vestidos delante del santo. Este tema ha llegado desde el cuatrocientos al tercer milenio. Sin duda, simbolizando las tentaciones del hombre moderno.

Otra es de R. González Fernández, óleo sobre lienzo, ubicada en el dentro Atlántico de Arte Moderno de Las Palmas. Antonio mira la mitad de un cuerpo masculino que sostiene una columna en su mano derecha. Acompaña a esta pintura otra de *San Antonio,* también de temática homosexual, y un poema. En otra más, de J. M. Fuentes del Ama, colección particular, óleo sobre lienzo, el santo se encuentra en apuros, con el agua a medio cuerpo. Porta una cruz en su mano izquierda como defensa ante la tentación.

A finales del segundo milenio los artistas continúan inspirándose en *Las tentaciones de san Antonio,* como tema de obras artísticas. Así C. Franco en 1992[29] realizó unas con técnica mixta óleo y acrílico. El asceta metido en un cesto de mimbre se encuentra junto a una dama desnuda. Detrás, un joven toca unos crótalos. La escena se sitúa en la puerta de la cueva. El marrón oscuro del cuerpo de Antonio y de las rocas choca con el amarillo canoso de la mujer y el azul del fondo.

Las tentaciones de san Antonio han saltado a la música. Robert Wilson ha estrenado en la trienal del Ruhr una ópera-*gospel,* cuyo montaje se repitió el verano de 2004 en Peralada y en Santander. La música es una mezcolanza de música afroamericana de espirituales negros, de *blues* y de *gospel.*

Es una tragedia del santo a la moderna. Destacan los cánticos de alabanza del místico. Los bailarines y cantantes que intervienen en la acción son una veintena.

Al igual que los grandes mitos clásicos[30] han simbolizado problemas de la cultura occidental y de los individuos, las tentaciones de san

---

[29] *Carlos Franco: oleos e debuxos, 1990-1997,* Santiago de Compostela, 1998, pág. 34.

[30] C. Acidini y E. Capretti (dirs.), *Il mito di Europa: da fanciulla rapita a continente, op. cit.;* J. M. Blázquez, «Temas del mundo clásico en el arte del siglo XX», art. cit. (cap. XIII de esta edición); *ídem,* «El mundo clásico en Picasso», art. cit. (cap. XI de esta edición);

Antonio simbolizan las tentaciones de las personas hasta en el siglo XXI. Su simbolismo no ha decaído.

ídem, «Temas del mundo clásico en las pinturas de Kokoschka y Braque», art. cit. (capítulo IX de esta edición); *ídem,* «Mujeres de la mitología griega en el arte español del siglo XX», art. cit.; *ídem,* «Mujeres de la mitología clásica en la pintura de Max Beckmann», art. cit.; *ídem,* «El mundo clásico en Dalí», art. cit. (cap. XIX de esta edición); *ídem,* «Temas de la mitología clásica en las pinturas de la corte de Felipe II», art. cit. (cap. I de esta edición); *ídem,* «Mitos clásicos en los periódicos y revistas de Madrid de finales del siglo XX», art. cit (cap. XV de esta edición); *ídem,* «Mitos griegos en la pintura expresionista», art. cit. (cap. V de esta edición); J. M. Blázquez y P. García Gelabert, «Temas del mundo clásico en el arte moderno español», art. cit., págs. 401-413; A. Ruiz de Elvira, *Mitología clásica y música occidental, op. cit.;* G. Dommermuth-Gudrich, *50 klassiker Mythen: die bekanntesten Mythen der griechischen Antike, op. cit.;* E. M. Moormann y W. Uitterhoeve, *De Acteón a Zeus: temas de mitología clásica en literatura, música, artes plásticas y teatro, op. cit.;* R. López Torrijos, *Mitología e historia en las obras maestras del Prado, op. cit.;* L. Passerini, *Il mito d'Europa: radici antiche per nuovi simboli, op. cit;* J. Thimme, *Picasso und die Antike, op. cit.;* I. F. Walther, *Von Göttern, Nymphen und Heroen: die Mythen der Antike in der bildenden Kunst,* Düsseldorf, 2003; *Il mito e il classico nell'arte contemporanea italiana, 1960-1990, op. cit.;* A. Bueno, *Mitología en los cielos de Madrid, op. cit.; Giorgio de Chirico e il mito, 1920-1970, op. cit.;* B. Back *et al.* (coords.), *Venus: Bilder einer Göttin,* Múnich, 2001; U. Wieczorek, *«Götter wandelten einst»: antiker Mythos im Spiegel alter Meister aus den Sammlungen des Fürsten von Liechtenstein,* Berna, 1998; P. Esteban Leal, *Picasso minotauro: exposición, Museo Nacional Centro de Arte Reina Sofía, Madrid, 25 de octubre de 2000-15 de enero de 2001,* Madrid, 2000; R. Barrow, *Lawrence Alma-Tadema,* Barcelona, 2004. Los mitos clásicos están bien presentes en los pintores modernos de España. Baste recordar los temás clásicos representados por Gregorio Prieto o la exposición que se celebró en Murcia de José Lucas sobre el Minotauro, considerado como un símbolo de los instintos feroces del hombre.

Capítulo VII

El arte religioso de Emil Nolde

Emil Nolde (1867-1956)[1] ha sido uno de los grandes artistas de temas religiosos del Antiguo y del Nuevo Testamento del siglo XX[2]. Su arte se encuadra dentro del expresionismo alemán, la gran y principal corriente artística de Alemania de finales del siglo XIX y de la primera mitad del siglo XX, represaliada por Hitler en el año 1937 y calificada como arte degenerado por los nazis[3].

El expresionismo fue una corriente artística contra la evolución del arte imperante en la segunda mitad del siglo XIX. El hombre se convirtió en el centro del arte. El expresionismo no sólo estaba formado por jóvenes artistas rebeldes contra los cánones artísticos que les precedieron, sino también por literatos. Pedían la profunda renovación de to-

---

[1] W. Haftmann, *Emil Nolde, op. cit.*

[2] M. Reuther *et al.* (eds.), *Emil Nolde: Legende, Vision, Ekstase, die religiösen Bilder,* Colonia, 2000; M. Reuther, *Emil Nolde: meine biblischen und Legendenbilder,* Colonia, 2002; *ídem,* «I soggetti religiosi e il suo luogo spirituale», en R. Chiappini, *Emil Nolde,* Milán, 1994; *ídem, Emil Node: naturaleza y religión,* Madrid, 1997.

[3] M. M. Moeller (ed.), *Meisterwerke des Expressionismus, op. cit.; ídem, Gli espressionisti: 1905-1920,* Milán, 2002; *L'espressionismo: presenza della pittura in Germania,* Milán, 2001; R. Zimmermann, *Expressiver Realismus: Malerei der verschollenen Generation,* Múnich, 1994; G. Kolberg (ed.), *Die Expressionisten vom Aufbruch bis zur Verfemung,* Stuttgart, 1996; S. Barron y B. Davis, *German Expressionist Prints and Drawings: the Robert Gore Rifkind Center for German Expressionist Studies,* 2 vols., Los Ángeles, 1998; D. Elger, *Expresionismo: una revolución artística alemana,* Colonia, 1993; *Expresionismo alemán: exposición, Centro Atlántico de Arte Moderno, 14 de noviembre de 1995 - 7 de enero de 1996,* Las Palmas de Gran Canaria, 1995.

dos los aspectos de la vida. Sin embargo, este nuevo arte hundía sus raíces en las corrientes artísticas del Renacimiento.

Antes de entrar en la materia del presente trabajo, es conveniente recordar algunos hitos importantes de la vida artística de Emil Nolde. Nació en 1867 en Nolde, un pueblo alemán fronterizo con Dinamarca. Su padre era labrador. A la edad de diecisiete años y durante cuatro años, de 1884 a 1888, sirvió como aprendiz en un taller de ebanistería de Flensburgo, donde se inició en el diseño de muebles y en la talla de la madera, al mismo tiempo que se dedicó al dibujo artístico. Entre los años 1888 y 1891 trabajó como tallista en varias fábricas de Berlín, Múnich y Karlsruhe. En esta última ciudad asistió a las clases nocturnas de la Escuela de Artes y Oficios.

Entre los años 1892 y 1897 fue profesor de dibujo ornamental y de modelado en la Escuela de Artes y Oficios de San Gallen, Suiza. Durante estos años visitó Viena, Múnich y Milán. Realizó en ese momento las primeras acuarelas y en 1896 su primer óleo. Vendió sus dibujos y acuarelas en formato postal, lo que le permitió, con el dinero que obtenía de la venta, dedicarse exclusivamente a la pintura.

En 1898-1900 fue rechazado para seguir los cursos por la Academia de Múnich, dirigida por Franz Stuck, y frecuentó las clases particulares de Friedrich Fehr. De esta época datan sus primeros grabados y varias litografías. En Dachau asistió a las clases de Hölzer. Realizó un viaje a París, donde frecuentó la Academia Julian, y estudió detenidamente las colecciones de pintura expuestas en el Museo del Louvre.

En 1902 contrajo matrimonio con una estudiante danesa de arte dramático y adoptó el nombre de su pueblo natal, con el que se le conocerá en la Historia del Arte.

En 1904-1905 vivió con su esposa en Italia y realizó el aguafuerte *Fantasía*. En 1906, los pintores reunidos en el grupo Die Brücke, El Puente[4], de Dresde, se sintieron fascinados por el arte de Nolde, vendieron varios cuadros suyos y le invitaron a pertenecer a su grupo artístico.

A finales del año 1907 Nolde abandonó Die Brücke y conoció al pintor Eduard Munch[5], del que se haría muy amigo. En cambio, se hizo miembro de la Sezession de Berlín. Es ahora cuando Nolde se siente atraído por los temas de contenido religioso y pinta tres cuadros con esta temática: *La última cena, Pentecostés* y *La burla de Cristo.* Entre

---

[4] A. Hoberg y H. Friedel (eds.), *Der Blaue Reiter und das neue Bild,* Múnich, 1999.

[5] R. Heller, *Munch, his Life and Work,* Londres, 1984.

Emil Nolde, *Crucifixión*, Seebüll.

los años 1910 y 1912 participa en exposiciones en varias ciudades alemanas, como Essen, Hagen y Hamburgo. Durante estos dos años trabajó intensamente y realizó los aguafuertes y xilografías del puerto de Hamburgo. Visitó Bruselas y Holanda. Nolde prestó atención no sólo a la vida fascinante del puerto de Hamburgo, sino también a la vida nocturna de Berlín. Max Liebermann, presidente de la Sezession, publicó una dura crítica contra el arte de Nolde y le obligó a abandonar el grupo. El arte de Nolde fue frecuentemente incomprendido y siempre se vio obligado a abandonar varios grupos artísticos a los que se había unido y a los que se sentía próximo. Nolde no se amilanó nunca.

Después de ser excluido de la Sezession fundó la Neue Sezession, y en esa época cursó estudios en el Museo Etnológico de Berlín. Nolde se sintió fascinado por los pueblos primitivos, que fueron un motivo de inspiración para sus cuadros, como lo fue para Picasso el arte negro. En 1914 Nolde se lamentaba en una carta a su amigo Hans Fehr de que la civilización europea estuviera acabando con la espiritualidad de los pueblos primitivos y con su exquisitez. Nolde considera que sólo los miembros de los pueblos primitivos son hombres genuinos, integrados en la naturaleza y en el cosmos.

En 1911 y 1912 Nolde vuelve al tema religioso. Esta vuelta es una constante en la personalidad de Nolde. Pinta nueve escenas de *La vida de Cristo* para un retablo. Se publicó en estos años la obra gráfica de Nolde, lo que prueba que su arte era aceptado en determinados grupos artísticos, aunque otros le rechazaban. Continúa participando en exposiciones con sus cuadros como en la segunda de Der Blaue Reiter, El Jinete Azul, y en la patrocinada por la Alianza Separatista de Artistas y Amigos del Arte de Alemania Occidental, que se celebró en Colonia.

Nolde, como se ha indicado, se sintió fascinado por los pueblos primitivos. Entre los años 1913 y 1914 visitó Nueva Guinea, donde participó en una expedición de carácter etnológico. Recorrió Moscú y sucesivamente Siberia, Manchuria, Corea, Japón, China, Filipinas, las islas Palau y Port Said. Durante estos viajes hacía dibujos y pintaba óleos.

Nolde continuaba trabajando intensamente en la pintura. Sólo en 1915 realizó ochenta y ocho óleos. Para entonces, Nolde era ya un artista cotizado. No encontraba ya dificultad para exponer sus obras.

Entre los años 1915 y 1920 expone más cuadros en Kiel, Frankfurt, Hamburgo, Hannover y Múnich. El alto número de exposiciones prueba que el arte de Nolde era ya un arte aceptado por el gran público.

Nolde fue un viajero incansable. En los años 1921-1925 visitó Inglaterra. En Plymouth recuperó los óleos y dibujos pintados en Oceanía, que le confiscaron en Port Said. Marchó por segunda vez a París, y pasó desde la capital de Francia a España, donde recorrió detenidamente las ciudades de Barcelona, Granada, Madrid y Toledo. Llama la atención que no se acercase ni a Córdoba ni a Sevilla.

En 1924 visitó nuevamente Italia, recorriendo Venecia, Repallo y Arezzo, para terminar en Viena su tour artístico.

Con ocasión de su sexagésimo aniversario expuso cuatrocientas treinta y tres obras suyas en Dresde. Esta magna exposición fue el reconocimiento público de la alta calidad del arte de Nolde. A esta exposición siguieron otras en Essen, Kiel, Hamburgo y Wiesbaden. La enseñanza oficial de la Historia del Arte reconoció la gran altura artística alcanzada por la obra de Nolde, al nombrarle la Universidad de Kiel doctor *honoris causa*, nombramiento que coincidió con la publicación del segundo volumen de su obra gráfica y con la catalogación de sus pinturas y de su autobiografía, que luego publicaría la editorial Dumont en cuatro volúmenes que abarcan los años 1867 a 1946. Esta autobiografía es de una importancia excepcional para comprender el arte de Nolde y el significado que el artista quiso dar a sus cuadros.

En 1931 se confirma la aceptación del arte de Nolde como el de uno de los mayores artistas alemanes del siglo xx, al ser elegido miembro de la Academia de Artes Prusiana. Dos años después fue obligado a dimitir. El movimiento político acaudillado por Hitler rechazó desde el primer momento el expresionismo, que había colocado al arte alemán entre las primeras corrientes artísticas del mundo. No sería revalorizado hasta terminada la Segunda Guerra Mundial. Hoy está altamente cotizado.

En 1937 se confiscaron mil cincuenta y dos obras de Nolde, propiedad de diferentes museos y galerías de arte, cuarenta y ocho fueron expuestas en la exposición que llevó por título «Arte degenerado».

En 1941, la Cámara de Arte del Tercer Reich le excluyó de su seno y prohibió al artista exhibir, pintar o vender sus obras. Nolde no se acobardó. Siguió pintando y realizó en tamaño reducido mil trescientas acuarelas.

Un bombardeo aliado en 1944 destruyó su taller de Berlín y se perdieron tres mil dibujos, acuarelas y grabados.

La revitalización del arte de Nolde llegaría después de la terminación de la Segunda Guerra Mundial, con el nombramiento de profesor por el gobierno del *land* de Schleswig-Holstein y con la concesión de la medalla Stephan Lochner de la ciudad de Colonia.

Las distinciones continuaron lloviendo sobre la obra artística de Nolde. Recibió el Gran Premio Internazionale per la Grafica de la XXVI Bienal de Venecia. En 1952 se le concedió la «Orden por el Mérito».

En los últimos años de su vida Nolde siguió trabajando como siempre. El arte era la única razón de su existencia y lo que le animaba a continuar viviendo. Pintó más de cien óleos entre los años 1945 y 1951. Hasta cerca de su muerte continuó trabajando con acuarelas.

La obra artística de Nolde fue siempre muy variada. El citado editor Dumont ha publicado un volumen dedicado a las *Flores* y a *Los animales,* un segundo a *Paisajes* y un tercero a *Cuadros no terminados.*

Antes de referirnos al arte religioso de Nolde es conveniente recordar cómo fue recibido por los especialistas y por el gran público durante los años de su vida.

Nolde recuerda en su autobiografía que en la casa paterna había cierta religiosidad. Recibió la formación religiosa que era corriente en los pueblos de Alemania por los años de la juventud del futuro artista. Asistía todos los domingos, en compañía de sus padres, a los oficios religiosos. Recibió la preparación que se solía impartir para recibir la confirmación.

La Biblia era el libro que se encontraba en todas las familias alemanas, además del libro de cantos, muy bellos muchos de ellos, y algún que otro devocionario.

Esta educación religiosa, que era la normal, caló profundamente en su espíritu y explicaría la preferencia por temas del Antiguo y el Nuevo Testamento. En 1916, cuando el pintor se encontraba en la mitad de la vida, menciona en su autobiografía con gran cariño los recuerdos que se grabaron en su mente de las escenas bíblicas a las que dio forma ya de hombre maduro. También recuerda que en las largas noches de invierno de muchacho leía la Biblia con emoción.

En 1905, un tío de su esposa encomendó a Nolde pintar, para colocarlo en la iglesia de Olstrup, un cuadro inspirado en la pintura que Rembrandt realizó en 1646, titulada *Los discípulos de Empaús,* pintura que Nolde conocía muy bien, pues la había visto durante su estancia en París. Este cuadro fue la única obra de Nolde que colocó en una iglesia durante su larga vida de artista.

Hasta los cuarenta años reconoce que no fue capaz de dibujar o pintar con entera libertad figuras perfectamente logradas. Nolde no se sentía sometido a ninguna teoría o doctrina, ni a ninguna corriente artística ni a ley alguna. Al contrario, en su opinión todo verdadero artista creaba nuevos valores, nueva belleza y nuevas leyes. Según él, primero aparecía el arte, después los estudiosos establecieron normas. Nolde incorporó frecuentemente la naturaleza a la pintura.

El arte religioso de Nolde fue durante muchos años rechazado, como se ha indicado ya. En 1910, el pintor berlinés Max Liebermann, que por aquel entonces era presidente de la Berliner Sezession, rechazó el cuadro titulado *Pentecostés,* obra de 1909. Este rechazo de la pintura religiosa de Nolde continuó en años sucesivos. Así, en 1912, La Real Sociedad de Bellas Artes de Bruselas organizó una exposición internacional de arte religioso moderno. El encargado de la selección de las obras era un admirador y mecenas del artista, Karl-Ernst Osthaus, que fue el fundador del Museo Folkwang, y, de acuerdo con Nolde, eligió para presidir una sección el cuadro titulado *La vida de Cristo.* El escándalo que se organizó fue mayúsculo, debido a la oposición de la jerarquía eclesiástica, tanto católica como protestante. Hasta ese momento Nolde ignoraba que las Iglesias rechazaban su arte. El pintor presentaba unas figuras religiosas que chocaban con las tradicionales. Nolde pintaba pescadores y labradores judíos de la realidad.

En 1913 estalló otro escándalo que motivó una gran discusión originada por la adquisición por el joven director, Max Sauerlandt, del Museo de Halle, de la *Última cena,* pintura de 1909. La polémica no sólo se generalizó en la ciudad, sino que saltó a la prensa, al descalificar en ella la compra, por parte de Wilhem von Bode, director de los Reales Museos de Berlín. Nolde no se desanimó ante esta crítica adversa de su pintura religiosa y continuó pintando cuadros de contenido religioso. En realidad, su arte era muy discutido por los especialistas. La crítica adversa era compensada por el apoyo incondicional que siempre encontró en otros especialistas de arte. Así, el citado Hans Fehr adquirió el cuadro *Pentecostés.* Fue también favorable al artista el presidente de la Academia de Hamburgo, Gustav Schiefler, que se especializó en la obra gráfica de Nolde. El catedrático de la Universidad de Jena, Botho Graef, valoró muy positivamente el arte del artista, al igual que Max Sauerlandt. A estos defensores se unieron algunos escritores, partidarios de la corriente artística expresionista, como Theodor Däubler.

En 1920 todavía el arte de Nolde levantaba acaloradas polémicas. En 1920, Georg Heise, director del Museo de Lübeck y amante del expresionismo, se atrevió a montar una exposición de los *Cuadros religiosos de Emil Nolde* en la iglesia de Santa Catalina de Lübeck. Explotó una gran polémica. Se acusó al director de profanar el templo, pues los cuadros de tema religioso siempre fueron muy discutidos en el conjunto de la producción de Nolde. Al lado de admiradores incondicionales contó con detractores furibundos.

El director de la Fundación Nolde, M. Reuther, que se ha especializado en la pintura religiosa del pintor, recoge, extrayéndolas de la autobiografía, una serie de descalificaciones, reunidas por el propio Nolde, de su arte religioso, como «afeminamiento y dislocación», «destructivo y anonadante», «cruda avidez de simbolismo», «tosquedad de la factura», «pecados mortales contra el buen gusto y la cultura», «factura desenfrenada y caótica», «escarnio y blasfemia», etc.

Algunos, al contemplar los cuadros religiosos de Nolde, experimentaban un estremecimiento como ante la pintura paleocristiana. Recoge el director de la Fundación Nolde el juicio que en 1912 emitió un crítico de arte del periódico *Münchner Post* al enjuiciar *La vida de Cristo:* «perversión plenamente consciente de lo estético razonable e históricamente desarrollado; uniformidad caricaturesca», «extremado nihilismo estético», «hasta la más modesta recreación de valores históricos, incluso una humilde imitación de la naturaleza, tal como la practicaban nuestros más modestos talentos, son hoy más valiosos y merecedores de ser patrocinados que este disipado ejercicio, que incluso por debajo de las realizaciones artísticas de los negros y de los manicomios, es capaz de interesarse por los modelos más banales y faltos de todo interés».

No se puede hacer un juicio más demoledor sobre el arte de Nolde, y posiblemente sobre todo el expresionismo, que, por no comprender la mayor creación artística alemana de finales del segundo milenio en 1937, intentaron borrar los seguidores de Hitler. La exposición de este año calificó la pintura de uno de los mayores genios alemanes del siglo XX de lasiguiente forma: «engendros de brujería pintados y tallas panfletarias fueron presentados por unos pintamonas psicópatas y mercachifles judíos, como "revelaciones de la religiosidad alemana" y luego convertidos en dinero contante y sonante».

El citado director de la Fundación Nolde se plantea la pregunta de si en un mundo que en gran parte ha perdido el sentido de lo sagrado, puede darse pintura religiosa. Recuerda, a este propósito, Manfred Reuther, la afirmación de Nietzsche de que «el Dios de la Iglesia y de los pequeños burgueses ha muerto». Muy acertadamente este estudioso del arte religioso de Nolde puntualiza que

> el inaudito subjetivismo de esta clase de pintura, que se da también en Nolde, renunciaba de antemano al reconocimiento por parte de la Iglesia y los creyentes, al no distinguir ya sustancialmente entre la representación de la naturaleza y un motivo religioso, entre bodegón, jarrón florido, paisaje y crucifixión de Cristo, tratando de formular todo esto en un lenguaje sumamente voluntarioso a partir de experiencias interiores.

Es totalmente verdad que el hombre moderno en gran parte ha perdido hoy el sentido de lo religioso. Somos de la opinión de que se está entrando en una metamorfosis de la cultura, en frase de uno de los mayores estudiosos del final de la Antigüedad, Vogt[6]. En estas épocas, al experimentar la sociedad un cambio profundo en todos los aspectos de la cultura, artístico, político, económico y social, el hombre pierde totalmente el sentido de lo religioso de épocas anteriores ya extinguidas o en avanzado estado de desaparición. Estos cambios se dieron entre el Paleolítico y el Neolítico y con la aparición de las grandes ciudades-Estado, que eran unas poderosas teocracias, con un clero jerarquizado y un gran poder económico. ¿Qué tiene que ver el poderoso clero de Nippur, que hacia el año 2300 a.C. creó la teología, al preguntarse por la esencia divina de su dios Ensi, el supremo creador de todo[7], y la religiosidad del Neolítico, caracterizada por los cultos de la naturaleza, y con las más lejanas del Paleolítico? ¿Qué tiene que ver Altamira, llena de bisontes pintados, con Çatal Hüyük[8], en Anatolia, fechado unos 7500 años después, llena de toros? Nada. La religión no ha desaparecido, se ha metamorfoseado. Estos cortes se observan muy bien en el arte actual, que ha roto todas las tendencias artísticas de épocas anteriores. También nosotros nos encontramos en un cambio fundamental de la cultura.

En el arte romano imperial se documentan, igualmente, unos cambios drásticos al sucederse los periodos históricos. Los emperadores Severos (193-235), después de la crisis de la época de Marco Aurelio (161-180), motivada por la invasión de cuados y marcomanos y de las guerras del Oriente, liquidaron el Principado de Augusto, creado a finales de la República Romana. El arte romano experimentó un cambio radical[9]. Un segundo cambio de estilo coincidió con la desaparición de la Anarquía Militar (235-283)[10] y la llegada al poder de Diocleciano (284-305) y la instauración de la Tetrarquía como forma política de gobierno[11] (285-312).

---

[6] J. Vogt, *La decadencia de Roma: metamorfosis de la cultura antigua, 200-500,* Madrid, 1965.

[7] J. Bottero y S. N. Kramer, *Uomini e dei della Mesopotamia,* Turín, 1962, págs. 139-148 y 168-191.

[8] J. Mellart, *Çatal Hüyük: a Neolithic Town in Anatolia,* Londres, 1967.

[9] A. García y Bellido, *Arte romano,* Madrid, 1972, págs. 529-574; R. Bianchi Bandinelli, *Roma: el fin del arte antiguo,* Madrid, 1971, págs. 3-27, 41-42 y 63-71; y R. Turcan, *L'art roman,* París, 2002, págs. 186-207.

[10] A. García y Bellido, *op. cit.,* págs. 573-632; R. Bianchi Bandinelli, *op. cit.,* págs. 27-29 y 42-63; y R. Turcan, *op. cit.,* págs. 208-232.

[11] A. García y Bellido, *op. cit.,* págs. 633-673; y R. Turcan, *op. cit.,* págs. 233-262.

Varios artistas expresionistas trataron temas religiosos, como Rohlfs, Kokoschka, Max Beckmann, Jawlensky, F. Marc, Ernst Barlach, Wilhelm Lehmbruck, Wilhem Morgner y los componentes del grupo Die Brücke, a los que hay que añadir Nolde, Lovis Corinth, Otto Dix, Franz Frank, Albert Birkle y la pintora Gabriela Münter.

Nolde expresó en su autobiografía magníficamente las características de su arte religioso, aplicables al arte religioso de todos los expresionistas alemanes: «obedece al irresistible anhelo de expresar una profunda espiritualidad, pero sin mucha voluntad de conocimiento ni reflexión». Se refiere el artista a cuadros religiosos suyos pintados hacia el año 1909.

Es un arte, por lo tanto, sin influjos de Iglesias ni de dogmas, que nace de la emoción personal. Continúa Nolde caracterizando su arte religioso: «de haber estado vinculado al texto bíblico y a la rigidez de los dogmas, no creo que hubiera sido capaz de pintar tan vigorosamente esos cuadros vividos con hondo sentimiento: *La última cena* y *Pentecostés*» y añade: «necesitaba ser artista libre, no tener a Dios delante ni como un inflexible rey asirio, sino a Dios dentro de mí, ferviente y sagrado, como el amor de Cristo». Estas frases explican satisfactoriamente que el arte religioso de Nolde y de los restantes expresionistas alemanes, como indica Manfred Reuther, quedase marginado de las Iglesias y sólo muchos años después, y tras duras polémicas, fuera aceptado por ellas. Nolde que sabía bien que el arte expresionista alemán correspondía a las corrientes espirituales contemporáneas de la mayoría del pueblo alemán o, por lo menos, de la más culta e intelectualmente inquieta, se pregunta, notando esta ausencia de arte en las Iglesias: «¿Dónde están las paredes de los templos, ayuntamientos y paraninfos, que debían estar pintados por Karl Schmidt-Rottluff, por Heckel, por Kirchner?» Y continúa: «¿Quién ha visto las capillas, iglesias y espacios en los que se ha permitido a mujeres que pintan y a pintores incapaces realizar importantes encargos? Hace tiempo que he dejado de pensar en mí como artista al que también habría podido tenerse en cuenta, a no ser que fuera en sueños.»

Manfred Reuther plantea muy acertadamente el sentido que hay que dar a los cuadros religiosos de Emil Nolde, al escribir:

> Cabe preguntarse si también aquella parte de la obra noldesca, en la que se incluyen los cuadros convencionalmente calificados de religiosos, no sea de tal índole, que tras los contenidos religiosos afloren capas más profundas de lo humano. La cuestión es, por lo tanto, si esas imágenes deben considerarse como religiosas porque tratan temas cristianos, o más bien porque en ellas aparecen aspectos básicos de lo religioso.

Precisamente en este punto surgen las dificultades de interpretación, siendo perfectamente posible que las imágenes bíblicas de Nolde sean vistas como profundamente paganas.

De las citas de Nolde entresacadas de su autobiografía queda claro, a nuestro entender, que Nolde consideraba sus pinturas sobre temas cristianos o bíblicos como religiosas.

Dalí, en 1952[12] en *Vida secreta,* se planteó este mismo problema, el de la posibilidad de arte religioso en el mundo actual, y escribe:

> En esta época de decadencia de la pintura religiosa [...] el genio sin fe es más valioso que el creyente desprovisto de genio [...]. Estamos convencidos de que los ateos, y aun los miembros del Partido Comunista (como por ejemplo Picasso), los artistas geniales estarían en condiciones, si así lo desearan, de crear grandes obras religiosas [...]. Naturalmente, también veré el peligro demoníaco que amenaza el arte religioso si se sirve de los servicios de artistas ateos. Lo ideal sería que el arte religioso fuera ejecutado, como ocurría en época del divino Renacimiento, por artistas de genio tan profundo como su fe, como fue el caso, por ejemplo, de Zurbarán, El Greco, Leonardo da Vinci, Rafael [...]. Es innegable que el arte moderno representa en sí mismo las consecuencias últimas y fatales del materialismo [...]. Los artistas llamados abstractos son fundamentalmente artistas que no creen en nada [...]. Estoy convencido del próximo fin del materialismo [...]. Veo venir un fabuloso renacimiento de la pintura moderna, que por reacción contra el materialismo actual será nuevamente figurativo y representativo de una nueva cosmogonía religiosa.

Un artista genial puede perfectamente expresar el sentimiento religioso, aunque sea ateo o agnóstico, mejor que uno mediocre.

En el estudio breve de las pinturas de tema religioso de Nolde se sigue un orden cronológico para captar mejor la temática y en lo posible la evolución de su estilo.

Nolde, en 1900, pintó ya algunas obras de carácter religioso, como *Los fariseos, Cristo cura los enfermos, José vendido por sus hermanos, Abraham e Isaac.* Dominan en todas ellas las tonalidades oscuras en contraste manifiesto con la explosión de colorido de su arte genuino[13].

---

12 J. M. Blázquez, «Arte religioso español del siglo XX: Picasso, Gutiérrez Solana y Dalí», *AEA,* LXX (1977), pág. 241 (cap. X de esta edición); y M. Reuther, *Emil Nolde: Legende, op. cit.,* págs. 70-73.

13 J. M. Blázquez, «La pintura religiosa en los expresionistas alemanes», *Goya,* 289-290 (2002), págs. 254-266 (cap. VIII de esta edición), con bibliografía fundamental.

En 1906, Karl Schmidt Rottluff invitó a Nolde a incorporarse al grupo de pintores que había creado Die Brücke. En otoño pintó un cuadro que lleva por título *Espíritu libre*, que es pieza capital para comprender su evolución artística. Nolde consideró, en fecha posterior, este cuadro como su primera obra religiosa. La escena está dominada por una figura central a la que se dirigen los tres personajes que participan en la composición. En la pintura aparece el contraste de colores que se documenta en la etapa posterior. El fondo es de color amarillo, que se contrapone a los colores azul, verde, rosa y anaranjado de los vestidos.

Los rostros son de rasgos duros, pero muy expresivos. En esta primera pintura de tema religioso queda bien patente una religiosidad personal, natural, fuera de todo dogmatismo. Un años después escribió a su amigo Hans Fehr que el cuadro probablemente llenaba de espanto a los que lo contemplaban. Nolde lo estimó mucho y lo conservó en su colección particular[14].

En 1909 pintó el cuadro que lleva por título *La burla*. Cristo ocupa el centro de la escena, los sayones le rodean, gritando, escupiéndole y mofándose de él. La expresión del rostro de los que están alrededor de Cristo es de gran dureza. Magníficamente el artista expresó en los rostros la burla de la que es objeto el condenado. Las tonalidades son oscuras y encajan muy bien en el contenido de la composición[15]. Esta pintura recibió críticas duras al ser adquirida en 1921 por el Museo de Artes Plásticas de Leipzig. Este cuadro fue expuesto en 1937 por los nazis, como típico arte degenerado. La escena responde a la narración del escarnio de Cristo, tal y como la describe Mateo 27, 27-30.

Este mismo año terminó un cuadro que lleva por título *Pentecostés*. *La burla de Cristo* fue tema tratado por otro expresionista alemán en 1948, Otto Dix, con un estilo y una disposición de los personajes diferente. *La burla del crucificado* fue objeto también de un cuadro realizado en 1929 por Albert Birkle[16].

De este mismo año, 1909, data el cuadro titulado *La última cena*. Los apóstoles se apelotonan alrededor de Cristo, que ocupa el centro, con un vaso sostenido en las manos. Los rostros están pintados de colorido amarillo y en varios apóstoles las caras tienen manchones verdes. Los

---

[14] M. Reuther, *Emil Nolde: naturaleza y religión, op. cit.*, págs. 90-91; *ídem*, «I soggetti religiosi: l'opera e il suo luogo spirituale», art. cit., págs. 90-91.

[15] M. Reuther, *Emil Nolde: naturaleza y religión, op. cit.*, págs. 26-27; *ídem, Emil Nolde: meine biblischen..., op. cit.*, lám. 2; *ídem, Emil Nolde: Legende, op. cit.*, pág. 127.

[16] J. M. Blázquez, «La pintura religiosa...», art. cit., págs. 264, 266.

rostros son típicos de campesinos en edad madura, como se los imaginaba Nolde, hombres de pueblo curtidos por los calores de Palestina. Los colores son los de siempre, rosa, azul oscuro y verde oscuro[17].

En este año, Nolde se ocupó nuevamente de pintar escenas del Nuevo Testamento. Su cuadro *Pentecostés* es de gran originalidad en la historia del arte religioso. Los discípulos rodean a Cristo. Los rostros de los apóstoles son hombres maduros, de facciones duras. La piel es de color amarillento. Todos miran extasiados a Cristo[18]. *La última cena* y *Pentecostés,* realizadas ambas en 1909, presentan una distribución de los apóstoles en torno a Cristo muy parecida y, estilísticamente, ambas obras se encuentran muy próximas.

Esta escena está muy lejos en su concepción de la pintada por El Greco[19]. En el artista hispano, la Virgen ocupa el puesto central de la composición; los apóstoles dirigen la mirada hacia lo alto, donde revolotea la paloma, símbolo del espíritu santo. La composición de Nolde es muy original y no se ajusta al texto sagrado.

En 1910 Nolde continúa representando escenas del Antiguo y del Nuevo Testamento. Pinta *La hija del faraón encuentra a Moisés.* Nolde utiliza los mismos colores de siempre: amarillo, rosa, azul, verde y violeta. Los rostros de las sirvientas expresan magníficamente la emoción de encontrar al niño en el interior de una cesta de mimbre. El tipo de mujer egipcia, tal y como lo representa tradicionalmente el arte de Egipto, está muy bien expresado por el artista. Responde a la realidad e indica que el pintor conocía bien el arte egipcio, que había visto en los museos. Los ojos de las mujeres son rasgados, de una gran expresividad y los labios muy sexuales. La escena rezuma humanidad, sencillez y cierto aire oriental. La composición está tomada de Éxodo 2, 53[20].

Por entonces realizó otros cuadros como *Cristo y los niños, Las vírgenes prudentes y las vírgenes necias, José cuenta sus sueños, Cristo en Betania, Eva* y *La danza en torno al becerro de oro.* Nolde entremezcla escenas del Antiguo y del Nuevo Testamento indistintamente. Un rico colorido y la participación en la escena de gran número de figuras son las principales características de los cuadros. Los rostros expresan una gran fuerza. El colorido de los cuadros es rico y variado.

---

[17] W. Haftmann, *op. cit.,* págs. 50-51.

[18] M. Reuther, *Emil Nolde: meine biblischen..., op. cit.,* lám. 3.

[19] H. E. Wethey, *El Greco y su escuela,* vol. I: *Textos e ilustraciones,* Madrid, 1967, cat. 100, lám. 175; y J. Brown *et al., El Greco de Toledo, op. cit.,* pág. 148, lám. 28, cat. 34.

[20] M. Reuther, *Emil Nolde: naturaleza y religión, op. cit.,* págs. 28-29; *ídem, Emil Nolde: Legende, op. cit.,* págs. 90-93; *ídem, Emil Nolde: die religiösen Bilder, op. cit.,* pág. 78.

En el cuadro de *Cristo y los niños,* Cristo ocupa el centro de la composición. Es característico del arte de Nolde colocar en el centro de la composición al personaje central, en este caso a Cristo. En esta pintura hay un claro contraste de colores. En los niños predomina el amarillo con diferentes tonalidades. El manto de Cristo es de un verde oscuro y los vestidos de los tres discípulos son oscuros. Nolde ha expresado magníficamente los gestos infantiles de los niños que irradian una gran alegría y cariño hacia Cristo. Uno de ellos se abraza al cuello de Cristo y otro a las barbas de su padre. Los discípulos contemplan la escena atónitos[21].

En el cuadro de *Cristo en Betania,* participan sólo tres figuras, Cristo y las dos hermanas de Lázaro. Contrasta el color granate oscuro del vestido de Cristo con el verde de los trajes de las dos hermanas. Las dos mujeres son mujeres que se encuentran por las calles de todos los pueblos, están tomadas del natural.

Magníficamente expresa el artista las diferentes actitudes de las dos mujeres ante Cristo. Mientras una le contempla ensimismada, mirándole fijamente, con la cabeza algo levantada, la otra ofrece una fuente de fruta. El rostro de Cristo es de perfil alargado, de boca larga, de grandes ojos abiertos.

Las dos mujeres se disputan a Cristo[22]. Nolde ha capturado muy bien la situación, como la describe el texto sagrado. Un panorama artístico diferente se observa en la escena de *José cuenta sus sueños.* Como siempre, el personaje principal se coloca en el centro. José está pensativo y con los ojos entornados. El perfil del rostro es alargado y típicamente egipcio. Delante de José se encuentran tres varones, que expresan en los rostros una gran preocupación, ansiedad e incertidumbre. La piel del rostro es de color verdoso oscuro, que contrasta con el amarillo de la cara de José. Los labios son carnosos. Los tres personajes visten trajes de color verde y azul oscuro, cuyo colorido encaja bien en el de las caras. A las espaldas de José, un grupo de personas discuten acaloradamente. Los colores granate y azul oscuro corresponden a la situación espiritual de los personajes que esperan la explicación que José dé a sus sueños[23].

En *La danza en torno al becerro de oro,* la composición cambia totalmente de colorido. El artista emplea los colores amarillos, de diferen-

---

[21] M. Reuther, *Emil Nolde: Legende, op. cit.,* págs. 27, 77; *ídem, Emil Nolde: meine biblischen..., op. cit.,* lám. 5; W. Haftmann, *op. cit.,* págs. 56-57.

[22] M. Reuther, *Emil Nolde,* págs. 94-95; *ídem,* «I soggetti», art. cit., págs. 94-95.

[23] M. Reuther, *Emil Nolde: meine biblischen...,* lám. 7; *ídem, Emil Nolde: Legende, op. cit.,* pág. 79.

tes tonalidades, en tres bailarinas y en el becerro. Dos de ellas están totalmente desnudas. Dos muchachas, una colocada de frente, y su compañera de espaldas, bailan frenéticamente cubiertas las caderas con una falda. El contraste de colores es fuerte, pues la muchacha que baila de espaldas viste una falda azul intenso. El pelo es oscuro y las piernas, las espaldas y el brazo son de color violeta. Contemplan la danza cuatro personajes de pie, que visten trajes de color azul claro, violeta, rojo, en claro contraste con los colores de las bailarinas[24]. El tema de la danza lo había tratado ya Nolde, sin carácter religioso, en 1909. Los danzantes bailan frenéticamente. El cuadro es una explosión de colores[25].

Nolde estaba enfrascado en las composiciones de contenido religioso, cada año pintaba varias.

Los estudiosos de la obra religiosa de Nolde, basados en su autobiografía, han señalado que

> el expresionismo alemán veía en bastantes aspectos de la Edad Media —su mentalidad, universalismo y estructura homogénea del orbe— y más aún, en la crisis de la Baja Edad Media y la incipiente Edad Moderna, un significativo modelo que, además, se antojaba ejemplarmente alemán. Nolde menciona repetidas veces que quería iniciar una nueva época del gran arte alemán, concibiendo como modelo el tiempo del gótico florido y el arte de Grünewald y Durero. Lo que se añoraba era el nacimiento de un nuevo mito destinado a encauzar al mundo y las cosas hacia un horizonte de sentido integrador de la totalidad, ideas que en la modernidad, tanto en el arte contemporáneo de Joseph Beuys, como en las recientes tendencias expresionistas, tienen en general una importancia fundamental.

Este modelo que Nolde buscaba en el gótico florido y en el arte de Grünewald y de Durero explica ciertas preferencias del artista por determinados temas religiosos y por el estilo.

La última cena fue tratada por Leonardo da Vinci entre los años 1495 y 1497; por Andrea del Castagno años antes, en 1447[26]; por Dirk Bouts entre 1464 y 1467; por Domenico Guirlandaio en 1480[27]; por Tinto-

---

[24] W. Haftmann, *op. cit.*, págs. 52-53.

[25] W. Haftmann, *op. cit.*, pág. 25. Nolde representó en los años 1909, 1912-1913, 1917-1918, 1920-1924, 1925 a bailarinas danzando en movimientos frenéticos (M. Reuther, *Emil Nolde: Legende, op. cit.*, págs. 110-115, 120-122). Todos los cuadros son una explosión de color.

[26] Ch. McCorquodale, *Renaissance: Meisterwerke der Malerei, op. cit.*, pág. 47, fig. 41.

[27] I. F. Walther (coord.), *Los maestros de la pintura occidenta*, vol. I: *Del Gótico al Neoclasicismo*, Colonia, 2000, pág. 108.

retto, 1592-1594[28]. *La burla de Cristo* fue tratada por Grünewald, artista muy estimado por Nolde[29], que también pintó una *Última cena*[30], y por Andrea de Sarto, 1519[31].

El tríptico con escenas de la vida de Cristo fue muy corriente en el Renacimiento, baste recordar el altar de Jan van Eyck[32], que es el políptico más original de todos. Tiene dos pisos. En el centro se representa a Dios Padre flanqueado por la Virgen, por Juan Bautista y por los ángeles cantores. En las esquinas se encuentran Adán y Eva. En la parte inferior se representa al cordero místico. A la derecha camina un eremita acompañado de Pablo, Antonio, María Magdalena y María Egipciaca. En la tabla próxima, Cristóforo dirige a los peregrinos. A la izquierda marchan los reyes a caballo y el caballero de Cristo, acompañados de los santos Martín, Jorge y Sebastián. En el ángulo inferior cabalgan los jueces justos. Se data en torno a 1432. Cabe mencionar el altar de Isenheim de Matthias Grünewald[33], realizado hacia 1515, con san Sebastián, san Antonio y el Santo Entierro.

Nolde, en su políptico[34], 1911-1912, colocó en el centro la crucifixión de Cristo entre los ladrones; magníficamente supo expresar el sufrimiento en el rostro y en el cuerpo de los tres crucificados. Las dos mujeres presentes perfectamente pueden ser dos campesinas. A la derecha, los soldados se juegan tranquilamente a los dados los vestidos de los ajusticiados. Otros dos soldados, de pie, contemplan el juego de dados. Los crucificados siguen la gran tradición alemana de la Edad Media en la expresión y en la realización de los cuerpos, ya antigua en el arte alemán medieval, como es el caso del Maestro de Viena, que trabajaba en torno a 1325[35]; el Maestro de Bohemia, hacia 1350[36]; los discípulos del Maestro de Wittingau[37]; el Maestro de Santa Verónica, donde también los soldados juegan a los dados[38]; de Konrad von

---

[28] S. Zuffi y F. Castria, *La pintura italiana: los maestros de siempre y sus grandes obras*, *op. cit.*, págs. 226-227.

[29] G. Testori y P. Bianconi, *L'opera completa di Grünewald*, Milán, 1972, láms. I-II.

[30] G. Testori y P. Bianconi, *op. cit.*, pág. 86.

[31] S. Zuffi y F. Castria, *op. cit.*, pág. 168.

[32] Ch. McCorquodale, *op. cit.*, págs. 150-153, fig. 149.

[33] Ch. McCorquodale, *op. cit.*, págs. 272-274, fig. 282; y G. Testori y P. Bianconi, *op. cit.*, págs. 89-90.

[34] M. Reuther, *Emil Nolde: Legende*, *op. cit.*, págs. 83-92; *ídem*, *Emil Nolde: meine biblischen...*, *op. cit.*, láms. 9-18; W. Haftmann, *op. cit.*, 64-67.

[35] A. Stange, *Altdeutsche Malerei*, *op. cit.*, págs. 42-43.

[36] A. Stange, *op. cit.*, pág. 46.

[37] A. Stange, *op. cit.*, pág. 56.

[38] A. Stange, *op. cit.*, pág. 64.

Soest, 1403[39]; del tríptico del Maestro de Augsburgo, en torno a 1410[40]; del ya citado altar de Isenheim de Matthias Grünewald, con el que el crucificado de Nolde presenta un parecido notable, así como con la *Pequeña crucifixión* del mismo autor, obra del año 1530[41]; de Hans Pleydenwurff[42] o de Lucas Cranach, 1503[43]. Nolde ha simplificado la escena de la crucifixión al colocar en ella pocos asistentes, al igual que hicieron Cranach y el Maestro de Augsburgo. En todos los restantes dípticos los asistentes al suplicio son muy numerosos. Nolde acompañó la escena central de su políptico con ocho paneles, cuatro a cada lado, dispuestos en dos filas superpuestas. La originalidad de Nolde radica en la novedosa composición.

En la *Santa Noche*, la Virgen, vestida según la moda, levanta al recién nacido en alto. Al fondo se aproximan los pastores. José contempla al niño, mientras el asno come en el pesebre tranquilamente. En la composición de Cristo con doce años discutiendo con los doctores de la Ley, Nolde logró una escena de gran originalidad compositiva. Queda expresado magníficamente el estupor de los sabios de la Ley. En el cuadro de *Los Reyes Magos*, la Virgen viste como las campesinas, y los reyes sentados sostienen al niño encima de las piernas, composición muy novedosa. Esta escena difiere de la pintada por Durero en 1504[44], aunque este artista fuera uno de los preferidos de Nolde. *Cristo y Judas*,

---

[39] A. Stange, *op. cit.*, pág. 67.

[40] A. Stange, *op. cit.*, pág. 71.

[41] Ch. McCorquodale, *op. cit.*, pág. 272, fig. 281.

[42] A. Stange, *op. cit.*, pág. 81. Los Cristos de las crucifixiones alemanas expresan el dolor intenso del crucificado. En cambio, los de El Greco tienen una expresión de gran resignación en la voluntad de Dios (H. E. Wethey, *El Greco y su escuela, op. cit.*, láms. 66, 163-174), al igual que los de Velázquez (J. López-Rey, *Velázquez, el pintor de los pintores: la obra completa, op. cit.*, pág. 74), Zurbarán (J. M. Carrasco, *Zurbarán*, Madrid, 1973, páginas 57-58, 127, 177), o Pedro Pacheco (J. Brown *et al.*, *El Greco de Toledo, op. cit.*, pág. 122). La expresión de los Cristos de Alonso Cano (I. Henares [coord.], *Alonso Cano: espiritualidad y modernidad artística*, Sevilla, 2001, págs. 133, 169, 195, 217-244, 277, 304), así como la de los de la escuela sevillana, reflejan una gran resignación. Los Cristos de Dalí se encuentran en la misma corriente (R. N. Descharnes, *Salvador Dalí, op. cit.*, págs. 242-253, 257, 266, 280, 252-253). Otros expresionistas, como Otto Dix en 1946, pintaron a Cristo crucificado en la línea de Matthias Grünewald por su expresión terrorífica (J. M. Blázquez, «La pintura religiosa...», art. cit., pág. 266; pág. 188 de esta edición) y Otto Pankok, 1933, digno igualmente de la expresión de Matthias Grünewald (R. Zimmermann, *Expressiver Realismus, op. cit.*, pág. 241, en pág. 218 el Cristo de Otto Dix, en pág. 127 el Cristo de Alberto Durero). En el arte moderno prevalecen estos últimos Cristos crucificados (G. Regnier *et al.*, *Corps crucifiés*, París, 1993).

[43] A. Stange, *Altdeutsche Malerei des 14 bis 16. Jahrhunderts, op. cit.*, pág. 105.

[44] Ch. McCorquodale, *op. cit.*, pág. 280, fig. 287.

es un cuadro de colorido oscuro, muy en consonancia con la traición del discípulo y con la noche. Judas se abraza a Cristo. En la pintura de las mujeres en la tumba, todas están de pie y con el rostro muy compungido. El panel de la resurrección es también una escena de gran novedad en la composición. Cristo se levanta y los soldados quedan estupefactos. Esta escena igualmente la pintó, en 1949, Otto Dix. Lo mismo cabe afirmar del cuadro de la Ascensión. El último panel del políptico está dedicado a Tomás incrédulo. Los apóstoles contemplan la escena asombrados. En todas las pinturas se observa un fuerte contraste de colores, alternando el rosa, el verde, el negro, el violeta y el amarillo. Los rostros de las personas expresan magníficamente los sentimientos. Este políptico, por su gran novedad en las escenas, fue muy criticado y expuesto, en 1937, como muestra de arte degenerado.

En 1911, Nolde realizó un cuadro de tema prácticamente olvidado por los artistas: *Cristo y el Hades*. Cristo está rodeado de difuntos. Dos le miran estupefactos. Como siempre, hay un juego de colores muy acentuado y las pinceladas son grandes manchones[45].

Nolde no sólo se inspiró en escenas sacadas del Antiguo y del Nuevo Testamento para encontrar materia para sus cuadros, sino en leyendas como la de María Egipciaca, a la que en 1912 dedicó varios cuadros, con escenas de gran realismo, novedad y con una explosión de colorido fuertemente acentuada[46]. La leyenda de María Egipciaca circuló oralmente entre los monjes de Palestina del siglo VI. María vivió diecisiete o dieciocho años en el desierto expiando sus pecados. Esta leyenda la insertó Cirilo de Escitópolis en la *Vida de san Ciriaco,* y Juan Mosco en el *Prado espiritual.*

La vida de María Egipciaca se hizo muy popular y se tradujo a muchas lenguas. En Europa gran número de iglesias se dedicaron a la santa. Los artistas del Renacimiento representaron a María Egipciaca, como el mencionado Jan van Eyck.

Nolde continuó en los años sucesivos llevando a sus lienzos escenas bíblicas, siempre presentadas con una gran originalidad, rompiendo los cánones artísticos de la tradición religiosa europea. De 1915 son la leyenda de *San Simeón y las mujeres,* donde se representa magnífica-

[45] M. Reuther, *Emil Nolde: meine biblischen..., op. cit.,* lám. 19, pág. 133. Durero hizo una xilografía sobre *La bajada de Cristo a los infiernos* (E. Panofsky, *Vida y arte de Alberto Durero,* Madrid, 1982, pág. 24, fig. 179) y Alonso Cano pintó a Cristo en el limbo (I. Henares, *op. cit.,* pág. 185).

[46] M. Reuther, *Emil Nolde: meine biblischen..., op. cit.,* lám. 19; *ídem, Emil Nolde: Legende, op. cit.,* págs. 102-106.

Emil Nolde, *María Egipciaca,* Hamburger Kunsthalle.

mente el acoso de las mujeres a Simeón, con una expresión de deseo amoroso en el rostro[47]; *La entrada de Cristo en Jerusalén*[48]; *El juicio final*[49], escena inmortalizada por Miguel Ángel en la Capilla Sixtina (1535-1541) y por Frans de Vriendt, 1565. Pero tanto esta pintura, como la de Miguel Ángel no se parecen en nada a la de Nolde, con muy pocos personajes[50]. La pintura de Nolde es de una grandísima originalidad. Los muertos están levantados ya, unos vestidos y otros desnudos, en torno a Cristo con los brazos abiertos, y pintado todo él de azul[51]; *Simeón encuentra a María en el templo,* de tonalidades oscuras; *La moneda del tributo,* con magnífica expresión de los rostros de los personajes que interrogan a Cristo para tentarle, con un colorido muy fuerte[52]; *El entierro de Cristo*[53] con una expresión de dolor en las caras bien lograda. Nolde utiliza en estas composiciones los colores amarillo, para el cuerpo de Cristo, el negro, el marrón y el blanco, para el pelo, y el azul fuerte para los vestidos. Esta escena rompe con todos los precedentes del tema, pero compite con todos ellos en la expresión muy bien lograda del dolor de los que enterraban a Cristo difunto, y en la postura de los cuerpos que forman un grupo apiñado. Admite la comparación en la expresión de dolor con la *Piedad* de Sandro Botticelli, obra de 1490[54]; con la *Piedad* de Enguerrand Quarton, de 1460[55]; con *El entierro* de Jacobo de Pontormo, 1526-1528[56], o de Agnolo Bronzino[57]; con el mencionado altar de Matthias Grünewald; con la pintura de Hans Holbein, 1521[58]; o la *Piedad* de El Greco[59], etc., a todos los cuales supera por la originalidad en la composición. Nolde reduce al mínimo la presencia de personajes. La originalidad de Nolde queda confirmada una vez más.

---

[47] M. Reuther, *Emil Nolde: meine biblischen..., op. cit.,* lám. 25; *ídem, Emil Nolde: Legende, op. cit.,* pág. 111.

[48] M. Reuther, *Emil Nolde: meinebiblischen..., op. cit.,* lám. 26; *ídem, Emil Nolde: Legende, op. cit.,* pág. 96.

[49] M. Reuther, *Emil Nolde: meine biblischen..., op. cit.,* lám. 27.

[50] B. von Brauchitsch, U. Pfisterer y A. Rühl, *Renaissance: das 16 Jahrhundert, Galerie der Grossen Meister,* Colonia, 2000, págs. 136-137.

[51] M. Reuther, *Emil Nolde: meine biblischen..., op. cit.,* lám. 27.

[52] M. Reuther, *Emil Nolde: meine biblischen..., op. cit.,* lám. 29; *ídem,* «I soggetti», art. cit., págs. 98-99.

[53] M. Reuther, *Emil Nolde: meine biblischen..., op. cit.,* lám. 29; *ídem, Emil Nolde: Legende, op. cit.,* págs. 96; *ídem,* «I soggetti», art. cit., págs. 102-103: W. Haftmann, *op. cit.,* págs. 82-83.

[54] Ch. McCorquodale, *op. cit.,* pág. 87, fig. 79.

[55] Ch. McCorquodale, *op. cit.,* pág. 182, fig. 185.

[56] Ch. McCorquodale, *op. cit.,* pág. 277, fig. 331.

[57] Ch. McCorquodale, *op. cit.,* pág. 231, fig. 235.

[58] A. Stange, *op. cit.,* pág. 145.

[59] J. Brown *et al., El Greco de Toledo, op. cit.,* lám. 36, cat. 17.

De 1921 datan varios cuadros titulados *Martyrium,* alusivos a mártires cristianos, con Cristo crucificado en la tradición alemana y gran realismo en los variados tormentos de los condenados[60].

Nolde, en 1921, pintó un cuadro cuyo contenido gozó siempre de gran aceptación entre los artistas, *Adán y Eva* después de perder el paraíso. Los dos están desnudos, sentados en el suelo, con cara de asustados, con la serpiente enrollada entre los dos y un león al fondo que amenaza a los protagonistas con la boca abierta. Los cuerpos de Adán y Eva son de color amarillo intenso, al igual que la cabeza de la fiera. El fondo es de un verde oscuro[61]. Una comparación con las representaciones de otros artistas de los padres de la humanidad es altamente significativa de la profunda ruptura del arte de Nolde con la gran tradición artística sobre este tema, que él conocía muy bien por sus detenidas visitas a los museos, como los cuadros de Jan van Eyck; de Hugo van der Goes, hacia 1468-1470[62], con la pareja de pie junto al árbol; de Jan Gossaert, igualmente de pie, con la serpiente también enrollada al árbol, 1508-1509, muy parecido a otra pintura de Durero de 1504[63]. Entre los pintores italianos cabe recordar una *escena* similar en Masolino da Panicale, 1524-1525[64] y la *Expulsión del Paraíso* de Massacio, de la misma fecha[65]. Otro expresionista alemán, Max Beckmann realizó dos obras en 1917, una en punta seca sobre papel y la otra al óleo, con Adán y Eva con la serpiente enrollada al árbol. El estilo es diferente[66].

Ese mismo año, 1921, Nolde realizó un cuadro que tituló *La tentación de José.* Los artistas sitúan generalmente el relato bíblico en la alcoba. Nolde cambió totalmente el ambiente. La mujer de Putifar es una muchacha rolliza, totalmente desnuda, que se cubre el pubis con las manos, junto a un José que la mira atentamente, con la cabeza colocada de perfil. El fondo es rojo. El cuerpo de la dama está pintado en marrón, lo que

---

60 M. Reuther, *Emil Nolde: meine biblischen..., op. cit.,* láms. 31-34; *ídem,* «I soggetti», art. cit., págs. 106-111.

61 M. Reuther, *Emil Nolde: meine biblischen..., op. cit.,* pág. 35.

62 Ch. McCorquodale, *op. cit.,* pág. 134, fig. 131.

63 B. von Brauchitsch, U. Pfisterer y A. Rühl, *op. cit.,* págs. 22-23; F. Puigdevall, *Los grandes maestros del Museo del Prado,* vol. II: *Las colecciones de pintura extranjera, op. cit.,* págs. 152-153; A. F. Eichler, *Albrecht Dürer,* Colonia, 1999, págs 66-67, figs. 64-66, 84-85. Cuatro cuadros están fechados en 1504 y dos en 1507. También una xilografía con la serpiente enroscada en un árbol (E. Panofsky, *op. cit.,* pág. 24, fig. 194; los otros cuadros en pág. 21, fig. 117, pág. 23, figs. 164-165; F. Checha, *Alberto Durero,* Madrid, 1993, págs. 57, 73, 75). P. P. Rubens, hacia 1598-1600, pintó a Adán y Eva (M. Roran, *Peter Paul Rubens,* Madrid, 1953, pág. 11).

64 S. Zuffi y F. Castria, *op. cit.,* págs. 54-55.

65 S. Zuffi y F. Castria, *op. cit.,* págs. 54-55.

66 D. Ottinger (coord.), *Max Beckmann,* París, 2002, págs. 138-139.

es ya una provocación, la larga cabellera de negro, la cara de José también en marrón y el cabello negro. El perfil de José es el típico de un egipcio[67]. Nolde continuó pintando toda su vida con el mismo estilo artístico cuadros de carácter religioso. De 1922 data *Judas y los sacerdotes*[68]; *La Sagrada Familia*, 1925[69]; *La pecadora*, 1926[70], tema igualmente tratado por Beckmann de un modo totalmente diferente en la composición y en el estilo[71]; en *Si no os hacéis como niños*, 1929, el rostro de Jesús y los niños es el mismo de otras composiciones[72]; *La adoración de los reyes* de 1933[73], escena ya pintada; *Jesús y los doctores*, 1951, composición ya tratada[74]. Todos estos cuadros están realizados en óleo sobre lienzo. Otros de contenido religioso cabe recordar, como unas acuarelas sobre papel japonés muy fino con las cabezas de los apóstoles, 1909, auténticas caras de campesinos judíos[75], tomadas del natural; *Saúl y David*, 1920-1924[76].

Nolde trabajó los temas religiosos en otras técnicas artísticas, además de la pintura al óleo y la acuarela. *José y sus hermanos* lo grabó dos veces en agua fuerte, en una placa de cobre[77], en 1910; *Saúl y David*, 1911, con la misma técnica[78], pero la colocación de las figuras es diferente de la de la escena anterior; en *Salomón y sus mujeres*, 1911[79], las damas jóvenes expresan bien el deseo amoroso hacia el rey ya anciano e

---

[67] M. Reuther, *Emil Nolde: meine biblischen...*, *op. cit.*, lám. 36; *ídem*, «I soggetti», art. cit., págs. 114-115; *ídem*, *Emil Nolde: Legende*, *op. cit.*, pág. 118. Tintoretto a la mujer de Putifar desnuda la pintó sobre el lecho (V. Nieto Alcalde, *Tintoretto*, Madrid, 1993, pág. 444; A. M. Esquivel y E. Valdivieso, *Historia de la pintura sevillana*, Sevilla, 2002, pág. 380, fig. 23).

[68] M. Reuther, *Emil Nolde: meine biblischen...*, *op. cit.*, lám. 37; *ídem*, *Emil Nolde: Legende*, *op. cit.*, pág. 97.

[69] M. Reuther, *Emil Nolde: meine biblischen...*, *op. cit.*, lám. 38.

[70] M. Reuther, *Emil Nolde: meine biblischen...*, *op. cit.*, lám. 39; W. Haftmann, *op. cit.*, págs. 96-97.

[71] D. Ottinger, *op. cit.*, lám. 140.

[72] M. Reuther, *Emil Nolde: meine biblischen...*, *op. cit.*, lám. 40.

[73] M. Reuther, *Emil Nolde: meine biblischen...*, *op. cit.*, lám. 41.

[74] M. Reuther, *Emil Nolde: meine biblischen...*, *op. cit.*, lám. 42. Escena también tratada por Durero (A. F. Eichler, *op. cit.*, pág. 76, fig. 73).

[75] M. Reuther, *Emil Nolde: meine biblischen...*, láms. 43-46. Karl Schmidt-Rottluff, también pintor impresionista alemán, realizó en un estilo totalmente diferente los rostros de los cuatro evangelistas. El perfil es igualmente alargado (G. Rolberg, *op. cit.*, pág. 227, figs. 303-306).

[76] M. Reuther, *Emil Nolde: meine biblischen...*, *op. cit.*, lám. 51; *ídem*, *Emil Nolde: Legende*, *op. cit.*, págs. 80-91.

[77] M. Reuther, *Emil Nolde: meine biblischen...*, *op. cit.*, láms. 52-53; *ídem*, *Emil Nolde: Legende*, *op. cit.*, pág. 126.

[78] M. Reuther, *Emil Nolde: meine biblischen...*, *op. cit.*, lám. 54; y W. Haftmann, *op. cit.*, pág. 129.

[79] M. Reuther, *Emil Nolde: meine biblischen...*, *op. cit.*, lám. 55; ídem, *Emil Nold: Legende*, pág. *op. cit.*, 126.

indiferente; *Cristo entre los doctores,* del mismo año[80]; *Cristo y la pecadora,* 1911[81], tema tratado por Beckmann[82], que expresa magníficamente la actitud del espíritu expectante de la mujer; *Fariseos y aduanero,* igualmente del año 1911[83], todos realizados con la técnica anterior; y, finalmente, *Los tres reyes llevando las ofrendas a Cristo,* 1913[84], litografía de tinta china con los reyes, todos en color negro, caminando.

Todavía es posible mencionar algunas otras obras de carácter religioso de Nolde, como una *Eva* de 1910, óleo sobre lienzo, toda ella de amarillo, de pie, sobre fondo azul claro y oscuro, amarillo, violeta y rojo y con el pelo anaranjado oscuro[85]; una *Madonna,* 1906, con el niño, acuarela sobre madera, a la que representa como una campesina sentada en un bosque[86]; *Expulsión del Paraíso,* de 1920-1922, con la pareja corriendo avergonzada, pintada de amarillo y detrás, el ángel con la espada al hombro[87], vestido de color granate; *Ismael en el desierto,* de 1920-1924, sobre fondo amarillento bajo un sol achicharrante, al fondo y a la derecha se apiña el pueblo. En primer plano se encuentra Moisés. Un segundo personaje, que dialoga con él, y un poco más en el interior varios judíos en actitud de espera.

En el año 1926 pintó dos eremitas, uno vestido de azul y un segundo de marrón oscuro junto a una zancuda[88]. Al tema volvió en 1931, con un óleo sobre lienzo de un ermitaño, con rostro escuálido, acurrucado en un paisaje boscoso, vestido de azul verdoso y con el rostro amarillento[89].

En la elección de los temas sigue Nolde la gran tradición del Renacimiento. Los eremitas fueron composición preferida por los artistas, como *Las tentaciones de san Antonio,* de J. Patinir, de Q. Massys, 1520[90], tema que Nolde nunca representó, El Bosco[91] y otros expresionistas,

---

[80] M. Reuther, *Emil Nolde: Meine biblischen..., op. cit.,* lám. 56; *ídem, Emil Nolde: Legende, op. cit.,* págs. 134-135.

[81] M. Reuther, *Emil Nolde: Meinee biblischen..., op. cit.,* lám. 57; *ídem, Emil Nolde: Legende, op. cit.,* pág. 93.

[82] D. Ottinger, *op. cit.,* pág. 140.

[83] M. Reuther, *Emil Nolde: Meine biblischen..., op. cit.,* pág. 5.

[84] M. Reuther, *Emil Nolde: Meine biblischen..., op. cit.,* lám. 59; *ídem, Emil Nolde: Legende, op. cit.,* pág. 94.

[85] M. Reuther, *Emil Nolde: Legende, op. cit.,* pág. 147.

[86] M. Reuther, *Emil Nolde: Legende, op. cit.,* pág. 150.

[87] M. Reuther, Emil *Nolde: Legende, op. cit.,* pág. 152.

[88] M. Reuther, *Emil Nolde: Legende, op. cit.,* págs. 154-155.

[89] M. Reuther, *Emil Nolde: Legende, op. cit.,* pág. 156.

[90] Ch. McCorquodale, *op. cit.,* pág. 184, fig. 294. También *Las tentaciones de san Antonio,* D. Teniers el Joven, 1650. Véase *Rubens y su época: tesoros del Museo Ermitage, Rusia,* Bilbao, 2002, pág. 120.

[91] M. Cinotti, *L'opera completa di Bosch,* Milán, 1966, lám. XLII-XLVI; y P. Puigdevall, *op. cit.,* pág. 105, dos veces.

como Lovis Corinth[92]. Nolde ha sustituido el cuervo que lleva pan a Antonio y a Pablo el ermitaño de Velázquez[93] por una zancuda y ha reducido el paisaje a la mínima presencia y a sólo un ermitaño.

No se les puede negar un profundo sentido religioso a los cuadros de Nolde inspirados en escenas del Antiguo y del Nuevo Testamento, como a los de los restantes expresionistas que tratan estos temas. Las escenas las representaba dentro de los cánones artísticos del expresionismo alemán. Hablaban con sus imágenes a los hombres de su tiempo.

Nolde está en la línea de Chagall, que por el contenido de sus cuadros es el artista más próximo a él[94], o a Rouault[95]. Como lo prueban los crucificados de Picasso, Bacon, Dix, De Kooning, Guttuso, Sutherland, Saura. Todos rompen los cánones de la imaginería religiosa. Todos ponen espanto en el que los contempla. Posiblemente son un fiel reflejo de la problemática espiritual del mundo moderno.

Los temas religiosos, pues, no están ausentes del arte contemporáneo[96]. Tampoco en España, como en la obra de Chillida, Oteiza, Ávalos, Blanco Martín, López Hernández, Gregorio Prieto, por sólo citar unos pocos nombres entre los escultores y entre los pintores Subirachs, Carbonell[97], Abelló[98], B. Romero Rosendi[99], entre otros muchos. Entre los artistas de última hora, los protagonistas de la vida de Cristo son jóvenes de la calle y celebran las fiestas como las celebra hoy la juventud[100].

---

[92] K. A. Schröder, *Lovis Corinth,* Múnich, 1992, *passim.* Dos pinturas.

[93] F. Puigdevall, *Los grandes maestros del Museo del Prado,* vol. I: *La colección de pintura española,* Madrid, 1997, pág. 92; J. Brown *et al., El Gredo de Toledo, op. cit.,* pags. 144-145. Matthias Grünewald también representó a Pablo como ermitaño y Antonio con el cuervo (G. Testori y P. Bianconi, *op. cit.,* lám. XLII).

[94] W. Haftmann, *Marc Chagall, op. cit.; Chagall: el mensaje bíblico, 1931-1983,* Segovia, 2001; J. Baal-Teshuva, *Marc Chagall, 1887-1985,* Colonia, 1998; Ch. Sorlier, *Marc Chagall,* Barcelona, 1981; P. Provoyeur, *Chagall: messaggio biblico,* Milán, 1996.

[95] J. M. Faerna (dir.), *Rouault, 1871-1958,* Madrid, 1996; S. Koja *et al., Rouault,* Madrid, 1995; y N. Possenti, *Il volto di Cristo in Rouault,* Milán, 1993.

[96] C. de Carli, *Gli artisti e la chiesa della contemporaneità,* Milán, 2000; y G. Finaldi, *The Image of Christ,* Londres, 2000.

[97] F. Colomer, *La pasión de Cristo según Peris Carbonell,* Valencia, 1994.

[98] J. F. Bentz, *Abelló,* Sabadell, 1998.

[99] J. M. Covelo, *Baldomero Romero Ressendi,* Sevilla, 2000.

[100] S. Bramly y B. Rheims, *I.N.R.I.,* Nueva York, 1999. Llama la atención la ausencia de la mitología clásica para expresar los problemas del hombre moderno, aunque esta estuvo muy presente en otros pintores expresionistas (J. M. Blázquez, «Mitos griegos en la pintura expresionista», art. cit., cap. V de esta edición, *ídem,* «Mujeres de la mitología clásica en la pintura de Max Beckmann», art. cit., págs. 257-269) e incluso en los periódicos (J. M. Blázquez, «Mitos clásicos en los periódicos y revistas de Madrid de finales del siglo XX», art. cit., cap. XV de esta edición).

CAPÍTULO VIII

La pintura religiosa en los expresionistas alemanes

El expresionismo es la gran revolución artística alemana del siglo XX. Este arte fue marginado por el nazismo en 1937 por considerarlo decadente. Se agrupa bajo el término expresionismo a artistas alemanes de muy diferentes corrientes y técnicas. Algunos, como Kandinsky, fueron expresionistas sólo en una etapa de su producción, hasta el año 1914, y evolucionaron luego hacia formas artísticas por completo diferentes, concretamente hacia la pintura abstracta.

No hay consenso respecto a la fecha de la aparición del término expresionismo. A partir del año 1911, en diferentes exposiciones de pintura se emplea la palabra «expresionismo», como en la celebrada con motivo de la Sezession de Berlín en 1911, en la que expusieron sus obras artistas como Picasso, Braque, Dufy y otros; o en la galería Sturm de Berlín, al año siguiente, en la que a Franz Flaum y a Oskar Kokoschka se les llama expresionistas, o en la exposición del año 1912. La palabra expresionista tuvo un carácter muy ambiguo. En 1916, Paul Fechler intentó definir el término por primera vez. Para este autor, el expresionismo es un movimiento típicamente alemán, paralelo al cubismo en Francia, y al futurismo de Italia, nacido para hacer frente al impresionismo. Los lugares de nacimiento del expresionismo son Dresde y Múnich. Marc, en Der Blaue Reiter, señaló muy claramente los objetivos del nuevo arte, que no contemplaban una evolución formal, sino una reinterpretación del impresionismo. Cuatro artistas expresionistas formaron, al principio, el grupo llamado Die Brücke

(El Puente), una de cuyas características es la ausencia de pintura de asunto religioso.

En este trabajo sólo se entresacan algunos pintores expresionistas para seguir, a través de variados ejemplos, la presencia de la temática religiosa en la más importante corriente artística alemana del siglo XX.

Emil Nolde

El principal pintor expresionista alemán que trató aspectos religiosos fue Emil Nolde, nacido en 1867 en Nolde y muerto en 1956. De 1908 data una colección de cabezas de Cristo y de los apóstoles que se caracterizan por el realismo de la expresión de los rostros, que son muy enjutos. En 1918 volvió al mismo tema con un estilo diferente. El rostro es ahora carnoso y la expresión totalmente distinta.

Nolde había sido educado en una profunda piedad. Esta educación influyó mucho en la temática de su obra, que a partir de 1909 se hace marcadamente religiosa. Entre los años 1909 y 1951 pinta cincuenta y dos cuadros de tema religioso. De la primera de las fechas datan: *Última cena*, *Cristo escarnecido*, *Pentecostés* y *Crucifixión*, y de 1910: *Las vírgenes sabias y las vírgenes necias*, la *Danza en torno al becerro de oro*, *Jesús y los niños*, *La hija del faraón encuentra a Moisés* y *El sueño del faraón*.

Desde el primer momento aparece una de las características del arte religioso de Nolde. Elige como tema de inspiración no sólo episodios del Nuevo Testamento, sino también del Antiguo. De 1911 datan *Los Reyes Magos*, *Cristo entre los doctores*, *Vida de Cristo*, *Cristo y Judas*, *Descenso de Cristo a los Infiernos*. El número relativamente elevado de cuadros de tema religioso que realiza cada año indica su gran interés por él, y será una constante en su producción a lo largo del tiempo. La obra pictórica de los años 1909-1911 coincide en su temática con una estancia del pintor en el puerto de Hamburgo, cuya vida ajetreada y tumultuosa supo captar magistralmente en dibujos realizados a pincel y a tinta china, en xilografías y en aguafuertes. Durante estos años, Nolde tomó igualmente como motivo de inspiración otros aspectos de la vida cotidiana muy alejados de la religión, como escenas de cabaret, de cafés y de restaurantes, sobre los que realizó dibujos que reflejan agudamente escenas de la vida nocturna de la ciudad, tema al que volvería años después. Este grupo de obras presenta una cierta unidad en su producción.

La pintura religiosa de este artista se caracteriza por un colorido muy vivo logrado a base de manchas. Desde el primer momento los cuadros de tema religioso de Nolde suscitaron estupor y rechazo. Max Liebermann, presidente de la Sezession de Berlín, se opuso terminantemente a que se expusiera el cuadro titulado *Pentecostés*, y amenazó con dimitir si tal hecho se producía. En 1912, la Königliche Gesellschaft der Schönen Künste de Bruselas organizó una exposición de arte sacro, y Karl Ernst Osthaus, que fue el mayor patrocinador de la obra de Nolde, recibió el encargo de seleccionar las pinturas. Eligió la *Vida de Cristo*, en nueve escenas, que no pudo ser exhibida por presiones eclesiásticas. Este hecho motivó que Nolde participara muy pocas veces en exposiciones. El artista no sospechaba que sus cuadros de tema religioso fueran a ser rechazados de esa forma tan frontal. No había consultado a nadie acerca de las características que debían de tener los temas religiosos, y seguía, en sus propias palabras, el instinto personal que le llevaba a caracterizar como judíos a Cristo, a los Apóstoles, que por otra parte eran simples campesinos o pescadores, cuyas fisonomías representaba con gran vigor, ya que de hecho eran los débiles los que se reconocían en la nueva y revolucionaria doctrina de Cristo. Los cuadros de tema religioso tuvieron en Nolde una gran fuerza expresiva y originalidad. Las figuras humanas muestran su vigor mediante el contraste del colorido.

A pesar de todo, el rechazo hacia su pintura no desanimó a Nolde. De 1912 datan los siguientes cuadros: *Crucifixión*, *Las santas mujeres en el sepulcro*, *La incredulidad de Tomás*, *Natividad*, *La Asunción*, *María Egipciaca*, *La leyenda de María Egipciaca*, *En el puerto de Alejandría*, *La conversión*, *La muerte en el desierto*. El artista amplió la temática bíblica a las vidas de santos cristianos. En el año 1913, la exposición de *La última cena*, obra adquirida para el Museo Municipal de Halle, provocó un fuerte escándalo que saltó a los periódicos.

Pero Nolde encontró también defensores de su arte religioso revolucionario, como Hans Fehr, que había adquirido el cuadro *Pentecostés*; G. Schiefler, presidente del tribunal regional de Hamburgo; B. Graef, profesor de arqueología en Jena; G. F. Hartlaub, director de la Kunsthalle de Mannheim, quien escribió en 1919 que las pinturas y dibujos realizados por Nolde entre los años 1909 y 1911 y los de 1915 no son un hecho pasajero, sino el punto central y supremo de su copiosa y rica producción, la síntesis de su energía expresiva. Nolde no se contentó con recrear mitos, estimulado por un cierto impulso de naturaleza religioso-filosófica... su arte está enraizado en lo luminoso.

En 1915 se fechan los cuadros: *El marinero y el diablo*, *La leyenda de san Simeón y de las mujeres*, *La entrada en Jerusalén*, *El entierro de Cristo*, *Moisés y Aarón*, *Navidad*, *El paraíso perdido*, *La tentación de José*. En 1919: *La resurrección de los muertos*, *Simeón encuentra a María en el templo*, *El pago de tributos, El entierro de Cristo.* En 1919, Carl Georg Heise, director de los Museos de Lübeck, era un defensor del expresionismo y mecenas de artistas como Nolde y Karl Schmidt-Rottluff. Tenía en su colección privada el *Cristo en Betania,* pintado por Nolde en 1910.

En 1919 Heise publicó en la revista de arte *Genius* un ensayo sobre la pintura religiosa de Nolde, y preparaba una exposición de sus cuadros religiosos que produciría una fuerte polémica. Algunos la recibieron con estupor y duros ataques «por el abuso sin escrúpulos de la casa de Dios». Faltaba todavía en ese año un estudio serio y profundo de la pintura de Nolde, que pusiera en claro su valor artístico, su originalidad, y el puesto que ocupaba en la tradición religiosa y teológica. Nolde no fue un caso aislado. Otros expresionistas habían tratado el tema religioso, como Morgner, Kokoschka, Beckmann, Rohlfs. Wolfgang Rothe, en su trabajo sobre *Expresionismo y teología,* de 1969, habla de un «sincretismo de la religiosidad expresionista».

Ningún cuadro de Nolde se expuso en una iglesia cristiana, ni fue encargado por la Iglesia; sólo a finales de 1950 la jerarquía cristiana aceptó el arte religioso de Nolde. La falta de sintonía entre el pintor y la jerarquía eclesiástica se debe, al menos en parte, al rechazo del protestantismo hacia a las imágenes. El teólogo Paul Tillich siempre fue contrario al expresionismo.

Los cuadros religiosos de Nolde, como se ha señalado, fueron muy criticados. Tuvieron furibundos detractores y defensores acérrimos. En un mundo secularizado ya la simple elección del tema religioso era objeto de disputas encarnizadas, más aún cuando Nietzsche había proclamado la muerte del Dios de la Iglesia y del filisteísmo burgués. El verdadero debate de la pintura expresionista religiosa y de cualquiera otra pintura religiosa moderna consistía en saber si en un mundo secularizado se podía aún hablar de la doctrina cristiana y representarla. Los grandes artistas, aunque no fueran creyentes, podían captar y expresar el sentimiento religioso. Incluso los temas religiosos pueden simbolizar los problemas del mundo moderno.

Nolde escribió que estaba asediado por una irresistible necesidad de representar una profunda espiritualidad, religiosidad e intensidad, sin gran intervención de la voluntad, del conocimiento o de la reflexión. Se trata de un arte religioso al margen de la Iglesia, libre de dogmas. Nolde escribe que estaba convencido de que si se hubiera ceñido a la letra bíblica o a la rigidez del dogma, jamás habría podido pintar figuras tan profundamente sentidas como las de *La última cena* y *Pentecostés.* Nolde continuó pintando escenas religiosas. Así, en 1933 se fecha *La adoración de los Magos,* y en 1951 *Jesús entre los Doctores.*

Toda la pintura de Nolde fue condenada por los nazis en 1937, por considerarla un arte degenerado.

Al mismo grupo Die Brücke pertenecen Heckel —que en 1915 pintó en una tienda de campaña una famosa *Madonna* con el niño en brazos, de cuerpo estilizado, enmarcada por un arco de flores— y Karl Schmidt-Rottluff, autor en 1912 de unos *Fariseos* de rostros picudos y duros, de color oscuro, que expresaban magníficamente el carácter inquisitivo que se atribuía a estos personajes. El mismo artista, siguiendo el estilo peculiar de su arte, representó en 1918 una cabeza de Cristo con el título *¿A ti no se te ha aparecido Cristo?* De este mismo año son los rostros de los cuatro evangelistas, caracterizados por una gran fuerza de expresión.

Heinrich Nauen, nacido en 1880, mantuvo vivo el contacto con Die Brücke. En 1914 representó *El buen samaritano* utilizando dos colores fundamentalmente: el tono oscuro para el caballo y para el samaritano, y el claro para el paisaje y el herido. El artista es un buen ejemplo de la combinación de influjos franceses y alemanes.

Max Beckmann

Este artista es otro de los grandes pintores expresionistas en los que el tema religioso ocupa un lugar significativo. Había nacido en 1884 en Leipzig, y murió en 1950 en Nueva York. A los treinta años era un pintor bien conocido en Alemania. Pronto se fijó en los temas religiosos. En 1906 pintó una crucifixión con el título de *Drama.* En 1909 realizó una *Crucifixión de Cristo,* obra en la que la disposición de los crucificados es de gran originalidad, pues están colocados en círculo. El color amarillo de los tres cuerpos destaca sobre los tonos oscuros de la gente. De este mismo año data *La resurrección de los muertos,* que por la forma en la que están colocadas las figuras recuerda *El Juicio Final,* de Rubens, obra datada entre los años 1614 y 1615, hoy conservada en la Alte Pinakothek de Múnich. El cuadro de Beckmann suscitó muy opuestas opiniones. Es una mezcla atrevida de la sociedad moderna y una visión del cielo trascendente y real. Los participantes de la zona inferior, al parecer, están sorprendidos por el suceso. El tema de su conversación debía ser el cielo iluminado. Una masa incalculable de cuerpos desnudos asciende al cielo, saliendo del grupo de la sociedad bien vestida, que se encuentra en la parte inferior. Entre ellos puede reconocerse, en el lado izquierdo, al propio Beckmann, su esposa y su suegra. En el lado opuesto hay un grupo de amigos, unos con gestos de admiración y otros con expresión trágica e indiferente. Los cuerpos, en la parte superior, se disuelven en la luz. Se ha comparado este cuadro con el famoso fresco del *Juicio Final* de Miguel Ángel, obra de 1536, y también con algún cuadro de El Greco. Algunas figuras no parecen subir al cielo, sino caer de él. Se trataría de los condenados. No está presente Cristo como Juez del mundo, pero Beckmann piensa en un Juicio Final con la separación de buenos y malos. El pintor da a la escena un sentido más secular y una proximidad a la vida. Se ha pensado también en un influjo de las obras de Nietzsche y de la filosofía vitalista, en la que la luz simboliza el principio divino superior y el producto de la voluntad y del espíritu humano. Igualmente se ha sugerido que la escena está influida por la obra literaria de Tolstoi, que se refiere al individuo que llega a Dios a lo largo de su vida.

En 1917 Beckmann pintó tres cuadros de contenido religioso: *El descendimiento de Cristo, Cristo y la mujer adúltera* y *Adán y Eva.* El artista participó durante la Primera Guerra Mundial como soldado en un hospital y recibió un choque profundo en contacto con escenas horripilantes de muerte y de dolor. Tiempo después estuvo interesado en composiciones de tema religioso. *El descendimiento de Cristo* está ocupado por un Cristo de rostro cadavérico con los brazos extendidos en forma de cruz. Las tonalidades amarillentas encajan bien con la escena mortuoria. Se supone que está inspirado en el Altar de Togernîsce, de Múnich, que el artista admiraba en su juventud. En este año Beckmann tuvo una fuerte inclinación hacia el misticismo de los pintores del primitivo Renacimiento nórdico, con su realismo duro y al mismo tiempo sencillo. En 1917, con motivo de la exposición de nuevos dibujantes en la Galería J. B. Neumann de Berlín, expresó al editor del catálogo su programa: naturalismo hacia su propio ego, y objetividad hacia la visión interior. Admira a los cuatro grandes pintores del misticismo varonil: Mälesskircher, Grünewald, Brueghel, y Van Gogh. El cuerpo de Cristo es digno de *La crucifixión* de Matthias Grünewald en el altar de Issenheim, obra de 1515, o de la *Pequeña crucifixión,* que el mismo pintor realizó en 1530. Sobre este cuadro, Beckmann manifestó que parecía salir de una mística falsa y sentimental para llegar a una realidad trascendente que brota de un profundo amor a la naturaleza y a la humanidad, como existe en Mälesskircher, Grünewald, Cézanne y Van Gogh.

En la pintura *Cristo y la mujer adúltera,* la distribución de las figuras es de una gran originalidad. Se ha señalado en este cuadro la variedad y expresividad de los gestos y el movimiento de las manos. La mano derecha de Cristo está curvada, como una cueva, para acoger el alma

Max Beckmann, *La mujer adúltera*, The Saint Louis Art Museum.

de la pecadora, mientras que con la otra mano, abierta, rechaza a los acusadores. El contrapunto son las manos de la adúltera tocando el manto de Jesús. Las actitudes de Cristo y de la mujer, arrodillada junto a él, contrastan con el gesto burlón del varón colocado a espaldas de Jesús. Se expresa magníficamente el odio de la gente que acusa a la pecadora con el puño en alto. El juego de las manos desempeña un papel importante en la caracterización de los personajes. La gente se apelotona alrededor de los protagonistas. Los colores —el gris, el marrón y el amarillo— son transparentes, estilizan las figuras y confieren a la dramática escena una ligereza extraña. Recuerdan a las tonalidades de Grünewald. La mirada de Cristo no se dirige a la pecadora, sino a los acusadores que vociferan, con gesto duro.

Beckmann pintó otros cuadros de tema religioso, como *El advenimiento del Espíritu Santo, Cristo llevando la cruz,* y otros con temas bíblicos, como *Adán y Eva* o *Sansón y Dalila.* El tema de *Adán y Eva* se inscribe en la tradición clásica del arte del Renacimiento, inmortalizado por Hugo van der Goes, en torno a 1468-1470, por Jan van Eyck en 1432, y posteriormente en las obras de Durero y de Cranach. Pero Beckmann interpreta la escena de modo diferente. El árbol queda reducido a un tronco sin hojas y sin frutos, y en él se enrosca una serpiente de cabeza afilada, casi perruna. Adán y Eva están desnudos. Eva ofrece su pecho en vez de una manzana. Quizás sea una alusión a que el pecado de Adán y Eva, como defendió san Agustín, era un pecado sexual. Los modelos de la pareja están copiados del lumpen de las grandes ciudades. El modelado de los padres del género humano es tenue. El paisaje queda reducido a unos gladiolos de pétalos amarillos, que son símbolos sexuales. Para el modelado de los cuerpos Beckmann se inspiró en las figuras abstraídas de los grandes maestros renacentistas, pero no en la composición de la escena ni en su significado, que revela cierto escepticismo propio del momento de la Gran Guerra. Ese mismo año, Beckmann dibujó un aguafuerte con la *Expulsión del Paraíso* después de la caída.

Entre 1916 y 1928 pintó *Resurrección de los muertos,* que quedó inacabada, obra de tonalidades oscuras. Esta composición es muy rara en el arte religioso moderno. Dalí fue uno de los pocos que pintó este tema. El cuadro de Beckmann está influido por la experiencia de sus servicios en el hospital de sangre durante la Primera Guerra Mundial. Todo el cuadro parece representar un paisaje en ruinas después de un terremoto. Se representan cuerpos en todas las posturas y en diferentes momentos de la resurrección de los muertos. En el cuadro hay un eco del arte medieval. El mismo Beckmann indicó que esta obra quería representar sin tapujos los horrores, y propiciar una cierta catarsis religiosa.

En 1941-1942 ilustró el *Apocalipsis* de san Juan, cuyas escenas encajaban muy bien con los horrores de la Segunda Guerra Mundial. En los años difíciles de su exilio en Ámsterdam cambió las tonalidades de sus pinturas, que se hicieron más fuertes. Su vida en estos años fue caótica, y encontró refugio en la pintura, a la que se dedicó intensamente. En diez años realizó doscientos ochenta cuadros. Este clima espiritual queda bien reflejado en las ilustraciones del *Apocalipsis,* trabajo que le fue encomendado por un editor de Frankfurt. Esta obra apareció dos años después de su trabajo como ilustrador para el *Fausto* de Goethe. Estas obras son la cumbre de la ilustración gráfica de libros en la Alemania del siglo XX. Tanto el *Apocalipsis* como el *Doctor Fausto* de Thomas Mann son el símbolo del hundimiento de Alemania. En la primera ilustración se representó Beckmann a sí mismo como sacerdote en la *cella* del templo, al tiempo que una serpiente, símbolo del reconocimiento de la culpa, rodea su cuerpo. El animal se enrosca también en un bastón de Asclepio, dios de la medicina. La imagen autorretratada de Beckmann, con los ojos cerrados, simboliza el sueño premonitorio que se hacía en el templo del dios a la espera de obtener un remedio para la enfermedad. El reconocimiento de la caída en el pecado y el proceso de salvación están presentes en esta composición, magníficamente expresados. Beckmann, en lugar de detenerse en los episodios del *Apocalipsis* referentes al fin del mundo, se fija en los aspectos más esperanzadores, y produce un efecto tranquilizador. Las escenas más espantosas del texto sagrado, como los martirios y las guerras, están representadas por grabados que producen un efecto neutro. No se alude en ellas a la destrucción del mundo. Las imágenes llevan, más bien, a la idea de salvación. Las últimas ilustraciones se refieren a la llegada de Cristo asociada a una actitud interior. En el *Apocalipsis* de Beckmann la salvación es individual. En la escena del Juicio Final intercaló alusiones eróticas. Beckmann está presente con frecuencia en los grabados, pues colocó en ellos su retrato, sin relación con los acontecimientos históricos de las dos guerras mundiales vividas por él. Tampoco los vinculó con sucesos de su propia vida. Interpretó el *Apocalipsis* en sentido contrario al que Picasso daría a su *Guernica,* como un hecho sagrado de carácter universal. No se identificó al nazismo con el mal, como cabría esperar, ni con la bestia del Apocalipsis a la que era necesario destruir.

Beckmann conoce bien los manuscritos medievales antes de comenzar su obra. Aunque seguramente desconocía los Beatos españoles, sí había visto el *Apocalipsis* de la *Biblia pauperum,* del siglo XIV, guardada en Weimar, adquirida en 1905 al pintor de Frankfurt E. J. Steinler (1816-1886), y las tablas italianas del conde Adalbert Erbach-Fürstenau (1862-1944). Se ha pensado que posiblemente conociera el fresco del *Apocalipsis* de Santa Maria Donna Regina de Nápoles.

Los historiadores del arte ponen de manifiesto que la obra de Beckmann participa del fauvismo y del expresionismo, y que es paralela a la de Ernst Ludwig Kirchner o a la de Georges Rouault por su aplicación del color sin modelado, por la deformación de las figuras, por el recurso a los payasos, por el deseo de zafarse de la ilusión de la perspectiva, por el empleo del negro para contornear las figuras y por el interés por la técnica del grabado.

El Apocalipsis siembre ha sido motivo de inspiración. Baste recordar, por citar a un artista español de última hora, la espléndida, original y de gran fuerza expresiva obra de Fernando Jesús, presentada en la exposición medallística celebrada en 1999 en el Museo de la Casa de la Moneda, en Madrid.

Beckmann continuó hasta su muerte pintando cuadros de tema religioso. De 1948 data su *Cristo en el limbo,* tema no tratado por los artistas modernos, de tonalidades oscuras, con los personajes amontonados en torno a Cristo, que se representa desnudo, de perfil y con la mano derecha levantada en claro contraste de gestos con el resto de los presentes. Alonso Cano pintó un *Descenso de Cristo* al limbo totalmente diferente.

En 1949, un año antes de morir, pintó *El hijo pródigo*. El hijo se halla en un burdel sentado a la mesa, y con las manos se tapa las orejas para no oír las proposiciones que le hacen las rameras; se muestra triste y en actitud pensativa. Por el lado derecho asoma la dueña del prostíbulo, que indica claramente que la visita del cliente es un negocio. Beckmann no utiliza el tema para criticar la vida disoluta de las muchachas. Si el artista representa una escena de este tipo, siempre refleja su propia alma. Las mujeres se diferencian bastante unas de otras. La muchacha de la derecha tiene un perfil egipcio, típico de la hija de un faraón del siglo XIV a.C. La piel oscura de la joven de la izquierda contrasta con la piel clara de la muchacha nórdica, que parece indicar que el joven es de su propiedad. Beckmann representa magníficamente una escena de burdel, tema que estuvo muy de moda entre los expresionistas franceses, principalmente Toulouse-Lautrec, y algunos expresionistas alemanes como Nolde y el propio Beckmann. Soberbiamente supieron expresar en sus lienzos el ambiente de los bajos fondos, demostrando una aguda observación.

Der Blaue Reiter

El grupo opuesto a Die Brücke de Dresde, que se trasladó años más tarde a Berlín, fue el denominado Der Blaue Reiter (El Jinete Azul), que se asentó en Múnich. Los artistas de este grupo defendían puntos de vista totalmente diferentes. Los de Der Blaue Reiter no hicieron manifestaciones artísticas de una línea común ni desarrollaron un estilo colectivo. Cada uno marchaba por libre. Wassily Kandinsky y Franz Marc colaboraron juntos al comienzo.

Algunos artistas del grupo tomaron lo religioso como motivo de inspiración, como Marianne von Werefkin, que en 1909 pintó un *Calvario,* un crucifijo con una devota arrodillada delante de él, en un campo de diferentes tonalidades verdosas, con montes azulados al fondo. Esta composición recuerda la de Fra Angelico, fechada en 1442.

En 1910, Edwin Scharff pintó un *San Sebastián* caracterizado como un joven pensativo, desnudo y de color blanquecino atado a una columna sobre un fondo azulado y sobre suelo marrón.

Wassilij Denissoff pintó en 1904 un cuadro titulado *Dolor,* que representa a Cristo aureolado, de perfil, con la cabeza inclinada delante de una cruz. Al fondo hay una ciudad. Los colores muestran una gama de azules.

A Albert Bloch se debe, en 1911, la realización de una *Procesión con la cruz,* de fuertes colores contrastados, en los que predominan los rojos.

Wassily Kandinsky

Nació en Moscú en 1866 y murió en 1944 en Neuilly-sur-Seine. En 1896 se trasladó a Múnich, donde estudió arte. En 1911 fundó El Jinete Azul con Marc. En 1933 se estableció en París. Kandinsky diferenciaba lo figurativo y lo puramente abstracto. Dos pinturas de carácter religioso de su primera época, 1911, son *Fiesta de Todos los Santos, I* y *II.* En la primera de las obras el estilo abstracto dificulta la identificación de las figuras. Los colores son muy vivos. En la segunda, todas las figuras están perfectamente representadas con cierto aire infantil que las hace muy atrayentes. Este mismo año 1911 pintó también *San Jorge II,* que es un cuadro de estilo impresionista de vivos colores que chocan entre sí, y el *Diluvio I,* igualmente de estilo impresionista pero de tonalidades más suaves. Hay en esta obra una tendencia al uso de colores más neutros, como el amarillo y el blanco. En 1912 pintó Kandinsky un *Juicio Final*, que es una serie de líneas retorcidas con un colorido amarillento, y un *Diluvio* al año siguiente, 1913, con colores azules y rojos dominando el cuadro.

Gabriele Münter

Nació en Berlín en 1877 y murió en Murnau en 1962. A partir de 1904, y durante cuatro años, viajó en compañía de Kandinsky por Venecia, Holanda, Francia, Rusia y Túnez. De regreso a Múnich entró en contacto con El Jinete Azul. Su pintura de carácter religioso estaba ya bien afianzada en el año 1909, en el que representó un *Calvario* en colores azul, verde y blanco, y un *Camposanto* con cruces de diferentes formas, en los mismos colores que había empleado profusamente los años anteriores, es decir, el amarillo y el marrón. Una novedad del arte pictórico religioso de Gabriele Münter es pintar interiores, en los que se encuentran cuadros y figurillas sagradas. Sólo en 1910 pintó tres de estos cuadros. El primero de ellos es un bodegón en el que coloca figuritas religiosas de arte popular, como imágenes de santos, y jarrones de vidrio con flores. Los tres cuadros representados en los bodegones fueron propiedad de la artista. El segundo bodegón es parecido al primero, aunque de mayor calidad. Incorporó un grupo de cinco vírgenes de diferentes tamaños. Entre el grupo de figurillas y el vaso de flores se encuentra una Mater Dolorosa. Los contrastes de los colores rojos y azules producen una cierta sensación de inquietud. El azul prusia estabiliza las escenas. Se repite en los vestidos de los santos de los cuadros colgados en la pared. En el tercer bodegón se copia el arte popular religioso. El fondo es de color verde oscuro, y de la mesa, igualmente verde, destacan las flores de tonalidades verdes, amarillas y blancas. En la pared cuelga un cuadro con *Cristo crucificado, María Magdalena y san Florián,* realizado en colores azules, rojos claros y verdes reforzados con blanco que producen un fuerte impacto visual. Un cuarto bodegón con figuras religiosas es de estilo totalmente diferente, más abstracto. Por delante de los diferentes tonos grises del fondo la artista situó un cuadro con la *Crucifixión,* y en primer plano colocó una figurilla de santa Isabel y una Virgen en actitud triste. Otras figurillas son de tonos oscuros. El sexto bodegón, con san Jorge, es la imagen de un incunable, realizado en el estilo artístico de Der Blaue Reiter. La habitación está en penumbra. Las figurillas aparecen en plano preferente. En la parte izquierda destaca un cuadro de san Jorge sobre un caballo blanco, que es símbolo de la salvación para Der Blaue Reiter.

Wassily Kandinsky, *Todos los santos,* Städtische Galerie im Lenbachhaus, Múnich.

Las composiciones religiosas de Münter son muy uniformes. Una pintura, aunque se diferencia claramente de los anteriores bodegones, tiene el mismo carácter místico de los grandes bodegones mencionados realizados en 1910 y 1911. En ella se representan dos *Madonnas* de madera y un cuadro con la cabeza de santa Dorotea, junto a varios objetos profanos. Todos los cuadros se distinguen por su sencillez popular y por sus tonalidades oscuras. De colores más claros son tres imágenes de *Madonnas* con capas azules, con el vestido rojo y el niño en brazos. Este cuadro es el último de figuras religiosas populares que pintó la artista. Su arte quedó magníficamente plasmado en el cuadro titulado *Transverberación de santa Teresa,* de 1912, inspirado en el arte popular, que podría ser muy bien una estampita de pueblo.

Alexej von Jawlensky

Nació en 1864 en Torschik (Rusia) y murió en 1941 en Wiesbaden. Perteneció igualmente al grupo Der Blaue Reiter. En 1918 realizó *Resplandor divino,* que representa una cabeza reducida a unas cuantas líneas de un rostro arqueado y de cejas y nariz ligerísimas.

Christian Rohlfs

Este artista, nacido en 1849 en Niendorf (Holstein) y muerto en Hagen en 1938, llegó al expresionismo ya mayor, a los cincuenta años de edad. Es el autor de una obra, realizada entre 1914 y 1918, que lleva por título *El regreso del hijo pródigo,* donde los dos protagonistas principales, padre e hijo, se abrazan, colocados de perfil. Los cuerpos están realizados con tonos marrón oscuro. Magníficamente expresó el artista en las posturas la alegría del padre y la vergüenza del hijo arrepentido. De un estilo diametralmente opuesto es el cuadro titulado *La muerte con juglar,* obra realizada entre los años 1918 y 1919. Una figura cadavérica, con largos vestidos, danza echando al aire tres objetos que representan los estamentos religiosos, militar y real, ante tres asustadas damas.

Egon Schiele

Este artista, nacido en Tully (Austria) en 1890 y muerto en 1918 en Viena, es un excelente representante del expresionismo austríaco. Participó en la exposición de El Jinete Azul en 1912. La temática de sus cuadros se centra en la vida y la muerte, la decadencia y el crecimiento. De 1912 data *Agonía*, de tonos oscuros, como requiere el tema del cuadro, en el que un religioso ayuda a morir a un moribundo. El cuadro expresa un gran realismo. A esta misma escena dedicó Beckmann un cuadro de un impresionante realismo, que produce un choque emocional en el espectador. Esta última es una obra de 1912, inspirada en la muerte de la madre del artista.

El tema de la muerte es uno de los preferidos por los pintores del siglo XX. A modo de ejemplo hemos tratado en un trabajo reciente la pintura religiosa de Gutiérrez Solana. El interés por la representación de la muerte sigue vigente entre los artistas más nuevos, de España y foráneos, como Juan Soriano (1998), Bitniks (2001), Yannick Vu y Ben Jakober (2001), por recordar algunos pintores de última hora.

También en el caso del pintor noruego Munch, que se relacionó con los expresionistas alemanes, la muerte fue objeto de su inspiración: *La madre muerta y el niño*, 1893; *Alegoría de la muerte*, 1889-1890; *La joven y la muerte*, hacia 1893; *La muerte junto al barco: la madre muerta*, 1893; *La muerte en el cuarto de la enferma*, 1893-1894.

Otro artista expresionista alemán, del que se hablará luego, Lovis Corinth, se retrató al menos tres veces, en 1872, 1836 y en 1920, junto a una calavera. También la muerte ocupa una parte importante de la obra de uno de los mayores pintores actuales de España, Álvaro Delgado, y la muerte es tema constante de inspiración en otros artistas españoles de nuestros días, como lo demuestra la exposición titulada *Postrimerías: alegorías de la muerte en el arte español contemporáneo*, Madrid, 1996.

El interés por la representación de la muerte arranca en el arte de la Alta Edad Media y se reafirma en el Renacimiento. Obras punteras son *El caballero, la muerte y el diablo*, 1513, de Durero, o *Las tres edades de la mujer*, con la muerte y el reloj de arena, de Hans Baldung Grien, hacia 1509-1511; o varias obras de Valdés Leal, todos ellos ejemplos de excelente arte.

Wilhelm Morgner

Este artista nacido en 1891 en Soert y muerto en 1917 en las proximidades de Langemark, durante la visita a una exposición de El Jinete Azul, en 1911, con obras de Delaunay y de Van Gogh, cambió su estilo de pintura, que era una simple representación del natural estilizando demasiado las figuras. En 1912, en *Entrada en Jerusalén*, Jesús monta el asno en el centro de la composición. Delante, un hombre en cuclillas. El paisaje ocupa el fondo del cuadro y en primer plano permanece parada una fila de niños. Todas las figuras están muy simplificadas. Hay un contraste grande de colores.

En la apoteosis de colorido se sitúa su *Crucifixión*, obra de 1912. A partir de esta fecha el tema religioso domina la producción pictórica de Morgner, con temas y escenas sacados del Nuevo Testamento que utiliza como metáforas espirituales que expliquen de algún modo los desastres de la Gran Guerra mundial.

Oskar Kokoschka

Es, junto a Egon Schiele, uno de los mejores representantes del expresionismo vienés. Klimt y Schiele le reconocían su magisterio. Había nacido en 1886 en Pöchlarn, en el Danubio, y murió en 1980 en Villeneuves, en las cercanías de Montreaux.

En 1910 pintó el primer cuadro religioso para su madre, con el título de *El caballero, la muerte y el ángel.* Una primera versión de este cuadro fue vendida por el autor en el mercado del arte. El cuadro es todo él de tonalidades oscuras. Al año siguiente, 1911, el artista realizó una *Crucifixión*, que es uno de los primeros intentos de composición colorista, de tonos claros en este caso. Además de figuras humanas hay animales y vistas de ciudades. De este mismo año data una *Huida a Egipto*, de colores oscuros pero de pinceladas más amplias. En estos años, 1911-1912, pintó magníficamente la angustia de Cristo, sentado ante las tentaciones, donde Kokoschka intentó plasmar su propia angustia y el tormento del momento.

Kokoschka también se inspiró en las Sagradas Escrituras hebreas. En 1916 realizó un cuadro titulado *Saúl y David*, de vivas tonalidades, donde se contraponen las figuras del rey guerrero y el escudero músico.

Lovis Corinth

Nació en 1858 en Tapiau, Prusia oriental, y murió en 1925. Siempre se mantuvo oscilante entre las corrientes artísticas de finales del XIX y las propias del siglo siguiente. Nunca se adhirió a las vanguardias pero sin embargo supo asimilarlas.

En la obra de Corinth, al igual que sucede con la de Nolde, se entremezclan los temas del Antiguo y del Nuevo Testamento. En 1890 pintó un tema bíblico, *Susana en el baño.* La mujer aparece sentada de perfil y los viejos la contemplan desde atrás, mirando por una cortina.

Lovis Corinth, *El gran martirio,* Museum Ostdeutsche Galerie, Regensburg.

Esta composición dio pie al artista para efectuar un soberbio estudio de la anatomía femenina. El cuadro acusa influencias de la *Baigneuse de Valpinçon* (1808) de Ingres y también de Böcklin. Al mismo tema volvería Corinth en 1923. En este último cuadro Susana está de espaldas. El estilo es totalmente diferente. Por su colorido y por su pincelada parece una obra del impresionismo francés. Es un cuadro muy importante, que expresa sentimientos patéticos del artista en el año de la inflación y del *putsch* de Hitler-Ludendorff.

En 1897 realizó *Las tentaciones de san Antonio,* que dio ocasión al artista de pintar al santo, asustado, rodeado de mujeres en distintas actitudes y con los símbolos del pecado: la manzana y la serpiente. A este mismo tema volvería en 1908. El anacoreta ocupa ahora el centro de la composición, que tiene una distribución completamente distinta de la de la versión precedente pero con la misma expresión de terror en el rostro del protagonista, igualmente rodeado de mujeres, unas desnudas y otras vestidas con telas transparentes, que le incitan a pecar. El desnudo femenino es muy típico de los artistas del impresionismo francés. Las tonalidades amarillentas del cuerpo femenino parecen inspiradas en los grandes desnudos femeninos de los artistas del Renacimiento: *Dama bañándose,* de François Clouet, pintada hacia el año 1571; la *Venus* de Giorgione, hacia 1510; *Alegoría de Venus,* de Bronzino, en torno a 1545; *Susana en el baño,* de Tintoretto, hacia 1557; *El triunfo de la virginidad,* de Lorenzo Lotto, hacia 1531, y *Gabriela de Estrées y una de sus hermanas,* hacia 1591.

Las tentaciones de san Antonio han inspirado a muchos artistas, desde el Renacimiento hasta el momento presente. Basta recordar en tal sentido los cuadros de Grünewald, El Bosco, Brueghel el Viejo, Callot, Veronés, Velázquez, Odilon Redon, Cézanne (dos obras), Dalí, Saura, o Celedonio Perellón.

La obra *Salomé envuelta en sedas* parece inspirada en las damas de la *Primavera,* de Sandro Botticelli, fechada hacia el 1478. En 1922 el artista pintó *El gran martirio,* que es una crucifixión, en el momento en que los clavos traspasan los pies de Cristo. El gesto de dolor del crucificado está magníficamente conseguido. La escena es de gran novedad por la disposición de las figuras. En esta Crucifixión no sigue la narración evangélica. Las personas no son históricas, ni el lugar. Cristo no lleva corona de espinas ni señales de flagelación. La composición simboliza el sufrimiento en general. Cuatro años más tarde pinta una *Crucifixión* de tipo tradicional.

En 1922 volvió Lovis Corinth a pintar una *Crucifixión* en el momento en que el crucificado es traspasado por la lanza. El cuadro es de tonalidades oscuras. La escena produce en el observador una sensación de terror por el gesto doloroso del rostro y por la postura de dolor de las piernas encogidas. Dentro del realismo expresionista alemán, entre artistas un tanto olvidados, pero de primera categoría, el tema de la crucifixión gozó de especial favor. Baste recordar las obras de Albert Birkle, *Los insultos a Cristo,* de 1929, con un estudio soberbio de los rostros; de Otto Pankok, *Dios mío, ¿por qué me has abandonado?,* de 1933, que tiene la expresión del rostro más terrorífica que un artista haya puesto a un crucificado; de E. Frank, *La flagelación,* que muestra a Cristo caído en el suelo, en una visión de gran originalidad; y de Hans Frormis, *El descendimiento,* fechado en 1966, con una impresionante actitud de vencido.

La tranquilidad y la resignación que expresan los Cristos de Velázquez (o los de los grandes artistas del Renacimiento, como el *Cristo muerto sostenido por dos ángeles,* de Andrea Mantegna, hacia 1500; el de Masaccio, hacia 1425-1428; el de Gerárd David, hacia 1485; el de Rogier van der Weyden, hacia 1438) están totalmente ausentes de las pinturas alemanas del siglo XX, que se aproximan más a los cristos de Lucas Cranach o de Matthias Grünewald, y más recientemente, y por comparar con algunos artistas españoles recientes, de Saura y de Gregorio Prieto.

En 1907 Lovis Corinth pintó un cuadro con el tema de *Sansón encadenado,* de tonalidades amarillas y de gran fuerza de expresión en los rostros. A la misma composición volvió en 1912, con *Sansón ciego.* Ambas composiciones sirven al artista para expresar la situación de angustia espiritual del momento por el que atravesaba. En este cuadro se rastrea cierta influencia de Rembrandt. La presentación de la escena es muy teatral. Su brutalidad es altamente dramática. Posiblemente, este carácter tan cruel del cuadro se debe a un derrame cerebral del artista.

En 1909 pintó una *Salomé* en el momento en que se le entrega la cabeza del Bautista. Lovis Corinth tiene una tendencia a las tonalidades amarillas en los cuerpos. El artista simboliza en este cuadro la mujer fatal y la encarnación peligrosa de la belleza femenina en el cambio de siglo. Salomé abre el ojo del Bautista para que contemple su belleza. Toda la escena respira un ambiente oriental. El juzgado de Múnich rehusó exponer el cuadro, pero se pudo colgar en Berlín.

Otto Dix

Se cierra el presente estudio con la mención de unos cuantos cuadros de este artista, nacido en 1891, en Unterhaus, cerca de Gera, y muerto en Singen, cerca de Constanza en 1969. Perteneció al grupo Der Blaue Reiter. También pintó algunas obras de tema religioso, como en 1959 un *San Cristóbal pasando el río,* de tonos alegres. Anteriormente, en 1945, había pintado el tríptico *Madonna ante el zarzal.* Al año siguiente termina un *Cristo en la cruz,* de diferentes tonalidades amarillas. Dentro de esta tendencia artística ya señalada de los impresionistas alemanes de representar el dolor del crucificado, una de las obras maestras es *La gran crucifixión,* 1948, donde se expresa muy bien el terror y el dolor de la muerte en la cruz.

En 1949 realiza una *Resurrección de Cristo,* de tonos azulados y oscuros. Unos años antes representó *El escarnio de Cristo,* con personajes tomados de su época, con chistera y con vestido negro.

De contenido religioso es una de sus mejores obras, *Ecce Homo,* de 1949, en la que se expresa el derrumbe físico del flagelado y del coronado de espinas, en tonos amarillentos.

Otros pintores expresionistas alemanes han tratado igualmente temas religiosos, como Wilhelm Geyer, que es el autor de una *Madre de Dios,* de 1925-1926; *Jesús y Zaqueo,* de 1949; y Herman Stenner, con *Resurrección de Cristo,* de 1913-1914.

El expresionismo alemán ha estado produciendo obras de carácter religioso hasta después de la Segunda Guerra Mundial. El sentimiento religioso ha quedado bien expresado, pues, como escribía Dalí refiriéndose a Picasso, un excelente artista, aunque sea ateo, puede captar y representar mejor lo religioso que otro que es creyente y mediocre. También las escenas religiosas han reflejado estados anímicos de los autores o las grandes catástrofes del siglo XX.

Bibliografía

Deecke, T. *et al.*, *Lovis Corinth,* Madrid, 1999.

Elger, D., *Expresionismo: una revolución artística alemana,* Colonia, 1992.

Expresionismo alemán, exposición celebrada en el Centro Atlántico de Arte Moderno, Las Palmas de Gran Canaria, del 14 de noviembre de 1995 al 7 de enero de 1996, Madrid, 1995.

Hoberg, A. y Friedel, H. (eds.), *Gabriele Münter, 1877-1962: Retrospektive,* Múnich, 1992.

— *Der Blaue Reiter und das neue Bild: von der «Neuen Künstlervereinigung München» zum «Blauen Reiter»,* Múnich, 1999.

Karcher, E., *Otto Dix, 1891-1969,* Colonia, 1991.

Leckner, S., *Max Beckmann,* Londres, 1991.

M. Reuther *et al.* (eds.), *Emil Nolde: Legende, Vision, Ekstase, die religiösen Bilder,* Colonia, 2000.

Schröder, K. A., *Lovis Corinth,* Múnich, 1992.

Zimmermmann, R., *Expressiver Realismus: Malerei der verschollenen Generation,* Múnich, 1994.

CAPÍTULO IX

Temas del mundo clásico en las pinturas de Kokoschka y Braque

Nos proponemos en estas pocas páginas, con las que queremos rendir justo homenaje al profesor don Diego Angulo, hacer una cata a fin de conocer la pervivencia de los temas clásicos en la pintura moderna; para ello hemos elegido dos de los pintores más significativos del siglo XX, como son Kokoschka, representante del movimiento expresionista en Alemania, y Braque, uno de los creadores del cubismo.

Kokoschka se propone con su pintura en frase de G. Gatt[1]: «Una vez puestas de manifiesto las raíces históricas y las motivaciones colectivas del Arte contemporáneo, construir precisamente un puente hacia el futuro, movilizar ideológicamente y adoctrinar "a todos los movimientos revolucionarios y en fermento", teniendo como objetivo principal la redención del hombre (ya no pintamos para el Arte, sino para el hombre)», para lo cual ha tomado del mundo clásico varios temas. Ya en fecha tan temprana, como el año 1917, pintó una composición inspirada en temas griegos: *Orfeo y Eurídice*[2], en el que el tema central es la mujer, como «gran madre universal y divinidad telúrica», y las relaciones entre hombre y mujer, tema que reaparece en otras obras de Kokoschka, como en su gran tríptico, al temple, *El mito de Prometeo*, del año 1950, también de inspiración clásica. El des-

---

[1] G. Gatt, *Oskar Kokoschka*, Barcelona, 1971, pág. 14.
[2] G. Gatt, *op. cit.*, págs. 18 y 24, fig. 19.

cubrimiento del Mundo Clásico es en Kokoschka, pues, posterior en siete años a algunas obras de tema religioso, como *La Anunciación, Huida a Egipto* y *Gólgota*[3]. Sin embargo, Kokoschka no vuelve a tratar temas tomados de Grecia y Roma hasta muchos años después. Como escribe G. Gatt[4]:

> El hecho principal de la época tardía de Kokoschka es el redescubrimiento del clasicismo junto a la pérdida de tensión en la temática expresionista y en su mensaje ético, las brumas nórdicas se han disuelto definitivamente; Kokoschka parece haber concluido definitivamente su afanosa y desesperada búsqueda de la dimensión humana, descubriendo el mundo de la Hélade, el Mediterráneo de Homero, la Historia de Israel a Aristófanes.

Del año 1949 data el cuadro en el que se representa *El Coliseo* con el Arco de Constantino y con algunas columnas del templo de Venus y Roma, levantado por Adriano[5]. De este año es tambien su cuadro *El Foro romano.* En el año 1953 se fechan una serie de bocetos al pastel para el tríptico *Las Termópilas*[6], que realizó el artista para la Casa del Estudiante de la Universidad de Hamburgo. Se representan en el tríptico tres momentos: *La despedida de Leónidas, Los bárbaros* y *La batalla.* No está inspirado en ninguna composición de la Antigüedad, aunque hay una amalgama de elementos griegos muy interesantes, así Leónidas lleva coraza y casco romanos, y al fondo de la composición, hacia la derecha, se ve un templete sobre un alto pódium del tipo de los que son frecuentes a finales de la época helenística y durante el principado de Augusto, como en el fragmento del Ara Pacis, con el sacrificio de Eneas, 129 a.C.[7], o en los estucos de la Farnesina, 30-25 a.C.[8]. En el cuadro de *Las Termópilas* un guerrero lleva casco corintio, pero el del centro lo tiene romano, y la figura sentada de la izquierda parece una copia de algunas esculturas de comienzo del Helenismo, como la estatua de Metrodoro (330-277 a.C.) de la Ny Carlsberg Glyptotek de Copenhague[9].

---

[3] G. Gatt, *op. cit.,* pág. 23, fig. 11, láms. 6-7.

[4] G. Gatt, *op. cit.,* pág. 40.

[5] G. Gatt, *op. cit.,* pág. 38, fig. 37.

[6] L. Goldscheider, *Kokoschka,* Barcelona, 1964, láms. 42-44; J. P. Hodin, *Kokoschka: The Artist and his Time,* Londres, 1966, fig. 64.

[7] R. Bianchi-Bandinelli, *Rome: le centre du pouvoir,* París, 1969, fig. 202.

[8] A. García y Bellido, *Arte romano,* Madrid, 1955, fig. 453.

[9] M. Bieber, *The Sculpture of the Hellenistic Age,* Nueva York, 1961, 56 figs., págs. 173-174.

En 1955 Kokoschka trató un tema, que gozó de tanta aceptación en Grecia y Roma como el de *Amor y Psique*[10] inmortalizado por Apuleyo en su *Metamorfosis,* pero no se inspiró en ninguna escultura clásica, como el grupo de Ostia[11], en el que los amantes carecen de alas, y están los protagonistas de pie, sino en esculturas en las que el dios del Amor lleva alas, como en la escultura del *British Museum,* obra de Lisipos[12]. En el fondo de la tela se encuentran edificios romanos clásicos.

En 1956 pintó Kokoschka, durante su viaje a Grecia, uno de los lugares más fascinantes de la Hélade antigua y más vinculados con su historia religiosa y política: Delfos; el artista supo captar magníficamente la belleza del paisaje y la tonalidad y variedad maravillosa de los verdes. A la izquierda del cuadro se observan las ruinas del santuario, tal y como hoy se ven[13]. Todos estos años los temas griegos, ocuparon la atención del pintor. Del año 1968 datan doce puntas secas para *Las ranas* de Aristófanes. Recorrió Kokoschka el Mundo Clásico. A Apulia la consideraba el pintor la puerta de acceso a la Antigüedad y no a Constantinopla. El primer viaje a Grecia lo hizo cuando tenía setenta años, lo repitió en 1961. L. Goldscheider[14] ha podido escribir con gran acierto que «el arte griego, que siempre desempeñó un papel importante, en su imaginación ahora tiene el predominio absoluto [...] y que los cuadros monumentales revelan la huella profunda que el paisaje y el arte griego han dejado en él». Es muy significativo lo que el propio Kokoschka sobre el influjo del arte griego en su obra indicó a este autor[15].

---

[10] G. Gatt, *op. cit.,* fig. 38.; J. P. Hodin, *op. cit.* pág. 57; Kokoschka trató otros temas clásicos, como *Teseo y Antiope* (J. P. Hodin, *op. cit.*, pág. 189); cuarenta y cuatro litografías de la *Odisea,* 1965 (J. P. Hodin, *op. cit.*, fig. 65), publicadas por Marlborough Fine Art, Londres-Ganymed Original Editions, Londres, 1965; *Pegaso,* 1966 (E. H. Gombrich *et al., Kokoschka, Prints and Drawings,* Londres, 1971, pág. 28, nota 4); *Aquiles ante el precipicio,* 1969 (E. H. Gombrich *et al., op. cit.,* pág. 30, nota 52), y *Mercurio,* 1968 (E. H. Gombrich *et al., op. cit.,* pág. 30, nota 50).

[11] R. Calza y E. Nach, *Ostia,* Florencia, 1959, pág. 34, lám. 44.

[12] M. Bieber, *op. cit.,* pág. 38, fig. 87.

[13] L. Goldscheider, *op. cit.,* lám. 45.

[14] *Op. cit.,* pág. 22. A Apulia dedicó doce litografías y a Grecia doce, entre estas últimas están la *Acrópolis, Egina, Delfos, Dionysos sobre un burro, Olimpia, Apolo,* etc. En la exposición de la obra de Kokoschka celebrada en Madrid en 1975 *(Oskar Kokoschka,* Madrid, 1975), figuran como de tema clásico las siguientes obras: *Profesión de fe en la Hélade* (dos carpetas con doce litografías, acompañadas de textos de poetas y filósofos de la Antigüedad); cuarenta y cuatro litografías de *La Odisea* de Homero, con el texto del correspondiente pasaje de *La Odisea;* doce grabados a la punta seca de *Las ranas* de Aristófanes; diez grabados a la punta seca de *Pentesilea,* dos *Kouroi, Las troyanas* de Eurípides.

[15] L. Goldscheider, *op. cit.,* págs. 15 y ss.

Le debo esto a Scopas. Es el más interesante de los escultores griegos tardíos; trabajó entre el 370 y el 340 a.C., aproximadamente; después de las guerras de Esparta, cuando ya estaba terminada Atenas, no se trabajaba más en la Acrópolis y los artistas emigraban en masa. Scopas, que fue uno de éstos, siempre me llamó la atención, aunque no es mucho lo que hoy puede considerarse de su mano con certeza. En Viena hay una cabeza de mármol, obra suya, y en Dresde, el vaciado de otra, de la que me parece que he visto el original en Atenas. También están allí los relieves del templo de Atenea, en Tegea, Arcadia. Esas cabezas son asimétricas, las observé atentamente. Teníamos modelos en yeso, claro está, en la escuela superior, en la que me gradué antes de entrar en la Kunstgewerbeschule; pero aquellas cabezas estaban sacadas de esculturas del periodo clásico, que eran rigurosamente simétricas. Esta simetría no me convenció nunca. Los dos lados del rostro no tienen que ser precisamente idénticos, me decía. Scopas fue un naturalista: hizo sus cabezas como retratos, y en un retrato los dos lados de la cara siempre tienen que ser diferentes. Así tienen que hacerse los retratos, me dije, pero los dos aspectos tienen que conjugarse, de modo que la transición resulte imperceptible. Esto es lo que debo a Scopas. De él aprendí a servirme de los ojos.

En el último decenio de su vida los temas del Mundo Clásico siguen cautivando la atención de Kokoschka, ya anciano. Entre los años 1960 y 1963, pintó un gran cuadro de Herodoto, que como su autor señala «el cuadro casi viene a ser una repetición de la figura de gran tamaño que hay en la esquina inferior izquierda de la parte central del tríptico *Las Termópilas*[16]. Esta figura puede estar inspirada, como ya dijimos, en esculturas griegas de la época helenística, el resto de la composición no. En la última etapa Kokoschka alternó en sus cuadros los temas clásicos con los bíblicos. Dibujó toda la historia de Saúl y David, pero sacó tiempo para hacer diez grabados sobre *Pentesilea* en 1970[17], el contenido es totalmente diferente del representado en el célebre vaso ático del segundo cuarto del siglo V a.C.[18].

En Braque los temas y las técnicas tomados del Mundo Clásico son aún más numerosos que en Kokoschka. El interés de Braque por temas clásicos data de antiguo, de plena época cubista; en las obras de este periodo se representan frecuentemente fragmentos de columnas

---

16 L. Goldscheider, *op. cit.*, pág. 78, lám. 48.

17 G. Gatt, *op. cit.*, pág. 40, fig. 42. Fueron publicados por Gotthard de Beauclair, Frankfurt, 1970.

18 M. Robertson, *Greek Painting*, Ginebra, 1959, págs. 115 y ss.

Oskar Kokoschka, *Heródoto,* Österreichische Galerie, Viena.

clásicas, como en sus cuadros *Valse*[19] (1921), *La chimenea*[20] (1923), *Frutas, vaso y botella*[21] (1924), en *Guitarra, botella y frutero*[22] (1925) y en *La gran mesa*[23] (1928-1929). En la década de los años treinta del pasado siglo, Braque estaba preocupado más bien por la línea que por la masa, lo que le llevó a una de las más sorprendentes innovaciones: la técnica de dibujar líneas sobre paneles de yeso, que el artista previamente había cubierto de una pintura oscura. Braque, como indica E. Mullins[24], llegó a la idea de las *plâtes gravés,* desde la técnica de las gemas griegas preclásicas, de los vasos griegos pintados y de los espejos etruscos, que el artista conocía muy bien por haberlos visto muchas veces en el Museo del Louvre. El interés de Braque por los temas y las técnicas griegas quedó bien patente en una serie de obras suyas, como las ya citadas y otras que se pueden añadir, como *Las canéforas*[25], que datan de 1922-1923, cuando el pintor tenía cuarenta años, inspiradas en las portadoras de frutos del Partenón de Fidias. El empleo de la técnica de la línea en Braque, como se indicó, deriva de las mencionadas técnicas griegas y etruscas, y con esta técnica produjo una serie de obras, como *Heracles* en lucha con el león de Nemea[26] (1931), *Io*[27], *Nereida*[28] (1931), con técnica de los espejos etruscos. En 1932 terminó dieciéis grabados al aguafuerte para ilustrar la *Teogonía de Hesíodo,* por encargo de A. Vollard[29], donde también acusa una fuerte influencia de la técnica de las gemas griegas arcaicas y de los espejos etruscos. De 1932 data una incisión que representa a Atenea[30]. Esta década y la siguiente es la época de mayor influencia de los vasos griegos sobre la obra de Braque. Numerosas pinturas de ahora presentan figuras con «doble imagen», divididas en

---

[19] E. Mullins, *Braque,* Londres, 1968, pág. 131, fig. 67; M. Carrà, *L'opera completa di Braque, 1908-1929 della scomposizione cubista al recupero dell'oggetto,* Milán, 1971, lám. XXXVIII, fig. 193.

[20] M. Carrà, *op. cit.,* lám. XLI, fig. 200.

[21] M. Carrà, *op. cit.,* fig. 210.

[22] M. Carrà, *op. cit.,* fig. 263.

[23] E. Mullins, *op. cit.,* pág. 131, fig. 89; M. Carrà, *op. cit.,* lám. LIX, fig. 399.

[24] *Op. cit.,* págs. 112 y ss.

[25] E. Mullins, *op. cit.,* pág. 126, figs. 71-72; M. Carrà, *op. cit.,* lám. XXXIX, figs. 196-197, 203. El autor señala que son «espressione di quel classicismo nutrito di esperienza moderna che attira Braque quando sente esaurito il momento cubista»; P. Descargues, F. Ponge y A. Malreaux, *G. Braque,* Nueva York, 1971, pág. 148.; M. Gieure, *G. Braque,* París, 1956, págs. 42 y 49.

[26] M. Carrà, *op. cit.,* pág. 2; P. Descargues, F. Ponge y A. Malreaux, *op. cit.,* pág. 161.

[27] E. Mullins, *op. cit.,* pág. 126.

[28] E. Mullins, *op. cit.,* pág. 126, fig. 96; M. Carrà, *op. cit.,* pág. 3.

[29] E. Mullins, *op. cit.,* págs. 126 y 130.

[30] M. Carrà, *op. cit.,* pág. 13; P. Descargues, F. Ponge y A. Malreaux, *op. cit.,* pág. 158.

una mitad clara, pintada según las corrientes modernas, y un perfil oscuro que les hace parecer figuras impersonalizadas, tomadas de un vaso ático. E. Mullins[31] cita a este respecto como la obra más representativa a *Mujer junto a caballete*, datada en 1936, pero se podían enumerar otras obras como *La ofrenda* (1942), en la que no sólo la figura, sino el vestido y el candelabro son griegos[32]. No hay duda de que Braque supo combinar magistralmente lo moderno con lo griego. De unos años más tarde datan varias incisiones de tema clásico, como *Faetonte* sobre el carro del sol, con letras griegas alrededor[33], 1945; *Perséfone*[34], 1948. Y *Helios* con su biga[35], del mismo año. La influencia de las gemas griegas ha sido en la pintura de Braque más duradera y posiblemente más intensa, como lo demuestra las dos palomas sobre fondo oscuro, obra de 1958[36]. A la influencia de las gemas griegas se debe en Braque su tendencia a formas ovales o redondas, que se acusa más en la última década de su vida: *Pájaro sobre hojas*[37] (1961), o en las joyas realizadas por el joyero Heger de Löwenfeld, sobre diseños de Braque, que además son de tema clásico, muchas de ellas como *Hécate, Hades* o *Pelias y Neleus* todas fechadas en 1962-1963[38]. Hay todavía en el repertorio del artista otras obras de tema clásico. De 1955 data *Ayax*[39]; en el año siguiente esculpió Braque una cabeza de *Hespéride*[40] y dos años después volvió Braque a temas clásicos con una cabeza de *Urania*[41].

Esta pequeña cata en la temática de los dos mayores artistas del siglo XX (sobre el Mundo Clásico en Picasso hemos leído una ponencia en el Congreso Nacional de Estudios Clásicos, celebrado en Barcelona en 1971)[42] prueba claramente que los pintores actuales siguen inspirándose en los artistas de Grecia y de Roma. Otros muchos pintores contemporáneos continúan en esto las huellas de Kokoschka, Braque

---

31 *Op. cit.*, pág. 129 y ss., fig. 104.

32 M. Carrà, *op. cit.*, pág. 4; M. Gieure, *op. cit.*, pág. 99.

33 M. Carrà, *op. cit.*, pág. 15.

34 M. Carrà, *op. cit.*, pág. 17.

35 M. Carrà, *op. cit.*, pág. 16; E. Mullins, *op. cit.*, fig. 134; M. Gieure, *op. cit.*, pág. 122.

36 E. Mullins, *op. cit.*, pág. 130, fig. 151.

37 E. Mullins, *op. cit.*, pág. 130, fig. 158.

38 E. Mullins, *op. cit.*, pág. 130, figs. 137-139.

39 E. Mullins, *op. cit.*, pág. 129, fig. 148; P. Descargues, F. Ponge y A. Malreaux, *op. cit.*, pág. 214; M. Gieure, *op. cit.*, pág. 135.

40 M. Carrà, *op. cit.*, pág. 7.

41 M. Carrà, *op. cit.*, pág. 27.

42 J. M. Blázquez, «El mundo clásico en Picasso», *Estudios Clásicos,* núm. 17 (1973), págs. 137 y ss. (cap. XI de esta edición).

y Picasso, como A. Maillot con su *Flora*[43] (1910-1911), M. Beckmann con su *Odiseo y Calipso*[44] (1943), H. Laurens con su *Sirena*[45] (1944), K. Plattner con *El rapto de Europa*[46] (1964), E. Schlotter, con veinticinco cuadros sobre el *Asno de Apuleyo*[47] (1969), M. Ritter con su *Fauno*[48] (1970), H. Behrens con el *Nacimiento de Venus*[49] (1970), Hausen Babia con el *Rapto de las Sabinas*[50] (1969) y H. Felice con las *Tres Gracias*[51] (1970). Los temas clásicos son una constante de la pintura de Zabaleta[52] y de G. Prieto[53].

---

43 A. Schug, *Art of the Twentieth Century*, Nueva York, 1969, pág. 49.

44 A. Schug, *op. cit.*, pág. 171.

45 A. Schug, *op. cit.*, pág. 153.

46 A. Schug, *op. cit.*, pág. 220.

47 *Jahreskatalog 1971 der Wissenschaftlichen Buchgesellschaft Darmstadt*, 586 K.

48 *Jahreskatalog 1971, op. cit.*, 595 K.

49 *Jahreskatalog 1971, op. cit.*, 606 K.

50 *Jahreskatalog 1971, op. cit.*, 591 K.

51 *Jahreskatalog 1971, op. cit.*, 604 K.

52 *Catálogo del Museo Rafael Zabaleta, Quesada (Jaén)*, textos de L. Rosales y C. Rodríguez Aguilera, Jaén, 1963, láms. VI, X, XIV, XVIII.

53 J. A. Gaya Nuño, *La pintura española del siglo XX*, Madrid, 1970, pág. 243.

Capítulo X

Arte religioso español del siglo xx: Picasso, Gutiérrez Solana y Dalí

El tema religioso no ha sido ajeno a los grandes pintores españoles del siglo xx, aunque dicho aspecto del arte español de este siglo permanece sin estudiar. En este trabajo solamente pretendemos revisar las aportaciones hechas en tal sentido por los tres grandes maestros españoles indicados en el título, y de algún otro.

Picasso

El gran coloso del arte pictórico del siglo xx no podía estar ausente de la lista de artistas españoles que abordaron motivos religiosos, aunque no destacó —al menos públicamente— por sus sentimientos religiosos; al contrario, se le tiene como persona y autor «profano», en el sentido antirreligioso del término.

Empezó su carrera artística con algunas composiciones religiosas, de las que recordamos algunas, como *La primera comunión,* óleo sobre lienzo datado en 1896[1], y *Ciencia y caridad,* de 1897, también óleo so-

[1] Carsten-Peter-Warncke, *Pablo Picasso, 1881-1973,* Bonn, 1991, págs. 38, 47-48; J. A. Gaya Nuño, *Picasso,* Madrid, 1957, págs. 33-34; J. Richardson, *Una biografía, I. 1881-1907,* Madrid, 1995, págs. 81-87, de Picasso. Hay otros temas religiosos: *La aparición de Cristo a santa Margarita María de Alecoque,* 1896; *Asunción,* boceto para un cuadro de altar, y *Escena bíblica,* todos del mismo año; y *Descanso durante la huida a Egipto,* 1895

bre lienzo[2], dos obras sugeridas por su padre. En la primera de ellas presenta a una muchacha toda vestida de blanco que reza arrodillada ante el altar, acompañada de sus padres, en presencia de un monaguillo que la contempla ensimismado. Contrasta el tono oscuro del fondo y de los vestidos de las paredes con el traje de la joven, del monaguillo y de corporales del altar. En el segundo cuadro ya se barrunta la gran calidad artística del joven pintor, sobre todo en el tratamiento de las ropas, en los brazos de la monja de la Caridad, en la sábana del enfermo, en la colcha, y en la actitud pensativa del médico que toma el pulso a la enferma. El modelo del doctor fue su padre. Hay un contraste grande de colores, y dominan los tonos oscuros, pero no los grisáceos del cuadro anterior. Estos dos óleos son importantes por pertenecer a la etapa de aprendizaje del pintor, entre 1890 y 1898.

En el denominado Periodo Azul, que abarca los años 1901-1904, Picasso pintó tres cuadros de algún modo relacionados con lo religioso. Dos de ellos son *La cabeza entre la ropa* y *La muerte de Casagemas,* obra del verano de 1901. En el primero, óleo sobre madera, está magníficamente tratado el color amarillento sobre el rostro enjuto del difunto, junto a la luz de una vela de tonos suaves. El tercer cuadro, óleo sobre lienzo, titulado *El entierro de Casagemas*[3], domina el color azul en toda la composición. Está magníficamente expresado el dolor de los asistentes al sepelio y de las parejas situadas en el Más Allá en el viaje a la ultratumba, dentro de nubarrones azulados.

En los otros periodos de producción artística de Picasso, el Periodo Rosa (1904-1906), seguido de la etapa de las esculturas de influencia africana o ibera (1906-1907), el Cubismo Sintético (1912-1915), el Clasicismo (1916-1924), utilizando la clasificación de Carsten-Peter-Warncke, está ausente la temática religiosa en la obra del pintor mala-

---

(J. A. Gaya Nuño, *op. cit.,* pág. 126). P. Cabanne, *El siglo de Picasso, I. El nacimiento del Cubismo. Las metamorfosis (1881-1933),* Madrid, 1982, págs. 50-53. Sobre los años de aprendizaje del pintor: C. P. Warncke, *op. cit.,* págs. 38-39; J. Barroso, «Religiosidad y vanguardia española, una asignatura pendiente», *Actas del X Congreso del CEHA. Los Clasicismos en el Arte Español,* Madrid, 1994, págs. 91-93.

[2] Carsten-Peter-Warncke, *op. cit.,* págs. 47-48, 50-51; R. Penrose, *Picasso. Su vida y su obra,* Barcelona, 1981, págs. 37-39; C. P. Warncke, *op. cit.,* págs. 50-51.

[3] Carsten-Peter-Warncke, *op. cit.,* págs. 86-87; P. Daix, *Picasso, 1900-1906: catalogue raissonné de l'oeuvre peint,* Neuchâtel, 1966, págs. 192-194; Th. Reff, *Picasso, 1881-1973,* Barcelona, 1984, págs. 11-48, sobre el tema del amor y la muerte en las obras juveniles de Picasso. En 1908 pintó un *SanAntonio y Arlequín.* En 1899-1900 se fecha un dibujo de tres *Moribundos* en un hospital debajo de un crucifijo; P. Daix, *op. cit.,* pág. 19, *Fieles delante de una iglesia,* de 1901.

Pablo Picasso, *Crucifixión*, Museo Picasso, París.

gueño. Hay que esperar a 1930 para encontrar de nuevo motivos religiosos en su pintura al óleo. En lo trabajos de esta época se reflejan magníficamente las tensiones originadas por la aflicción y la violencia del momento presente.

El tema de la crucifixión de Cristo encaja perfectamente en esta tendencia. La composición aparece con numerosas variaciones. Algunas fueron inspiradas en la *Crucifixión* de Grünewald del altar de Isenheim. Fueron obras realizadas en 1932, con la técnica de pluma y media aguada. Sin embargo, la primera obra de esta serie es un óleo sobre contrachapado, de 1930, que se caracteriza por los colores vivos, por el desgarro de los gestos en las figuras de Cristo y de los asistentes[4]. En este sentido, los artistas pre-renacentistas, y también los del Renacimiento, son los que mejor expresaron la brutalidad del suplicio de la crucifixión, dolor que se reflejaba también en los rostros de los asistentes: así lo vemos en las crucifixiones de los Maestros de Viena, 1325 (dos); de Bohemia, 1350; de Wittingau; de Santa Verónica; de Conrado von Soest; de H. Pleydenwurff; de Lucas Cranach; y de Hausbuch, todos artistas germanos; pero también de R. van der Weyden y de E. Garton, 1460; y de italianos como S. Botticelli hacia 1490. Por su parte, los Cristos pintados por los grandes artistas españoles de los siglos XVI, XVII y XVIII expresan muy bien el dolor, si bien éste no es tan desgarrado como en los artistas del Renacimiento italiano o flamenco, y transmite mayor grado de resignación ante el suplicio de la cruz. Recordamos varios Cristos debidos a El Greco y a su taller en torno a 1580, en 1585-1590, 1600-1606 (tres), 1605-1610 (dos), 1610-1615. Del taller de El Greco (Jorge Manuel), 1610-1614 (dos), o los Cristos obra de Zurbarán, Velázquez o Goya.

Los cuerpos crucificados en el arte moderno han merecido dos exposiciones celebradas una en el Museo Picasso de París, entre los meses de noviembre de 1992 y marzo de 1993; y una segunda en el Musée des Beaux-Arts de Montreal, en los meses de marzo, abril y mayo de ese mismo año. Con motivo de tales muestras fue publicado un catálogo donde se pasaba revista a la crucifixión como tema iconográfi-

---

[4] Carsten-Peter-Warncke, *op. cit.*, págs. 337-369; R. Penrose, *op. cit.*, págs. 227-231; R. Langley, *Picasso,* Madrid, 1991, págs. 116-117; C. P. Warncke, *op. cit.*, pág. 336; P. Cabanne, *op. cit.*, págs. 419-421. Testimonio a favor del interés de Picasso por Dios. Diferentes cuadros de crucifixiones de artistas del Renacimiento: A. Stange, *Altdeutsche Malerei des 14. bis 16. Jahrhunderts, op. cit.*, láms. 42-43, 46, 56, 64, 67, 101; M. Wundram, *Painting of the Renaissance, op. cit.*, págs. 57, 69, 111, 120. Las crucifixiones de Durero son de gran realismo. Véase también: D. Kurschbach, *Albrecht Dürer: die Altäre,* Stuttgart, 1955, láms. 72, 77-78.

co en el arte reciente: en la obra de Picasso, de Bacon, de Dix, de De Kooning, de Guttuso, de Sutherland, de Saura, a los que se podrían añadir otros pintores del siglo XX a los que luego haremos referencia[5].

Picasso había sentido a lo largo de su vida un interés —a veces larvado y a veces manifiesto— por la crucifixión como tema pictórico, del que han quedado ejemplos: un dibujo de mina de plomo sobre papel, de 1892[6]; un *Cristo crucificado,* de 1896, óleo sobre lienzo, de fondo oscuro, sobre el que resalta, claramente inspirado en el de Velázquez[7]; *Cristo delante de Pilatos,* de 1896[8], pluma en color bruñido, donde cuatro figuras aparecen apenas esbozadas, aunque las personas que participan en el juicio están más trabajadas; y la dama vestida de luto arrodillada ante un crucifijo, junto a la cabecera de la cama donde yace un niño enfermo, realizado a lápiz negro en 1899[9]. En 1901 realiza tres dibujos con el tema de la crucifixión de Cristo; uno de ellos en tinta china y pastel. El pintor, en la misma hoja, añade una serie de estudios: en el ángulo superior izquierdo colocó una cabeza de Cristo, de pequeño tamaño, de aspecto macilento, acompañado de una figura de vieja sentada, de color rosa, e intenso sombreado a sus espaldas, una cabeza de dama de perfil y una mano sosteniendo un pincel[10].

En una crucifixión que se fecha en 1902, Cristo tiene un cuerpo alargado y estrecho, suspendido en el aire, sin cruz, hecho en mina de plomo[11], de un estilo totalmente distinto al *Cristo crucificado* en el que había seguido la obra de Velázquez. Al año siguiente, también con la técnica de mina de plomo, realiza otra *Crucifixión,* muy parecida a la anterior[12]. La cabeza de Cristo, caída, muestra deliberadamente el mismo estilo que las cabezas de las figuras que acompañan al crucificado. Habrían de pasar algunos años para encontrar de nuevo una crucifixión ejecutada en mina de plomo, hacia 1915-1918[13], y en tinta china. Este dibujo significa un cambio radical con respecto a las anteriores representaciones del crucificado en el arte de Picasso. El artista representa magníficamente el dolor del moribundo: la boca entreabierta por la

---

[5] G. Regnier *et al., Corps crucifiés, op. cit.,* Picasso, Bacon, Dix, De Kooning, Guttuso, Sutherland, Saura.

[6] G. Regnier *et al., Corps crucifiés, op. cit.,* págs. 14, 145, n. 4.

[7] G. Regnier *et al., Corps crucifiés, op. cit.,* págs. 15, 145, n. 6.

[8] G. Regnier *et al., Corps crucifiés, op. cit.,* págs. 16, 145, n. 5.

[9] G. Regnier *et al., Corps crucifiés, op. cit.,* págs. 16, 145, n. 7.

[10] G. Regnier *et al., Corps crucifiés, op. cit.,* págs. 17, 148, n. 8.

[11] G. Regnier *et al., Corps crucifiés, op. cit.,* págs. 18, 145, n. 9.

[12] G. Regnier *et al., Corps crucifiés, op. cit.,* págs. 19, 145, n. 10.

[13] G. Regnier *et al., Corps crucifiés, op. cit.,* págs. 20, 146, n. 11.

asfixia, los ojos transidos, la cabeza ladeada hacia el cielo, los dedos de las manos agarrotados y tensos que intentan cerrarse. El cuerpo de Cristo muestra una musculatura fuerte de brazos y tórax, que recalcan el dolor del suplicio. Picasso realiza en 1917 tres dibujos con el tema de la crucifixión, que suponen una evolución en su arte: las figuras son cuadradas y están amontonadas unas sobre otras[14].

Una de las crucifixiones picassianas más famosas es la pintada al óleo en 1930, hoy en el Museo Picasso de París. El cuadro ha sido bien estudiado por R. Kaufmann[15], el cual propone tesis interpretativas muy distintas de las vigentes sobre esta obra clave en la trayectoria artística del pintor. De un año antes datan dos minas de plomo de una gran originalidad en la disposición de las figuras, que se adelantan al óleo de 1930[16]. Se caracteriza el óleo de Picasso por la intensidad y el contraste de sus colores, por el número de figuras y por la violencia expresada. Este óleo prefigura ya el *Guernica,* obra de 1937. De ahí su importancia, en opinión de A. H. Barr, R. Penrose, W. S. Rubin, E. Elsen y A. Blunt. Ha sido considerada una obra enigmática. El centro de la composición lo ocupa la figura de Cristo crucificado entre dos cruces, el centurión a caballo atravesándole el costado con la lanza, un soldado encaramado en una escalera martilleando un clavo en la mano del crucificado, y dos soldados jugándose a los dados la túnica de Cristo. R. Kaufmann precisa que «el mundo real ha constituido el punto de partida de la crucifixión, el mundo real de las reliquias y de las formas del arte primitivo estudiadas por los autores surrealistas. En efecto, la actitud de Picasso, en la crucifixión, parece ser la de un psiquiatra-antropólogo examinando fríamente el comportamiento humano».

En esta *Crucifixión,* la identificación de este suplicio como ritual primitivo se vuelve más patente. La crucifixión era practicada ya por los asirios y los fenicios, quienes la extendieron por la toda cuenca del Mediterráneo. Los romanos la convirtieron en un tormento para los esclavos y criminales. La cabeza y el cuello de Cristo, en este caso, recuerdan las figuras de arte cicládico, parentesco que otorga a esta com-

---

[14] G. Regnier *et al., Corps crucifiés,* págs. 21-23, 146, n. 12-14.

[15] R. Kaufmann, «*La crucifixión* de Picasso de 1930», en C. Dexeus (ed.), *Estudios sobre Picasso,* Barcelona, 1981; G. Regnier *et al., Corps crucifiés, op. cit.,* págs. 74-81, fig. 1; G. A. Gaya Nuño, *op. cit.,* págs. 126-127; W. Rubin, *Pablo Picasso: A Retrospective,* Nueva York, 1972, pág. 278; R. Penrose, *op. cit.,* págs. 184-185, 187, 193; con los dos *Estudios para una crucifixión* y *La crucifixión,* de 1930, y dos *Crucifixiones* de 1959.

[16] R. Kaufmann, *op. cit.,* pág. 79; G. Regnier *et al., Corps crucifiés, op. cit.,* págs. 24, 145-146.

posición un carácter primitivo, reforzada esta identificación por las imágenes del sol y de la luna colocadas a la derecha de Cristo. La imagen del sol puede ser una referencia al dios Mithra, de origen iranio, cuyo culto compitió ferozmente contra el cristianismo en el Imperio Romano. La presencia de los astros indica posiblemente que, para Picasso, la crucifixión es un ejemplo de sacrificio primordial. Picasso colocó junto a la figura de Cristo los símbolos de la religión primitiva. R. Kaufmann[17] cree que el influjo de un artículo de Baille —publicado en *Documents*, 3, 1930—, dedicado a Picasso, inspiró en este punto al pintor malagueño. La actitud ritualista de la figura situada a la derecha del sol-luna, en un contexto surrealista, legitima la hipótesis de que esta figura se sitúa al mismo nivel que la del Crucificado, y las imágenes del sol-luna representan una actitud ritual. Según R. Kaufmann,

> constituiría de este modo el tercer elemento de un muy coherente triunvirato iconográfico de figuras generalizadas de culto. Al contrario, desde un punto de vista puramente formal, tres imágenes, al revés de las otras figuras del cuadro, todas colocadas de perfil, están unidas por la analogía de su posición, simetría y frontalidad. La frontalidad y la simetría de estas figuras parecen indicar una significación hierática.

Como indica R. Kaufmann, Picasso, al añadir un grupo de figuras angustiadas y deshumanizadas, próximas al triunvirato de los ídolos, participa del interés de los surrealistas por los ritos primitivos como medio de exploración del espíritu irracional del ser humano. Todas estas figuras pertenecen a su propia representación de lo irracional: la Magdalena, que mejor podría ser identificada con la Virgen María por su semejanza con una figura femenina en un dibujo de la *Crucifixión* de 1938, que va unida a Cristo por un cordón umbilical, con la boca bien abierta, con los dientes bien señalados, y con el brazo en alto. El brazo se sitúa próximo a una cabeza de *mantis religiosa*, especie de insectos cuya hembra devora al macho tras realizar el acto sexual. Este insecto se encuentra ya en cuadros realizados en los meses anteriores a la *Crucifixión*. La connotación sexual, manifestada claramente en las primeras *Crucifixiones*, reaparece en este cuadro, pero acrecentada debido a la desvalorización de la imagen de la Magdalena, que aparece como infrahumana, igual que los dos soldados que sortean la túnica, con cabezas de pájaros; uno de ellos (a la izquierda de la escalera) tiene una

[17] *Op. cit.*, págs. 78-79.

cabeza monstruosa. El centurión y el hombre encaramado en la escalera están representados en tamaño diminuto, y son pruebas del interés de Picasso por la crucifixión como medio de indagar en la raíces del sadismo y de la brutalidad entre otras manifestaciones de la ferocidad humana. Las dos figuras situadas a los pies de la escalera se han interpretado unánimemente como los dos ladrones, ya crucificados y posteriormente descolgados de la cruz. Estas figuras están inspiradas en el *Apocalipsis* guardado en la abadía de Saint-Sever, fechado en el siglo XI, dado a conocer por Georges Bataille en *Documents* de 1929. Picasso se sintió influido una vez más por las figuras de una religiosidad primitiva, en este caso, el cristianismo.

La imagen colocada en el plano superior, en el lado izquierdo, encima del pájaro, se ha interpretado generalmente como una esponja de vinagre en tamaño gigantesco. R. Kaufmann opina que también podría estar tomado de la escena del *Sueño de Nabucodonosor* en el citado *Apocalipsis* de Saint-Sever. Los colores empleados por Picasso en este cuadro son muy parecidos a los del citado manuscrito y son típicamente españoles.

La *Crucifixión* de Picasso del año 1930 no es, pues, una obra enigmática, como se ha dicho. Encaja muy bien, como argumenta R. Kaufmann, «en el contexto del interés de los surrealistas por las prácticas religiosas y por las formas del arte primitivo estudiadas en tanto que manifestaciones de la naturaleza irracional del hombre».

Picasso en 1932 realizó trece diseños[18], en tinta china, inspirados en la célebre *Crucifixión* de Matthias Grünewald[19], que parecen indicar un interés por la invención puramente plástica. Los artistas españoles realizaron algunos *Cristos* de gran calidad, como los famosos de la escuela sevillana.

Picasso estableció, según R. Kaufmann, una relación entre la figura de Cristo y la del gallo destinado al sacrificio. En ese mismo año se había interesado por la mitología y por lo imaginario, que plasma en escenas del Minotauro y de la tauromaquia[20], en las que aparece a menudo un hombre con los brazos abiertos en cruz que en seguida recuerdan al Crucificado. En todas las obras alegóricas de Picasso de esta época, incluido el *Guernica*, se repiten los motivos de la crucifixión, lo

---

[18] G. Regnier *et al.*, *Corps crucifiés*, *op. cit.*, págs. 25-29, 146, n. 17-29; G. Bouldaille, *Picasso: dibujos*, París, 1986, pág. 75; W. Rubin, *op. cit.*, págs. 300-301; las trece *Crucifixiones* de 1932.

[19] Ch. Heck, «Entre le mythe et le modéle formel: le *Crucifixion* de Grünewald et l'art du XX siècle», en G. Regnier *et al.*, *Corps crucifiés*, *op. cit.*, págs. 34-107.

[20] G. Regnier *et al.*, *Corps crucifiés*, *op. cit.*, pág. 146, fig. 35.

que confiere una enorme importancia a la *Crucifixión* de 1930. Concluye R. Kaufmann su excelente estudio afirmando que «Picasso ha cogido los motivos de los antiguos ritos de la crucifixión, del mitraísmo y de la corrida, para representar la situación moderna del bombardeo de una población civil [...]. En la *Crucifixión* y en el *Guernica* Picasso aborda el mismo tema: el de la irracionalidad humana bajo la forma de la histeria, de la brutalidad y del sadismo».

Picasso todavía volvió al motivo de la crucifixión en años posteriores, con una *Crucifixión* realizada en 1938, en técnica de pluma y tinta china[21]. Realiza un *Cristo con la cruz a cuestas* en 1951, inspirado en el retablo de Saint-Thomas de Francke[22], y en 1959 una *Cabeza de Cristo*[23].

La crucifixión en el arte europeo del siglo xx

El tema de la crucifixión ha tenido aceptación en el arte del siglo xx. La influencia de la obra de Picasso es clara no sólo en la elección del tema sino también en su tratamiento y en su significado. Los artistas contemporáneos toman la crucifixión como paradigma de la brutalidad del hombre del siglo xx. Mencionamos algunos casos, por ejemplo Guttuso[24], que realiza una *Crucifixión* en 1938-1939, a la que siguieron otras en 1940-1941, fiel expresión de la brutalidad de la guerra (la Guerra Civil española, la Segunda Guerra Mundial, y el Holocausto judío).

Guttuso, pintor laico, explica con claridad su idea de arte religioso:

> La religiosidad de una obra de arte no es el fruto de un sentimiento individual, ni de la sinceridad de la inspiración individual, sino de la participación en una concepción general del mundo, que

---

[21] G. Regnier *et al., Corps crucifiés, op. cit.*, págs. 41, 147, fig. 33. Siguiendo la obra de Lucas Cranach, entre 1947 y 1949 Picasso hizo once diseños a pluma sobre plancha de zinc de un tema bíblico, *David y Betsabé* (véase F. Mourlot, *Picasso lithographe*, París, 1970, págs. 79-84, fig. 109).

[22] G. Regnier *et al., Corps crucifiés, op. cit.*, págs. 40, 146, fig. 34.

[23] J. Clair, «Cette chose admirable: le péché...», en G. Regnier *et al., Corps crucifiés, op. cit.*, págs. 62-63, fig. 2.

[24] E. Crispoli, «Guttuso, Crucifixión», en G. Regnier *et al., Corps crucifiés, op. cit.*, págs. 108-116, fig. 37; M. Chagall también ha utilizado el símbolo de la crucifixión para simbolizar la brutalidad del mundo moderno: W. Haftman, *Marc Chagall*, Colonia, 1988, fig. 35, del año 1940, págs. 84-85, lám. 10; de 1912, págs. 118-119, lám. 27; lám. 39, obra de 1944.

> se refleja en la obra de arte. La relación entre lo inmanente y lo trascendente, entre un mundo físico real y el mundo metafísico, debe necesariamente formar parte integrante de la vida y de los pensamientos de la mayor parte de la Humanidad. Sin ella la religiosidad no sabría traducirse en una obra de arte.

A Graham Sutherland se deben varias *Crucifixiones*[25] en 1946. Los efectos devastadores de la Segunda Guerra Mundial influyeron profundamente en el artista, muy en la línea de Grünewald, y condicionaron sus tremendas *Crucifixiones.*

Francis Bacon[26], pintor, según él mismo reconoce, muy dependiente de la obra de Picasso, realiza varias *Crucifixiones,* de las que él prefiere un estudio realizado en 1962, hoy en el Museo Guggenheim de Nueva York, que, como indica J. Clair, que entrevistó al artista, es casi la masacre de un cuerpo retorcido por el dolor, la parte del esqueleto visible. Para Francis Bacon no hay nada más bárbaro que la crucifixión. Por su parte, el artista norteamericano De Kooning[27], dentro de una estructura tradicional de la composición y de la ejecución de músculos y tendones, atribuye a la imagen de Cristo una mirada diabólica, que interpela al espectador. La presencia de las mujeres dan a la escena un carácter sacrílego. La escena se sitúa en un contexto humano corriente.

La crucifixión en el arte español del siglo XX

Los artistas españoles, del mismo modo que los europeos, muestran mucho interés por el tema de la crucifixión en su obra pictórica. Veremos algunos de ellos.

Mencionamos en primer lugar a Antonio Saura, que ha pintado numerosas versiones de la *Crucifixión* desde 1957[28], aunque no sea el primero en cuya obra se rastrea la influencia de Grünewald, reconocida por la crítica, y aunque tal influencia no sea formal directa sino en la forma de expresar el sentimiento trágico. Las *Crucifixiones* de A. Sau-

---

25 G. Bruno, «L'oeuvre de Graham Sutherland», en G. Regnier *et al., Corps crucifiés, op. cit.,* págs. 117-125, fig. 40.

26 J. Clair, «Le pathos et la mort», en G. Regnier *et al., Corps crucifiés, op. cit.,* páginas 132-144, figs. 38-39.

27 C. Stonleig, «Picasso, De Kooning: un même goût pour le dessin», en G. Regnier *et al., Corps crucifiés, op. cit.,* págs. 126-132, figs. 41-44.

28 Ch. Heck, art. cit., págs. 7-98, fig. 45.

ra se caracterizan por dos largos ejes perpendiculares sobre los que se convulsiona el cuerpo, y donde los brazos extendidos delimitan los límites del espacio, y las manos extendidas en señal de dolor extremo. El artista declaró que su preferencia por el tema de la crucifixión no obedecía a motivaciones religiosas. En su infancia le impresionó la visión del *Cristo* de Velázquez, inmenso, terrible y pacífico. Las misteriosas manos representadas en las cavernas paleolíticas se prolongan en las manos crispadas de los crucificados. La crispación presente en la obra de Grünewald, al contrario, evoca el Cristo y la agonía del universo convulsionado. Antonio Saura reconoce que, al revés de Velázquez, ha buscado crear una imagen convulsiva y hacer una protesta borrascosa. La presencia intemporal del sufrimiento humano está implícita en el crucificado, y el sentimiento religioso está relegado al olvido.

Ignacio Zuloaga es el pintor más representativo de la generación del 98. Pintó unos *Flagelantes;* un *Cristo de la Sangre,* en 1911; y *Cristo y la niña*[29]. J. Barjola realizó varias *Crucifixiones* en los años 1975, 1985, 1986 y 1987, de gran realismo.

Uno de los Cristos más famosos es obra de Gregorio Prieto, de un realismo anatómico perfecto, copiados al parecer de modelos vivos drogados. Sobre este artista volveremos en otra ocasión.

El tema de la crucifixión se mantiene hasta la actualidad. En 1997 Chillida acaba de entregar una escultura de un Cristo para la catedral de San Sebastián.

GUTIÉRREZ SOLANA

José Gutiérrez Solana es uno de los grandes pintores españoles de este siglo que mejor refleja las costumbres populares y religiosas de España. Su temática —que trata los bajos fondos de la sociedad española— hunde sus raíces en la pintura negra de Goya, pero el gusto por la escenografía de la muerte lo toma del acervo artístico del Renacimiento. Hacemos ahora un recorrido sumario, cronológico en la medida de lo posible, de su producción pictórica «religiosa», que comienza en 1905 con uno de los temas predilectos del pintor[30]. Se

---

[29] M. Gómez del Caso, *Ignacio Zuloaga, 1870-1945,* Bilbao, 1990, págs. 190-191; E. Lafuente Ferrari, *La vida y el arte de Ignacio Zuloaga, op. cit.,* lám. 43.

[30] L. Alonso Fernández, *J. Solana: estudio y catalogación de su obra,* Madrid, 1985, pág. 131, rep. 75; L. Rodríguez Alcalde, *Solana,* Madrid, 1974, págs. 185-187; E. M. Agui-

trata de *Procesión en Toledo,* impregnado del tenebrismo que caracteriza su arte. Ese mismo año, muy prolífico para el artista, volvió a pintar procesiones, una con el título *Procesión de la Semana Santa,* otra *La Procesión de los Escapularios,* el *Cristo milagroso de Huesca* y el *Ermitaño*[31]. Hacia 1910-1912 Gutiérrez Solana abordó un tema nuevo: *El monje muerto,* prueba inequívoca de su interés por trasladar al lienzo la tragedia de la muerte, o más precisamente de la muerte mística. El difunto yace en el féretro a los pies de un gran crucifijo flanqueado por dos filas de monjes[32], quizá inspirado en la obra de Zurbarán titulada *Los funerales de san Buenaventura.* De 1912 data *Disciplinantes*[33], tema que ya trató Goya. *La procesión en Castilla* es obra del año 1912[34], pero introduce la variante que en esta ocasión la procesión avanza por el centro de la calle, entre apiñados devotos y miembros del clero. Esta disposición en el tema de la procesión se repite en 1914, en *Rogativas*[35].

Entre 1917 y 1920 Solana realiza otras tres procesiones[36], con variantes en la representación de los pasos en los que aparece la figura de Cristo, pero siempre con las características del pintor, que con el contraste de colores claros y sombríos y con los gestos de los personajes intervinientes sabe transmitir perfectamente la sensación de sufrimiento. La imagen de la Virgen Dolorosa es novedad que se introduce en dos composiciones de 1917-1919, entre las que destaca la *Procesión de Semana Santa en Cuenca*[37], con encapuchados vestidos de

---

lera, *José Gutiérrez Solana, op. cit.,* lám. XXII. Los artistas españoles de finales del siglo XIX y de comienzos del XX se ocupan de representar en sus óleos aspectos parecidos de la religiosidad popular, como Constantin Meunier, *La oración. Capilla de la plaza de Sevilla,* 1882-1883; D. Regoyos, *El mes de María en Bruselas,* 1884; *Después de la misa,* 1884; *Corpus de Fuenterrabía,* 1888; *Hijas de María,* 1891, del mismo pintor, que en sus *Diarios,* dibujó cinco Cristos diferentes. Ramón Pichot, pintó en 1898 una *Ofrenda;* Pablo Uranga en 1905, *Procesión de Elgueta (Paisaje y figura del 98,* Torrejón de Ardoz, 1997, págs. 108-112, 115, 124, 135, 182).

[31] L. Alonso Fernández, *op. cit.,* pág. 133, P. 16; pág. 133, P. 18, rep. 76; pág. 140, P. 36; pág. 141, P. 37; respectivamente.

[32] L. Alonso Fernández, *op. cit.,* pág. 144, P. 47, rep. 77.

[33] L. Alonso Fernández, *op. cit.,* pág. 147, P. 52.

[34] L. Alonso Fernández, *op. cit.,* pág. 148, P. 54.

[35] L. Alonso Fernández, *op. cit.,* pág. 149, P. 57.

[36] L. Alonso Fernández, *op. cit.,* pág. 160, P. 19; P. 160, P. 80; y pág. 161, P. 82 (la llamada *Procesión de Toro).*

[37] L. Alonso Fernández, *op. cit.,* pág. 159, P. 78. Esta procesión se repite hacia el año 1918, con figuras diferentes: Cuenca al fondo con las casas sobre una colina cortada a pico, y dos pasos en el centro, el Crucificado entre dos personas y un Nazareno (L. Alonso Fernández, *op. cit.,* pág. 169, P. 101, rep. 79); E. M. Aguilera, *op. cit.,* láms. XLIII-XLIV.

José Gutiérrez Solana, *Procesión,* colección Domingo Ortega, Madrid.

blanco, la Virgen con el Nazareno con un fondo de casas tomadas del natural.

Posteriormente, aunque en fecha no precisada, se repite el tema de la Dolorosa en una *Procesión en Santander.* En 1917 realiza una variante procesional de su ciudad natal, la *Procesión. Salida de la catedral de Santander*[38], obra de bruscos contrastes de colores, en la que destaca la blancura del cuerpo de Cristo. Entre 1917 y 1921 realiza dos cuadros casi idénticos: *Procesión, Zorral y piedras* y *La Dolorosa*[39], tema tratado por el artista en varias ocasiones. De 1920 es el *Cristo de la Sangre,* posiblemente el mejor de los Cristos pintados por Solana; y al año siguiente hace un cuadro religioso con un grupo de santos de talla[40], una Dolorosa con el hijo muerto, un Cristo, dos Vírgenes con el Niño Jesús, y Cristo. En 1930 realiza tres obras: *Antes de la Procesión*[41], *Procesión del descendimiento*[42], y *Procesión de la muerte*[43], y los años siguientes, 1939 y 1931, introduce dos temas relativos a la muerte, clásicos en el Renacimiento, el *Triunfo de la muerte* —que repite en 1932, que se inspira en una obra de autor anónimo fechada en 1445, del antiguo hospital de Palermo, y otro cuadro con el mismo nombre de P. Brueghel el Viejo— y el *Osario*[44]. *El rapto de san Ignacio,* 1931, es una de las pocas obras de Solana en la que el protagonista es un santo[45].

El tema de la muerte y el dolor está presente siempre en la obra de Solana, incluso en obras menores, como *ex libris,* 1920, y en dibujos de pequeño formato preparatorios de obras mayores. De los últi-

---

[38] L. Alonso Fernández, *op. cit.,* pág. 166, P. 93. Sobre las procesiones en Santander, véase F. Gutiérrez Díaz, *Semana Santa en Santander: cinco siglos de historia. Antiguas y modernas procesiones,* Santander, 1993; y los escritos del propio J. Gutiérrez Solana, *La España negra en Cantabria,* Santander, 1987. Sobre la obra escrita y pictórica de Solana, véase J. L. Barrio Garay, *José Gutiérrez Solana: Paintings and Writings,* Lewisburg, 1978.

[39] L. Alonso Fernández, *op. cit.,* pág. 166, P. 93; y pág. 167, P. 94, rep. 78.

[40] L. Alonso Fernández, *op. cit.,* pág. 205, P. 177.

[41] L. Alonso Fernández, *op. cit.,* pág. 213, P. 196.

[42] L. Alonso Fernández, *op. cit.,* pág. 215, P. 200.

[43] L. Alonso Fernández, *op. cit.,* pág. 215, P. 201, rep. 59. Una obra clave de la temática de la muerte se titula *El espejo de la muerte,* fechada en 1929 (L. Alonso Fernández, *op. cit.,* págs. 84-85), que como escribió J. de la Puente en 1972, «es una obra en la que el espacio mismo de Solana cobra evidente carácter simbolista, mágico, y quién sabe si hasta surrealista. La vida-femineidad y la muerte se yuxtaponen».

[44] L. Alonso Fernández, *op. cit.,* pág. 201, P. 212. Cfr. el cuadro de H. Baldung Grien, en A. Stange, *op. cit.,* lám. 126. La representación de la muerte, sobre un caballo, en el centro del cuadro titulado *La guerra,* de Solana, admite la comparación con *La muerte coronada* de Durero.

[45] L. Alonso Fernández, *op. cit.,* pág. 221, P. 213.

mos años (1942) es un dibujo a tinta y acuarela sobre pastel de una procesión de la Dolorosa debajo de un arco, acompañada del clero y de los devotos[46]. Solana no se interesó por los distintos episodios evangélicos que narran la vida pública de Jesús, como hace por ejemplo el escultor Juan de Ávalos en el Valle de los Caídos[47], ni por representar Cristos yacentes, tan frecuentes en el arte español[48], ni cuadros de tema bíblico. Sobre la obra de Solana trataremos extensamente en otro trabajo.

Dalí

Dalí mostró gran interés por los temas religiosos en una etapa ya avanzada de su producción artística, cuando ya había alcanzado fama internacional. El pintor español inicia tal temática con un motivo que tuvo gran aceptación en el arte: el apocalíptico *Jinete de la muerte*. En esa obra se manifiesta ya la extraordinaria calidad del dibujo de Dalí, el dominio de los colores, y es muestra de su desbordante imaginación. El paisaje rocoso y la negrura de las nubes complementan perfectamente la escena principal. La muerte es tema frecuente en la obra daliniana[49], al igual que en Gutiérrez Solana. De 1937 datan dos temas bíblicos.

---

[46] L. Alonso Fernández, *op. cit.*, pág. 337, D. 167. Solana se interesó también por expresar el sentimiento de piedad individual en un par de aguafuertes, de 1920, titulados *Mujer con rosario* y *Mujer del reclinatorio* (L. Alonso Fernández, *op. cit.*, pág. 339). Solana por lo general no prestó interés a los interiores de las iglesias. Una excepción es la *Capilla de los santos mártires Emeterio y Celedonio,* patronos de Santander, obra de 1915 (L. Alonso Fernández, *op. cit.*, pág. 285, D. 25).

[47] Sobre la obra de Ávalos es fundamental el trabajo de J. Trenas, *Juan de Ávalos, 1911,* Valencia, 1978. Ávalos tiene numerosas esculturas con el tema de la Piedad y Cristo yaciendo en sus brazos: *Piedad profana* (dos), en bronce y barro (J. Trenas, *op. cit.*, láminas 74 y 75); *Piedad,* relieve en piedra *(ibíd.,* lám. 80); *Piedad,* de Mérida, en piedra *(ibíd.,* lám. 109); *Estudio para la primera Piedad de Cuelgamuros* y *Primera Piedad de Cuelgamuros (ibíd.,* láms. 110 y 112); *Bocetos de Piedad,* en bronce y barro *(ibíd.,* láms. 114-117); y *Modelación en barro* y *Obra definitiva en piedra de la Piedad del Valle (ibíd.,* láms. 119 y 120). Sobre el escultor véase ahora M. Bazán, *Juan de Ávalos, op. cit.*

[48] J. J. Martín González, *El escultor Gregorio Fernández,* Madrid, 1980, págs. 189-201 y láms. 155-172. Que se completa con las siguientes obras: J. Urrea, «A propósito de los yacentes de Fernández», *BSAA,* 1972, págs. 543 ss.; A. Ramos Notario, *Escultura barroca española: Gregorio Fernández y su época,* Madrid, 1987, págs. 193-210, sobre los yacentes castellanos; y A. Igual Úbeda, *Cristos yacentes en las iglesias valencianas,* Valencia, 1964.

[49] R. Descharnes y G. Néret, *Salvador Dalí, 1904-1989: la obra pictórica, op. cit.*, páginas 240-241, figs. 546-547; R. Descharnes, *Salvador Dalí, op. cit.*, pág. 167.

Uno se titula *Salomé* y otro *Herodías*[50], típicamente surrealistas. En 1945 Dalí realizó uno de sus grandes cuadros religiosos, titulado *La resurrección de la carne,* fruto de la fantasía inigualable de este pintor, que demuestra a través de su producción un sentimiento de pavor ante la muerte. La resurrección, por tanto, es una especie de consuelo. Escribió el artista: «No transcurre ni un solo minuto de mi vida sin que el sublime espectro católico, apostólico y romano de la muerte no me acompañe hasta en las más sutiles y caprichosas fantasías»[51].

A partir de 1946 Dalí se convierte al misticismo. Comienza su nueva etapa artística con una composición frecuente en el Renacimiento, *Las tentaciones de san Antonio*[52]. La vida de este santo es conocida por una obra magistral de Atanasio, la *Vida de Antonio.* El santo se retiró hacia el año 270 al desierto egipcio para dedicarse a la vida ascética huyendo de los pecados de la carne. Las tentaciones que sufre san Antonio en este sentido están magníficamente reflejadas en la obra de Dalí, que coloca dos figuras de mujeres desnudas sobre unos elefantes de alargadas y desproporcionadas patas, y las sitúa así entre el cielo y la tierra. Los animales simbolizan también la levitación presente en las «pinturas místicas corpusculares». San Antonio soporta seis tentaciones sucesivas. El caballo encabritado es símbolo del poder y, por sus formas voluptuosas, de la lujuria, representada por una mujer de voluminosos senos y de cuerpo carnoso. El tercer elefante lleva sobre sus espaldas una copa del obelisco de Bernini; el cuarto, el cuerpo de una dama desnuda dentro de un edificio; y el último, una torre fálica. Dalí presentó esta obra a un concurso al que concurrieron once artistas con cuadros de la misma temática, y fue elegido el mejor, y el único «que reflejó los miedos y los deseos de la épica de las gárgolas». A partir de este momento el artista se centra en su producción espiritualística porque «afirmó, por todo lo alto, que el cielo se encuentra en el centro del pecho del hombre que tiene fe, porque mi mística no es solamente religiosa». A este momento místico pertenece la *Madon-*

---

[50] P. Descharnes y G. Néret, *op. cit.,* págs. 294-295, figs. 653-654.

[51] R Descharnes y G. Néret, *op. cit.,* págs. 387, 395, fig. 871; R. Descharnes, *op. cit.,* pág. 234; *Dalí de Draeger, op. cit., Dalí,* Barcelona, 1968, fig. 67. Éste es un tema de larga tradición tratado por Luca Signorelli en un fresco de Orvieto en 1499 (B. Beimling, «Malerei der Frührenaissance in Florenz und Mittelitalien», en R. Toman (ed.), *Die Kunst der italienischen Renaissance,* Colonia, 1994, págs. 302-303).

[52] R. Descharnes y G. Néret, *op. cit.,* vol. II, págs. 406-407, fig. 906. El tema es realizado por El Bosco (se le atribuían cinco cuadros en 1652), P. Huys (dos, de 1547 y 1577), Jan Mandyn, P. Brueghel el Viejo, Cornelis van Dalem, M. Ernst, etc.

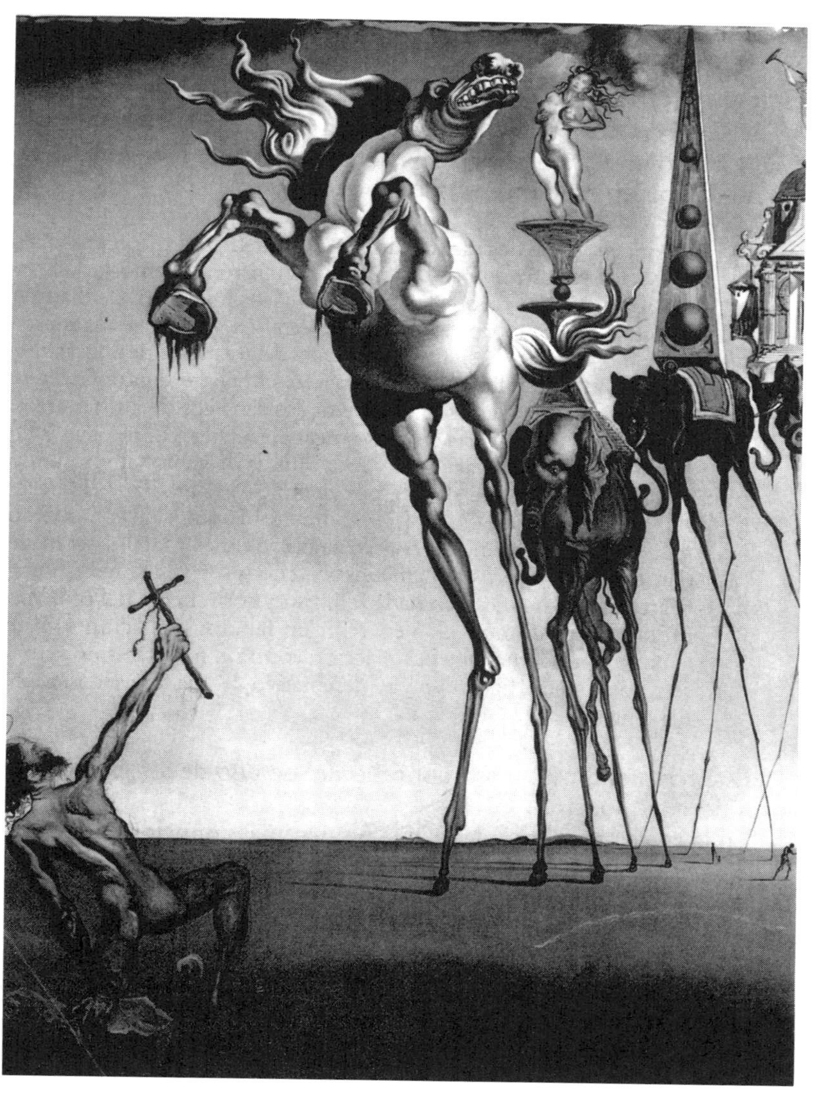

Salvador Dalí, *Las tentaciones de san Antonio*, colección particular.

na de Port Lligat[53], de 1949, con la imagen de la Virgen recogida en oración dentro de un arco descompuesto, y con el Niño en su interior en un sagrario.

Una tercera obra, con variantes, se data al año siguiente, en 1950[54]. Dalí escribió por entonces en su *Vida secreta:* «en este momento todavía no tengo fe y temo que moriré sin cielo»; y en 1952:

> en esta época de decadencia de la pintura religiosa [...] el genio sin fe es más valioso que el creyente desprovisto de genio [...]. Estamos convencidos de que los ateos, y aun los miembros del Partido Comunista (como por ejemplo Picasso), los artistas geniales estarían en condiciones, si así lo desearan, de crear grandes obras religiosas [...]. Naturalmente, también veré el peligro demoníaco que amenaza el arte religioso si se sirve de los servicios de artistas ateos. Lo ideal sería que el arte religioso fuera ejecutado, como ocurría en época del divino Renacimiento, por artistas de genio tan profundo como su fe, como fue el caso, por ejemplo, de Zurbarán, El Greco, Leonardo da Vinci, Rafael [...]. Es innegable que el arte moderno representa en sí mismo las consecuencias últimas y fatales del materialismo [...]. Los artistas llamados abstractos son fundamentalmente artistas que no creen en nada [...]. Estoy convencido del próximo fin del materialismo [...]. Veo venir un fabuloso renacimiento de la pintura moderna, que por reacción contra el materialismo actual será nuevamente figurativo y representativo de una nueva cosmogonía religiosa.

Este texto es muy valioso por proceder de uno de los grandes colosos del arte moderno.

En la corriente mística de Dalí la pintura más conocida es el *Cristo de san Juan de la Cruz*[55], obra de 1951, inspirado en un dibujo del místico español en un momento de éxtasis; realizado en la misma técnica que la *Cesta de panes*[56]. La finalidad de Dalí al pintar este cuadro, al contrario de los pintores modernos al interpretar a Cristo en el sentido expresionista y contorsionante, para provocar la emoción por medio de la fealdad, era pintar un Cristo bello como el mismo dios, al cual en-

---

[53] R. Descharnes y G. Néret, *op. cit.,* pág. 423, 426-427, figs. 939-940. Diversos artistas del Renacimiento realizan cuadros de san Jerónimo, A. Stange, *op. cit.,* láms. 132, 137.

[54] R Descharnes y G. Néret, *op. cit.,* pág. 443, fig. 981.

[55] R. Descharnes y G. Néret, *op. cit.,* págs. 436, 441, 451, fig. 1003; R. Descharnes, *op. cit.,* págs. 242-253; y *Dalí de Draeger, op. cit.,* pág. 111.

[56] R. Descharnes y G. Néret, *op. cit.,* pág. 386, fig. 870.

carna. A esta misma concepción mística, y a ese momento artístico, pertenecen otras obras como la *Cruz aritmosófica,* 1952; *Cruz nuclear,* 1952; *La cruz del ángel,* 1960; y *Assumpta corpuscularia lapislazulina,* 1952; *Crucifixión* (dos); *La Asunción antiprotónica,* 1956[57]. Esta etapa se cierra con una de las obras más geniales de Dalí, por los matices de sus colores: *La última cena;* 1955[58], inspirada en el cuadro homónimo de Leonardo da Vinci, aunque interpretado libremente. La composición tuvo gran aceptación en el Renacimiento, como Dierick Bouts, 1464-1467; Andrea del Castagno, 1447-1449; J. Huguet, 1500; Tintoretto, 1592-1594; etc.

La actividad artística de Dalí en estos años es frenética. Los temas religiosos le siguen obsesionando, y prácticamente no los abandonará ya hasta el final de sus días. Son de temática variada. Así, en 1957 pinta, en tamaño descomunal, un *Santiago el Grande*[59], en variadas tonalidades azules, dentro de los nervios de la bóveda celeste, montando un caballo encabritado que dirige su mirada, con el brazo izquierdo extendido, hacia el Cristo del que surgen rayos. Entre los años 1958 y 1960 realizó la *Madonna cósmica,* 1958; *La Asunción,* del mismo año; *Cristo del guijarro,* 1959; *La Virgen de Guadalupe,* 1959; obra de gran originalidad, pues muestra un manto repleto de ángeles, seres muy queridos y representados por Dalí; *La sirvienta de los discípulos de Emaús,* 1960; *La Trinidad, Santa Ana y el Niño,* 1960; *Escena religiosa corpuscular,* 1958; *Santa Ana y san Juan,* 1960; *San Salvador y Antonio Gaudí,* 1960; *Pietá en el Apocalipsis de san Juan,* 1960; *Bomba del Apocalipsis,* 1959; *Cubierta del*

---

[57] R. Descharnes y G. Néret, *op. cit.,* págs. 452-454, 466, 467, 486, figs. 1004, 1006, 1008, 1009, 1011, 1012, 1040, 1043, 1097; *Dalí de Draeger, op. cit.,* fig. 105; R. Descharnes, *op. cit.,* pág. 274. Para los cuadros del Renacimiento con la *Última cena:* M. Beimling, *op. cit.,* pág. 266; A. Ranchi, «Malerei der Renaissance in Venedig und Norditalien», en R. Toman, *op. cit.,* pág. 409. En 1978 pintó Dalí *El Cristo de Gala,* que es el mismo Cristo de cuadros anteriores, pero cambiando la postura del cuerpo, visto de arriba abajo (R. Descharnes y G. Néret, *op. cit.,* pág. 667, figs. 1485-1486). El Cristo más original de Dalí, que rompe todos los esquemas artísticos es el *Cristo de los deshechos,* obra del año 1969, para el que utiliza material de derribo, como tubos de cañerías, palos de una barca por cuerpo, tirada en el suelo en un paisaje agreste, en el olivar de Por Lligat (R. Descharnes y G. Néret, *op. cit.,* pág. 607, fig. 1360).

[58] R. Descharnes y G. Néret, *op. cit.,* págs. 488-489, fig. 1098; R. Descharnes, *op. cit.,* pág. 257. La obra pictórica religiosa de Dalí, hasta esta fecha, fue estudiada por J. V. L. Brans, «La pintura religiosa de Dalí», *Goya,* 21 (1957), págs. 156-164.

[59] R. Descharnes y G. Néret, *op. cit.,* pág. 496, fig. 1113; R. Descharnes, *op. cit.,* pág. 280. El tema de la *Resurrección de la carne* es rarísimo en artistas modernos. Una excepción en M. Beckmann, 1909 (K. D. Gleisberg, *Max Beckmann,* Frankfurt, 1991, págs. 64-65).

Apocalipsis, del mismo año; y *Cristo en el Apocalipsis,* de 1958 y 1960; y *El concilio ecuménico,* 1960[60]. Escenas del *Apocalipsis* no son muy frecuentes en la pintura española. Una excepción es el *Quinto sello del Apocalipsis* de El Greco, hacia 1608-1614.

Esos años son muestra de la extraordinaria capacidad de trabajo, de una fantasía y una originalidad sin límites en el tratamiento de los temas, fantasía que en el caso de la pintura religiosa nunca es irreverente. El genio único de Dalí rompe con todos los ismos que caracterizan el arte moderno anterior a él. Quiere ser el mejor pintor, el más original, y mejor dominador del dibujo y de los colores; pone su empeño en ello. Proclama en alto su deseo de barrer el arte moderno. Algunos de los cuadros citados son cumbres en la trayectoria de su arte. La lista de cuadros religiosos se puede hacer extensiva a otros títulos: *Basílica de San Pedro, Explosión de fe cristiana en el centro de una catedral,* 1960-1979, que es un estudio de la arquitectura interior de un templo; y *Retrato de san Jerónimo,* 1960[61], santo que tuvo mucha aceptación entre los artistas del Renacimiento. Basta recordar el *San Jerónimo* del Maestro del Rhin, 1480; una punta seca de Durero titulada *San Jerónimo junto a un sauce,* 1512, y un grabado a buril de 1514 con el título *San Jerónimo en su celda;* el *San Jerónimo* de El Bosco, 1500, y los de Hans Burgkmair, Jan van Hemessen, M. van Reymerswale y J. Patinir. En la pintura española san Jerónimo fue también tema frecuente. Aparece en *Las tentaciones* y *La flagelación* de Zurbarán, y en seis cuadros de El Greco entre los años 1595 y 1614.

Algunas madonas de Dalí están dentro de las normas tradicionales de representar a la Virgen y el Niño[62]. Por contra, *El Sagrado Corazón de Jesús,* 1962, es de gran originalidad, y no responde a los cánones habituales, ni en la forma ni en la postura ladeada del cuerpo, ni en el corazón ni en el brazo derecho con una cruz[63].

Dalí se interesó por la figura de san Juan, representado una vez de frente, otra de perfil, con fondos parecidos[64]. Las escenas del *Apocalip-*

---

[60] R. Descharnes y G. Néret, *op. cit.,* págs. 512-513, 523, 527, figs. 1147-1156, 1162-1165. Con motivo de sus obras sobre el *Apocalipsis de san Juan,* Dalí realizó una acuarela y pluma del busto de san Juan, que expresa magníficamente a un visionario (R. Descharnes y G. Néret, *op. cit.,* pág. 491, fig. 1102).

[61] R. Descharnes y G. Néret, *op. cit.,* pág. 519, figs. 1160-1161. Los cuadros de san Jerónimo mencionados en el texto en A. Stange, *op. cit.,* págs. 132, 136.

[62] R. Descharnes y G. Néret, *op. cit.,* págs. 546-547, figs. 1217, 1220.

[63] R. Descharnes y G. Néret, *op. cit.,* págs. 546-547, figs. 1217-1218, 1220.

[64] R. Descharnes y G. Néret, *op. cit.,* págs. 553, 562, figs. 1232, 1255.

sis eran caldo de cultivo propicio para la desbordante imaginación daliniana. De 1970 y 1971 data el cuadro *Los caballeros del Apocalipsis*, de corte impresionista, con colores oscuros y rojos; y *Segunda llegada de Cristo*, a caballo, llegando desde el cielo, figura de estilo clásico, y un par de dragones sobre fondo claro[65].

Es necesario recordar otras tres obras de tema religioso, de la última etapa del genial artista español: *Pietà*, 1982, inspirada en la escultura del mismo nombre de Miguel Ángel, con figuras de tono gris sobre fondo azul y amarillo[66]. Una segunda *Pietà* es obra de 1983[67]. Una tercera, realizada en 1986, está influida por la *Piedad de Palestrina* de Miguel Ángel[68]. La *Pietà* es una composición muy propia del Renacimiento como lo indican las obras de pintores como E. Quarton, hacia 1460, y de Tiziano, 1575-1576; y entre los artistas españoles hay tres cuadros de El Greco con este tema, dos entre los años 1570 y 1574, y la tercera en torno al 1580-1582. Dalí se inspira en la *Pietà* más famosa y perfecta, la citada de Miguel Ángel en el Vaticano.

Dalí realiza un *San Sebastián* en 1983, con excelente estudio anatómico, en pie, sostenido por unas horquillas[69]. Este santo es de gran tradición en la pintura italiana (por ejemplo el *San Sebastián* de Guido Reni, en el Prado), o el de El Greco, pintado hacia 1577-1578. Dalí, unos años antes, en 1982, había pintado *Mártir*, que es un cuerpo humano retorcido por el dolor, obra inspirada en los sufrimientos del propio artista durante una enfermedad. El sufrimiento está perfectamente retratado en el rostro. Los rayos del fondo realzan la sensación de dolor[70]. Dalí también decoró el *Padre Nuestro*[71].

Temas religiosos en joyas de Dalí

El artista español realizó varios diseños de cruces en joyas, que son de gran originalidad: *Cruz de lapislázuli*, en oro, lapislázuli, brillantes y rubíes. Según Dalí: «Rayos de brillantes representan la luz de Cristo. Su sangre. El árbol, de oro grabado, va montado sobre cubos de lapis-

[65] R. Descharnes y G. Néret, *op. cit.*, págs. 596-597, figs. 1331, 1335.
[66] R. Descharnes y G. Néret, *op. cit.*, pág. 698, fig. 1565.
[67] R. Descharnes y G. Néret, *op. cit.*, pág. 718, fig. 1608.
[68] R. Descharnes y G. Néret, *op. cit.*, pág. 708, fig. 1586.
[69] R. Descharnes y G. Néret, *op. cit.*, págs. 709-710, fig. 1589.
[70] R. Descharnes y G. Néret, *op. cit.*, pág. 713, fig. 1600.
[71] M. de Acevedo, *Pater Noster*, Madrid, 1992.

lázuli. El conjunto significa, en color, forma y materia, la Energía y Poder de Cristo»[72]; la *Cruz de cubos de oro*[73], cubos que forman una cruz sobre una explosión solar de brillantes «que simbolizan la Pasión y el Sacrificio de Cristo»[74]; *Veritas vincit,* obra de oro esculpido, perlas, rubíes, brillantes y lapislázuli[75]. «Entre mares de lapislázuli —dice el artista— y rayos de diamantes, reposa una cruz de perlas junto a otra de rubíes en una tierra dorada. La Resurrección y la Vida.» La *Luz de Cristo* es una joya realizada en oro esculpido y brillantes, «por la luz de Cristo, y rubíes por Su Sangre. Los brillantes estallan y destruyen la Cruz, para significar la fe que ningún mal puede resistir el Poder de Cristo»[76].

La más ambiciosa de las joyas de Dalí es *La Cruz del ángel*[77], de 1960, hecha de brillantes, platino, oro, lapislázuli de Rusia, coral oscuro de China, topacio purísimo de Brasil y sulfato de zinc cristalizado de África.

> Representa el tratado de la existencia; la transformación gradual desde el mismo mineral hasta el ángel. Las doce espinas de la base simbolizan los doce apóstoles, los doce meses del año, los doce signos del zodíaco, las doce tribus de Israel, las doce puertas de la Nueva Jerusalén, y los doce cimientos de la Ciudad Sagrada. Las espinas representan el mundo animal. El globo de lapislázuli simboliza el mundo mineral, y el coral el mundo de las plantas; y la Cruz el ser humano y el espiritual.

El topacio pesa 1.687 kilates. Representa la Puerta del Tabernáculo y el Pórtico de los Cielos. «Con la puerta cerrada se ve la Sangre de Cristo a través de la piedra preciosa. Cuando la puerta de topacio está abierta, se ve el Cuerpo de Cristo, de oro virgen, pintado por Dalí con aceite y ámbar líquido, que es muchísimo más precioso que el esmalte.» La escultura, según Dalí, «se ha construido sobre la Matemática del número doce». El movimiento de las espinas de brillantes y platino

---

[72] *Dalí: su arte en joyas, exposición de la Colección The Owen Cheatham Foundation,* Madrid, 1973, pág. 13, lám. 3. Sobre este tema véase el trabajo de T. Jiménez, «Joyas de artistas: joyas de Dalí», *Espacio, Tiempo y Forma, Serie VII, Historia del Arte,* 9 (1996), páginas 343-373, espec. págs. 362-373 y figs. 12 *(Medalla de la Paz,* 1963) y 17 *(Collar del árbol de la vida,* 1949).

[73] *Dalí, su arte en joyas, op. cit.,* pág. 14, lám. 22.

[74] *Dalí, su arte en joyas, op. cit.,* pág. 15, lám. 27.

[75] *Dalí, su arte en joyas, op. cit.,* pág. 16, lám. 26.

[76] *Dalí, su arte en joyas, op. cit.,* pág. 16, lám. 27.

[77] *Dalí, su arte en joyas, op. cit.,* pág. 16, lám. 29.

«muestran el ritmo cósmico de los erizos de mar moviéndose en la profundidad del subconsciente humano, con los abismos del mar». El interés por trabajar cruces es antiguo en Dalí. De 1952 son dos óleos sobre lienzo: la *Cruz aritmosófica* y la *Cruz nuclear*[78].

Estos tres grandes artistas españoles han sabido expresar con su arte los sentimientos religiosos del hombre del siglo XX. Algunos artistas, como Picasso, Saura y algún otro, utilizan el tema de la crucifixión como paradigma de la brutalidad irracional de este siglo; del mismo modo que estos y otros artistas utilizan la mitología clásica para expresar, en el lenguaje artístico de nuestros días, los conflictos humanos que son similares en la Antigüedad y en los tiempos actuales[79].

---

[78] R. Descharnes y G. Néret, *op. cit.*, pág. 452, figs. 1004-1006.

[79] A este tema hemos dedicado varios trabajos: J. M. Blázquez, «Temas del mundo clásico en el arte del siglo XX», art. cit. (cap. XIII de esta edición); *ídem*, «El mundo clásico en Picasso», art. cit. (cap. XI de esta edición); *ídem*, «Temas del mundo clásico en las pinturas de Kokoschka y Braque», art. cit. (cap. IX de esta edición); *ídem*, «Mujeres de la mitología griega en el arte español del siglo XX», art. cit.; *ídem*, «El mundo clásico en Dalí», art. cit. (cap. XIX de esta edición); *ídem*, «El mundo clásico en Max Beckmann», *Anales de Historia del Arte*, 7 (1997), págs. 257-269; J. M. Blázquez y P. García Gelabert, «Temas del mundo clásico en el arte moderno español», art. cit. En el arte moderno es relativamente frecuente encontrar la figura de Cristo. Véase G. Finaldi *et al.*, *The Image of Christ*, Londres, 2000, págs. 193-207; S. Baviera y J. Bentini, *Mistero e immagine: l'eucaristia nell'arte del Novecento*, Milán, 1997; N. Possenti, *Il volto di Cristo in Rouault*, *op. cit.*; S. Bramly y B. Rheims, *I.N.R.I.*, *op. cit.*

Capítulo XI

El mundo clásico en Picasso

La influencia del mundo clásico en Picasso presenta una doble vertiente: por un lado, hay en el máximo pintor español del siglo XX composiciones de tema clásico, como las ilustraciones de *Las metamorfosis* de Ovidio, de la *Lisístrata* de Aristófanes, de la *Pítica* VIII de Píndaro; representaciones de Ulises y las Sirenas, del rapto de Europa, de seres tomados de la mitología grecorromana como los Centauros, los Faunos, Pan, el Minotauro, las tres Gracias, etc. En segundo lugar, el arte clásico influye directamente en su arte, como en las cerámicas y en algunos dibujos.

Ya en 1917, en plena Primera Guerra Mundial, Picasso visitó Roma, Nápoles y también Pompeya, y allí los lugares clásicos, el ambiente italiano y la compañía de los artistas que encontró ejercieron sobre el alma de nuestro artista una acción tónica y vivificante, al decir de Boeck[1]. De unos años después, de 1923, data un cuadro monumental de tema clásico titulado *La flauta de Pan*[2], que indica el temprano interés del artista hacia estos seres de la mitología clásica, que repetidas veces inspirarán en el futuro sus dibujos. Aquí el efecto plástico se logra mediante un vigoroso claroscuro. Este mismo año se encuentra el tema de Pan en otras dos composiciones; una de ellas representa una mujer desnuda, acostada, y un joven con la flauta del dios[3]; la segunda, dos Ninfas

[1] W. Boeck, *Picasso, op. cit.*, Barcelona, 1958, pág. 193.
[2] Cfr. W. Boeck, *op. cit.*, pág. 201.
[3] Cfr. W. Boeck, *ibíd.*

jugando con un cangrejo en compañía de él[4], composición inspirada directamente en Poussin a juzgar por la técnica de las sombras al pincel, la disposición de las figuras y la atmósfera bucólica. La ejecución de los cuerpos femeninos, de formas bellas y esbeltas, obedece más bien al ideal clásico del siglo XVIII en cuanto a la representación de la belleza femenina.

El mismo año, 1923[5], dio Picasso a la luz un aguafuerte que representa a *Las tres Gracias,* tema muy del gusto de los artistas del mundo clásico, del que se conoce un excelente mosaico romano hallado en España[6]. Un dibujo a pluma y pastel, de la misma fecha, puede que sea un estudio para el gran cuadro anterior[7]. La misma composición la encontramos en un aguafuerte de 1932[8].

En el año 1920[9] publica Picasso un dibujo sobre *Neso y Deyanira* que es el precedente de una larga serie de temas inspirados en la mitología clásica, de la que un conjunto importante son los aguafuertes de *Las metamorfosis de Ovidio,* a los que nos referiremos a continuación. Entre 1933 y 1934, quince láminas de la «Suite Vollard» se dedican al tema del Minotauro. Entre los años 1946 y 1948, Centauros y Sátiros son las composiciones preferidas por el gran pintor. Centauros y combates de Centauros reaparecen en la cerámica por estos mismos años.

En el año 1930 trabaja Picasso treinta aguafuertes sobre *Las metamorfosis de Ovidio,* publicados en 1931 por Skira. El estilo es clásico, lineal y flexible, como indica Jaffé, con forma sólidamente disciplinada, verdadera estenografía de la línea. Marcan el principio del intento de crear una nueva y verdadera mitología para su uso propio. Los temas tratados son Faetonte; Júpiter y Sémele; Vertumno y Pomona; Deucalión y Pirra crean un nuevo género humano; las hijas de Minias; combate por Andrómeda entre Perseo y Finco; lucha entre Terco y Filomela; Céfalo mata a su mujer Procris; Meleagro mata al jabalí de Calidón;

---

[4] Cfr. W. Boeck, *op. cit.,* pág. 186, pág. 201.

[5] Cfr. G. Bloch, *Pablo Picasso,* Berna, 1968, núm. 59.

[6] Cfr. A. Balil, «El mosaico de *Las tres Gracias* de Barcelona», *AEA,* XXXI (1958), págs. 63-95, con paralelos.

[7] Cfr. M. Jardot, *Los dibujos de Picasso,* Barcelona, 1969, núm. 62; en 1924 vuelve Picasso al tema de las tres Gracias (J. Camón, *Picasso y el cubismo,* Madrid, 1956, pág. 344).

[8] Cfr. G. Bloch, *op. cit.,* núm. 249.

[9] Cfr. M. Jardot, *op. cit.,* núm. 54; P. Daix, *Picasso,* Madrid, 1964, págs. 117 y ss.; J. Camón, *op. cit.,* fig. 339. El dibujo a pluma y pastel que representa a un joven con espejo, mujer desnuda, tocador de flauta y niño podría ser una preparación del gran cuadro, puesto que se repite en postura idéntica la figura del tocador; existen muchas variantes donde el niño lleva a veces el arco de Cupido; cfr. M. Jardot, *op. cit.,* núm. 60.

Hércules mata a Neso; Eurídice picada por una serpiente; muerte de Orfeo; recital de Néstor sobre la guerra de Troya; Políxena es degollada sobre la tumba de Aquiles; Numa sigue los cursos de Pitágoras, etc., más otra serie de aguafuertes que representan cabezas de hombres y mujeres, mujeres y hombres desnudos, dos luchadores contemplados por dos mujeres, etc.[10].

A Faetonte[11] lo representa el artista en el momento mismo de la caída, herido por el rayo que le ha lanzado Júpiter, a quien *pariterque anima rotisque / expulit,* como escribe Ovidio *(Metamorfosis,* II, 312-313). El dibujo de Picasso, con los tres caballos amontonados, desuncidos del carro y sin atalajes, es una magnífica interpretación de gran fuerza expresiva, que indica un grado nuevo de simplificación y de potencia; grado conseguido en la expresión del movimiento en el espacio valiéndose únicamente, cómo indica Daix, del dibujo de un trazo y siguiendo los versos del poeta latino *(Met.* II, 314-318):

Consternantur equi et saltu in contraria facto
colla iugo eripiunt abruptaque lora relinquunt.
Illic frena iacent, illic temone reuulsus
axis; in hac radii fractarum parte rotarum,
sparsaque sunt late laceri uestigia currus.

En el dibujo de Júpiter y Sémele[12], Picasso presenta la pareja de enamorados en el momento del abrazo. Corresponde a los versos de Ovidio *(Met.* III, 293-295):

«Qualem Saturnia», dixit,
«te solet amplecti, Veneris cum foedus initis,
da mihi te talem.»

El aguafuerte de Vertumno y Pomona[13] se inspira en el amor cantado por Ovidio en *Met.* XIV, 620 y ss. Picasso representa a Pomona con ramos de frutos en la mano, pues

rus amat et ramos felicia poma ferentes (v. 627),

[10] Cfr. G. Bloch, *op. cit.,* núms. 99-128.
[11] Cfr. W. Boeck, *op. cit.,* pág. 198; G. Bloch, *op. cit.,* núm. 102.
[12] Cfr. W. Boeck, *op. cit.,* pág. 35; G. Bloch, *op. cit.,* núm. 104.
[13] Cfr. W. Boeck, *op. cit.,* pág. 37; G. Bloch, *op. cit.,* núm. 126.

en el momento en que

capta dei Nympha est et mutua uulnera sensit (v. 771).

Deucalión y Pirra[14] crearon un nuevo género humano, tal como Ovidio lo cuenta *(Met.* I, 407-413):

Quae tamen ex illis aliquo pars umida suco
et terrena fuit, uersa est in corporis usum;
quod solidum est flectique nequit, mutatur in ossa;
quae modo uena fuit, sub eodem nomine mansit;
inque breui spatio superorum numine saxa
missa uiri manibus facem traxere uirorum
el de femineo reparata est femina iactu.

Los aguafuertes de las hijas de Minias[15] y el combate entre Perseo y Finco[16] responden también a versos de Ovidio *(Met.* IV, 1 y ss., y V, 30 y ss., respectivamente).

Ovidio, en *Met.* VI, 521-527, narró la violación de Filomela por su cuñado Terco, tema que dibujó Picasso[17] representando a la pareja en el momento de la violación:

[...] cum rex Pandione natam
in stabula alta trahit, siluis obscura uetustis,
atque ibi pallentem trepidamque et cuncta timentem
et iam cum lacrimis, ubi sit germana, rogantem
includit fassusque nefas et uirginem et unam
ui superat frustra clamato saepe parente,
saepe sorore sua, magnis super omnia diuis[18].

Un aguafuerte está consagrado a la muerte de Procris por su esposo Céfalo[19], que el poeta latino celebró en los versos 840 y ss. del libro VII de *Las metamorfosis.* Picasso ha elegido para su composición el momento en que Céfalo descubre a su esposa Procris caída:

---

[14] Cfr. W. Boeck, *op. cit.*, pág. 100.
[15] Cfr. W. Boeck, *op. cit.*, pág. 106.
[16] Cfr. W. Boeck, *op. cit.*, pág. 108.
[17] Cfr. G. Bloch, *op. cit.*, núm. 110.
[18] Cfr. G. Bloch, *op. cit.*, núm. 1102.
[19] Cfr. G. Bloch, *op. cit.*, núm. 114.

Vox est ubi cognita fidae
coniugis, ad uocem praeceps amensque cucurri:
semianimem et sparsas foedantem sanguine uestes
a sua (me miserum) de uulnere dona trahentem
inuenio [...]

El dibujo no responde exactamente a los versos (843-847), pues Céfalo tiene en su mano la jabalina. El aguafuerte picassiano sobre Meleagro y la muerte del jabalí de Calidón está inspirado en los versos de Ovidio, *Met.* VIII, 412-417:

At manus Oenidae uariat, missisque duabus
hasta prior terra, medio stetit altera tergo.
Nec mora, dum saeuit, dum corpora uersat in orbem
stridentemque nouo spumam cum sanguine fundit,
uulneris auctor adest hostemque inritat ad iram
splendidaque aduersos uenabula condit in armos.

El tema de la muerte de Neso el Centauro a manos de Hércules responde muy de cerca a los versos de *Las metamorfosis* IX, 125-133, que comienzan con

Haud tamen effugies, quamuis ope fidis equina;
uulnere, non pedibus te consequar.

La acción confirma sus últimas palabras, y una flecha disparada atraviesa el lomo fugitivo. El ganchudo hierro sobresalía de su pecho, y al arrancárselo brotó por ambos orificios la sangre mezclada con la ponzoña del jugo de Lerna. Neso la recoge:

«ne» que enim «moriemur
inulti», secum ait et calido uelamina tincta cruore
dat munus raptae uelut inritamen amoris.

Eurídice, picada en un tobillo por una serpiente durante un paseo, inspiró también a Picasso[20], quien la pintó tumbada en el suelo y acompañada de Náyades al igual que Ovidio lo narra *(Met.* X, 8-10).

---

[20] Cfr. G. Bloch, *op. cit.*, núm. 118; J. Camón, *op. cit.*, fig. 457; B. Geiser, *op. cit.*, núm. 47.

El aguafuerte que representa la muerte de Orfeo[21] se inspira en los versos 40-43 del libro XI de *Las metamorfosis.* Picasso se ha fijado en el momento en que las Ménades sacrílegas le matan: su cuerpo cae sobre un toro.

El recital de Néstor sobre la guerra de Troya, que ha motivado un aguafuerte de Picasso[22], responde a *Met.* XII, 168 y ss. El del degüello de Políxena sobre la tumba de Aquiles sigue a *Met.* XIII, 445-448:

«Inmemores» que «mei disceditis», inquit, «Achiui,
obrutaque est mecum uirtutis gratia nostrae!
Ne facite! utque meum non sit sine honore sepulcrum,
placet Achilleos mactata Potyxena manes!».

El aguafuerte de Numa siguiendo los cursos de Pitágoras[23] corresponde a *Met.* XV, 479:

Talibus atque aliis instructo pectore dictis.

Si se comparan los aguafuertes de Picasso con algunas representaciones plásticas de estos temas mitológicos hechas por la Antigüedad clásica, como la de la liberación de Andrómeda por Perseo tal como la representa una pintura pompeyana de la Casa dei Dioscuri[24]; la de Hércules, Deyanira y Neso de la Casa del Centauro de Pompeya[25]; la de la muerte de Neso a manos de Hércules de un ánfora ateniense fechada hacia el año 610 a.C.[26]; la de la muerte del ja-

---

[21] Cfr. G. Bloch, *op. cit.,* núm. 120; B. Geiser, *op. cit.,* núm. 48. Una segunda ilustración trata el mismo tema de manena distinta; cfr. B. Geiser, *ibíd.,* núm. 51.

[22] Cfr. G. Bloch, *op. cit.,* núm. 122.

[23] Cfr. G. Bloch, *op. cit.,* núm. 128. Algunos temas de *Las metamorfosis* tienen dibujos dobles, como la muerte de Orfeo, Eurídice picada por la serpiente, Júpiter y Sémele y perfiles. A la misma obra pertenece la composición con tres mujeres matando a un toro; cfr. G. Bloch, *op. cit.,* núms. 132 y 1367.

[24] Cfr. B. Rizzo, *La pittura ellenistico-romana,* Milán, 1929, láms. XLI, XCCCII y, sobre todo, CLXIII.

[25] Cfr. B. Rizzo, *op. cit.,* lám. B; V. Spinazzola, *Le arti decorative in Pompei en el Museo Nazionale di Napoli,* Milán, 1928, pág. 121. El mismo tema es tratado en una copa de Aristófanes; cfr. J. Charbonneaux, R. Martin y F. Villard, *Grecia clásica,* Madrid, 1970, pág. 270, fig. 311, fechada a comienzos del siglo V a.C.

[26] Cfr. M. Robertson *Greek Painting,* Ginebra, 1959, págs. 55-65; K. Schefold, *Die Griechen und ihre Nachbarn,* Berlín, 1967, fig. 183b.

balí de Calidón a manos de Meleagro del vaso François[27], o de un sarcófago de Roma fechado hacia el año 220[28], o de varios sarcófagos romanos guardados en la Galleria degli Uffizi de Florencia y datados en la primera mitad del siglo III, finales del II y comienzos del III[29]; la de Vertumno y Pomona de una pintura de la Casa del Quirinal en Roma[30]; la de la caída de Faetonte de un sarcófago conservado en la Galleria degli Uffizi, de comienzos del siglo II[31]; la de la muerte de Políxena de dos ánforas tirrénicas del Museo de Berlín, donde la protagonista es colocada horizontalmente por tres hombres sobre la tumba y ofrece el cuello al puñal, o de una hidria del mismo museo de finales de la cerámica de figuras negras, o de un sarcófago del Museo Gregoriano Etrusco del Vaticano, procedente de Tarquinia[32], donde la heroína es degollada sobre la tumba; o la de la muerte de Orfeo a manos de las Ménades enfurecidas, tema muy del gusto de la pintura vascular ática del siglo V[33], se concluye entonces que el pintor malagueño sigue muy de cerca la descripción de Ovidio, pero no tiene presentes estos temas tal como los trataron los artistas del mundo antiguo. Picasso ha leído muy atentamente *Las metamorfosis* y ha elegido de cada leyenda el momento que cree cumbre ateniéndose en general a los datos del poeta. Algunos temas de Picasso no se trataron en la Antigüedad, como el de Deucalión y Pirra, leyenda, por otra parte, muy celebrada por los autores antiguos, como Hesíodo (frs. 2-7 y 234 M.-W) y Apolodoro 17, 2 y III 8, 2, pero que no gozó de aceptación entre los artistas, pues tan sólo se conoce una dudosa representación en un ánfora apulia de la colección Oppermann[34]. La leyenda de Filomela tampoco fue muy amada del arte figurativo de la Antigüedad, y el momento elegido por Picasso parece no haber sido tratado[35].

---

[27] Cfr. J. D. Beazley, *The Development of Attic Black-Figure*, Londres, 1951, láms. 11 y 32; K. Schefold, *op. cit.*, fig. 186; P. E. Arias y M. Hirmer, *Tausend Jahre griechische Vasenkunst*, Múnich, 1960, figs. 40, 42 y 50, esta última de Glaucites y Arcicles, fechada hacia el año 540 a.C.

[28] Cfr. Kraus, *Das römische Weltreich*, Berlín, 1967, fig. 240.

[29] Cfr. G. A. Mansuelli, *Galleria degli uffizi: le sculture*, Roma, 1958, pág. 229, fig. 246; 236 y ss., figs. 245 y 255.

[30] Cfr. M. Borda, *La pittura romana*, Milán, 1959, pág. 271.

[31] Cfr. G. A. Mansuelli, *op. cit.*, págs. y 232 ss., fig. 251a.

[32] *EAA*, VII, pág. 1010, figs. 251a.

[33] *EAA*, V, pág. 745.

[34] *EAA*, III, págs. 80 y ss.

[35] *EAA*, III, págs. 680 y ss.

Un par de años después de la publicación de los aguafuertes inspirados en *Las metamorfosis* de Ovidio dio Picasso a la luz algunos otros donde reaparecen figuras tomadas de la mitología clásica. Uno de ellos[36] representa el descanso del escultor tumbado en un lecho, en compañía de una mujer, delante de un Centauro que abraza a otra, quizás el tema ya tratado de Neso y Deyanira como símbolo del amor. Este mismo año aparece el tema del Minotauro[37], muy del gusto de Picasso.

Éste grabó las once láminas del Minotauro, que forman parte de la «Suite Vollard», entre el 17 de mayo y el 18 de junio de 1933. Las composiciones son: Minotauro bebiendo junto a una muchacha; acariciando a otra; bebiendo en compañía de un escultor y dos muchachas; con mujer sentada y durmiendo detrás de una cortina; asaltando a una muchacha; muriendo; vencido en la arena; agonizando; abrazando a una muchacha; con un escultor bebiendo; inclinado sobre una muchacha que duerme[38].

Las cuatro láminas que representan el Minotauro ciego se hicieron entre 1934 y 1935. El mismo año 1933 dibuja otras dos composiciones con los temas del Minotauro contemplando a una mujer y Minotauro violando a otra. Del año 1933 data también el gran aguafuerte de la Minotauromaquia, y de 1936 el del Minotauro y la muchacha.

A estos años pertenecen otros temas en los que hacen su aparición por vez primera seres mitológicos tomados de la Antigüedad clásica, como el Fauno con tres mujeres tocando la flauta, fechado en 1932 —el Fauno vuelve a aparecer en un aguatinta del año 1936, levantando el velo a una mujer dormida[39]—, Baco y una mujer de perfil y Baco con una mujer desnuda echada, ambos de 1934[40]. De este mismo año datan un aguatinta y un aguafuerte con tres personajes, uno de ellos con máscara de toro delante de una mujer pájaro[41] del tipo de las Harpías antiguas[42].

---

[36] Cfr. G. Bloch, *op. cit.*, núm. 167.

[37] Cfr. G. Bloch, *op. cit.*, núm. 150.

[38] Cfr. G. Bloch, *op. cit.*, núms. 190-201, 222-225, 261-262, 283 y 288; H. Bolliger, *Pablo Picasso, Suite Vollard,* Barcelona, 1956, núms. 83-97; B. Geiser, *op. cit.*, núms. 80-83 y 86-89; J. Camón, *op. cit.*, pág. 600, figs. 463, 471-472, 474-475, 477-482 y 484-487.

[39] Cfr. H. Bolliger, *op. cit.*, núm. 11; G. Bloch, *op. cit.*, núm. 230.

[40] Cfr. G. Bloch, *op. cit.*, núms. 274 y 284.

[41] Cfr. G. Bloch, *op. cit.*, núm. 227; B. Geiser, *op. cit.*, núm. 94. Un pájaro con cabeza de mujer data de unos años después, 1938; cfr. G. Bloch, *op. cit.*, núm. 314.

[42] Baste recordar las Harpías de un *stamnos* del pintor de las Sirenas; cfr. J. Charbonneaux, R. Martin y F. Villard, *op. cit.*, pág. 236, fig. 264, del segundo cuarto del siglo V a.C.

Pablo Picasso, *Minotauro y amazona,* Galerie Louise Leiris, París.

Picasso ha recibido de la Antigüedad clásica el tema del Minotauro. Su muerte a manos de Teseo es uno de los episodios más antiguos de las leyendas heroicas representadas en el arte griego, pues se documenta ya en láminas de oro de Corinto y en los escudos argivos; pocas veces se representa la lucha en vasos corintios o calcídicos, pero muchas veces en vasos áticos de figuras negras[43] y rojas[44].

La lucha de Teseo y el Minotauro es una composición muy del gusto de los artistas atenienses. Se la encuentra en esculturas, como una metopa del Tesoro de los Atenienses en Delfos, una segunda metopa del templo del *Κολωνὸς ἀγοραῖος* de Atenas y un grupo estatuario de la misma ciudad mencionado por Pausanias (I 24, I); incluso aparece también en Etruria, como en la hidria de Polledrara. El tema del Minotauro pasa al arte romano, donde se repite en la pintura parietal y en mosaicos, como un emblema de la Casa del Laberinto de Pompeya; el de Cremona, procedente de la Via Cadolini, etc.[45].

Picasso, como en los episodios de *Las metamorfosis,* no se inspira directamente en las representaciones del mundo clásico sobre el Minotauro, sino sólo en el físico del monstruo. Daix[46] ve en el Minotauro un nuevo elemento del lenguaje plástico utilizado por el pintor, y no cree que el tema se pueda reducir a símbolos políticos elementales, al hacer su aparición en los años que ven la toma del poder por Hitler y el aumento de tensión en Europa, y más concretamente en Francia y en España. No es un monstruo; se convierte en el portador de la sensualidad desnuda, revelador y espejo del hombre en su estado natural, fuerza y debilidad al mismo tiempo. Boeck[47] ha estudiado detenidamente el simbolismo del Minotauro, que representa el oscuro poder de los abismos y de la sangre. En la Minotauromaquia, Picasso representa la derrota de las fuerzas vulnerables y de esencia superior ante el ímpetu arrollador de las fuerzas brutales. El artista encarna las primeras en símbolos femeninos y las segundas bajo las especies masculinas del monstruo de cabeza de toro, con lo que acredita la alta estima en la que tiene a la vez la fuerza femenina y la masculina de su propia naturaleza. Para Camón[48],

---

[43] Cfr. J. D. Beazley, *Attic Black-Figure Vase-Painters,* Oxford, 1956, pág. 727 (noventa vasos).

[44] Cfr. J. D. Beazley, *Attic Black-Figure Vase-Painters,* Oxford, 1963^2, pág. 1731.

[45] *EAA,* V, pág. 104.

[46] P. Daix, *op. cit.,* págs. 149 y ss.

[47] W. Boeck, *op. cit.,* págs. 220 y ss.

[48] J. Camón, *op. cit.,* pág. 609.

toda la potencia tan elemental de la imaginación picassiana, toda esa constante de ímpetus dionisíacos, de confusión entre los instintos animales y humanos, con el culto a la mujer y a la bestia, se concreta en estas estampas donde lo mejor de su arte ha encontrado su plasmación. Como en un mito caldeo, la potencia taurina se impregna de lucidez humana y resultan figuras de un vigor y destino de semidioses [...]. Estas estampas producen una terrible impresión.

Jaffé[49] señala que Picasso lo que intenta es crear una mitología moderna, capaz de expresar las obsesiones del presente.

En el mismo año de 1934 publicó el Limited Editions Club de Nueva York seis grabados y treinta y tres reproducciones de dibujos de Picasso sobre la *Lisístrata*[50] de Aristófanes, donde se revela una nueva preocupación por el contenido en detrimento de la riqueza decorativa de la lámina. No vamos a analizar cada una de las escenas; baste indicar que, como en el caso de *Las metamorfosis,* las ilustraciones se inspiran directamente en los versos del comediógrafo ateniense.

Pasada la Segunda Guerra Mundial, en junio de 1946, Picasso pintó *El rapto de Europa,* su primera pintura mitológica importante[51], pues los temas de mitología clásica interesan más a Picasso como litógrafo, grabador y dibujante que como pintor. El tema está ejecutado de manera abstracta y con formas monumentales, simplificadas hasta el extremo y de un gran valor plástico. La composición responde a la concepción de los artistas clásicos tal como aparece ya en una metopa del templo de Selinunte de la primera mitad del siglo VI[52], en otra del Tesoro de los Sicionios de Delfos, en una hidria ceretana[53], en una pintura pompeyana[54], etc.

En este mismo año y el siguiente vuelve Picasso a dibujar seres tomados de la mitología clásica, pues, como escribe Boeck[55], aunque su espíritu y su mano estén constantemente solicitados por nuevas búsquedas y experimentos, el pintor se siente, no obstante, atraído siempre por los objetos y los restos del pasado, en los que como dice Gertrude Stein, encuentra un sedante.

---

[49] H. L. Jaffé, *Pablo Picasso,* Barcelona, 1967, pág. 34.

[50] Cfr. G. Bloch, *op. cit.,* núms. 267-271; M. Jardot, *op. cit.,* núms. 90-91; B. Geiser, *op. cit.,* núms, 56-57.

[51] Cfr. G. Bloch, *op. cit.,* págs. 269, 422.

[52] *EAA,* III, págs. 542 y ss., fig. 658.

[53] *EAA,* III, fig. 659; cfr. J. Boardman *et al., The Art and Architecture of Ancient Greece,* Londres, 1967, lám. XXIII (pintor de Berlín, 490 a.C.).

[54] Cfr. B. Rizzo, *op. cit.,* lám. XCIX.

[55] W. Boeck, *op. cit.,* pág. 266.

En este mismo aspecto hemos hablado de un clasicismo como elemento de equilibrio. Una serie de seres mitológicos clásicos indican bien claramente que el artista se ha liberado de todo lo que oprimía su espíritu en los años en que creaba los Minotauros. Ahora, para expresar la alegría de continuar viviendo después de los horrores de la guerra, dibuja Centauros y Faunos tocando la flauta, como en *La alegría del vivir*[56] y las litografías *Faunos y centauros, Centauro y bacante; Centauro, bacante y fauno; Familia de centauros con palomas, El nacimiento del último centauro, Centauromaquia, Danza en la plaza* (con faunos y centauros), trípticos (con centauros), bastantes litografías con Pan, faunos tocando la flauta o sonrientes. Un segundo grupo de litografías lo constituyen cabezas de faunos. También hay una *Ménade,* reducido el cuerpo a pura geometría, sobre todo a triángulos superpuestos, y un *Centauro danzando*[57]. En los poemas y litografías dibujados entre el 6 de abril y el 25 de mayo de 1949 encontramos nuevamente faunos[58], y en las litografías realizadas en 1956 reaparce el tema del fauno con un niño y con un marinero[59]. Del año siguiente data *La danza de los faunos*[60]; de 1959, *Combates de centauros*[61]; de 1960, el *Homenaje a Baco*[62].

De particular interés son las cuatro composiciones sobre Venus y el Amor[63], fechadas en el año 1949, que, aunque inspiradas en Cranach,

---

[56] Cfr. W. Boeck, *op. cit.,* págs. 266 y ss., y 418 y ss.; H. L. Jaffé, *op. cit.,* pág. 142; J. Camón, *op. cit.,* págs. 540 y ss.

[57] Cfr. G. Bloch, *op. cit.,* núms. 413, 416-417, 468-475, 518-523, 525-530, 573, 1341 y 1348-1349; W. Boeck, *op. cit.,* págs. 60, 63, 99, 269 y 273-276; F. Mourlot, *Picasso lithographe, op. cit.,* núms. 58-59, 62-63, 111, 116. 118 y 121; M. Jardot, *op. cit.,* núm. 121; B. Geiser, *op. cit.,* núms. 106-109, 115, 126-127, 132-134 y 256.

[58] Cfr. F. Mourlot, *op. cit.,* núms. 180-181.

[59] Cfr. F. Mourlot, *op. cit.,* núms. 283-284. Una cabeza de fauno sobre linóleo en color pintó Picasso en 1962; cfr. G. Bloch, *op. cit.,* 1094, también con cabezas de faunos. Grabados sobre linóleos datan de 1955-1956, con ocasión de la exposición de Vallauris (núms. 1266-1267 y 1271).

[60] Cfr. F. Mourlot, *op. cit.,* núm. 291; G. Bloch, *op. cit.,* pág. 830.

[61] Cfr. F. Mourlot, *op. cit.,* núms. 330-331; G. Bloch, *op. cit.,* núms. 903-904. De este mismo año se conoce un grabado de linóleo con faunos y cabra; núm. 934 y pág. 77.

[62] Cfr. F. Mourlot, *op. cit.,* núm. 836; G. Bloch, *op. cit.,* núm. 1006.

[63] Cfr. F. Mourlot, *op. cit.,* núms. 182-184. El tema se repite en un aguatinta del 10 de mayo de 1965, pero aquí la diosa está echada, y Eros alado vuela hacia ella; cfr. G. Bloch, *op. cit.,* núm. 1214, y el mismo tema tratado en un *lékythos* en forma de aríbalo apulio de comienzos del 380 a.C. (cfr. J. Charbonneaux, R. Martin y F. Villard, *op. cit.,* página 304, fig. 351 y P. A. Arias y M. Hirmer, *op. cit.,* 238) y en una pintura pompeyana (cfr. A. Maiuri, *La peinture romaine, op. cit.,* pág. 7). Un tema mitológico vuelve a aparecer en Picasso el 6 de diciembre de 1966 (cfr. G. Bloch, *op. cit.,* núm. 1366).

se remontan a prototipos clásicos: baste mencionar el mosaico del Bajo Imperio de la *uilla* romana de Fortunato[64].

A estos seres mitológicos se les encuentra también en la cerámica picassiana[65], como los *Centauros y bacantes* del año 1947, cuyo brillante efecto de «color» a base de negro y blanco se logró mediante pinceladas que forman grandes manchas (platos con fauno y cabra y combates de centauros). Aquí el estilo de las figuras, tomado de las gemas micénicas, según Boeck, ha hallado, para la decoración de los utensilios, un empleo característico en la evocación del idilio clásico y de las corridas. Señala este autor[66] que, en las obras del periodo de Antibes, inmediatamente después de la Segunda Guerra Mundial, la obra principal es una exaltación de la mujer, y volvemos a encontrar una felicidad amorosa, casi tierna, esta vez bajo el disfraz de divinidades clásicas de la Naturaleza. Como escribe Jaffé[67],

> las pinturas que datan de esta época prosiguen mostrándonos la creación de la mitología personal iniciada en la década 1930-1940. Pero, mientras que en las pinturas anteriores a la guerra se mantiene la mitología en un tono menor y sombrío y las figuras expresan ansiedad, injusticia y demoníaca agresividad, las pinturas de Antibes manifiestan «alegría del vivir», título de la obra más importante producida en el periodo. La mitología aparece aquí en tono mayor [...]. «La alegría del vivir» combina de un modo admirable elementos de la mitología clásica con la personal del artista.

En el verano de 1947, durante su estancia en Antibes, trabajó Picasso durante tres o cuatro días en hacer un tríptico de tema clásico, *Ulises y las Sirenas*[68]. Del año 1960 datan cuatro grabados sobre celuloide consagrados a la VIII Pítica de Píndaro[69]. Del año 1962, otras dos pinturas inspiradas en el mundo clásico: un casco de guerrero[70], que parece ser corintio, y *El rapto de las Sabinas*[71], composición ya tratada

---

[64] J. de C. Serra Rápols, «La *Villa Fortunatus* de Fraga», *Ampurias,* V (1943), págs. 5-35, lám. XIII.

[65] Cfr. W. Boeck, *op. cit.,* págs. 279 y ss.

[66] Cfr. W. Boeck, *op. cit.,* pág. 306.

[67] H. L. Jaffé, *op. cit.*

[68] F. Gilot y C. Lake, *Vida con Picasso,* Barcelona, 1965, pág. 172; D. de la Souchère, *Picasso,* Barcelona, 1969, pág. 15.

[69] Cfr. G. Bloch, *op. cit.,* págs. 995-998.

[70] Cfr. P. Daix, *op. cit.,* pág. 251.

[71] Cfr. P. Daix, *op. cit.,* págs. 248, 255.

con variantes notables por Poussin y David. Esta pintura responde al momento de máxima tensión internacional con grave peligro de guerra atómica originada por el bloqueo de Cuba. Al fondo del cuadro se representa un templo romano, coronado por un frontón triangular, que puede ser cualquiera de los que Picasso conocía *de visu,* como la «Maison Carrée» de Nimes, del año 19 a.C.[72]. En el ángulo superior izquierdo hay una reproducción de un anfiteatro que recuerda a la pintura pompeyana del construido en el 59[73] o al anfiteatro Flavio en monedas de Tito[74].

El hombre del cordero, realizado en 1949[75], es un tema muy del gusto de la Antigüedad clásica: baste recordar la gran cantidad de moscóforos, ya del arte arcaico (bronce de Creta, mármol de la Acrópolis, bronces de Esparta y Arcadia)[76] que pasan al arte del Bajo Imperio[77] y de los que España puede ofrecer unos buenos ejemplares[78].

El influjo del arte prehelénico y griego se acusa bien en la cerámica. Como indica Daix[79], «toda su obra anterior a 1947 prueba que las cerámicas de las civilizaciones americanas son para él tema importante de meditación y estudio». Los temas que dominan en la cerámica son los mitológicos y los taurinos. Boeck[80] señala que es

> evidente que Picasso conocía las obras de los mejores ceramistas de la Antigüedad, pero no las «copió». Dejándose inspirar por sus leyes, reemprendió la serie de operaciones que le dictaban sus propias creaciones anteriores. Lo más característico de su arte y su estilo, en este terreno, es su tendencia a las interpretaciones figurativas de la forma del recipiente por medio de la pintura con que

[72] Cfr. H. Kähler, *Rom und seine Welt,* Múnich, 1958, lám. 56.

[73] Cfr. H. Kähler, *op. cit.,* lám. 148.

[74] Cfr. E. Nash, *Bildlexikon zur Topographie des antiken Rom,* vol. I, Tubinga, 1961, pág. 24; vol. II, 1962, pág. 63.

[75] Cfr. W. Boeck, *op. cit.,* págs. 288, 437.

[76] Cfr. G. M. A. Richter, *Archaic Greek Art against its Historical Background,* Nueva York, 1949, figs. 34, 92-93, 236 y 241.

[77] Cfr. A. García y Bellido, *Arte romano, op. cit.,* págs. 1097 y 1099.

[78] Cfr. P. de Palol, *Arqueología cristiana de la España romana,* Valladolid, 1967, páginas 285 y ss., láms. LXIV-LXVII.

[79] Cfr. P. Daix, *op. cit.,* pág. 198. Entre 1947 y 1948 hizo Picasso más de dos mil piezas de cerámica, que son, por lo tanto, en gran parte contemporáneas de gran número de litografías con temas mitológicos; cfr. J. Camón, *op. cit.,* págs. 642 y ss.

[80] Cfr. W. Boeck, *op. cit.,* págs. 278 y ss.; *Cahiers d'Art,* monográfico dedicado a Picasso, 1948, págs. 72-208 y ss.; J. Sabartés, *Picasso ceramista,* Milán, 1957; G. Ramié, *Céramiques de Picasso,* Ginebra, 1948.

lo adorna. Un jarrón se transformó en un cuerpo femenino confundiéndose las distintas partes del cuerpo y del jarrón: el cuello, los hombros, el pie, las asas y los brazos tienen la misma identidad natural.

Los vasos en forma de animales o personas siguen la misma concepción realizada milenios antes por los ceramistas griegos y micénicos (Boeck añade a los chinos), que se funda en la correspondencia entre la cabeza, los hombros y el vientre del animal y las distintas partes de un recipiente.

Vasos, como uno en forma de mujer, con grandes senos[81], recuerdan muy de cerca las terracotas minoicas fechadas hacia 1500 a.C., incluso en un peinado[82], y otros en forma de pájaro íbice, fauno o lechuza[83], buitre, gacela echada, centauro, toro, etc., recuerdan también a la cerámica griega[84].

Muchas cabezas de hombres barbudos dibujadas por Picasso en los aguafuertes del año 1933[85] parecen directamente inspiradas en retratos helenísticos[86]. Concretamente, el aguafuerte con modelo y gran cabeza esculpida del 1 de abril de 1933 recuerda muy de cerca los retratos de Epicuro[87].

En resumen, el mundo clásico ha influido en Picasso prestándole seres mitológicos que el artista utiliza para crear su mitología moderna. También es muy probable que en los aguafuertes del año 1933 se acuse la influencia de la retratística griega. En las cerámicas influyeron también las grandes corrientes artísticas de la helénica.

Picasso no es un caso aislado en acusar la influencia del mundo clásico en la pintura moderna. Baste recordar dentro de España a Gregorio Prieto, con pinturas como *Estatua clásica, Ruinas de Taormina, El caballero de bronce, Muchacho griego, Homenaje a la España ibérica,* etc.[88]; Sotomayor, con *Orfeo y las bacantes* y *El rapto de Europa;* Dalí, con *Familia*

---

[81] Cfr. W. Boeck, *op. cit.,* pág. 444.

[82] Cfr. P. Demargne, *Nacimiento del arte griego,* Madrid, 1960, figs. 212-214.

[83] Cfr. W. Boeck, *op. cit.,* págs. 442, 446-447.

[84] Cfr. M. J. Maximova, *Les vases plastiques dans l'Antiquité,* París, 1927.

[85] Cfr. G. Bloch, *op. cit.,* núms. 147, 157-158, 160-171, 177-179.

[86] Cfr. G. M. A. Richter, *The Portraits of the Greeks,* Londres, 1965, figs. 346, 354, 369, 386 y 597.

[87] Cfr. G. M. A. Richter, *op. cit.,* figs. 1152-1179.

[88] Cfr. J. Larco, *La pintura española moderna y contemporánea,* vol. II, Madrid, 1969, págs. 69 y ss., láms. 304-305; A. Gaya Nuño, *La pintura española en el medio siglo,* Barcelona, 1952, lám. 52; sobre Sotomayor, cfr. A. Gaya Nuño, *ibíd.,* pág. 145.

de centauros marsupiales[89]; Zabaleta, con *Campesinos con la diosa Ceres;* y, fuera de la Península Ibérica, Braque con *Nereida, Helios, Hécate, Hades, Pelias y Peleo, Áyax*[90]*;* Laurens, con *Sirena*[91]; Garballo, con *Urano*[92]*;* Beckmann, con *Los Argonautas*[93] y *Odiseo y Calipso*[94], y Lipchitz, con *Prometeo y el águila*[95].

---

[89] Cfr. A. Gaya Nuño, *ibíd.,* lám. 74.

[90] Cfr. E. B. Mullins, *Braque,* Londres, 1968, figs. 98, 134, 137-139 y 148.

[91] Cfr. J. E. Cirlot, *La escultura del siglo XX,* Barcelona, 1956, fig. 27.

[92] Cfr. J. E. Cirlot, *op. cit.,* fig. 29.

[93] Cfr. H. L. Jaffé, *L'arte del XX secolo,* Roma, 1970, fig. 402.

[94] Cfr. Schug, *Art of Twentieth Century, op. cit.,* pág. 171.

[95] H. L. Jaffé, *op. cit.,* en n. 93, fig. 350. Beckmann tiene también una ilustración para *El asno* de Luciano, cfr. H. L. Jaffé, *ibíd.,* fig. 361.

Los mitos clásicos en la obra de artística de Picasso han llamado la atención de los estudiosos. Baste recordar unos cuantos títulos: M. Alvar, *Picasso: los mitos y otras páginas sobre pintores,* Madrid, 1998; S. Laursen, O. Westheider *et al., Picasso und die Mythen,* Bremen, 2002; J. Thimme, *Picasso und die Antike, op. cit.;* J. Clair, *Picasso: sous le soleil de Mithra,* París, 2001. Sobre el desnudo femenino, que desempeña un papel tan importante en la obra de Picasso, véase G. Fossi (coord.), *Il nudo: eros, natura, artificio,* Florencia, 1999.

Capítulo XII

Temas del mundo clásico en el arte moderno español

Aunque aparentemente el mundo clásico no inspira a los artistas tan acentuadamente como en otras épocas, cual fue el caso de los del Renacimiento, que práticamente todos ellos bebían de las fuentes clásicas, la mitología griega y romana sigue siendo cantera de inspiración continua para los creadores del arte contemporáneo mundial y más concretamente hispano. Baste recordar al gran artista Picasso[1], que con la leyenda del Minotauro ha representado mitos del mundo actual.

Sólo pretendemos presentar y comentar muy someramente unos ejemplos de composiciones clásicas en el arte español de los últimos años, pues referirnos a la totalidad podría resultar exhaustivo.

A R. Enrich, se debe un caballo de Troya sobre ruedas. R. Enrich se caracteriza, en opinión de J. Socias[2], por su extraordinaria capacidad para incorporar a sus óleos toda una serie de sugerencias procedentes de la Antigüedad clásica con facilidad temática, sorprendente y actualísima. El tema del caballo construido en madera, introducido en Tro-

---

[1] D. H. Kahnweiler *et al.*, *Picasso, 1881-1973,* Barcelona, 1974, págs. 172-179; B. Geiser, *L'oeuvre gravé de Picasso,* Lausanne, 1955, págs. 68, 80-82, 84-89;. J. Leymarie, *Picasso: métamorphoses et unité,* Ginebra, 1971, págs. 90-92, 94-95; J. Thimme, *Picasso und die Antike, op. cit.* Al mundo clásico en el arte moderno hemos dedicado varios trabajos: J. M. Blázquez, «Temas del mundo clásico en las pinturas de Kokoschka y Braque», art. cit. (cap. IX de esta edición).

[2] *Goya,* 178, pág. 228.

ya por el ejército aqueo, cuyo vientre se encontraba lleno de soldados, gozó de aceptación entre los artistas del mundo clásico. Es suficiente recordar dos ejemplos, uno tomado de la Grecia arcaica y el segundo de la pintura pompeyana. El primero es un caballo en relieve repleto de guerreros aqueos asomados a las ventanas y rodeado de otros soldados armados, en un ánfora con figuras en relieve, fechada en torno al 670 a.C., hoy en el Museo de Mikonos. Las metopas de los dos frisos sobre el vientre del ánfora muestran escenas de la caída de Troya. Nada tiene de extraño que el arte griego más arcaico tomara los episodios de la guerra de Troya como tema de inspiración, pues hacia el año 700 a.C. se había compuesto en Jonia la *Iliada,* y estas composiciones se pusieron inmediatamente de moda en Grecia, tanto en la literatura como en el arte, como lo indican la cara exterior del escudo de arcilla hallado en Tirinto, fechado en torno al 700 a.C. con Aquiles y Pentesilea[3], la reina de las amazonas que apoyó la causa troyana, se enamoró del héroe aqueo y fue asesinada por él, que es el tema de este escudo y de una copa ática del segundo cuarto del siglo V a.C.[4]. Igualmente los pintores se inspiraron en leyendas sacadas de la *Odisea,* que es un poco más reciente en su composición que la *Iliada,* como Ulises cegando con un tronco al monstruo Polifemo, que es el tema que adorna el cuello de un ánfora protoática, hoy conservada en el Museo de Eleusis, fechada hacia el 670 a.C.[5], o sobre una crátera de mitad del siglo VII a.C., de Argos, en la actualidad en el Museo de Argos.

En una pintura impresionista pompeyana[6] se representa el caballo sobre ruedas, introducido por los troyanos en su ciudad.

R. Enrich se ha podido muy bien inspirar en esta pintura o en la leyenda homérica directamente pero no en el relieve del cuello de la gran ánfora, en el que el caballo marcha sobre el suelo y está lleno de guerreros en el interior de su cuerpo.

En la obra gráfica no cesan de representarse este tema clásico y una larga serie de otros varios de la que únicamente mencionamos un dibujo aparecido en la prensa diaria[7], esta vez no salido de la mano de un artista hispano, sino de un dibujante del diario *The Times,* se trata de una simbología en la que interviene el Caballo de Troya cabalgado por Europa.

---

[3] R. Hampe y E. Simon, *Un millénaire d'art grec, 1600-600, op. cit.,* pág. 79, figs. 116-117.

[4] M. Robertson, *Greek Painting, op. cit.,* pág. 115.

[5] R. Hampe y E. Simon, *op. cit.,* pág. 66, fig. 97.

[6] A. Maiuri, *La peinture romaine, op. cit.*

[7] *ABC,* 8 de diciembre de 1992.

La leyenda de Sísifo, condenado a transportar eternamente una roca, ha inspirado una excelente composición de Brihuega[8], diseñada con bello realismo. Magníficamente ha expresado el artista en la tensión de la musculatura del brazo derecho y en el gesto del rostro, el esfuerzo del transporte en vano de la descomunal piedra. Sísifo fue el fundador de Corinto. Zeus, irritado con él, le fulminó y le arrojó a los infiernos, y le condenó a transportar una enorme piedra eternamente hasta lo alto de una pendiente. Cuando la roca llegaba a la cumbre volvía a caer y Sísifo tenía que subirla de nuevo. Esta condena inspiró a los artistas etruscos y griegos. Baste recordar el jarrón de Apulia[9] que reproduce el reino infernal del Hades, con Plutón (Hades) y Proserpina en el interior de un palacio blanco, estableciendo las leyes de su infernal reino. Sísifo sostiene en alto, con los brazos levantados, la roca.

L. de Brihuega ha optado por otra postura diferente de la de los artistas griegos y etruscos, que es llevar la roca en brazos. Sin embargo, el esfuerzo del transporte está tan bien expresado como en el jarrón apulio, en la postura de brazos, piernas y en la inclinación del cuerpo.

Subirachs[10] ha logrado una bella composición titulada capitel. Sobre un cuerpo desnudo de mujer ha colocado un capitel. Los pechos representan las volutas. El capitel es del tipo de los hallados en el Llano de la Consolación (Albacete)[11].

Subirachs ha alcanzado una composición de mujer y capitel, de gran originalidad y elegancia en la concepción de las cariátides que sostenían el techo, como en el Erecteión de la Acrópolis de Atenas, obra levantada entre los años 420 y 405 a.C.[12]. Posiblemente el artista se ha inspirado directamente en las cariátides del Erecteión, donde las damas tienen un capitel con lengüetas sobre su cabeza sosteniendo el techo del edificio.

A M. L. Campoy se debe una excelente cabeza de Hispania, que, según afirma F. Prados de la Plaza, bebe en fuentes clásicas[13]. Según este crítico de arte, M. L. Campoy, partiendo de orígenes remotos: mundo

---

[8] F. J. León Tello, «Exposiciones en Madrid», *Goya*, 131 (1976), pág. 332.

[9] A. Eliot, *Muerte y resurrección: mitos*, Barcelona, 1976, págs. 282-283.

[10] *Goya*, 158 (1980), pág. 120.

[11] A. García y Bellido, *Arte Ibérico. Historia de España. España Prehistórica*, 1, III, 1954, figs. 292-293.

[12] K. Papaioannou, *Die griechische Kunst*, Friburgo, 1972, lám. 39.

[13] F. Prados de la Plaza, «Kreisler, Galería de Arte, Madrid: exposición», *Goya*, 203 (1988), pág. 313.

ibérico, mundo hispano, cerámica ibérica, se inspira en fuentes clásicas con todas sus consecuencias, y trata los temas de un modo actual. Logra el artista piezas impregnadas de originalidad. Es una escultura tendente al naturalismo, a los tamaños descomunales por sus presencias ancestrales, por el tratamiento de símbolos de muy variada naturaleza, fragmentaciones cortas, huecos y colorido. La cabeza está vista de tres cuartos, con el cabello alborotado en la parte superior. El rostro es de perfil ovalado, ojos rasgados, nariz y boca pequeña y labios poco pronunciados.

Hispania fue bastante representada en el arte romano, unas veces de pie, otras de perfil con cuerpo entero y a veces el busto. Las dos cabezas que más se asemejan, lo cual no quiere decir que M. L. Campoy se inspirase directamente en ellas, son la supuesta Hispania del Hadrianeum, por la forma de la cara, y en menor escala la Hispania del mosaico de Bigerik[14], en el Pergamonmuseum de Berlín. La cara recuerda muy de cerca algunas cabezas helenísticas, como una de época seleúcida del Museo Nacional de Teherán, y una copia de la cabeza del Apolo Likeios de Praxíteles.

R. Sala es el autor de una original escultura en bronce de Leda de gran originalidad en su postura. Leda se encuentra de pie, con el brazo derecho levantado en alto, y la cabeza con el pelo flotando dirigido hacia el lado izquierdo, como si soplara el viento. Su mano izquierda aparta el cuello del cisne, para impedir que se una amorosamente a ella[15]. Leda, la hija del rey de Etolia, Testio, y de Euritemis, tuvo amores con el propio Zeus, el padre de los hombres y de los dioses, que adoptó la figura de cisne para unirse con su amada, momento que representa el bronce de R. Sala. Estos amores fueron muy representados en el arte antiguo. En España aparecen en varios mosaicos romanos[16]. El bronce de R. Sala es de gran originalidad. La leyenda la toma del mundo clásico, pero ha sabido hacer una obra de gran fuerza y elegancia, que expresa magníficamente el momentáneo rechazo de Leda a los amores de Zeus pues, como celebró Eurípides (*If. en Ául.* 49 y s.; *Mel.* 17 y s., 214, 257, 1149; *Or.* 1387), concibió un huevo del que nacieron las dos parejas de Pólux y Clitemnestra y Helena y Cástor. En el

---

[14] J. Arce, «La iconografía de Hispania en época romana», *AEA,* 53 (1980), págs. 77-102, figs. 7 y 13. Para la copia del Apolo Likeios, M. Bieber, *The Sculpture of the Hellenistic Age, op. cit.,* 1955, pág. 18, fig. 23.

[15] *Goya,* 197 (1987), pág. 300.

[16] J. M. Blázquez, G. López Monteagudo, M. L. Neira y M. P. San Nicolás, «La mitología en los mosaicos hispano-romanos», *AEA,* 59 (1986), págs. 108-109, figs. 13-14.

templo de las Leucipides de Esparta se enseñaba la cáscara de un huevo gigante que pasaba por ser el puesto por Leda. R. Sala ha recibido la leyenda del mundo griego, pero el rechazo a los amores de Zeus lo ha plasmado con gran originalidad, con respecto a otras representaciones del mundo clásico, como la del mosaico del Bajo Imperio de Alcalá de Henares, la antigua Complutum. En este pavimento Leda aparta con la mano al cisne[17]. Leda sujetando el cuello del cisne, para apartarlo, se representó en un mosaico de Quintanilla de la Cueza (Palencia)[18], también fechado en el siglo IV pero el rechazo del amor de Zeus está mejor representado en el artista español con la cabeza vuelta al lado opuesto de donde se encuentra el cisne y en la postura de la pierna izquierda, doblada en señal de rechazo.

En una época tan inclinada a la libertad amorosa como la moderna, el tema de Venus, la diosa del amor, no pudo menos que inspirar continuamente a los artistas españoles actuales, como lo hizo en épocas anteriores.

A. M. Haro es el autor de una escultura de Afrodita[19], caracterizada, en opinión de L. Figuerola-Ferretti, por el formalismo expresivo del volumen. La carnosidad del cuerpo, magníficamente expresada por el artista español, se encuentra en la línea de las mejores esculturas de Venus desnuda salidas de los escultores del Helenismo, como la *Venus de Cnido,* hoy en el Museo Vaticano, o las *Afroditas de Medici,* conservadas en la Galleria degli Uffizi, de Florencia; o las de la Gliptoteca de Múnich, que son obras helenísticas derivadas de Praxíteles (370-330 a.C.). Más se acerca por los pliegues de la cintura a la *Afrodita Capitolina,* conservada en el Museo Capitolino de Roma[20].

Esperanza d'Ors es la autora de una *Afrodita* que en opinión de J. Socias[21] responde a la belleza clásica bajo líneas actuales y personales.

El tema del nacimiento de Venus no podía faltar en el arte actual español como lo indican las obras de P. Opayo, caracterizada, en opinión de L. Figuerola-Ferretti[22], por su vitalismo erótico, y de Tomas Aymat[23],

---

[17] D. Fernández-Galiano, *Complutum,* vol. II: *Mosaicos,* Madrid, 1984, págs. 203-213, lám. CIX, figs. 13-14.

[18] M. A. Guinea, *Guía de la villa romana de Quintanilla de la Cueza,* Valladolid, 1990, pág. 24. Sobre la iconografía de la leyenda, I. Krauskopf, *LIMC,* IV, 1.

[19] L. Figuerola-Ferretti, «Escultura», *Goya,* 154 (1980), pág. 242.

[20] M. Bieber, *op. cit.,* págs. 19-20, figs. 24, 31, 34-35.

[21] J. Socias, «Premio internacional de esmalte: Galería Dau al Set, Barcelona», *Goya,* 203 (1988), pág. 209.

[22] *Goya,* 151 (1979), págs. 49-50.

[23] *Goya,* 139-144 (1977), págs. 78, 34-36.

este último buen exponente de la escuela catalana. Es interesante señalar que estos artistas conciben el nacimiento de Venus de pie, al revés de como lo solían expresar los artistas del mundo antiguo, recostada sobre una concha[24], como sucede en los mosaicos hispanos de Cártama, Murcia e Itálica[25].

Muy en la línea clásica se encuentran los bustos de Dafnis y Cloe de Jordi Munill[26].

Entre otras varias piezas inspiradas en la mitología clásica salidas de artistas españoles, que trabajaron en los últimos años, cabe mencionar el bronce de gran originalidad en su ejecución de *Circe*[27], de Estruga, mito muy tratado por el arte clásico; las *Tres Gracias* de Manolo Valdés[28], tantas veces representadas en el arte grecoromano[29]; el *Eros* de J. Argüelles, de tendencia académica[30]; o las *Termas de Caracalla* y el *Coliseo de Roma* de J. Vaquerizo, etc.

Delia Picirilli[31] es una pintora atraída por los clásicos. La lectura de las *Metamorfosis* de Ovidio la llevó a indagar en la pintura de temas clásicos y a adpatarlos a su estilo. Comenzó a narrar los grandes espectáculos de la pintura donde sucedían fabulosos episodios alegóricos. Extrajo temas inspirados en los quince libros del poema de Ovidio y los fue metamorfoseando a expresiones de hoy en una morfología muy personal. En su estilo barroquizado recoge y reinventa leyendas de dioses clásicos, semidioses y héroes de la Grecia y Roma clásicas. De su pintura surgen numerosas alegorías, numerosos mitos, surgen Hércules, Eolo, Júpiter, Hermes, Atenea, Poseidón, Ares, Marte, Juno, Saturno, Silvano, Fauno, Minerva, las Ninfas.

Gustavo[32], uno de los artistas más radicalmente modernos, representa a Pegaso aterrizando en el Olimpo saludado por dos pingüinos

---

[24] D. Joly, *Quelques aspects de la mosaïque parietale au 1er siècle de notre ère d'après trois documents pompeianes*, *CMGR*, I (1965), págs. 53-75, figs. 1-2, 27-28, 32-33. Sobre la iconografia de Afrodita, véase R. Bloch, *LIMC*, II, págs. 1-2, 1-136.

[25] J. M. Blázquez, G. López Monteagudo, M. L. Neira, M. P. San Nicolás, *op. cit.*, págs. 120-121, figs. 34-36.

[26] J. Socias, *Goya*, 211-212 (1989), pág. 112.

[27] *Goya*, 177 (1983), pág. 172.

[28] J. Socias, *Goya*, 211-212 (1989), pág. 111.

[29] A. Balil, «El mosaico de las Tres Gracias de Barcelona», *AEA*, 31 (1958), págs. 63-95.

[30] *Goya*, 174 (1983), pág. 394.

[31] J. M. Álvarez Enjuto, «Delia Piccirilli, relatos hoy de mitologías de ayer», *Arteguía*, 51 (1989), págs. 29-32.

[32] A. Fernández Molina, «Gustavo: color e imaginación», *Arteguía*, 51 (1989), págs. 43-47.

flamencos, título que el artista ha dado a esta representación mitológica, con un estilo muy peculiar al margen de modas y posmodernidad. Emplea colores puros, blanco, negro, rojo, amarillo, violeta. Y los suma hacia la adquisición de un lenguaje de formas planas.

Eduardo Laborda[33], un pintor netamente realista, representa a una esfinge en un acrílico sobre lienzo titulado *El enigma de la esfinge.* La figura central es de una gran fuerza. Una mujer de piedra, con poderosas alas desplegadas sobre un cielo luminoso, cuya cabeza recuerda la del *David* de Miguel Ángel.

Matías Quetglás pertenece a la generación artística nacida con posteridad a la posguerra, al grupo de pintores y escultores que se han autodenominado realistas. Esta línea de tendencia en España tiene una base sólida, importante. Matías Quetglás, como escribe Mario de Micheli[34], no tiene necesidad de inventar imágenes «extrañas» para sus lienzos. Se mueve en la dimensión de lo cotidiano. No tiene necesidad de crear ninguna asombrosa metamorfosis ni de descentrar ningún presupuesto de la existencia normal. Si existe algún misterio, secreto, drama, belleza, hay que buscarlos en la vida, no fuera de ella. Lo que interesa es, sobre todo, la reconciliación poética con la verdad de las cosas, con su espacio temporal. En 1988 estuvo una temporada en Roma y se dejó impregnar del mundo clásico. De esta etapa romana son las obras que se indican a continuación.

Con las técnicas pastel y grafito sobre papel, representa el tema mitológico de *Cibeles y Neptuno*[35]; *Ninfa y Fauno,* acuarela; *Venus y Cupido,* tinta; *Pareja romana,* tintas y carbón; *Muerte de un toro marino,* acuarela y carbón; *Nereida sobre toro marino,* tintas sobre corcho[36].

Adriá Pina[37] es un pintor realista. En su obra relativa a la representación de ciudades destaca, para el tema que nos ocupa, una interesante fachada clásica helenística, en la cual el pintor ha plasmado con minuciosidad todos los detalles arquitectónicos.

Pedro María Elorriaga, escultor autodidacta, realiza una obra fuerte y nerviosa, en la cual desfigura las formas reales, acentuándolas o distorsionándolas. Según Castro Arines, su obra es de un ágil y excitado barroquismo, de atractiva y esplendente plasticidad. Y termina indicando que «el viento helenístico apadrina con sus resonancias esta

---

33 Catálogo *Encuentros en la realidad,* Madrid, 1990.

34 Catálogo *Matías Quetglás: obras sobre papel 1988-1989,* Madrid, 1989.

35 Catálogo *Tierra de nadie,* Madrid, 1992.

36 Catálogo *Matías Quetglás: obras sobre papel 1988-1989, op. cit.*

37 Catálogo *Cities. Städte,* 1990.

escultura». Sobre bronce cincelado ha realizado Elorriaga la representación de un dios griego en la cual las formas del cuerpo son exageradas, sensuales, lo que hace aumentar la energía estética. Hay en la escultura un acertado tratamiento del volumen y de los espacios vacíos. Alterna una plástica del volumen en redondo con ensayos de un tratamiento prismático y un sistema de agrietamiento o fracturas[38].

Juan Bordes[39] es pintor y escultor. Como escultor trabaja con los más diversos materiales, tales como poliéster térmico industrial, cerámica, *papier maché,* madera, escayola, clavos, plásticos, papel, cemento, cola, con los que representa un mundo variopinto con gran facilidad de expresión y de indudable interés plástico. Las propiedades de los materiales influyen en el acabado de las piezas, pero no las dominan.

En su extensa obra se vislumbra, en general, la línea barroca que caracteriza la producción escultórica de su plenitud.

A partir de 1978 y con motivo de las Bienales de Venecia, cuyo tema fue «Arte y Naturaleza» vuelve a lo figurativo, y en su siguiente proyecto combina el tema que presentó en la Bienal, que no llegó a exhibirse, consistente en la serie «obeliscos», con un acentuado interés por la mitología griega. Consecuentemente, se vuelca en el análisis y exploración de las encarnaciones antropomórficas de los dioses. Desmitifica, pues, lo divino de forma misteriosa e inquietante. Esta serie la realiza en bronce, y subraya su interés tanto en las cualidades del material como en el impacto conceptual del tema. Hasta 1984 continúa trabajando en el tema mitológico y la tradición clásica. En el tratamiento de los temas deforma, distorsiona y retuerce los temas y posturas convencionales de la cultura clásica, que se han convertido en iconos de adoración artística a través de los tiempos[40].

Sus obras en las que se refleja el clasicismo y los temas mitológicos son:

Nacimiento de Venus, material cerámico.

Las siguientes, pertenecientes a la época que va desde 1979 a 1984, se refieren a una serie de pequeñas figuras hechas en bronce: *Prometeo I y II. Ares y Atenea. Cástor y Polux. Perseo y Andrómeda. Apolo y Afrodita. Selene y Helios. Céfiro y Flora. Ares y Atenea. Olímpico. Judit. Perseo. Hera.*

---

38 Catálogo *Elorriaga,* Madrid, 1978.

39 *Juan Bordes: esculturas 1968-1989,* Las Palmas de Gran Canaria, 1990.

40 D. Sáez, «Formación de una visión escultórica», en *Juan Bordes: esculturas 1968-1989, op. cit.,* pág. 36.

Dos grupos figuran representando el nacimiento de Venus. Y, finalmente, otras son de mayor tamaño realizadas en poliéster tallado, como varios torsos, las figuras procedentes de un frontón, *Prometeo y la luz, La caída de Ícaro, Cariátide* y otras.

Todas estas obras, he ahí también una puerta de arquitectura clásica pintada por Hernández, son una pequeña muestra del ingente bagaje aportado por los artistas españoles actuales, y prueban que el mundo grecorromano sigue inspirando a los artistas, y que sus mitos están vigentes aún en el mundo moderno, pues son eternos.

CAPÍTULO XIII

Temas del mundo clásico en el arte del siglo XX

Un excelente conocedor del arte contemporáneo, J. A. Gaya Nuño, con ocasión del estudio de las pinturas mitológicas de Goya[1], termina uno de sus artículos con la conclusión de que «Goya no amaba, no sentía, no comprendía el Mundo Clásico. Estaba tan lejos de él que ni siquiera le servía para motivo de burla», y añade: «Tampoco nos interesa, sino como algo tan arqueológico y tan vetusto —casi se podría decir que prehistórico, y sería lo más exacto—, a vosotros sus compatriotas del siglo XX.» Con el presente trabajo nos proponemos hacer unas cuantas catas en el arte del siglo XX y ver hasta qué punto los artistas contemporáneos de fuera y de dentro de España encuentran todavía en el mundo clásico motivos de inspiración; con este estudio, que no pretendemos que sea exhaustivo, sino unas breves notas, pues lo contrario excedería los límites de un trabajo de revista, rendimos justo homenaje a la memoria de don Manuel Gómez Moreno, con el que nos unió una buena amistad, y que tanto amó el arte de todos los tiempos. En otros trabajos hemos estudiado al mundo clásico en Picasso[2] y en Braque y en Kokoschka[3], de estos pintores prescindimos aquí.

---

[1] J. A. Gaya Nuño, «Las pinturas mitológicas de Goya», *Goya*, 100 (1971), págs. 207 y ss.

[2] J. M. Blázquez, «El mundo clásico en Picasso», art. cit. (cap. XI de esta edición).

[3] J. M. Blázquez, «Temas del mundo clásico en las pinturas de Kokoschka y Braque», art. cit. (cap. IX de esta edición).

El propio J. A. Gaya Nuño[4], al estudiar la escultura ibérica, analiza brevemente la influencia de la escultura ibérica sobre el arte novecentista. Ya en páginas anteriores había aludido a todas las modernas reencarnaciones de la *Dama de Elche,* casi todas ellas de calidad modesta y de entidad casi popular. De mayor categoría son las versiones pictóricas de la *Dama* y de los *Toros de Guisando* ejecutadas por Gregorio Prieto. Pasa J. A. Gaya Nuño en su libro a señalar que el punto verdaderamente trascendental de esta influencia se refiere al nacimiento del cubismo y, con él, al de las más fecundas subversiones de la plástica moderna.

Se había creído que los ídolos negros de la Costa de Marfil habían constituido los modelos de *Las muchachas de Aviñón,* pero esto fue negado rotundamente por Picasso a su biógrafo C. Zervos, quien escribió que

> Picasso había extraído sus inspiraciones de las esculturas ibéricas en las colecciones del Louvre [...]. Picasso, que desde esta época no admitía que se pudiera prescindir neciamente de lo mejor que pudiera ofrecernos el arte de la Antigüedad, había renovado con su visión personal las aspiraciones profundas y perdurables de la escultura ibérica [...] sorprendido de las muy netas semejanzas existentes entre *Las muchachas de Aviñón* y las esculturas ibéricas, sobre todo desde el punto de vista de la construcción general de la cabeza, de la forma de las orejas y del dibujo de los ojos, esa crítica no hubiera caído en el error de hacer derivar este cuadro de la estatuaria africana.

Es decir, que la escultura ibérica del Louvre determinó el nacimiento de *Las muchachas de Aviñón* y de todo el sucesivo desarrollo cubista, concluye J. A. Gaya Nuño. El tema fue estudiado en 1941 por James Johnson Sweeney. Cuadros como el de *Gertrude Stein* y un autorretrato con ojos globulosos y almendrados y corte de cara acentuadamente triangular, repiten los rasgos predominantes de algunas esculturas ibéricas, como un relieve de Osuna, que representa a un negro atacado por un león. Sweeney añade otros ejemplos, como las analogías entre *Los dos desnudos* de 1906 y la pareja de oferentes del Cerro de los Santos, o la *Mujer en amarillo,* 1907, y un bronce votivo de Despeñaperros. En la última pintura, como subraya J. A. Gaya Nuño, las contexturas de las facciones, el vestido, la postura y la lineación general son idénticas.

---

[4] J. A. Gaya Nuño, *Escultura ibérica,* Madrid, 1964, págs. 177 y ss.

J. E. Cirlot[5] ha señalado magníficamente algunas influencias del mundo antiguo, no sólo de Grecia y Roma, que se acusan bien en el arte moderno, como son el parentesco del fauvismo con el arte egipcio-romano, bien patente al comparar algún retrato del Fayum con otros modernos, como la *Carmencita*, 1948, de Renault, y la *Cabeza de mujer*, 1918-1920 de Derain; el perfil y la forma de los toros paleolíticos, tal como se pintaron en Lascaux, perviven en pintores contemporáneos, como en muchas corridas de Picasso y en los *Toros* de Benjamín Palencia, 1949; la influencia de la pintura rupestre sobre el arte actual se acentúa no sólo en lo relativo al estilo esquemático, sino que con frecuencia artistas como Miró, Arp y sus seguidores imitan no sólo las formas esquemáticas, sino la textura de los fondos parietales; la influencia de las terracotas pánicas de Ibiza, en cuanto al perfil de la cabeza y del peinado, es bien manifiesta en el pintor italiano Máximo Campigli, baste comparar la llamada *Dama de Ibiza*, y *Las hermanas*, fechadas en 1943: la simplificación formal escultórica de J. Epstein en *Madre e hijo*, 1913, o de Á. Ferrant, en *Figura de animal*, tiene un precedente en los ídolos prehistóricos griegos, como en la cabeza de la isla cicládica de Amorgos; un gran parecido ofrecen algunas cabezas talladas por Modigliani (1910-1913), y la efigie prehistórica persa del Museo de Bellas Artes de Boston. El adelgazamiento extremo de las figuras en muchos bronces cananeos, etruscos arcaicos del Museo de Villa Giulia de Roma, y corintios de París, reaparece en la efigie sobre carro de A. Giometti, 1950, conservada en el museo de Arte Moderno de Nueva York. La *Cabeza de caballo* de G. Braque y otras obras escultóricas de este artista en el tratamiento decorativo y en las proporciones recuerdan muy de cerca a las figurillas de arte arcaico griego, como la cierva amamantando a su cría del Museo de Bellas Artes de Boston. Finalmente, las *Esculturas en cemento*, de Ernst, 1938-1939, se emparentan con los leones griegos de la isla de Delos. La postura es exactamente la misma y la cruz-laberinto visigoda es un próximo prototipo para una composición de P. Klee. Incluso antiguas teorías sobre la belleza están muy presentes en el arte moderno. Así ya H. Read[6] ha podido hablar de la anticipación de Platón a la teoría de lo abstracto. La mejor expresión clásica de esta teoría se lee en el *Filebo* (52b) de Platón, en boca de Sócrates y de Protarco, y es Cézanne el artista moderno que más se acerca a esta teoría. H. Read ha llegado a afirmar en relación con el cu-

[5] J. E. Cirlot, *Arte contemporáneo*, Barcelona, 1958, láms. 4, 6, 8-9, 16, 18-23.

[6] H. Read, *Art Now: An Introduction to the Theory of Modern Painting and Sculpture*, Londres, 1960, págs. 72 y ss.

bismo que «I believe that this theory is nearly the same theory as that expressed by Plato in the passage from the Philebus which I have quoted».

A. Breton[7], por su parte, con ocasión de estudiar el neorrealismo en la pintura, insiste en la extraordinaria importancia del arte galo; en él, según J. E. Cirlot, se había ya inspirado Picasso.

Primero trataremos brevemente del tema objeto del presente trabajo en la escultura y a continuación en la pintura. Ya a los comienzos del siglo XX, A. Bourdelle encontró una fuente de inspiración en el arte griego, como escribe C. Giedion-Welcker[8]. Baste citar su *Hércules,* conservado en el Museo de Arte Moderno de París y que data de 1909; la cabeza de *Apolo* en bronce, 1900-1909[9], y un tercer bronce que representa a *Selene,* fechado en 1917[10]. *El nacimiento de Venus,* 1928[11], recuerda en la actitud de los brazos abiertos y con la concha al fondo a una terracota helenística, con idéntico tema, conservada en el Museo del Louvre. Por estos mismos años, C. Brancusi esculpió dos cabezas de *Musas* dormidas fechadas en los años 1906 y 1909-1910, respectivamente, que imitan ambas en la postura[12], una a la *Ménade durmiente* del Museo de las Termas de Roma[13], y la segunda, en su perfil, a los ídolos de la Edad del Bronce del Egeo[14]. A. M. Hammacher[15] piensa, más bien, en una influencia de algunas esculturas helenísticas, como el *Eros dormido,* procedente de Bodas, fechado entre los años 250-150 a.C. y que tuvo tanta aceptación en la escultura funeraria romana de la segunda mitad del siglo I[16]. Puede pensarse también como prototipo en la cabeza de muchacho durmiendo, de arte helenístico, conservada en el Museo de las Termas en Roma[17]. C. Brancusi[18] vuelve en años posteriores a esculpir personajes tomados de la mitología clásica; de 1923 data un mármol conservado en el Instituto de Arte de Chicago, que representa a *Leda,* la amante de Zeus, mujer que está presente muy fre-

---

7 A. Breton, *Le surréalisme et la peinture,* París, 1965, págs. 324 y ss.

8 C. Giedion-Welcker, *Contemporary Sculpture,* Londres, 1960, págs. 28 y s.

9 A. E. Elsen, *The Sculpture of Henri Matisse,* Nueva York, 1972, fig. 47.

10 C. Giedion-Welcker, *op. cit.,* págs. 30 y ss.

11 A. E. Elsen, *op. cit.,* fig. 262.

12 C. Giedion-Welcker, *op. cit.,* págs. 124 y ss.

13 M. Bieber, *The Sculpture of the Hellenistic Age, op. cit.,* figs. 452-453.

14 C. Zervos, *L'art de la Créte néolithique et minoenne,* París, 1956, figs. 97, 104, 108, 113.

15 A. M. Hammacher, *The Evolution of Modern Sculpture,* Londres, 1966, fig. 135, 124.

16 A. García y Bellido, *Esculturas romanas de España y Portugal,* Madrid, 1949, figuras 111-115, 122 y ss.; M.Bieber, *op. cit.,* figs. 616-618.

17 M. Bieber, *op. cit.,* fig. 619.

18 C. Giedion-Welcker, *op. cit.,* págs. 130 y s.

cuentemente en los cuadros de los pintores del siglo XX, según se verá más adelante. Entre los años 1922 y 1924 esculpió nuevamente el mismo tema, esta vez en mármol; en ambos la forma es un volumen ovoide. El pintor más importante del fauvismo, H. Matisse, ha tomado repetidas veces del mundo clásico los temas de sus bronces y dibujos. Ya en fecha tan temprana como el año 1919, salió de sus manos una *Venus arrodillada*[19], que es un eco en la postura de las piernas, en los brazos y en toda la parte superior del cuerpo, de la *Venus arrodillada*, obra helenística, conservada en el Louvre, prácticamente es una copia[20] de ella. Está directamente inspirada también en una terracota del Museo del Louvre, donde Venus se sienta igualmente sobre una concha. El mismo tema con postura casi idéntica se repite en un bronce de 1923[21].

La diosa del amor vuelve a inspirar a Matisse, varios años después, 1930, fecha en la que sacó a la luz un bronce y con la *Venus de la concha*[22]. Si la disposición de las piernas recuerda todavía a las Venus helenísticas de los talleres de Rodas, el resto del cuerpo, con los brazos en alto doblados sobre la nuca, es una actitud de los brazos desconocida por los escultores del mundo antiguo.

El año 1927, el escultor español Julio González esculpió una *Venus*[23] sentada sobre una roca con las piernas recogidas, su mano derecha sobre la cabeza sujeta un manto que cae sobre las espaldas. La realización de esta figura no debe nada al mundo clásico, sólo el hecho de representar a una diosa del mundo antiguo. Inmediatamente después de la Segunda Guerra Mundial, los escultores volvieron sus ojos al mundo clásico con cierta frecuencia, como lo prueban el *Prometeo y el águila* de J. Lipchitz[24] en bronce, fechado aún en plena guerra, 1943-1944, donde está magníficamente expresado el esfuerzo titánico de la lucha entre los dos combatientes, símbolo de las luchas en aquel momento en los campos de batalla de Europa y el norte de África, y la *Sirena* del cubista H. Laurens, de 1944[25], que es una pieza más de un tema

---

[19] L. Aragon, *Henri Matisse: roman*, vol. II, 1971, fig. 139; A. E. Elsen, *op. cit.*, figuras 190-191. Tiene también H. Matisse una *Venus sentada*, figs. 188-189, pero no responde a prototipos griegos.

[20] El prototipo es la *Venus arrodillada* de Doidalsas, cfr. R. Lullies, *Griechische Plastik: von den Anfängen bis zum Beginn der römischen Kaiserzeit*, Múnich, 1956, lám. 257, 83; M. Bieber, *op. cit.*, figs. 290-294 y ss., principalmente la última figura.

[21] A. E. Elsen, *op. cit.*, figs. 265-266.

[22] L. Aragon, *op. cit.*, fig. 141.

[23] C. Giedion-Welcker, *op. cit.*, pág. 196.

[24] C. Giedion-Welcker, *op. cit.*, pág. 61.

[25] C. Giedion-Welcker, *op. cit.*, pág. 71.

mitológico que con variaciones fue muy querido de este artista desde el año 1937. En el bronce del año 1944, conservado en el Museo de Arte Moderno de París, el peinado es muy clásico también, lo lleva aquí con moño la *Afrodita de Melos*[26].

H. Laurens es un artista muy vinculado a la mitología griega. De 1952 data su *Anfión,* hoy en la Universidad de Caracas[27]. Con ocasión del homenaje a A. Camus en 1959, R. Hoffchner[28] moldeó en hierro su *Sisiphus,* en una actitud muy dinámica, que, como sugiere C. Giedion-Welker, es una contribución totalmente nueva y original a la transformación del cuerpo humano. Tiene esta escultura también un gran sentido del espacio. Todavía es posible señalar otros influjos del mundo antiguo en la escultura del siglo XX cogidos al azar en la *Genetrix* de H. Phillips, 1943, en mármol, o en la *Mujer en madera* de E. Müller, 1951[29], en la que se acusa un eco bien claro de la estatuilla de la Gran Madre de la fecundidad de Senorbi, fechada hacia el año 1500 a.C. Estas esculturas responden a la misma corriente artística, se caracterizan por una gran sencillez, unida a una gran elegancia. Como escribe C. Giedion-Welcker, «the forms here suggest those dominating, irrational and primeval forces whose ritual sense has been Zest in our time». Cabe enumerar otras muchas esculturas contemporáneas inspiradas en temas clásicos, como la *Cariátide* del citado H. Laurens, bronce del año 1930, que por estar sentada en el suelo y con los brazos en alto sobre la cabeza no recuerda a ninguna cariátide del mundo griego, como son las del tesoro de los Sifnios y de los Cnidios, fechadas en 530-520 a.C.; o las de la Tribuna de las cariátides de la Acrópolis de Atenas, obra de poco antes del 413 a.C., o el torso de la *Diana* de A. Maillot, fechado en 1943, que es un excelente estudio de la armonía, o el *Prometeo* de G. Marks[30], bronce fechado en 1948, donde se expresa magníficamente el clímax espiritual de fracaso y de hundimiento moral del mundo después de la Segunda Guerra Mundial, en la actitud de derrumbamiento de todo el cuerpo, con la cabeza echada sobre el brazo izquierdo y ambas manos atadas. Los escultores germanos varias décadas antes ya se habían ocupado de temas clásicos, como en 1917, R. Sintenis, con su *Dafne*[31]. A estos nombres se pueden añadir el *Sócrates* del ci-

---

[26] R. Lullies, *op. cit.,* figs. 254-255, 82.
[27] C. Giedion-Welcker, *op. cit.,* págs. 74 y s.
[28] C. Giedion-Welcker, *op. cit.,* págs. 282 y ss.
[29] C. Giedion-Welcker, *op. cit.,* pág. 306.
[30] C. Kuhn, *German Expressionism and Abstract Art,* Cambridge, 1957, lám. 120.
[31] C. Kuhn, *op. cit.,* fig. 116.

tado C. Brancusi, hoy conservado en el Museo de Arte Moderno de Nueva York[32], y el *Orfeo* de B. Hepworth, obra de 1956, conservada en la colección Mullard House de Londres. Esta escultura ya se había inspirado un poco antes, 1954-1955, si no en el mundo clásico, sí en la Prehistoria con sus dos *Menhires,* que son de una extraordinaria sencillez, elegancia y novedad[33]. España, donde desde antiguo encuentran los artistas motivo de inspiración en las leyendas y mitos de la Antigüedad, está también bien representada, baste recordar a Fenosa con tres magníficas esculturas de tema clásico[34]. La primera representa a *Polifemo,* sentado en el suelo con la cara dirigida a lo alto, actitud típica de los ciegos y palpando las ovejas, debajo de las cuales huían de la cueva el astuto Ulises y sus compañeros, composición que ha inspirado multitud de veces a los artistas del mundo clásico[35]. El momento elegido por Fenosa es el descrito por Homero en la *Odisea* IX, 420-436 y está representado en un *kylix* de figuras negras de Würzburg y en una hidria ceretana guardada en el Museo de Villa Giulia. El tema se repite en esculturas, de lo que son buenas pruebas los carneros con Ulises colgado debajo del vientre de las colecciones Villa Albani y Pamphili. La segunda es la *Metamorfosis de las hermanas de Faetón,* cantada en la Antigüedad por Ovidio en las *Metamorfosis,* 340-366. Las figuras son estilizadas con los brazos en alto, recuerdan al joven orante de Boidas, hoy en Berlín, y Fenosa ha sabido expresar soberbiamente su conversión en álamos mediante las grietas y arrugas de la superficie corpórea. La tercera escultura de Fenosa son las *Tres Gracias*[36], grupo de una extraordinaria belleza. Este último grupo, precisamente, ha tenido mucha aceptación entre los pintores del siglo XX, baste recordar a Curatella, que obtuvo el Gran Premio de Honor en el Salón de Arte del Mar de la Plata, 1957[37], a Eguibar[38], a Skapinakis[39] y a Felice[40]. J. Subirachs, escultor abstracto, tiene unas *Parcas,* que tejen el hilo de la vida de los mortales[41]. La lista de escultores del siglo XX de tema clásico se po-

---

[32] H. Read, *op. cit.,* lám. 34.

[33] J. E. Cirlot, *op. cit.,* pág. 245.

[34] M. Guillén, *Conversaciones con los artistas españoles de la Escuela de París,* Madrid, 1960, lám. entre págs. 80-83.

[35] *EAA,* VI, págs. 276 y ss.

[36] F. Jiménez Placer, *Historia del arte español,* vol. II, Barcelona, 1955, fig. 1848, 980.

[37] *Goya,* 18 (1957), pág. 393.

[38] *Goya,* 72 (1966), pág. 375.

[39] *Goya,* 89 (1969), pág. 315.

[40] *Jahreskatalog 1971 der Wissenschaftliche Buchgesellschaft, Darmstadt,* 604 K.

[41] S. Alcolea, *Escultura española,* Barcelona, 1969, pág. 321.

dría alargar considerablemente con los nombres de los italianos A. Martini con su *Rapto de Europa*[42], *Dédalo e Ícaro, Tito Livio,* mármol, 1939; *El rapto de las Sabinas,* bronce, 1940; *Palinuro,* mármol, 1946, y *Grupo de héroes,* bronce, 1935, de fuerte inspiración clásica en el caballo[43]; de M. Mascherini, con su *Fauno tocando la flauta,* 1958, en bronce; *Safo,* bronce, 1960; *Quimera,* 1960, bronce[44]; de D. Zamboni, con el *Rapto de la ninfa,* bronce, 1961[45]; de P. Pazzini, con *Sibila,* bronce, 1947[46]; de L. Broggini con una *Victoria,* en bronce, 1959[47], que recuerda muy de cerca a la *Nike de Samotracia,* mármol pario de hacia el año 190 a.C.; de Clouzot, con el *Rapto de Europa* en madera[48]; de Scharff, con *Pandora,* 1952[49]; de Serrano, con *Teogonía,* en hierro oxidado[50], y de Zadkine, con *Orfeo,* 1960[51], etc. En la avanzada del arte de vanguardia se encuentran con frecuencia temas clásicos, lo que indica su pervivencia hasta el momento actual, como lo prueban las esculturas de *Venus,* 1965, de Alvermann, Ceroli y Marchegiani[52]; de Boyce, con *Hércules,* 1966[53]; de M. Papa con la *Mano de Edipo,* 1965[54], y de nuestro Serrano, con su *Taurobolio,* 1960[55].

---

[42] P. de Martino, *Encyclopedie de l'art,* Milán, 1972, pág. 374. Lucio Fontana modeló un *Ikaros,* 1936, esculpido también por Montana *(Goya,* 114 [1973], pág. 388), y dos *Medusas,* del mismo año (C. Ballo, *Lucio Fontana,* Turín, 1970, núms. 79-81) y los norteamericanos R. Nakian, *Nacimiento de Venus,* y A. Calder, *Bucéfalo* (D. Ashton, *Modern American Sculpture,* Nueva York, láms. I-II).

[43] R. Salvini, *Moderne italienische Skulpturen: 119 Reproduktionen,* Milán, 1961, láminas XII-XVI.

[44] R. Salvini, *op. cit.,* láms. XXXI-XXXII, XXIV. La quimera también fue un tema tratado por M. Ernst, 1935, cfr. P. Waldberg, *Max Ernst,* París, 1958, pág. 119. Otra escultura de *Safo* salió también de las manos de Brull, cfr. *Goya,* 18 (1957), pág. 399. Mirko moldeó un bronce de *Ifigenia,* cfr. *Goya,* 85 (1968), pág. 60.

[45] R. Salvini, *op. cit.,* lám. XLI.

[46] R. Salvini, *op. cit.,* lám. XCIV.

[47] R. Salvini, *op. cit.,* lám. LI.

[48] *Goya,* 5 (1955), pág. 314.

[49] *Goya,* 13 (1956), pág. 52.

[50] *Goya,* 20 (1957), pág. 212.

[51] *Goya,* 29 (1959), pág. 226.

[52] U. Kultermann, *The New Sculpture,* Londres, 1967, figs. 20, 24, 36.

[53] U. Kultermann, *op. cit.,* fig. 16.

[54] U. Kultermann, *op. cit.,* fig. 55.

[55] U. Kultermann, *op. cit.,* fig. 79. También hay temas clásicos en E. Paolozzi, escultor que milita en las primeras filas de la vanguardia, con *Ícaro II,* 1957; *Diana,* 1968; *Ídolo hermafrodita,* 1963; *Nuevo Laoconte,* 1963, composición ya tratada por M. Ernst y H. Arp (H. Richter, *Dada: Art and Anti-Art,* 1965, fig. 81), y *Medea,* 1964 (cfr. U. M. Schneede, *Eduardo Paolozzi,* Londres, 1971, láms. 30, 49, 51, 56).

Comenzamos por presentar unos cuantos temas del mundo clásico en la pintura española del siglo XX.

Los temas clásicos aparecen en pintores de la primera mitad del siglo XX, como en Chicarro, discípulo de Sorolla, con un cuadro de *Perséfone,* con un templo dorio al fondo[56], y en Sotomayor, pintor en quien los temas clásicos son frecuentes; a él se debe el *Rapto de Europa, Orfeo perseguido por las Bacantes* y *Cariátide.* Este último cuadro sólo tiene de clásico el nombre; se trata de una mujer con una cesta sobre la cabeza, data del año 1924; en este mismo año se fecha el cuadro *Sátiro y ninfas; Diana cazadora* es un retrato de María Teresa San Román, que data de 1945, y *Ceres* es un espléndido desnudo femenino con dos erotes[57]. De Solana sólo conocemos un tema clásico, que es una representación del Acueducto de Segovia al fondo de su cuadro *El segoviano*[58]; en el resto de la obra de este pintor, tan profundamente español, no se encuentra ningún tema o influencia de la Antigüedad[59]. Sorolla sólo tiene una pintura de tema clásico, *Mesalina en brazos del gladiador,* pero este cuadro data del siglo XIX, 1886[60]. En un segundo cuadro que se fecha muchos años después, 1916, con el título de *Azaleas del jardín de la Casa Sorolla,* hay representados bronces griegos; el de la izquierda recuerda muy de cerca el sátiro de la Casa del Fauno de Pompeya y el de la derecha, a un sátiro embriagado con un odre de vino[61].

J. Vaquero pintó un cuadro que representa un rincón de Roma muy visitado por todos los turistas, la esquina de la basílica Ulpia, donde se encuentra la Columna Trajana, que está magníficamente pintada en este cuadro, truncada en su parte superior; se ven muy bien al fondo las paredes romanas de ladrillos, con sus grandes nichos y fragmentos de columnas esparcidos por el suelo, todo como en la actualidad está. Prescindiendo de los valores del cuadro, el acierto grande de Va-

---

[56] E. M. Aguilera, *Chicarro,* Barcelona, 1947, lám. XXVI.

[57] Marqués de Lozoya, *Sotomayor,* Madrid, 1968, págs. 20, 35, 40, 131, 133, 153, 157.

[58] M. Sánchez Camargo, *Solana: pintura y dibujo,* Madrid, 1953, lám. XVII.

[59] R. Casariego, *José Gutiérrez Solana: aguafuertes y litografías,* Madrid, 1963; M. Sánchez Camargo, *Solana: vida y pintura,* Madrid, 1962; y R. Gómez de la Serna, *José Gutiérrez Solana,* Buenos Aires, 1944.

[60] B. de Pantorba, *La vida y la obra de Joaquín Sorolla,* Madrid, 1953, lám. 10.

[61] B. de Pantorba, *op. cit.,* lám. 149.

quero ha sido la elección de lugar[62]. De Vaquero es también las *Termas de Caracalla*[63].

Hay tres pintores españoles, además de Picasso, en los que se tropieza con frecuencia con temas clásicos: Dalí, Gregorio Prieto y Zabaleta. El primero, surrealista, ya en el año 1941 pintó su *Familia de centauros marsupiales,* cuadro impregnado de sensualidad, al decir de J. A. Gaya Nuño[64]. De Dalí son también otros cuadros de tema clásico, como el *Minotauro*[65]; *Venus y un marinero*[66], lo clásico es sólo el título; la *Venus de Milo,* 1936, copia surrealista de esta célebre escultura[67]; *Leda*[68], tema que ha gozado de gran aceptación, como lo prueban las *Ledas* de Maillot, 1900, en terracota[69], de Nolan[70], de Wunderlich[71] y de Evergood[72]; *Lilith,* que son dos Nikes del tipo de la de Samotracia contrapuestas[73]. En *La pesca del atún,* a la izquierda del cuadro, se encuentra una representación de Alcioneo, tal como se esculpió en el Gran Friso del Altar de Pérgamo, entre los años 180-160 a.C.[74]. Finalmente, Dalí también pintó un *Pegaso*[75]. En otro gran pintor español surrealista, Gregorio Prieto, la Antigüedad está bien presente, como lo indica su mencionado cuadro con los *Toros de Guisando,* a los que se pueden añadir *Las ruinas de Tahormina,* con abundantes restos de edificaciones y un templo clásico[76]; *Estatua clásica*[77], con una

---

62 F. Jiménez-Placer, *op. cit.,* fig. 1926.

63 *Goya,* 72 (1966), pág. 380. También tiene J. Vaquero un *Coliseo.* Véase J. V. Aguilera, *Panorama del nuevo arte español,* Barcelona, 1965, pág. 35.

64 J. A. Gaya Nuño, *La pintura española del siglo XX, op. cit.,* pág. 240; *ídem, La pintura española en el medio siglo, op. cit.,* lám. 74.

65 W. S. Rubin, *Dada and Surrealist Art,* Londres, 1969, D. 191; M. Jean, *The History of Surrealist Painting,* París, 1953, pág. 233.

66 J. E. Cirlot, *Pintura catalana contemporánea,* Barcelona, 1961, lám. 30.

67 W. S. Rubin, *op. cit.,* pág. 203; M. Gérard, *Dalí,* Barcelona, 1968, fig. 148.

68 J. E. Cirlot, *Arte contemporáneo: origen universal de sus tendencias,* Barcelona, 1958, fig. 117; y M. Gérard, *op. cit.,* figs. 39-40.

69 *Goya,* 46 (1962), fig. 297.

70 *Goya,* 47 (1962), fig. 77.

71 *Goya,* 63 (1964), fig. 178.

72 A. S. Weller, *Art USA Now,* vol. I, Nueva York, 1962, pág. 108, n. 4. Úrculo tiene también una *Leda,* tema al que el escultor Manolo volvió con especial esmero (M. Blanch, *Manolo,* Barcelona, 1972, núms. 107, 287-289).

73 N. Gérard, *op. cit.,* fig. 78.

74 N. Gérard, *op. cit.,* fig. 173.

75 *Goya,* 89 (1969), pág. 326. En una exposición de joyas de Dalí celebrada en Madrid, el tema de algunas de ellas está tomado de la mitología clásica, así *Dafne y Apolo,* oro esculpido, y *Dafne,* topacio con pintura al óleo sobre oro *(Dalí: su arte en joyas, op. cit.,* núms. 9, 33).

76 R. M Larraiza, *La pintura española moderna y contemporánea,* vol. III, Madrid, 1964, lám. 304.

77 R. M. Larraiza, *op. cit.,* lám. 305.

Gregorio Prieto, *Apolo y Dafne*, Ministerio de Asuntos Exteriores, Madrid.

Ariadna dormida de inspiración clásica y un templete de cuatro columnas, como las que aparecen en Pompeya. El tipo de Ariadna, que veremos repetirse en De Chirico, gozó de gran tradición en el arte antiguo; baste recordar las estatuas de los Museos Vaticanos en Roma, del Prado en Madrid, del Palazzo Pitti en Florencia y del frontón de Civita Alba, siglo II a.C., etc. En el *Caballo de bronce*[78], conservado en el Museo Español de Arte Contemporáneo en Madrid, pintó, junto con un templo dórico al fondo, el auriga de Delfos, un caballo que recuerda al de Marco Aurelio en Roma, y cinco columnas clásicas. J. A. Gaya Nuño ha podido hablar, refiriéndose a Gregorio Prieto, de «un surrealismo mediterráneo, latino y griego, programa fértil que Gregorio Prieto explotó, pero que mantuvo poco tiempo en vigencia». En *Homenaje a la España ibera,* representó en el cuadro la *Gran dama oferente* del Cerro de los Santos, de inspiración chipriota[79]. R. Zabaleta, uno de los *fauves* hispanos, se inspiró con frecuencia en los escultores clásicos; una visita superficial al museo dedicado al artista en Quesada (Jaén), donde se conserva gran parte de su obra, es suficiente para convencer al visitante de que el arte antiguo estuvo muy presente en su obra; baste recordar *Estudio,* 1942, con dos esculturas romanas en el centro; la de la derecha es un togado, una matrona la del lado izquierdo y medallones con cabezas de romanos se ven sobre la pared[80]. En un segundo cuadro de dicha colección se representa la sala de un museo, al fondo se ve un discóbolo de pie y tres esculturas femeninas de un tipo muy frecuente en Roma a finales de la República y comienzos del Imperio. En primer plano se encuentra un togado acéfalo y sobre él un capitel corintio. En el cuadro *Segadores y Ceres,* 1943[81], la diosa de la agricultura se halla tumbada con una gavilla sobre el regazo, postura que no adoptó en la Antigüedad. En *Ruinas de la antigua Roma,* 1943[82], se representó el Coliseo por dentro, la mitad de una gran escultura de Ariadna, que ocupa la parte anterior del cuadro, en la postura tradicional, y un fragmento del Arco de Tito: la procesión con el candelabro de los siete brazos del templo de Jerusalén. En *Composición con estatuas,* 1947[83], hay tres discóbolos; el del centro es copia del de Mirón. Los otros dos

---

[78] J. A. Gaya Nuño, *La pintura española del siglo XX, op. cit.,* págs. 243 y ss.

[79] J. A. Gaya Nuño, *La pintura española en el medio siglo, op. cit.,* pág. 75.

[80] *Catálogo del Museo Rafael Zabaleta, Quesada (Jaén), op. cit.,* lám. 6.

[81] R. M. Larraiza, *op. cit.,* lám 312.

[82] *Catálogo del Museo Rafael Zabaleta, op. cit.,* pág. 14. A Renato Guttuso *(Goya,* 113 [1973], pág. 326) se debe también un cuadro, 1972, del *Coliseo,* visto por dentro.

[83] *Catálogo del Museo Rafael Zabaleta, op. cit.,* pág. 18.

se encuentran de pie, con el disco sostenido en su brazo izquierdo, caído a lo largo del cuerpo, y con el brazo derecho doblado y dirigido hacia delante, copias de esculturas clásicas, como los discóbolos de las colecciones Torlonia, Duncombe y Vaticano, que se remontan al discóbolo de Naukydes, obra de finales del siglo V a.C. La figura de la izquierda es una versión del *Ares Ludovisi* de la escuela de Lisipo. En 1940 pintó Zabaleta un tema tan clásico y de cierta aceptación entre los artistas del siglo XX como el *Juicio de Paris.*

La lista de los pintores hispanos que encuentran en la Antigüedad motivo de inspiración se podía alargar considerablemente, baste mencionar a X. Blanch, que ha expuesto en Madrid algunos cuadros de tema clásico, como la *Vía Appia Antica* y *Marco Aurelio,* pero no queremos terminar esta parte de nuestro trabajo sin citar dos obras importantes: la *Helena de Troya* de Mateos, pintor expresionista[84], y *Occidente,* 1967, de Solbes y Valdés[85], que integran el Equipo Crónica, que sigue la vanguardia pop. En este cuadro, delante de una fachada con columnas corintias se encuentra una serie de esculturas clásicas, como la flautista desnuda y la dama vertiendo incienso en un *thimiaterion* del Trono Ludovisi, fechado entre los años 470-460 a.C., una máscara de teatro griego, Apolo y Artemis del friso oriental del Partenón, fechado entre los años 442-438 a.C., la *Athenea Lemnia* de Fidias, obra anterior al 450 a.C., un retrato de Platón, el Apolo del templo de Zeus en Olimpia, que data del año 460 a.C. y un jinete del sarcófago de Alejandro, fechado hacia el año 310 a.C. Este cuadro expresa magníficamente que el mundo griego es la raíz del mundo moderno.

ESTADOS UNIDOS E INGLATERRA

Contra lo que cabía esperar, los temas clásicos están muy presentes en la pintura de los Estados Unidos de América. Nos limitaremos a mencionar obras de los pintores más recientes, como E. Dickinson, con su *Ruina*

---

84 *Goya,* 52 (1963), pág. 260. También pintó a *Cleopatra,* cfr. J. M. García Viñó, *Francisco Mateos,* Madrid, 1971, lám. XV. Mateos tiene otros óleos inspirados en leyendas de la Antigüedad, como *Las nupcias de Venus,* 1971, y *El caballo de Troya,* 1972 *(Mateos: exposición antológica,* Madrid, 1973, *passim),* composición esta última que aparece ya en la pintura pompeyana (A. Maiuri, *Le peinture romaine, op. cit.,* pág. 76 y s.) y que se vuelve a encontrar en el alemán Gremer, 1955 (F. Roh, *Geschichte der deutschen Kunst von 1900 bis zur Gegenwart,* Múnich, 1958, 147).

85 J. M. Moreno, *La última vanguardia,* Barcelona, 1969, págs. 187 y ss.

de Dafne, 1943-1953, con arquitectura fantástica[86]; W. Baziotes, con su *Cíclope,* 1947[87], y *Pompeya,* 1955[88]; G. Hartigan con *Pallas Atenea,* 1961[89]; T. Stamos con *Casandra,* 1949[90]; C. Goldin con *Ostia,* 1956, que acusa influencia italiana[91], y R. Lytle con *Ícaro cayendo,* de estilo goyesco[92].

Inglaterra tiene un artista muy vinculado con el mundo clásico en Ben Nicholson, que está considerado como el mayor pintor actual de Inglaterra; es un pintor astracto, de gran precisión y claridad. Ha visitado con gran emoción muchos de los lugares más famosos de la Antigüedad, que ha trasladado a sus cuadros que así se titulan: *Delos,* 1968[93]; *Kos,* 1959 y 1965[94] —la pintura se refiere a edificios actuales—; *Campiña del Egeo,* 1961[95]; *Argólida,* 1959[96]; *Micenas,* 1982[97]; *Paros,* 1959 y 1961[98] —las tres pinturas representan edificios actuales de la isla—; *Arezzo,* 1956-1959[99]; *Lindos,* 1959[100]; *Sunion,* 1960[101]; *Templo de Zeus en Olimpia,* 1961 y 1967[102] —en la primera pintura se ve un tambor de columna—; *Argos,* 1962[103]; *Las Cícladas,* 1959[104]; *Caria,* 1965[105]; *Ticino,* 1962[106]; *Islas Lípari,* 1957[107]; *Frigia,* 1962[108] y *Creta,* 1956[109]. El tema de Olimpia reaparece con frecuencia en su pintura —una foto de 1959 le muestra dibujando entre las ruinas de la ciudad[110]—, así en *Carretera de*

86 A. S. Weller, *op. cit.,* pág. 36, n. 4.
87 A. S. Weller, *op. cit.,* pág. 261, n. 2.
88 A. S. Weller, *op. cit.,* pág. 262, n. 4.
89 A. S. Weller, *op. cit.,* pág. 359.
90 A. S. Weller, *op. cit.,* pág. 366, n. 3.
91 A. S. Weller, *op. cit.,* pág. 390, n. 2.
92 A. S. Weller, *op. cit.,* pág. 458, n. 1.
93 J. Russell, *Ben Nicholson: Drawings, Paintings and Reliefs, 1911-1918,* Londres, 1969, pág .14.
94 J. Russell, *op. cit.,* pág. 34.
95 J. Russell, *op. cit.,* fig. 75.
96 J. Russell, *op. cit.,* fig. 93.
97 J. Russell, *op. cit.,* fig. 96.
98 J. Russell, *op. cit.,* figs. 99, 103, 203. También figs. 147 y 232.
99 J. Russell, *op. cit.,* figs. 105, 187.
100 J. Russell, *op. cit.,* fig. 106.
101 J. Russell, *op. cit.,* fig. 114.
102 J. Russell, *op. cit.,* figs. 129 y 136.
103 J. Russell, *op. cit.,* fig. 130.
104 J. Russell, *op. cit.,* fig. 149.
105 J. Russell, *op. cit.,* fig. 148.
106 J. Russell, *op. cit.,* fig. 172.
107 J. Russell, *op. cit.,* fig. 189.
108 J. Russell, *op. cit.,* fig. 224.
109 J. Russell, *op. cit.,* fig. 249.
110 J. Russell, *op. cit.,* fig. 252.

las proximidades de Olimpia, 1961[111], dibujó la palestra el año 1959[112], y fragmentos de columnas amontonados en 1961[113].

ALEMANIA

Ha estado siempre muy vinculada a la cultura clásica, ello se aprecia bien en los artistas contemporáneos, que acuden frecuentemente al mundo antiguo para inspirarse, como W. Gilles, pintor astracto, con la *Tumba de Orfeo,* 1946[114]; F. Granhoff, con *Argos,* 1953[115], y *Tetis huyendo,* 1946[116], y Emde, pintor surrealista, con el *Rapto de Europa,* 1952[117]. El mundo clásico está bien representado en dos de los más grandes artistas germanos del siglo XX: Klee, uno de los creadores del arte astracto y Ernst, pintor surrealista. El primero, ya en fecha tan lejana como el año 1915, pintó la *Anatomía de Afrodita*[118], cuadro al que siguieron en 1938 un dibujo de *Escila*[119], y otro de *Pomona*[120]; dos años antes, 1936, había pintado a *Calígula*[121]; de 1940 data su dibujo *Poseidón*[122]. A Max Ernst se deben los siguientes cuadros de tema clásico: *Edipo rey,* 1921[123], al que siguió en 1929 *Prometeo,* personaje mitológico que ha llamado fuertemente la atención de los artistas del siglo XX[124], y en 1934 *El Jardín de las Hespérides,* hoy guardado en la colección C. Zervos[125], que los antiguos situaban hacia España y Marruecos, en pleno océano (Estrabón, *Geografía,* 3, 2, 13). Un excelente retrato es su *Euclides,* que data de 1945[126]. *Paramito,* 1948[127], se inspira di-

---

111 J. Russell, *op. cit.,* fig. 250.

112 J. Russell, *op. cit.,* fig. 253.

113 J. Russell, *op. cit.,* fig. 254. Temas clásicos, como *Edipo* y *Euridice,* se encuentran en la obra gráfica de Merlyn Evans *(The Graphic Work of Merlyn Evans, Victoria and Albert Museum,* Londres, 1972, láms. 32, 55).

114 G. Händler, *German Painting in our Times,* Berlín, 1956, lám. 98.

115 G. Händler, *op. cit.,* lám. 129.

116 G. Händler, *op. cit.,* lám. 143.

117 G. Händler, *op. cit.,* lám. 191.

118 G. di San Lazzaro, *Klee: his Life and Work,* Londres, 1967, pág. 17.

119 G. di San Lazzaro, *op. cit.,* pág. 299.

120 G. di San Lazzaro, *op. cit.,* pág. 247.

121 G. di San Lazzaro, *op. cit.,* pág. 221.

122 G. di San Lazzaro, *op. cit.,* pág. 230.

123 P. Waldberg, *op. cit.,* pág. 167; J. Russell, *Max Ernst,* Colonia, 1966, pág. 53.

124 J. Saucet *et al., Max Ernst,* París, 1971, pág. 39.

125 P. Waldberg, *op. cit.,* pág. 289. A este tema volvió en 1936; cfr. J. Russell, *op. cit.,* vol. III.

126 P. Waldberg, *op. cit.,* pág. 384; J. Saucet *et al., op. cit.,* 51; J. Russell, *op. cit.,* lám. 94.

127 P. Waldberg, *op. cit.,* pág. 103.

rectamente en la *Venus de Milo,* escultura que también llamó la atención de Dalí, según se indicó ya. Pintó además la *Loba Capitolina*[128], hoy en la colección J. B. Urvater, grupo que arranca de la estela de Bolonia, del primer cuarto del siglo IV a.C.[129], y de la famosa *Loba Capitolina*[130], bronce etrusco fechado hacia el 500 a.C.

Todavía en años posteriores el gran artista germano ha vuelto a temas clásicos, tan queridos de él, con *Maselina niña,* que data de 1957, hoy en la colección William N. Copley[131], todo él de tonos rojos, y con *Tres jóvenes Afroditas de Dionisos,* fechado en 1957, hoy en la colección Anne Doll[132]. En los últimos años no es infrecuente encontrar en las exposiciones de arte germano cuadros de contenido clásico, como el *Pequeño fauno* de M. Ritter, 1970[133]; el *Nacimiento de Afrodita,* de H. Behrens, que en nada se parece al mismo tema sobre el Trono Ludovisi[134]; el *Rapto de las Sabinas,* 1969, de Hansen-Bahía[135], relato liviano que también llamó la atención de Picasso, y finalmente los veinticinco cuadros sobre el *Asno de Apuleyo,* 1969, de E. Schlotter[136].

Todas estas pinturas, y otras que se podían añadir, muestran el interés de los artistas germanos por los temas clásicos. La escuela vienesa dedicada al realismo fantástico se ha inspirado frecuentemente en leyendas clásicas, como R. Hausner, con *La barca de Odiseo,* 1948-1951, 1953-1956[137], y con *Penélope,* 1952[138]; W. Hutter, con *Ninfas,* 1962[139]; A. Lelimden, con *Colosseum,* 1959-1961[140]. Una leyenda antigua que ha

---

[128] P. Waldberg, *op. cit.,* pág. 107.

[129] W. Dräyer, M. Hürlimann y M. Pallotino, *Etruskische Kunst,* Zúrich, 1955, figuras 95, 151.

[130] F. Matz, «Zur Kapitolinischen Wölfin», en G. E. Mylonas (ed.), *Studies Presented to David Moore Robinson on his Seventieth Birthday,* vol. 1, San Luis, 1951, págs. 754 y ss.

[131] P. Waldberg, *op. cit.,* pág. 423; J. Russell, *op. cit.,* lám. 108.

[132] P. Waldberg, *op. cit.,* pág. 427.

[133] *Jahreskatalog 1971 der Wissenschaftlichen Buchgesellschaft Darmstadt,* 595 K.

[134] *Jahreskatalog 1971, op. cit.,* 606 K.

[135] *Jahreskatalog 1971, op. cit.,* 591 K.

[136] *Jahreskatalog 1971, op. cit.,* 586 K. De 1943 es el cuadro *Odiseo y Calipso* de M. Beckmann; cfr. A. Schug, *Art of Twentieth Century, op. cit.,* pág. 171. Max Beckmann pintó otros cuadros de temas tomados de la Antigüedad clásica como los trípticos sobre *Perseo,* 1941, los *Argonautas,* 1950, y el *Transporte de las esfinges* (F. W. Fischer, *Der Maler Max Beckmann,* Colonia, 1972, págs. 36, 6 y ss., 72 y ss.).

[137] A. P. Gütersloh, W. Schmied y H. Hakel, *Malerei des phantastischen Realismus: die Wiener Schule,* Viena, 1969, pág. 49, lám. 21.

[138] A. P. Gütersloh, W. Schmied y H. Hakel, *op. cit.,* pág. 26.

[139] A. P. Gütersloh, W. Schmied y H. Hakel, *op. cit.,* pág. 57.

[140] A. P. Gütersloh, W. Schmied y H. Hakel, *op. cit.,* entre págs. 72-73.

gozado de aceptación entre los artistas modernos son *Las tentaciones de san Antonio,* que se encuentra en esta misma escuela vienesa en *Las tentaciones de san Antonio,* de Fuchs, 1948-1949[141], en Dalí[142], en Ernst[143] y en Permeke[144].

Rusia

Entre los pintores rusos últimamente hay pocos temas de influencia clásica, una excepción es el *Eros* de Sitnikov, 1947, con una cabeza totalmente clásica a la izquierda[145].

Francia

En Francia los artistas siempre se han inspirado en la Antigüedad con más frecuencia que los de otros países, baste recordar a P. Sérusier con su *Titiro y Melibea,* 1906, donde lo clásico es sólo el título[146], Ker-Xavier Roussel con *Venus y el Amor a la orilla del mar*[147]; F. Vallotton, con el *Rapto de Europa,* 1908[148], tema que frecuentemente ha llamado la atención de los pintores actuales; todos estos artistas son *nabis* y R. Chapelain-Midy, con su *Diana,* 1961[149], composición que no se inspira en los prototipos clásicos. El surrealista Delvaux[150] pintó en 1942 un cuadro titulado *Prisoniem,* donde en la mitad derecha hay una serie de temas clásicos. En primer término se encuentra un jinete romano que recuerda mucho a la escultura de Marco Aurelio en el Capitolio; siguen dos templos corintios, uno de ellos, el de la derecha, con escalinata, como el templo de Vienne; en el centro se halla el Arco de Constantino y al fondo un templo clásico. Un año después, 1943, volvió a representar en un cuadro suyo, *El eco*[151], la fachada de un tem-

---

141 A. P. Gütersloh, W. Schmied y H. Hakel, *op. cit.,* lám. 16.
142 *Goya,* 21 (1957), pág. 163.
143 J. Russell, *op. cit.,* fig. 86.
144 W. van den Bussche, *op. cit.,* lám. 49.
145 P. Sjeklocha e I. Mead, *Unofficial Art in the Soviet Union,* Berkeley, 1962, fig. 79.
146 R. Huyghe, *El arte y el hombre,* Barcelona, 1969, fig. 1558.
147 R. Huyghe, *op. cit.,* fig. 1559.
148 R. Huyghe, *op. cit.,* fig. 1561.
149 R. Huyghe, *op. cit.,* fig. 1662.
150 H. Read, *op. cit.,* lám. 47.
151 M. Jean, *op. cit.,* pág. 277.

plo jónico. Años antes, 1938, en *La ciudad dormida,* también aparece un templo dórico[152]. De 1944 data su cuadro titulado *Venus dormida,* donde, como es tradicional en este artista, la escena principal está encuadrada por templos griegos; un templo dórico está colocado a la izquierda y uno jónico de frente. Al fondo, hacia la derecha, hay un arco romano y una tribuna con cariátides[153]; en 1940 se fecha otro cuadro donde también se representan dos templos dóricos[154]. En la numerosa producción artística de Rouault, aunque fundamentalmente pintó arte religioso, se encuentra un cuadro con algún tema clásico, como la *Sibila de Cumas,* obra de 1947[155]. Sin embargo, ha sido uno de los más grandes pintores modernos de Francia, H. Matisse, el que se inspiró con más frecuencia en Grecia o en Roma. Ya nos hemos referido antes a sus esculturas directamente calcadas de modelos griegos. Ha ilustrado el *Ulises* de Joyce, y como escribe Aragon[156], «s'etait attaché aus seuls thémes homériques illustrant *L'Odyssée* plus que Joyce».

El *Ulises* contiene dieciocho episodios copiados de la *Odisea,* 1935. H. Matisse se ha centrado en seis episodios de la *Odisea.* Los tres primeros de Joyce, «Telémaco», «Néstor» y «Proteo», no los ha tratado el pintor. Comienza con el cuarto episodio del *Ulises,* «Calypso», el segundo dibujo corresponde al episodio de «Eolo» en la *Odisea.* No trata los lotófagos, ni Hades, ni los lestrigones, ni Caribdis y Escila, ni las Sirenas. El tercer dibujo se refiere a «Ulises dejando ciego a Polifemo». «Nausica» es el tema del cuarto dibujo y «Circe» del quinto. A Ítaca dedica los dos últimos. No se agotan con las ilustraciones del *Ulises* de Joyce los temas clásicos en H. Matisse. Dibujó también *El fauno y la ninfa*[157]; el tema de los faunos es precisamente muy picassiano. En 1909 había ya pintado H. Matisse *La ninfa y el sátiro*[158], y a esta lista hay que añadir el mencionado tríptico de *Leda* y sus representaciones de *Ícaro*[159], 1943-1944; de un año antes, 1942, data su dibujo *El carro de Venus,* de una gran originalidad y elegancia[160], que es un estudio para el *Florilège des amours* de Ronsard (1941-1948); *La cotorra y la Sirena,* 1952[161],

[152] M. Jean, *op. cit.,* pág. 278.
[153] H. H. Arnason, *op. cit.,* fig. 597.
[154] H. H. Arnason, *op. cit.,* lám. 166.
[155] K. Herberts, *Offenbarungen in der Malerei des 20. Jahrhunderts,* Viena, 1966, pág. 243.
[156] L. Aragon, *op. cit.,* vol. I, págs. 1191 y ss., figs. 102-104.
[157] L. Aragon, *op. cit.,* vol. I, fig. 120.
[158] L. Aragon, *op. cit.,* vol. I, lám. L.
[159] L. Aragon, *op. cit.,* vol. II, págs. 29 y ss., figs. 14-17, láms. IV-V.
[160] L. Aragon, *op. cit.,* vol. II, fig. 120.
[161] L. Aragon, *op. cit.,* vol. II, lám. XXXIX.

Venus del mismo año[162] y *Apolo* de 1953[163]. H. Matisse, como la mayoría de los pintores modernos, se ha formado copiando a los grandes artistas de la Antigüedad. A. E. Elsen[164] ha publicado algunos dibujos de H. Matisse de esculturas clásicas, como el de la *Nióbide Capitolina,* o del *Hermes de la sandalia* de Lisipo, Bitón, etc.

Francia puede presentar otros artistas, donde la influencia clásica es tan grande como en H. Matisse, como A. Maillol. Ya ilustrado el *Ars amandi* de Ovidio, 1935[165], las *Geórgicas,* 1939[166] y las *Eglógas,* 1910, de Virgilio[167], publicadas las últimas en 1925 y en 1950 las primeras, las *Odas* de Horacio[168] y *Dafnis y Cloe* de Longo, 1937[169]. Su biógrafo W. George[170] ha podido escribir acertadamente:

> Attica is his inspiration and starting-point; he is thus neither a survisor of the Grecian Golden Age nor an Athenian wandering bemusedly in Paris [...]. He looked at statues in museum with a virgin eye and, while he disdanied Praxiteles, he admired Polycletes and the nudes of Phidias [...]. Maillol loved to read poetry and Homer, Theocritus and Virgil were his favourite clasical writers.

Visitó con gran devoción los principales lugares del mundo clásico: Marsella, Nápoles, el Vesubio, Paestum, el Pireo, Atenas, el Olimpo y Eleusis. Se detuvo con particular atención en la Acrópolis y en Delfos.

H. Matisse y A. Maillol están en la línea de los grandes artistas del siglo XX, que han ilustrado obras de la Antigüedad: Picasso, las *Metamorfosis* de Ovidio y *Lisístrata;* Kokoschka, *Las ranas* de Aristófanes, y Laurens, *Los idilios* de Teócrito, 1945[171]. Los temas clásicos están siempre presentes en los artistas franceses. Se podía añadir a la lista de artistas anteriores los nombres de Henry de Waroquier, con la *Tragedia,* con la representación de cinco templos jónicos y columnas griegas, más dos damas, en el centro de la composición, con vestidos griegos[172];

162 L. Aragón, *op. cit.,* vol. II, lám. XLI.

163 L. Aragón, *op. cit.,* vol. II, lám. XL.

164 A. E. Elsen, *op. cit.,* figs. 4-9.

165 W. George, *Artistide Maillot,* Londres, 1955, págs. 7, 12, 18, 41, 59, 101-102, 107-109.

166 W. George, *op. cit.,* págs. 8, 31, 42, 53, 74, 82, III.

167 W. George, *op. cit.,* pág. 56.

168 W. George, *op. cit.,* pág. 57.

169 W. George, *op. cit.,* págs. 20, 22-23, 30, 32, 44-46, 55, 57, 70, 76, 100, 106, 116.

170 W. George, *op. cit.,* págs. 7, 39.

171 *Goya,* 10 (1956), pág. 63. Sesenta y cinco dibujos dedicó también a *Lisístrata* el australiano Arthur Boyal *(Australian Prints, Victoria and Albert Museum,* Londres, 1970, 8, 9-13).

172 R. Huyghe, *Les contemporains,* París, 1949, lám. 109.

a Yves Tanguy, con *La armonía de Prometeo*[173]; a A. Courmes, con *Los Tritones,* 1944[174]; a F. Labisse con *Las Parcas*[175]; finalmente el gran Renoir con su *Juicio de Paris,* 1910[176], que fue el tema de un bajorrelieve en bronce[177], tema también pintado por A. Lhote, 1912[178], y a F. Picabia, con su *Hera,* 1928[179]. Estos seres mitológicos, como las Parcas, las Arpías y las Furias, han gozado de cierta aceptación entre los artistas del siglo XX, tanto entre los escultores como entre los pintores; baste recordar las mencionadas *Parcas* de J. M. Subirachs, bronce, donde la armonía y la unidad del ritmo se combinan con el distinto carácter de cada figura plásticamente expresado[180]; las *Parcas* de Nadia Werba, de tendencia expresionista[181]; la *Arpía,* un pequeño bronce, al igual que el *Fauno,* lleno de humor y de buen gusto a la italiana de Ritter[182]; las tres *Furias* de P. Grippe[183] y las *Arpías* de R. Verde Rubio, de influencia goyesca[184]. Más han interesado estas creaciones de la mitología antigua a los escultores que a los pintores. A. Masson[185], uno de los primeros artistas surrealistas, en 1938 pintó un tema de tanta resonancia clásica como el *Laberinto,* donde se acusa la influencia de Dalí, composición que en 1925 había sido objeto de un cuadro de Ernst[186]. Todos estos temas de la antigua mitología griega han tenido cierta aceptación entre los artistas modernos, al igual que el *Minotauro,* pintado por Dalí en 1938[187], por R. Magritte en 1937[188], por J. Horna[189] y por J. C. Ocejo[190].

173 R. Huyghe, *op. cit.,* lám. 129.
174 R. Huyghe, *op. cit.,* lám. 130.
175 R. Huyghe, *op. cit.,* lám. 131.
176 A. Vollard, *op. cit.,* lám. 40, 95.
177 A. Vollard, *op. cit.,* lám. 96.
178 M. Azcoaga, *El cubismo,* Barcelona, 1949, lám. 38.
179 M. Jean, *op. cit.,* pág. 140, lám. 38.
180 *Goya,* 20 (1957), pág. 122.
181 *Goya,* 52 (1963), pág. 258.
182 *Goya,* 14 (1956), pág. 118.
183 *Goya,* 33 (1959), pág. 192.
184 *Goya,* 22 (1959), pág. 152.
185 H. H. Arnason, *op. ict.,* fig. 567.
186 P. Waldberg, *op. cit.,* pág. 30
187 M. Jean, *op. cit.,* pág. 233.
188 M. Jean, *op. cit.,* pág. 241.
189 I. Rodríguez, *El surrealismo y el arte fantástico de México,* México, 1969, figs. 60-61.
190 I. Rodríguez, *op. cit.,* fig. 108.

Nos referiremos sólo a unos cuantos pintores de primera fila. Es bien conocido que Massimo Campigli tradujo al cubismo la antigüedad de los frescos etruscos y romanos[191].

A. Modigliani[192] pintó seis *Cariátides* y esculpió otra, sólo es clásico el título, pues no están inspiradas en modelos griegos. El tema clásico lo encontramos varias veces en uno de los más grandes artistas italianos, en G. de Chirico, con *Plaza de Italia,* 1913, con una Ariadna del tipo de la del Museo del Prado en el centro de la composición[193], con sus *Gladiadores*[194], con *Hera y Andrómaca,* 1917[195], y con *Los arqueólogos,* 1927, con una serie de templos, columnas, acueductos, altares y arcos, entre los brazos[196]. G. B. Scipione en 1930 pintó su *Cortesana romana*[197], junto a la Columna Trajana, que se vuelve a hallar en Vaquero, al fondo, y en C. Carrà, en 1917, *Penélope*[198], que ya la hemos encontrado en H. Matisse.

La lista de artistas del siglo XX que se inspiran en Grecia o Roma se podía alargar considerablemente añadiendo los nombres de D. Perdikides, con *Micenas,* que tiene una de las máscaras micénicas de oro fechada hacia el año de 1580 a.C.[199]; F. Labisse, con su *Triunfo de Proteo,* del año 1958[200]; Manzù, con *Escena de Edipo*[201]; B. Buffett, con su *Coliseo y Arco de Tito*[202]; S. W. Hayter, con su *Ceres,* 1948[203]; J. H. Mar-

---

[191] F. Chueca, *Museo Español de Arte Contemporáneo,* Madrid, 1968, pág. 45.

[192] L. Piccioni, *La obra pictórica de Modigliani,* Barcelona/Madrid, 1971, lám. IV, figs. 35-37, XXV.

[193] *Goya,* 6 (1955), pág. 355.

[194] J. E. Cirlot, *Arte contemporáneo, op. cit.,* lám. 103.

[195] M. Raynal *et al., De Picasso au surrealisme,* Ginebra/París, 1950, pág. 174; W. Haftmann, *op. cit.,* vol. II, 241.

[196] W. Haftmann, *op. cit.,* vol. II, 265.

[197] W. Haftmann, *op. cit.,* vol. II, 270.

[198] W. Haftmann, *op. cit.,* vol. II, 243; *Goya,* 52 (1963), pág. 199. Javier Calvo consagró una tinta china al *Foro de Trajano,* donde sólo se representa la parte superior de las columnas y los edificios al fondo.

[199] *Goya,* 29 (1958), pág. 394.

[200] *Goya,* 40 (1961), pág. 292.

[201] *Goya,* 60 (1969), pág. 447.

[202] *Goya,* 28 (1959), pág. 245.

[203] *Goya,* 28 (1959), pág. 244.

chand con *Astarté,* 1948[204]; W. Baumeister, con *Agamemón,* 1944[205], etc. En el mismo M. Chagall, que trata casi exclusivamente temas bíblicos, se encuentran reminiscencias clásicas, como en la litografía del año 1959, titulada *Los tres acróbatas,* uno de ellos es Pan[206]. En la pintura surrealista mexicana afloran seres mitológicos griegos, como el citado *Minotauro doliente,* 1964, de J. García Ocejo, o el de J. Horna, etc. Nosotros no creemos que se pueda ser tan radical en su valoración de la poca influencia del mundo clásico, en el arte moderno, como nuestro Gaya Nuño. A los mitos, dioses y héroes clásicos acuden frecuentemente también los artistas del siglo XX para inspirarse y para verter en ellos la problemática del hombre contemporáneo. Si bien es verdad que en muchos artistas no existe influencia clásica, baste citar a I. Nonell[207], D. Vázquez Díaz[208], J. Gris[209], I. Zuloaga[210], J. Miró[211] o A. Tàpies[212], por no mencionar nada más que pintores españoles.

Sin embargo, en el arte pop se encuentran también temas clásicos, como *El templo de Apolo,* 1964, de R. Lichtenstein[213], o el *Hermafrodita* de Allen Thies, 1963[214].

---

204 *Goya,* 15 (1956), pág. 178.

205 *Goya,* 23 (1958), pág. 301.

206 V. Raymond Cogniat, *Chagall,* Múnich, 1946, pag. 75. A Chagall se debe igualmente el *Mensaje de Odiseo,* mosaico, obra de 1967-1968, hoy en la Facultad de Derecho y de Ciencias Económicas de la Universidad de Niza (W. Haftmann, *Marc Chagall, op. cit.,* fig. 58). La figura de Odiseo ha sido tratada por K. Rössing (E. Hölscher, *Deutsche Illustratoren der Gegenwart,* Múnich, 1959, págs. 162 y ss.).

207 E. Jardí, *Nonell,* Barcelona, 1985.

208 A. Benito, *Daniel Vázquez Díaz: vida y pintura,* Madrid, 1971.

209 D. H. Kahnweiler, *Juan Gris: vida y pintura,* Madrid, 1971.

210 E. Lafuente Ferrari, *La vida y el arte de Ignacio Zuloaga, op. cit.*

211 R. Penrose, *Creación en el espacio de Joan Miró,* Barcelona, 1966; Y. Taillandier, *Création Miró 1961,* Barcelona, 1962; J. J. Sweeney, *Atmósfera Miró,* Barcelona, 1959; *ídem, Joan Miró,* Barcelona, 1970; y J. Dupin, *Miró,* Londres, 1962.

212 B. Bonet, *Tàpies,* Barcelona, 1964; J. Brossa *et al., Antoni Tàpies o l'escarnidor de diademes,* Barcelona, 1967.

213 L. R. Lippard, *Pop art,* Londres, 1967, fig. 150.

214 L. R. Lippard, *op. cit.,* fig. 47.

Capítulo XIV

La pintura religiosa de Gutiérrez Solana y la iconografía de la muerte en la pintura contemporánea

La pintura religiosa de Gutiérrez Solana

Gutiérrez Solana es uno de los grandes pintores españoles de este siglo, que refleja en su obra, junto a Zuloaga, la «España negra». En su temática Gutiérrez Solana es típicamente español[1] y transmite una religiosidad profunda. Sus maestros, según confesión propia, son El Greco, Velázquez y Goya. Nadie como él supo trasladar al lienzo los gustos, las fiestas populares y religiosas de España, además de temas taurinos, y numerosas representaciones de oficios e instrumentos hasta el punto de poder hablar de una pintura etnológica. Trata también, como hiciera Goya, los bajos fondos de la sociedad española, los temores religiosos, las supersticiones, las miserias. Al mismo tiempo, subyace en su pintura el mensaje profundo de la transitoriedad de la vida y la inutilidad de la vanidad humana. La muerte, por tanto, se erige en protagonista, y justifica la negrura y el pesimismo que transpira toda su obra, equiparable a aquella obsesión por las representaciones de la muerte de época renacentista, presente en Alberto Durero, en sus obras *La muerte coronada sobre un caballo flaco*, 1594, y *El caballero, la muerte y el diablo*, de 1513. Más cercanamente, la obra de Gutiérrez So-

[1] E. Lafuente Ferrari, *La vida y el arte de Ignacio Zuloaga*, *op. cit.*, lám. 25.

lana hunde sus raíces en Valdés Leal[2] y en la severidad de la literatura ascética española de la Contrarreforma.

Gutiérrez Solana, tanto en su obra literaria como en la pictórica, bucea en los bajos fondos de la sociedad española de su tiempo, la España más pobre y amarga. Los motivos se repiten una y otra vez con variantes iconográficas. En la medida de lo posible, seguimos una descripción cronológica para captar la evolución de los gustos del artista y reflejar sus preferencias temáticas.

Ya en el año 1905 realizó una obra titulada *Procesión en Toledo.* El tema de las procesiones es una constante en la obra de Gutiérrez Solana[3]. Este cuadro ofrece ya las principales características de su arte: el tenebrismo que impregna todos los objetos y figuras humanas: la cruz, los santos, la Virgen, los devotos todos vestidos de negro. La obra de Gutiérrez Solana, especialmente sus paisajes, se inscriben en la tradición finisecular del XIX[4], son una mirada pesimista y negra de la España de su tiempo. En ese mismo año, y en 1907 por dos veces, volvió a pintar procesiones, una con el título *Procesión de la Semana Santa*[5], otra la *Procesión de los escapularios*[6]. Ambos óleos muestran cierto parecido: el fondo está ocupado por edificios en blanco que contrastan con dos filas de devotos vestidos de negro, caminando, que dejan entre ellas un espacio libre, con el paso del Crucificado y los estandartes en el centro. De este mismo año, 1907, data el *Cristo milagroso de Huesca,* un Cristo de gran tamaño entre devotos[7], y el *Ermitaño*[8] arrodillado leyendo ante un altar. En la pintura española hay precedentes de este tema, como el *Pablo ermitaño* de José de Ribera, del año 1649.

Hacia 1910-1912 Gutiérrez Solana abordó un tema nuevo: *El monje muerto,* prueba inequívoca de su interés por trasladar al lienzo la tragedia de la muerte, o más precisamente de la muerte mística. El difunto yace en el féretro a los pies de un gran crucifijo flanqueado por dos filas de monjes[9], quizá inspirado en la obra de Zurbarán titulada *Los*

---

2 E. Valdivieso, *Valdés Leal,* Jerez de la Frontera, 1991.

3 Véase nota 30 del capítulo X, pág. 207.

4 F. Calvo Serraller, *Paisajes de luz y muerte: la pintura española del 98,* Barcelona, 1998.

5 L. Alonso Fernández, *op. cit.,* pág. 133, P. 16.

6 L. Alonso Fernández, *op. cit.,* pág. 133, P. 18, rep. 76.

7 L. Alonso Fernández, *op. cit.,* pág. 140, P. 36.

8 L. Alonso Fernández, *op. cit.,* pág. 141, P. 37; L. Rodríguez Alcalde y A. Martínez, *Solana,* Madrid, 1984, pág. 12.

9 L. Alonso Fernández, *op. cit.,* pág. 144, P. 47, rep. 77.

funerales de san Buenaventura. De 1912 data *Disciplinantes*[10], tema que ya trató Goya[11]. La *Procesión en Castilla* es obra del año 1912[12], pero introduce la variante de que en esta ocasión la procesión avanza por el centro de la calle, apiñados devotos y miembros del clero. Esta disposición en el tema de la procesión se repite en 1914, en *Rogativas*[13], donde los devotos marchan agrupados junto a la Virgen y el Nazareno. Un detalle discordante son los encapuchados vestidos de blanco colocados en el lado izquierdo tocando las trompetas. Esta escena es nueva. En torno a 1917-1920 se fechan *Procesiones* de gran novedad: una se denomina simplemente *Procesión*[14], otra *Procesión nocturna*[15], y una tercera *Procesión de Toro*[16]. En los tres casos, Cristo es presentado atado a la columna, y en la tercera, además, a la Virgen y a un Nazareno, es decir, dos pasos juntos. En la segunda, los soldados flagelan a Cristo mientras otro soldado le clava la lanza. Las tonalidades claras iluminan las figuras humanas en las dos composiciones primeras, y se tornan oscuras en la tercera. En todos los casos Gutiérrez Solana sabe transmitir perfectamente el sentimiento de respeto y devoción de los fieles, de modo que el sufrimiento de las figuras de los pasos se traslada al público.

Estas características descritas, habituales en la obra pictórica de Gutiérrez Solana, se repiten en dos composiciones de 1917-1919, que introducen una novedad temática: una *Adoración nocturna,* con una Virgen Dolorosa sosteniendo el cadáver del hijo sobre sus piernas[17], obra de gran realismo, y *Procesión de Semana Santa en Cuenca*[18], con encapuchados vestidos de blanco, la Virgen con el Nazareno con un fondo de casas tomadas del natural. El tema de las procesiones, como ya dijimos, es recurrente, casi obsesivo, en la obra de Gutiérrez Solana, con

---

[10] L. Alonso Fernández, *op. cit.,* pág. 147, P. 52.

[11] A. Malraux, *Goya: ein Essay,* Colonia, 1957, pág. 137.

[12] L. Alonso Fernández, *op. cit.,* pág. 148, P. 54.

[13] L. Alonso Fernández, *op. cit.,* pág. 149, P. 57.

[14] L. Alonso Fernández, *op. cit.,* pág. 160, P. 19.

[15] L. Alonso Fernández, *op. cit.,* pág. 160, P. 80.

[16] L. Alonso Fernández, *op. cit.,* pág. 161, P. 82.

[17] L. Alonso Fernández, *op. cit.,* pág. 158, P. 76.

[18] L. Alonso Fernández, *op. cit.,* pág. 159, P. 78. Esta procesión se repite hacia el año 1918, con figuras diferentes: Cuenca al fondo con las casas sobre una colina cortada a pico, y dos pasos en el centro, el Crucificado entre dos personas y un Nazareno (L. Alonso Fernández, *op. cit.,* pág. 169, P. 101, rep. 79; E. M. Aguilera, *op. cit.,* láms. XLIII-XLIV).

las lógicas variantes de los pasos y la arquitectura ciudadana de uno u otro lugar.

En fecha indeterminada entre 1917 y 1942 realiza una *Procesión en Santander,* con la Dolorosa que sostiene el cuerpo de su hijo. Algunos fieles llevan túnicas blancas, y salen de la iglesia[19]. Del año 1925 data *Procesión de Calahorra*[20], obra que se caracteriza, como todas, por el contraste entre los tonalidades de negros y blancos y por la trágica expresión de rostros y manos. De 1917 es *Procesión. Salida de la catedral de Santander*[21], obra en la que contrastan bruscamente, una vez más, los tonos blancos y negros: en este caso, los vestidos negros de los devotos y del fondo contrastan con el blanco de medio pecho y el vestido de Cristo crucificado. Entre 1917 y 1921 realiza dos cuadros casi idénticos: *Procesión, cirial y piedras*[22], y *La Dolorosa*[23], tema tratado por el artista en varias ocasiones. El pintor coloca de fondo colores muy oscuros, tan preferidos por el artista en sus óleos de tema religioso. La Virgen es de gran tamaño; los puñales están clavados en su corazón. Sólo se perfila, en color blanco, el borde del manto, y de tonos blanquecinos son el rostro de la Virgen y de los fieles, y la corona. Los vestidos negros acentúan el tono de luto y duelo que domina toda la composición. El rostro de la Virgen es pura expresión del dolor[24].

De los Cristos pintados por Solana, el mejor es *El Cristo de la Sangre,* de 1920, por la forma de transmitir el dolor del rostro de Cristo y de los fieles[25].

En 1927 el pintor santanderino realiza una *Procesión de noche o de los cirios*[26] y al año siguiente realiza un cuadro religioso con un grupo de *Santos de talla*[27], una Dolorosa con el hijo muerto, un Cristo, dos

---

[19] L. Alonso Fernández, *op. cit.,* pág. 165, P. 91. Un dibujo de 1917 trata el mismo tema. La procesión sale de la catedral vieja de Santander, y lleva un Cristo y una Dolorosa (L. Alonso Fernández, *op. cit.,* pág. 288, D. 37).

[20] L. Alonso Fernández, *op. cit.,* pág. 288, P. 142.

[21] L. Alonso Fernández, *op. cit.,* pág. 166, P. 93. Sobre las procesiones en Santander, véase F. Gutiérrez Díaz, *Semana Santa en Santander: cinco siglos de historia. Antiguas y modernas procesiones,* Santander, 1993; y los escritos del propio J. Gutiérrez Solana, *La España negra en Cantabria,* Santander, 1987. Sobre la obra escrita y pictórica de Solana, véase J. L. Barrio Garay, *José Gutiérrez Solana: Paintings and Writings,* Lewisburg, 1978.

[22] L. Alonso Fernández, *op. cit.,* pág. 166, P. 93.

[23] L. Alonso Fernández, *op. cit.,* pág. 167, P. 94, rep. 78.

[24] L. Alonso Fernández, *op. cit.,* pág. 178, P. 119.

[25] L. Alonso Fernández, *op. cit.,* pág. 173, P. 110.

[26] L. Alonso Fernández, *op. cit.,* pág. 198, P. 163.

[27] L. Alonso Fernández, *op. cit.,* pág. 205, P. 177.

Vírgenes con el Niño Jesús, y Cristo con el manto de púrpura[28]. Destacan los rostros ingenuos de la Virgen y del hijo. En 1929 el pintor insiste en el tema de representación de santos, esta vez en fila[29], y la Virgen y Cristo en otra postura; y lo mismo cabe afirmar de las tallas[30]. En 1930 realiza tres obras: *Antes de la procesión*[31], *Procesión del descendimiento*[32] y *Procesión de la muerte*[33], con filas de devotos vestidos de blanco a ambos lados, y un esqueleto que camina en el centro con la guadaña en ristre. La llama de un farol en el centro es el símbolo de la vida que se va consumiendo poco a poco. En el registro inferior, los cadáveres están tocados con mitras y coronas que simbolizan las cargas de la humanidad. Más abajo, dos ataúdes contienen sendos esqueletos. La composición es una brutal expresión del *Triunfo de la Muerte.* En 1931 insiste en el tema con una obra titulada *Osario*[34]. Hasta ese año el tema de las procesiones era el preferido por Gutiérrez Solana, sin duda porque, en su opinión, es la máxima expresión

---

[28] L. Alonso Fernández, *op. cit.,* pág. 205, P. 177, rep. 16.

[29] L. Alonso Fernández, *op. cit.,* pág. 211, P. 191.

[30] L. Alonso Fernández, *op. cit.,* pág. 213, P. 195.

[31] L. Alonso Fernández, *op. cit.,* pág. 213, P. 196.

[32] L. Alonso Fernández, *op. cit.,* pág. 215, P. 200.

[33] L. Alonso Fernández, *op. cit.,* pág. 215, P. 201, rep. 59. Una obra clave de la temática de la muerte se titula *El espejo de la muerte,* fechada en 1929 (L. Alonso Fernández, *op. cit.,* págs. 84-85), que, como escribió J. de la Puente en 1972, «es una obra en la que el espacio mismo de Solana cobra evidente carácter simbolista, mágico, y quién sabe si hasta surrealista. La vida-femineidad y la muerte se yuxtaponen». De algunos años antes, 1926, son dos dibujos a lápiz y carbón sobre pastel, que representan respectivamente un moribundo, de rostro tétrico, desdentado y con ojos entornados y escapulario al cuello, en la cama, y un esqueleto con boina en la cabeza, junto a un tonel, varias botellas y una jarra de vino con la leyenda «Hoy a mí y mañana a ti» (L. Alonso Fernández, *op. cit.,* pág. 305, D. 78-79). El interés de Solana por la muerte se da ya en 1920, fecha del dibujo al carbón y pastel sobre papel, titulado *El reloj de la muerte (agonía).* El moribundo, con rostro demacrado y manos macilentas, se sienta en un sillón. Delante, la muerte levanta un reloj de arena, que pronto indicará el fin de la vida (L. Alonso Fernández, *op. cit.,* pág. 291, D. 44). A. Durero, en su *Caballero, la muerte y el diablo,* representa la misma idea de forma distinta. Contra la avaricia no hay composición más demoledora que el dibujo de Solana titulado *El tío Miserias,* obra de 1920, donde un viejo sostiene dos bolsas de dinero mientras le sujetan dos cadáveres, uno con la guadaña. El mismo tema, pero no con la muerte sino con personas, había sido tratado por Goya en un *Capricho* (E. Lafuente Ferrari, *Goya: gravures et lithographies,* París, 1961, pág. 30).

[34] L. Alonso Fernández, *op. cit.,* pág. 201, P. 212. El cuadro de H. Baldung Griener, en A. Stange, *Altdeutsche Malerei des 14. bis 16. Jahrhunderts, op. cit.,* lám. 126. La representación de la muerte, sobre un caballo, en el centro del cuadro titulado *La guerra,* de Solana, admite la comparación con *La muerte coronada* de Durero.

de la religiosidad popular cristiana. Es el pintor de las clases bajas. El ambiente y la arquitectura de sus óleos son, generalmente, los pueblos, no las ciudades.

La pintura de Gutiérrez Solana es un magnífico exponente de la religiosidad popular de los devotos, de sus vestidos y de su urbanismo. En 1931 se datan varias composiciones de tema religioso distinto. En una de ellas, *Los ermitaños*[35], uno de los monjes sostiene una calavera; otro, un libro abierto. Es el único lienzo de Gutiérrez Solana que muestra una escenografía convencional. El paisaje es el de los alrededores de Madrid. Hasta entonces, las figuras religiosas protagonistas de los cuadros de Gutiérrez Solana habían sido Cristo y la Virgen, pero en 1931 pinta *El rapto de san Ignacio.* El santo yace tumbado en tierra, abstraído, rodeado de devotos y de dos caballeros; uno lleva una cruz y otro un yelmo[36]. Gutiérrez Solana no olvida nunca la religión como fuente de inspiración. En 1932 retoma el tema del castigo corporal de *Los disciplinantes*[37], y realiza *El fin del mundo* o *Triunfo de la muerte*[38], tema ya tratado, si bien ahora introduce algunas variantes. Este cuadro y el titulado *La guerra,* con la figura de la muerte o caballero rodeada de calaveras, admiten la comparación con las mejores obras, más tenebrosas del género, como *El triunfo de la muerte,* de autor anónimo, fechado en 1445, del antiguo hospital de Palermo, y otro cuadro con el mismo nombre de P. Brueghel el Viejo[39].

Gutiérrez Solana continuó pintando procesiones a partir del año 1932, e introdujo novedades o complementos al tema principal: *Procesión, El beso de Judas*[40]; *Procesión de Pancorbo*[41]; *Procesión de dos pasos* (1933)[42];

---

[35] L. Alonso Fernández, *op. cit.,* pág. 218, P. 206, rep. 30.

[36] L. Alonso Fernández, *op. cit.,* pág. 221, P. 213.

[37] L. Alonso Fernández, *op. cit.,* pág. 224, P. 218.

[38] L. Alonso Fernández, *op. cit.,* pág. 225, P. 220, Para este cuadro realizó cuatro dibujos previos entre los años 1930 y 1932: dos esqueletos raptando a una dama desnuda (dos veces), y dos a una vieja (L. Alonso Fernández, *op. cit.,* págs. 307-309, P. 85-88). Hans Holbein también tiene una obra muy parecida, titulada *La Muerte y el viejo,* publicada en 1538. Sobre los cuadros de Solana con el tema de la muerte, L. Alonso Fernández, *op. cit.,* págs. 189-201; E. M. Aguilera, *op. cit.,* lám. XXV; L. Rodríguez Alcalde y A. Martínez, *op. cit.,* págs. 18-19, 37-40.

[39] Sobre este pintor, W. Seipel (ed.), *Pieter Breughel The Elder at the Kunsthistorisches Museum in Vienna,* Milán, 1998.

[40] L. Alonso Fernández, *op. cit.,* pág. 236, P. 223.

[41] L. Alonso Fernández, *op. cit.,* pág. 227, P. 224.

[42] L. Alonso Fernández, *op. cit.,* pág. 237, P. 244.

Procesión (1936-1937)[43]; y *Procesión* (1943-1945)[44]. En fecha próxima a su muerte, trabajó dos magníficas procesiones con Cristo y la Dolorosa en el centro de la escena[45]. Todas estas obras son de óleo sobre lienzo.

A este pintor se deben también algunos dibujos de temática similar a la de los lienzos. Destaca un *ex libris* de fecha temprana, 1920, titulado *Nemini pareo. Memento Mori,* con un esqueleto entre tiaras y coronas y fémures cruzados en aspa[46]. También hay que destacar los cuatro dibujos preparatorios para el óleo *El fin del mundo,* con una dama desnuda arrastrada por dos esqueletos, símbolos de la muerte[47], que sigue posiblemente los modelos renacentistas de Hans Baldung, en su obra *La muerte besa a una dama,* y en dos trabajos de Holbein, *La muerte y el mercader* y *La muerte y Adán.* De 1942 es un dibujo a tinta y acuarela sobre pastel de una procesión de la Dolorosa debajo de un arco, acompañada del clero y de los devotos[48].

M. F. Zumel, al comentar la *Procesión de Cuenca* (1918), escribe: «Para lograr esa vibración religiosa de los cuadros de Solana sólo es posible con una gran sensibilidad cristiana». El famoso médico madrileño cree que Solana realizó pocos cuadros de tema religioso. Nosotros somos de la opinión de que fueron muchos y a lo largo de toda su vida. Gutiérrez Solana plasmó muy bien un aspecto de la religiosidad de la gente común, del pueblo llano, con independencia de las creencias religiosas profundas del pintor. Solana centró su producción en unos pocos temas de carácter religioso popular, a los que fue añadien-

---

43 L. Alonso Fernández, *op. cit.*, pág. 251, P. 274.

44 L. Alonso Fernández, *op. cit.*, pág. 269, P. 312.

45 L. Alonso Fernández, *op. cit.*, pág. 270, P. 313-314.

46 L. Alonso Fernández, *op. cit.*, pág. 297, D. 57. Un segundo *ex libris,* del mismo año, representa un esqueleto leyendo, símbolo seguramente de la *vanitas* adquirida por la actividad intelectual.

47 L. Alonso Fernández, *op. cit.*, págs. 307-309, P. 85-88. Una escena de gran originalidad dentro de la producción de Solana es la que lleva por título *Garrote vil,* de 1931, obra en la que la referencia religiosa consiste en el preso esposado entre un guardia civil y un fraile de la Merced que presenta al reo un crucifijo (L. Alonso Fernández, *op. cit.*, págs. 162-163). Goya, en un *Disparate,* trató la misma composición del agarrotado (E. Lafuente Ferrari, *Goya: gravures et litographies, op. cit.*, pág. 260). También en *Los desastres de la guerra* (E. Lafuente Ferrari, *Goya: gravures et litographies, op. cit.*, págs. 119-120).

48 L. Alonso Fernández, *op. cit.*, pág. 337, D. 167. Solana se interesó también por expresar el sentimiento de piedad individual en un par de aguafuertes, de 1920, titulados *Mujer con rosario* y *Mujer del reclinatorio* (L. Alonso Fernández, *op. cit.*, pág. 339). Solana por lo general no prestó interés a los interiores de las iglesias. Una excepción es la *Capilla de los santos mártires Emeterio y Celedonio,* patronos de Santander, obra de 1915 (L. Alonso Fernández, *op. cit.*, pág. 285, D. 25).

do variantes iconográficas o compositivas. No se interesó por los distintos episodios evangélicos que narran la vida pública de Jesús, como hace, por ejemplo, el escultor Juan de Ávalos en el Valle de los Caídos[49], ni por representar Cristos yacentes, tan frecuentes en el arte español[50], sino que Solana se centra en el relato de la Pasión, particularmente en la crucifixión. Tampoco la Biblia le sirvió de inspiración a Solana, ni siquiera tangencialmente o como excusa, como hizo Julio Romero de Torres, que realizó una Salomé, si bien su mayor interés era pintar una dama desnuda, tema predilecto de este pintor[51]. Gutiérrez Solana tampoco realizó grandes escenografías religiosas a modo de las escenas carmelitanas de Cossío para el convento de esta orden en Madrid[52]. En 1952 Dalí escribió así:

> En esta época de decadencia de la pintura religiosa [...] el genio sin fe es más valioso que el creyente desprovisto de genio [...]. Estamos convencidos de que los ateos, y aún los miembros del Partido Comunista (como por ejemplo Picasso), los artistas geniales estarían en condiciones, si así lo desearan, de crear grandes obras religiosas [...]. Naturalmente, también veré el peligro demoníaco que amenaza el arte religioso si se sirve de los servicios de artistas ateos. Lo ideal sería que el arte religioso fuera ejecutado, como ocurría en época del divino Renacimiento, por artistas de genio tan profundo como su fe, como fue el caso, por ejemplo, de Zurbarán, El Greco, Leonardo da Vinci, Rafael [...]. Es innegable que el arte moderno representa en sí mismo las consecuencias últimas y fatales del materialismo [...]. Los artistas llamados abstractos son fundamentalmente artistas que

---

[49] Sobre la obra de Ávalos es fundamental el trabajo de J. Trenas, *Juan de Ávalos, 1911, op. cit.* Tiene numerosas esculturas con el tema de la Piedad y Cristo yaciendo en sus brazos: *Piedad profana* (dos), en bronce y barro (J. Trenas, *op. cit.*, láms. 74 y 75); *Piedad*, relieve en piedra *(ibíd.*, lám. 80); *Piedad*, de Mérida, en piedra *(ibíd.*, lám. 109); *Estudio para la primera piedad de Cuelgamuros* y *Primera Piedad de Cuelgamuros (ibíd.*, láms. 110 y 112); *Bocetos de Piedad*, en bronce y barro *(ibíd.*, láms. 114-117; y *Modelación en barro* y *Obra definitiva en piedra de la Piedad del Valle (ibíd.*, láms. 119 y 120).

[50] J. J. Martín González, *El escultor Gregorio Fernández*, Madrid, 1980, págs. 189-201 y láms. 155-172. Que se completa con las siguientes obras: J. Urea, «A propósito de los yacentes de Fernández», *BSAA*, 1972, págs. 543 y ss.; A. Ramos Notario, *Escultura barroca española: Gregorio Fernández, su obra*, Madrid, 1987, págs. 193-210, sobre los yacentes castellanos; y A. Igual Úbeda, *Cristos yacentes en las iglesias valencianas*, Valencia, 1964. Es muy aprovechable para el sentido de este trabajo el catálogo de la exposición habida en Sevilla con el lema *Pasión y éxtasis*, Sevilla, 1996, especialmente el trabajo de J. M. Morillas, «La escultura del sur de Italia y la escultura del sur de España durante el Barroco», págs. 31-33.

[51] F. Calvo Serraller, *Julio Romero de Torres (1874-1930), op. cit.*, pág. 221.

[52] J. A. Gaya Nuño, *Francisco Gutiérrez Cossío: vida y obra, op. cit.*, págs. 86-201.

> no creen en nada [...]. Estoy convencido de que el próximo fin del materialismo actual será nuevamente figurativo y representativo de una cosmogonía religiosa[53].

Gutiérrez Solana, como se ha visto, dio mucha importancia en su obra al tema de la muerte y a las representaciones de la calavera, y continúa así una gran tradición en la pintura española y de los grandes ascetas del Siglo de Oro, como Rivadeneyra o santa Teresa, así como en el arte de finales del siglo XIX y del siglo XX.

Iconografía de la muerte en el arte contemporáneo

El tema de la muerte y las representaciones de esqueletos inspiraron siempre a los artistas. Basta recordar *La danza de la muerte,* 1493, de M. Wolgemut[54]; *Los cuatro jinetes,* 1497-1498, de Durero[55]; *La muerte coronada sobre un caballo blanco,* 1505, del mismo artista[56]; El *caballero, la muerte y el diablo,* 1513, también de Durero[57]; *La muerte besa a una mujer,* de H. Baldung Grien[58]; o *El retrato de Juan Zimmermann,* 1520, de H. Holbein el Joven, con la imagen de la muerte con un reloj de arena detrás del personaje[59]. Estas figuras se remontan al arte grecorromano, en piezas que han sido bien estudiadas por K. M. D. Dunbabin[60], que examina una serie de esqueletos en obras de arte, como un bronce del Museo Arqueológico Nacional de Florencia, dos estatuillas de bronce del Museo Británico y del Louvre, un *kalathos* de Tracia, una jarra de Troya, un *oinochoe* de Olbia, un vaso de Pérgamo, varias gemas, dos emblemas de mosaicos de Pompeya con calaveras y con esqueleto, varias copas, varias lucernas, los modiolos de plata de Boscoreale, etc. Las imágenes de la muerte eran un estimulante para disfrutar de los placeres de

---

[53] Sobre Dalí, véase ahora: H. Finkelstein, *Salvador Dalí's Art and Writing 1927-1942: The Metamorphoses of Narcissus,* Cambridge, 1996; *De Picasso a Dalí: las raíces de la vanguardia española, 1907-1936, catálogo de la exposición de Lisboa, 1998,* Lisboa, 1998; y R. E. Krauss, *The Picasso Papers,* Londres, 1998.

[54] E. Panofsky, *Vida y arte de Alberto Durero,* Madrid, 1992, pág. 17, fig. 9; y S. Zuffi, *Durero: genio, pasión y regla en el Renacimiento europeo,* Madrid, 1998.

[55] E. Panofsky, *op. cit.,* pág. 20, fig. 78.

[56] E. Panofsky, *op. cit.,* pág. 22, fig. 147.

[57] E. Panofsky, *op. cit.,* pág. 25, fig. 207; y C. Mezentseva, *The Renaisance Engravers, op. cit.,* pág. 192, lám. 36.

[58] A. Stange, *Altdeutsche Malerei des 14. bis 16. Jahrhunderts, op. cit.,* pág. 126.

[59] A. Stange, *op. cit.,* pág. 159.

[60] K. M. D. Dunbabin, «Sic erimus cuncti... The Skeleton in Graeco-Roman Art», *JDI,* 101 (1986), págs. 185-255.

la vida, motivo por el cual se exhibían esqueletos durante los banquetes. Tienen un carácter mágico, relacionado con la ultratumba, en papiros mágicos, y en un número pequeño de gemas. El esqueleto tiene a veces carácter funerario en pinturas del siglo II d.C. en Hermópolis Magna, de estilo greco-egipcio. Estas figuras reaparecen en escenas del juicio del muerto, entre los dioses egipcios, en dos tumbas de Akhmin. Se ha pensado que el tema del esqueleto es de origen alejandrino. Otros investigadores se inclinan más bien a aceptar un influjo grecorromano junto a un rebrote de ideas egipcias y grecorromanas. El esqueleto en estas pinturas obedece a unas concepciones egipcias antiguas, y su presencia no se relaciona con el uso del esqueleto por los artistas romanos en contextos funerarios, donde tendría un valor recordatorio de la muerte. Los artistas grecorromanos no representaron los esqueletos como una personificación de la muerte, ni tenían ideas acerca de ella parecidas a las creencias medievales. En los mosaicos, la calavera o el esqueleto poseen sentido alegórico que aparece en gemas. En vasos, su presencia es una parodia de las actividades humanas. En las copas se combinan diferentes concepciones. Después del Bajo Imperio romano, los artistas no representan el esqueleto y la calavera, elementos que reaparecerán juntos muchos siglos después en el arte medieval con una significación diferente.

Los artistas que se agrupan bajo la etiqueta del simbolismo toman con frecuencia a la muerte como tema de inspiración. Basta recordar unos ejemplos significativos, como *Inmortalidad,* de X. Mellery, acuarela sobre cartón, con la muerte representada como un esqueleto con guadaña[61]; *La copa de la muerte,* 1885, de Elihu Vedder, óleo sobre lienzo, en el que el ángel negro alado ofrece a una bella muchacha bien trajeada la copa de la muerte[62]; *La muerte en el baile,* 1865-1875, igualmente óleo sobre lienzo, de F. Rops, con la muerte, bajo la forma de calavera, bailando, vestida lujosamente con un manto blanco, con manchas rojas y azules[63]; *La muerte y el sepulturero,* 1895-1900, de C. Schwabe, acuarela y aguada sobre papel[64]; *El jardín de la muerte,* 1896, también acuarela y aguada sobre papel, de H. Simberg, donde varios frailes con calaveras como cabezas están regando unos tiestos, todo de color amarillo menos los hábitos marrones de los frailes y el blanco de las calaveras[65]; *Joven con*

---

[61] M. Gibson, *El simbolismo,* Colonia, 1997, págs. 14-15.
[62] M. Gibson, *op. cit.,* pág. 81.
[63] M. Gibson, *op. cit.,* págs. 98-99.
[64] M. Gibson, *op. cit.,* pág. 143.
[65] M. Gibson, *op. cit.,* págs. 148-149.

calavera, 1893, de Magnus Enckell, carboncillo y acuarela sobre papel, con un muchacho sentado en el suelo pensativo, todo de color amarillento sobre fondo oscuro[66]; *La muerte,* 1902 y 1911, óleo sobre tabla y óleo sobre lienzo, respectivamente, de Jacek Malczewski. En estos óleos la muerte se representa joven y mujer, que cierra delicadamente los ojos a un hombre, que la espera tranquilo[67]. Es el único pintor que no representa la muerte con aspecto repugnante. *Tanatos I,* 1898, igualmente óleo sobre lienzo, del mismo autor, es obra donde la muerte es una mujer alada que afila la guadaña ante una casa señorial, de la que ha salido, y se dirige a un hombre[68], el difunto.

A Gustav Klimt[69] se deben varias pinturas de escenas de la muerte, como *La procesión de los muertos,* 1903, de color oscuro; *Muerte y vida,* 1916, de vivos colores; *Agonía,* 1912, y *La muerte y la joven,* 1915, igualmente de fuertes colores oscuros; todos ellos cuadros de óleo sobre lienzo.

El tema de la muerte inspiró también a los pintores impresionistas, como lo prueban el óleo de P. Gauguin titulado *Madame Muerte,* 1891, de color blanquecino[70]; la obra de Van Gogh titulada *Calavera con cigarrillo encendido,* 1885-1886, en tono amarillo, que bien parece un cartel de propaganda actual contra el consumo de tabaco[71]; *Los tres cráneos,* de Cézanne, 1904, acuarela y lápiz, en color sangre[72].

El tema de la muerte es frecuente también en otras corrientes pictóricas, como son las obras: *A través de la grieta del muro se proyectó una calavera,* de Odilon Redon[73], carboncillo y lápiz sobre papel de color marrón, sin fecha; y varios óleos sobre lienzo, de Schiele[74]: *La muchacha y la muerte,* 1915-1916; *La embarazada y la muerte,* 1911; *Agonía,* 1912; y, del mismo artista, *Madre muerta,* 1910, óleo y lápiz sobre tabla.

Otto Dix representó fabulosamente bien la tragedia de la Gran Guerra, con un realismo muy duro, en cincuenta incisiones: *Sepulta-*

---

66 M. Gibson, *op. cit.,* pág. 151.

67 M. Gibson, *op. cit.,* pág. 160.

68 M. Gibson, *op. cit.,* pág. 168.

69 G. Fliedl, *Gustav Klimt, 1862-1918: el mundo con forrna de mujer,* Colonia, 1998.

70 M. Gibson, *Paul Gaugin,* Barcelona, 1991, fig. 43. Sobre los impresionistas de comienzos de siglo: *La pintura moderna: los impresionistas y las vanguardias del siglo XX,* Milán, 1998.

71 R. Metzger e I. Walther, *Van Gogh: the Complete Paintings,* Colonia, 1996, páginas 60-61.

72 H. Düchting, *Cézanne, op. cit.,* pág. 189.

73 M. López Blázquez, *Odilon Redon, 1840-1916, op. cit.,* pág. 12, fig. 5.

74 R. Steiner, *Egon Schiele, 1890-1918: el alma de medianoche del artista,* Colonia, 1992, págs. 70-73.

dos, 1916[75], *Gaseados*[76], *Cadáveres sobre caballos*[77], *Cadáver en el fango*[78], *Cráneo,* con gusanos saliendo de la boca desdentada, de la nariz, de los ojos y de lo alto de la cabeza; *Muerto,* de un realismo estremecedor[79], al igual que *Muertos delante de Tahure,* dos cadáveres dignos de Gutiérrez Solana[80], y, finalmente, *Soldado muerto,* 1922, acuarela[81]. Ningún pintor ha representado mejor los horrores de las guerras. Otto Dix, en 1926, en *Los siete pecados capitales,* pintó a la muerte con guadaña, como un esqueleto sobre el vestido, con calavera sobre la cabeza, técnica mixta sobre madera[82].

Cabe recordar otras cuantas obras, fechadas en el siglo XX avanzado, que expresan bien el contraste entre la vida y la muerte, como *La revolución española,* óleo sobre lienzo, 1937, de F. Picabia, cuadro tremebundo con una espléndida mujer vestida elegantemente con peineta y mantilla entre dos esqueletos, uno de ellos con la cabeza cubierta con un gorro de torero, delante de una bandera roja al fondo[83], y otro es un viejo.

Paul Delvaux ha pintado varias obras en las que los esqueletos ocupan un lugar destacado: *El Museo de Historia Natural,* 1942-1943, acuarela con representación de tres esqueletos; *Esqueletos,* óleo, 1944[84], tres esqueletos en el interior de una habitación señorial de tipo tradicional; *La llamada,* óleo, 1944, con un esqueleto semiarrodillado en mitad de una calle, próximo a bellas y carnosas mujeres desnudas y a una vestida elegantemente, con edificios al fondo[85]; *Ecce Homo*[86], óleo sobre madera, 1949, con ocho esqueletos alrededor de la cruz. Jesús es también un esqueleto al que baja de la cruz otro esqueleto. Dentro de esta misma inspiración se encuentran dos óleos sobre madera, uno de ellos titulado *Crucifixión*[87], 1951-1952, donde los tres crucificados y los asistentes son esqueletos, al igual que en *El entierro*[88], 1951, que es el en-

---

[75] A. Casarini, *Otto Dix,* Milán, 1997, pág. 87.
[76] A. Casarini, *op. cit.,* pág. 88.
[77] A. Casarini, *op. cit.,* pág. 92.
[78] A. Casarini, *op. cit.,* pág. 94.
[79] A. Casarini, *op. cit.,* pág. 101.
[80] A. Casarini, *op. cit.,* pág. 104.
[81] A. Casarini, *op. cit.,* pág. 105.
[82] *Pintura alemana del siglo XX,* Madrid, 1997, págs. 104-105.
[83] J. M. Faerna, *Francis Picabia, 1879-1953,* Madrid, 1996, fig. 48.
[84] M. Rombaut, *Paul Delvaux,* Barcelona, 1991, fig. 47.
[85] M. Rombaut, *op. cit.,* fig. 37.
[86] M. Rombaut, *op. cit.,* fig. 79.
[87] M. Rombaut, *op. cit.,* fig. 80.
[88] M. Rombaut, *op. cit.,* fig. 81.

tierro de Cristo. Estas mismas características se repiten en otras dos composiciones en tinta china, óleo y acuarela, 1953, que representan el *Entierro* y *La crucifixión*[89]. Sin duda, el artista, en las primeras obras, quería simbolizar la brevedad de la vida al colocar juntos mujeres espléndidas y esqueletos, y en las composiciones religiosas los esqueletos son los mejores símbolos de la brutalidad de la crucifixión y de la brutalidad del mundo moderno.

Todavía en 1957 pintó P. Delvaux otros dos óleos, *Crucifixión III* y *El entierro,* donde todos los personajes son esqueletos, y el dolor se expresa trágicamente en las bocas abiertas de las calaveras. La insistencia de este gran artista en las representaciones de la muerte encaja muy bien en las corrientes existencialistas de la filosofía del momento, cuyo representante más significativo fue J.-P. Sartre, que predicaba continuamente la ausencia de sentido de la vida humana.

Entre los expresionistas alemanes, además de Otto Dix, destaca M. Beckmann[90], que pintó varios cuadros con escenas de muerte: *Gran escena de la muerte* —cercana a la *Habitación mortuoria* de Munch (1893)—, y *La resurrección de la carne,* tema también tratado por Salvador Dalí[91], que pintó un cuadro titulado *Jinete de la muerte*[92]. Beckmann pintó en 1922 *Depósito de cadáveres,* como resultado de sus experiencias como enfermo en la Gran Guerra. Esta pintura se caracteriza por los violentos escorzos y los espacios diagonales deformados[93].

En otros pintores modernos el tema de la muerte está ausente, como en M. Ernst, salvo una vez[94]; en Kandinski[95], en Léger[96], en Klee[97], en Münter[98], en Miró, etc. Tampoco en pintores en los que los temas religiosos ocupan un lugar destacado, como E. Nolde[99]. Olvidarse de

---

89 M. Rombaut, *op. cit.,* figs. 86-87.

90 D. Elger, *Expresionismo: una revolución artística alemana, op. cit.,* págs. 206-207.

91 J. M. Blázquez, «El mundo clásico en Dalí», art. cit., pág. 239, fig. 13; R. Descharnes y G. Néret, *Salvador Dalí, op. cit.,* págs. 387, 395, 395, fig. 12.

92 J. M. Blázquez, art. cit., pág. 239, fig. 12.

93 M. López, M. Rebull *et al., Max Beckmann, 1884-1950,* Madrid, 1996, fig. 8.

94 P. Gimferrer, *Max Ernst, op. cit.,* fig. 158; y E. Quinn, *Max Ernst, op. cit.*

95 F. Le Targat, *Kandinsky,* Barcelona, 1989; y T. M. Messer, *Kandinsky,* Londres, 1997.

96 J. M. Faerna, *Fernand Léger, op. cit.*

97 V. Endicott y J. Helfenstein, *Die Blaue Vier: Feininger, Jawlensky, Kandinsky, Klee in der Neuen Welt,* Colonia, 1997; W. Grohmann, *Der Maler Paul Klee,* Colonia, 1966; y *Paul Klee,* Ginebra, 1979.

98 A. Hoberg y H. Friedel (eds.), *Gabriele Münter, 1877-1962: Retrospektive, op. cit.*

99 W. Haftmann, *Emil Nolde, op. cit.; ídem, Emil Nolde: ungemalte Bilder, op. cit.* Véase también M. M. Moeller, *Meisterwerke des Expressionismus: Gemälde, Aquarelle, Zeichnungen*

la tragedia de la muerte es una característica de las corrientes espirituales del mundo moderno que tiene su reflejo en el arte.

Algunos pintores actuales españoles han encontrado inspiración artística en la iconografía de la muerte, como *Pez-muerte,* de J. Dámaso[100] y *Dibujo,* de J. Hernández[101], donde se representa una calavera de dama peinada con sueño mirándose al espejo.

Picasso, en su juventud, hacia 1905, se interesó por el tema de la muerte. En 1906 pintó *La muerte de arlequín*[102]. Ya en 1901 había dedicado tres cuadros a la muerte de Casagemas, titulados: *Evocación: el entierro de Casagemas, La muerte de Casagemas (Casagemas en su ataúd),* y *La muerte de Casagemas,* los tres del periodo azul[103], los tres, óleos sobre madera. En 1933 pintó varias obras relacionadas con la corrida de toros y su relación trágica con la muerte: *La muerte de la mujer torero, Corrida* y *La muerte del torero,* obras en las que queda magníficamente expresada la lucha del hombre contra la fiera[104]. De 1937 data *Madre con niño muerto en escalera,* estudio para el *Guernica,* realizado en lápiz y tinta de color sobre papel[105]. De 1943 data *Calavera,* en bronce[106]. También se interesó por la representación de los bucráneos, de toro y de cabra, como no podía ser menos en un artista en cuya obra los toros ocupaban un lugar preminente: *Cabeza de toro,* 1942, sillín y manillar de bicicleta, *Naturaleza muerta con cráneo de toro,* de 1942[107], y los óleos sobre lienzos de 1952, que llevan por título: *Cráneo de cabra, botella y vela*[108]. Directamente relacionada con la muerte está la obra *Masacre de Corea,* 1951, óleo sobre contrachapado[109].

---

und Druckgraphik aus dems Brücke-Museum Berlin, op. cit.; ídem, Die «Brucke»: Gemälde, Zeichnungen, Aquarelle und Druckgraphik von Ernst Ludwig Kirchner, Karl Schmidt-Rottluff, Erich Hecker, Max Pechsteim, Emil Nolde und Otto Mueller, op. cit.

100 R. Chávarri, *La pintura española actual,* Madrid, 1993, pág. 323.

101 R. Chávarri, *op. cit.,* págs. 327-328.

102 C. P. Warncke, *Pablo Picasso, 1881-1973, op. cit.,* págs. 46-47.

103 C. P. Warncke, *op. cit.,* págs. 34-35.

104 C. P. Warncke, *op. cit.,* pág. 135; A. Saura *et al., Picasso: «Corrida de toros», 1934,* Madrid, 1999, págs. 27, 43. Dentro de esta serie cabe citar *Toro agonizante,* 1934, dos, págs. 26, 36, figs. 5, 13.

105 C. P. Warncke, *op. cit.,* págs. 144-145.

106 C. P. Warncke, *op. cit.,* pág. 168.

107 C. P. Warncke, *op. cit.,* págs. 168-169.

108 C. P. Warncke, *op. cit.,* págs. 188-189.

109 C. P. Warncke, *op. cit.,* págs. 186-187. Sobre Picasso, véase ahora M. MacCully (ed.), *Picasso Painter and Sculptor in Clay,* Londres, 1998.

L. Frangella es el autor de una calavera coronada por un ramo de laurel[110], y J. Soriano es el autor de *La visita,* 1994, que representa a un esqueleto llamando a una puerta[111].

En el arte hispanoamericano la muerte también está presente. Baste recordar la obra titulada *Los suicidas,* del pintor argentino Ludueña, en técnica mixta sobre papel, expuesta en Madrid en 1999[112].

Grandes artistas toman el *Apocalipsis* de san Juan como cantera de inspiración, en escenas muchas de ellas relacionadas con la muerte, como se ve en la obra de F. Jesús[113] y de M. Beckmann[114].

Antoni Tàpies pintó un cráneo, imagen de la muerte como referencia a la vanidad de toda vida humana, muy del gusto del arte barroco[115].

Uno de los grandes artistas españoles del momento, Álvaro Delgado, realizó en 1998 una exposición sobre Eros y Tánatos[116].

Salvador Dalí[117] pintó varios cráneos humanos, para referirse a los efectos desastrosos de la guerra y para ilustrar la campaña antivenérea. También realizó un dibujo y una pintura del *Caballero de la muerte,* que es un esqueleto humano[118], y una resurrección de la carne[119], tema muy raro en el arte.

---

[110] M. Cereceda, «Refractarios: anarquismo para todos los gustos», *ABC Cultural,* 24 de diciembre de 1998, pág. 38.

[111] F. Castro, «Juan Soriano: imagen del mundo», *ABC Cultural,* 8 de octubre de 1998, pág. 41.

[112] F. Feure, *Jorge Ludueña: arte y pasión,* Buenos Aires, s. a., págs. 12-13.

[113] *Fernando Jesús: Apocalipsis,* exposición celebrada en Museo Casa de la Moneda del 1 de diciembre de 1998 al 31 de enero de 1999, Madrid, 1998.

[114] K. de Barañano (ed.), *Max Beckmann, 1884-1950: el Apocalipsis,* exposición celebrada en la Fundación Bilbao Bizkaia Kutxa en 1997, Bilbao, 1997.

[115] J. M. Faerna, *Tàpies,* Barcelona, 1995, fig. 35.

[116] T. Paredes, «Álvaro Delgado *Eros y Tánatos:* un compromiso de libertad creativa. Una fuga-encuentro con la muerte», *El Punto de las Artes,* 495 (1998), págs. 18-19. Sobre el autor y su obra: *Álvaro Delgado,* catálogo de la exposición celebrada en el Palacio de la Merced, Córdoba, 1998. Véase F. Huici, *Postrimerías: alegorías de la muerte en el arte español contemporaneo,* Madrid, 1996. El tema de la muerte siempre ha estado presente en el arte: E. de Santiago Páez *et al., Del amor y la muerte: dibujos y grabados de la Biblioteca Nacional,* exposición celebrada en la Biblioteca Nacional de febrero a abril de 2002, Madrid, 2002.

[117] R. Descharnes y G. Néret, *Salvador Dalí, op. cit.,* págs. 336, 337, figs. 756-759; pág. 356, figs. 807-808.

[118] R. Descharnes y G. Néret, *op. cit.,* págs. 240-241, figs. 546-547.

[119] R. Descharnes y G. Néret, *op. cit.,* págs. 386-387, fig. 871.

Capítulo XV

Mitos clásicos en los periódicos y revistas de Madrid de finales del siglo XX[1]

Hace unos cincuenta años, a uno de los mejores críticos de arte que ha tenido España le oí decir que la mitología clásica ya no era tema de inspiración para los artistas del mundo moderno. Al tema de la pervivencia de la mitología clásica en el arte europeo hemos dedicado varios artículos y tratamos hoy el tema en diarios y revistas de finales del siglo XX[2]. Tan sólo se hace unas catas. Se han elegido los diarios *El País, ABC, El Mundo* y la revista *El Punto de las Artes*. Se analizan brevemente mitos clásicos representados por artistas españoles y extranjeros expuestos en el exterior, reproducidos en estos diarios y en la citada revista de arte. También se recogen algunas sagas que, sin ser mitos,

---

[1] Agradezco a los doctores Javier Cabrero y Sabino Perea la bibliografía proporcionada para el presente estudio.

[2] J. M. Blázquez, «Temas del mundo clásico en el arte del siglo XX», art. cit. (cap. XIII de esta edición); *ídem,* «El mundo clásico en Picasso», art. cit. (cap. XI de esta edición); *ídem,* «Temas del mundo clásico en las pinturas de Kokoschka y Braque», art. cit. (cap. IX de esta edición); *ídem,* «Mujeres de la mitología clásica en la pintura de Max Beckmann», art. cit.; *ídem,* «Mujeres de la mitología clásica en el arte español del siglo XX», art. cit.; *ídem,* «El mundo clásico en Dalí», art. cit. (cap. XIX de esta edición); *ídem,* « El mito griego de Leda y el cisne en los mosaicos hispanos del Bajo Imperio y en la pintura europea», art. cit. (cap. III de esta edición); *ídem,* «Temas de la mitología clásica en las pinturas de la corte de Felipe II», art. cit. (cap. I de esta edición); *ídem,* «Mitos griegos en la pintura expresionista», art. cit. (cap. V de esta edición).

están tomadas del mundo clásico. A veces están reproducidas en programas de exposiciones artísticas.

MINOTAURO

El mito del Minotauro, monstruo con cabeza de toro y cuerpo de hombre, hijo de Parsifae, esposa de Minos, y de un toro enviado a éste por Poseidón, que fue encerrado por Minos en el laberinto y, posteriormente, matado por Teseo con la complicidad de Ariadna, ha inspirado siempre a los artistas del mundo antiguo[3] y del arte europeo[4]. Baste recordar que fue uno de los mitos preferidos por Picasso[5]. Al mito del Minotauro de Picasso han dedicado varios artículos ilustrados los periódicos, ahondando en su arte y en su significado, como «Mito y autobiografía», de J. Marín-Medina en *El Cultural* de *ABC* (1 de noviembre de 2000); «Picasso y el toro», en *ABC Cultural* (julio de 1999), de A. Saura, que señala grandes puntos de contacto entre los minotauros picassianos y la *Tauromaquia* de Picasso[6]. «Duelo de Picasso», en *ABC Cultural* (28 de octubre de 2000), de M. Cereceda, que según este autor se convirtió en un *alter ego* fundamental de Picasso, que se veía a sí mismo como una especie de monstruo, de una sexualidad bestial y arrebatada, que devoraba doncellas de un modo insaciable; «Picasso y el Minotauro», funde los instintos animales y humanos, *El Cultural* de *El Mundo* (25 de octubre de 2000), de R. Sierra; «Furia y ternura», de la misma fecha y diario, de M. R. Barnatán, que interpreta las setenta obras del artista malagueño como el superego de Picasso y «Picasso y el Minotauro hunden sus raíces en España», de *El Punto de las Artes,* noviembre de 2000. A estos minotauros picassianos cabe añadir otros de diferentes artistas como la exposición de la Galería Zafira de París, *Los minotauros del barrio latino,* veintena de esculturas y veinticinco telas de Sandro Mercader, de la que informa *El Punto de las Artes* de junio de 1998; el *Minotauro enmascarado,* roble y haya de J. Subirá-Puig (1999),

---

[3] Ya el arte griego arcaico representó este mito (J. Boardman, *Athenian Black Figure Vases,* Londres, 1985, pág. 225, figs. 66, 116). Sobre la iconografía de este monstruo en el arte antiguo: *LIMC,* VI.1-2, págs. 574-583, figs. 3-68.

[4] *OCMA,* págs. 667-669.

[5] P. Esteban Leal, *Picasso minotauro, op. cit.*

[6] A. Gallego (ed.), *Picasso y los toros,* catálogo de la exposición celebrada en el Museo de Bellas Artes de Málaga de octubre a diciembre de 1981, Madrid, 1981.

expuesto en Orne (Francia), de una gran originalidad ya que es una figura de pie, con túnica de pliegues, máscara con rejas verticales que tapa la cabeza, ancha cabellera y brazo desnudo, en *El Punto de las Artes* de junio de 2000. En *El Cultural* del diario *El Mundo* (22 de noviembre de 2000) se presentó el *Laberinto* de Robert Movis, hoy en día en la colección Guggenheim de Bilbao.

Los artistas españoles se inspiran frecuentemente en el mito del Minotauro, posiblemente por la vinculación del toro con la cultura española. David Paquet, pintor francés afincado en Madrid, pintó un *Minotauro cósmico,* de gran novedad en la concepción. El monstruo está desnudo, de pie, dentro de una gran bóveda que representa al cosmos. El estudio anatómico del cuerpo es muy bueno. Este cuadro se publicó en *Arte,* 14 (1998). Artur Heras (1999) es el autor de *Minotauro I,* de gran originalidad. Al fondo se encuentra una gigantesca cabeza de toro, vista de frente y por delante, un cuerpo varonil, con los brazos abiertos en actitud de caminar. Este mito se reprodujo en *El Punto de las Artes* (3 de noviembre de 2000). El pintor suizo Jacques Chessex, en homenaje a A. Saura, hizo una exposición en la Fundación Antonio Pérez de Cuenca en la que el Minotauro era el protagonista, exposición de la que se habla en *ABC Cultural* (18 de noviembre de 2000). Una obra está llena de cabezas de minotauros, alguno sobre un esqueleto humano.

Varía, pues, mucho de unos artistas a otros la representación del Minotauro.

Los musivarios hispanos de época romana representaron el mito de la lucha entre Hércules y el Minotauro en mosaicos de Pamplona y Córdoba, ambos fechados en el siglo II y Torre de Palma (Portugal), en época constantiniana.

Ulises

La leyenda de Ulises, el héroe griego que peregrinó por el Mediterráneo antes de llegar a Ítaca, donde le esperaba su esposa Penélope, asediada por los pretendientes que querían desposarla, es una saga recogida en la prensa madrileña varias veces. Baste recordar el *Odiseo* de Oteiza, de gran fuerza de expresión, reproducido en *El Punto de las Artes* (abril de 1998); *Ulises y las sirenas,* de Mingote *(ABC,* 29 de septiembre de 2000), dibujo en el que el artista madrileño ha expresado magníficamente la alegría y la atracción de las sirenas y la angustia del héroe griego, atado al mástil de la nave, que no podía acercarse a las sirenas[7]; e *Ítaca* de Enecio (*El País*, 9 de junio de 1998), con un dibujo de gran originalidad. Ulises navega hacia Ítaca, donde le espera su esposa que teje y desteje el lienzo con el que engaña a los pretendientes. El lienzo forma un oleaje de líneas onduladas sobre las que navega la barca de Ulises. Es tema poco reproducido en el arte europeo.

LAOCONTE

Laoconte[8] era un sacerdote de Apolo. Él y sus dos hijos fueron estrangulados por serpientes, sobre el ara del dios, a quien Laoconte ofendió. Sólo el hijo, colocado a la derecha del espectador, logró escaparse de los anillos de la serpiente. Virgilio, en el segundo libro de la *Eneida*, cantó la leyenda. Tres artistas de la misma familia, Agesandros, Polidoros y Artemidoro, labraron la escultura restaurada por Miguel Ángel. Es una excelente muestra del exagerado naturalismo helenístico y del carácter barroco que asemeja al *Laoconte* a algunos gigantes del gran friso del Altar de Pérgamo, construido por iniciativa de Eumenes de Pérgamo en honor de Zeus y de Atenea Nikeforos entre los años 180 y 160 a.C.

En 1994 Andrés Alfaro, en hierro pintado y latón, forjó un *Laoconte*, que es un amasijo de hierros en el que se distingue bien el sacerdote de Apolo entre sus dos hijos, con las serpientes anilladas al cuerpo. De este grupo, presentado en la Bienal de Venecia, habla *El Punto de las Artes* en junio de 1995. La leyenda se vuelve a repetir en la prensa otras dos veces. Una en el *ABC* de fecha 13 de diciembre de 1997, en un dibujo de Mingote para simbolizar a la banda terrorista ETA que estrangula al País Vasco, citado en la inscripción del pedestal. Los tres personajes cubren sus cabezas con una gorra vasca. Magníficamente expresó Mingote el terror de los que intervienen en la escena. La tercera realización de esta leyenda es un dibujo de El Roto. El tema es el mismo, pero la ejecución de las figuras es totalmente diferente. Este dibujo está inspirado directamente en en la escultura de Apolodoro, con idéntica actitud de los cuerpos y de las serpientes. El simbolismo es el mismo, ya que sobre una serpiente está escrita la palabra ETA. Estos dos casos son un excelente ejemplo de cómo las leyendas clásicas pue-

[7] Sobre la leyenda en el arte europeo, *OCMA*, págs. 740-741. Sobre Penélope, páginas 850-854.

[8] Sobre esta leyenda en el arte antiguo, *LIMC*, VI.1-2, págs. 196-202, fig. 19. En el arte europeo, *OCMA*, págs. 624-626.

Enecio, *Ulises en el mar y Penélope tejiendo,* Madrid, *El País.*

den, a final del segundo milenio, simbolizar problemas de la actualidad. El terror que expresan los hijos de Laoconte queda magníficamente reflejado en el color negro del rostro y en la mirada aterradora de los jóvenes.

El rapto de Europa

Zeus, el padre de los hombres y de los dioses, se enamoró de Europa, que jugaba tranquilamente en compañía de otras muchachas en la playa de Sidón, donde reinaba su padre, Agenor[9]. Para raptarla, Zeus se transformó en toro de blanca piel y de cuernos en forma de media luna. El toro se tumbó a los pies de la doncella. Ésta acarició al animal y se sentó sobre el lomo. El toro se levantó de repente, se lanzó al mar y llevó a Creta a la doncella. *El País* (2 de febrero de 1997) reprodujo un dibujo de Ángel de Pedro con este mito. Europa es una joven desnuda que se reclina sobre el toro, de forma cuadrada y de piernas puntiagudas. Su mano derecha sostiene un euro. Delante, en postura torera frente al toro, se encuentra un ejecutivo, como lo indica la cartera de negocios que lleva, de miembros largos y puntiagudos que hacen juego con las patas del toro. La escena se sitúa en la playa, como el mito. Sin duda, el artista representó bajo el mito de Europa la nueva situación económica creada por el establecimiento del Euro.

El rapto de Europa se representa también, cargado de simbolismo económico, en el diario *El Mundo* (7 de septiembre de 2000), dibujo salido de la pluma de Gallego y Rey. En el ángulo superior izquierdo se lee un letrero, con grandes caracteres, que dice: «El rapto de Europa». El toro es un cuerpo cilíndrico, con la piel en blanco y negro, que da vueltas velozmente sobre un perno y que embiste a una vieja decrépita, que vuela despedida por los aires, agarrada a un asa sujeta al lomo del toro. Sobre el cuerpo del animal se lee «Dólar». La escena simboliza la situación económica de Europa, agarrada y bamboleada por el dólar.

Dos obras más con el rapto de Europa cabe recordar. La primera es un dibujo de Enrius publicado en *El País* (25 de junio de 2000), que representa a una dama desnuda recostada sobre un toro cuyo cuerpo está formado por una serie de anillos. El artículo se titula «Exhibicionismo

---

9 Sobre la iconografía en el arte grecorromano, *LIMC*, IV.1-2, págs. 76-91, figs. 1-224. En el arte europeo, *OCMA*, págs. 421-429.

obsceno» y alude a la juez Tardón, que quiso encerrar a las prostitutas por exhibicionismo obsceno. El mito griego, como siempre, simboliza muy bien un problema real actual. El mismo diario madrileño (4 de junio de 2000) reprodujo una escultura de metal con *El rapto de Europa*, que se entregó como premio a Laura Mañá. Europa es una joven desnuda, que se agarra al cuerpo del toro, que la rapta, y levanta el brazo izquierdo. Magníficamente el artista representó el momento del rapto, así como el susto y el rechazo de Europa. *El rapto de Europa* ocupa la portada de la revista alemana *Der Spiegel* (mayo de 2000).

Leda y el cisne

Otro de los mitos, que tiene por protagonista a Zeus, es el de *Leda y el cisne*. Zeus se metamorfoseó en cisne para gozar a Leda[10] que tuvo, como fruto de sus amores con Zeus, a dos parejas: Pólux y Clitemnestra y a Cástor y Helena, según la versión del poeta trágico Eurípides.

El mito se representa en el momento de la unión amorosa. Leda está recostada, colocada de perfil, y tiene al cisne, que la besa, entre sus piernas. Es una postura clásica, documentada en el mosaico de los Amores de Zeus de Itálica, del siglo II y en la pintura de Miguel Ángel. El mito ilustra el programa de las Jornadas sobre Arte y Erotismo, celebradas en el Museo de Bellas Artes de La Coruña (15-17 de noviembre de 2000).

Un segundo dibujo de Enrius cabe recordar también, publicado en *El País* (24 de agosto de 1998). Leda está desnuda, colocada de tres cuartos; delante, el cisne aletea y dirige el pico a Leda para besarla. A la izquierda una pareja se coge de la mano. El artículo versa sobre el amor, ningún mito ilustra mejor el amor humano que el mito de *Leda y el cisne*.

Artemis

Es la diosa cazadora por antonomasia[11]. Era, según ciertas tradiciones, hija de Deméter y hermana gemela de Apolo. Los romanos la identificaron con Diana. G. O. W. Apperley (1884-1960), pintor británico integrado en la cultura hispánica, en 1939 pintó a Artemis, des-

---

[10] La iconografía en el arte clásico *LIMC*, VI.1-2, págs. 231-249, figs. 4-139. En el arte europeo, *OCMA*, págs. 629-635.

[11] Sobre esta diosa en la iconografía clásica: *LIMC*, II.1-2, págs. 618-854, figs. 1-448. En el arte europeo, *OCMA*, págs. 215-233.

nuda, colocada de tres cuartos, de puntillas, dispuesta a disparar el arco. En la actitud del rostro se expresa bien la atención y la tensión de todo el cuerpo que presta la diosa al disparar la flecha. El óleo sobre lienzo se reprodujo en *El Punto de las Artes,* 3 (1999).

ATENEA

La hija de Zeus, que salió de su cabeza armada de casco, coraza, escudo y lanza, es la diosa virgen protectora de Atenas[12]. Inspiró una original escultura en mármoles de Carrara y Macael al escultor Alcántara (*El Punto de las Artes,* 5, 2000). La diosa carece de atributos guerreros. El cuerpo es de formas estilizadas y esbelto. El vestido le cae formando pliegues verticales. La cabeza es puntiaguda.

ÍCARO

Ícaro era hijo de Dédalo. Cuando éste enseñó a Ariadna cómo podía Teseo salir del laberinto después de matar al Minotauro, Dédalo fabricó para sí y para su hijo unas alas fijadas al cuerpo con cera. Ícaro subió demasiado en el cielo, la cera se derritió y se estrelló contra la tierra[13].

Soberbiamente, el escultor J. L. Sánchez representó en versión moderna a Ícaro, con unos tubos dirigidos hacia el cielo, sobre una plataforma. El artista quiso simbolizar, muy probablemente, el esfuerzo del hombre moderno en la exploración del universo que, quizás en la mente del escultor, era un esfuerzo inútil (*El Punto de las Artes,* 10, 1998).

EL JUICIO DE PARIS

Paris tuvo que decidir, por encargo de Zeus, quién era la más bella entre las tres diosas: Afrodita, Hera o Atenea. Carlos d'Ors pintó este mito, que alcanzó una gran aceptación en el mundo clásico y en el europeo de todas las épocas[14].

---

[12] La iconografía clásica de esta diosa en *LIMC,* II.1-2, págs. 955-1050, figs. 16-25. En el arte europeo, *OCMA,* págs. 241-252.

[13] Sobre este mito en el arte europeo, *OCMA,* págs. 586-593.

[14] Sobre este mito en el artre clásico, *LIMC,* VII.1-2, págs. 177-188, figs. 1-108. En el arte europeo, *OCMA,* págs. 821-831.

Los musivarios romanos representaron el *Juicio de Paris* en pavimentos de Transilvania, hoy perdido, de Antioquía, de Cherchel y de Casariche (Sevilla), este último copia un cartón oriental, y es una obra de arte de gran calidad.

La novedad del artista consiste en representar desnudas a las personas que intervienen en la escena.

Dafne

Dafne fue una ninfa amada por Apolo[15]. En 1998, Juan Soriano *(ABC Cultural,* 8 de octubre de 1998), fundió un bronce con *Dafne IV.* Dafne, desnuda, se encuentra de pie dentro de un grueso y macizo círculo.

Bacanal

Escenas de Bacanales fueron muy del gusto de los artistas del Renacimiento y del Barroco. Al pintor sudamericano Claudio Bravo (1936) se debe una *Bacanal,* 1981, que es una copia de una pintura de Tiziano conservada en el Museo del Prado *(El Punto de las Artes,* 6, junio de 1998).

Las tres Gracias

Son divinidades de la belleza. Esparcen la alegría en el corazón de los hombres e, incluso, de los dioses en la naturaleza. Habitaban en el Olimpo en compañía de las musas[16].

Los dibujantes contemporáneos han representado a las *Tres Gracias* dentro del mar. Se han silueteado, como hace Máximo *(El País,* 9 de agosto de 2000), aquí las *Tres Gracias* se dan las espaldas, como enfadadas. En otro dibujo, el mismo dibujante las sitúa alzándose. En un tercer dibujo *(El País,* 25 de agosto de 2000), Máximo sólo siluetea la parte central del cuerpo de las diosas. Una escultura de las *Tres Gracias,* obra de A. Alfaro, adorna la sala de facturación del aeropuerto de Valencia *(El Punto de las Artes,* 9, 1998).

---

[15] Dafne junto a Pan fue inmortalizada en una escultura que se puede fechar en torno al año 100 a.C.; J. J. Pollitt, *El arte helenístico,* Madrid, 1989, págs. 216. Sobre la iconografía de Dafne en el arte clásico, *LIMC,* III.1-2, págs. 344-348, figs. 7-40.

[16] La iconografía de estas diosas en el arte europeo, *OCMA,* págs. 474-480.

Nereidas

Las Nereidas eran divinidades marinas, hijas de Nereo y de Doride y nietas de Océano. Quizás sean la personificación de las olas. Su número subió a cincuenta e incluso hasta mil[17].

Ángel de Pedro (*El País,* 21 de mayo de 1998) publicó una *Nereida* para vender ropa, muebles, discos y coches. La Nereida se recuesta muellemente sobre un barco, ajena a todo trajín de la vida de los mortales. La cara es pequeña y sonriente, en contraste manifiesto con las piernas, la cintura, los brazos y la mano izquierda. Es un dibujo de gran originalidad y elegancia.

Boda de Belerofonte y de Philonoe

Belerofonte[18] pertenecía a la casa real de Corinto. El rey de Licia, por las hazañas realizadas por Belerofonte, como matar a la Quimera, liquidar a la población belicosa de los sólimos y matar a muchas amazonas, le entregó en matrimonio a su hija Philonoe, cuya boda dibujó Máximo (*El País,* 30 de agosto de 1988). Pegaso era un caballo alado que encontró Belerofonte en una fuente de Corinto. Un Pegaso alado, sobre la bola del mundo, pinto Damián Jirones (*El País,* marzo de 1998).

Hermes

Hermes[19] era hijo de Zeus. Fue el inventor de la flauta, el mensajero de los dioses y el padre de Pan, como reza la inscripción que coloca el dibujante, Fernando Vicente, junto al casco (*El País,* 7 de octubre de 2000). El artista representó sólo la cabeza de Hermes de perfil, cubierta con el casco alado. En el pedestal se lee el nombre del dios. El escultor Adolfo Barnatán (1951) inauguró en la Galería Metta de Ma-

---

[17] Sobre la iconografía de estas diosas marinas, *LIMC,* VI.1-2, págs. 785-824, figuras 2-486. En el arte europeo, *OCMA,* págs. 706-723.

[18] Sobre la iconografía de Pegaso en el arte clásico, *LIMC,* VII.1-2, págs. 214-230, figs. 1-241. En el arte europeo, *OCMA,* págs. 274-276. El mito de su boda no ha sido tratado en el arte europeo.

[19] Sobre la iconografía clásica de Hermes, *LIMC,* V.1-2, págs. 285-387, figs. 6-185.

drid, treinta y ocho piezas inspiradas en la mitología griega de Afrodita, Hermes y Hermafrodita.

Medusa

Las Gorgonas[20] eran tres y se llamaban Esteno, Euríale y Medusa. Las dos primeras eran inmortales y la tercera, mortal. Habitaban en el Occidente, no lejos del país de las Hespérides. Serpientes rodeaban sus cabezas. Atemorizaban con sus miradas a los hombres y a los inmortales. Gorgona, como señora de los animales, se pintó sobre un vaso rodio, fechado en torno al 630 a.C. La máscara de Gorgona decoraba una metopa del templo de Apolo en Termos, fechado hacia el año 620 a.C. Perseo cortó la cabeza de la Medusa, escena representada en una metopa del templo de Selinunte, Sicilia, en torno al 540 a.C. La cabeza de Medusa ha sido tomada como emblema del ceramista Versace en sus piezas de Rosenthal.

Caballo de Troya

La leyenda del caballo de Troya, en el que se introdujeron los aqueos dentro de la ciudad, se documenta en un ánfora de Mykonos[21], datada en torno al año 670 a.C., y en dos pinturas pompeyanas. M. Luisa fundió un bronce con esta leyenda, que no es un mito. Los aqueos se encuentran en el interior de la panza del animal. A esta artista se debe una escultura de la diosa Roma, que tampoco es un mito.

Nacimiento de Venus

Se ilustró una película que se exhibió en cines de Madrid, titulada *Almejas y mejillones,* con una pareja desnuda, de pie, sobre una concha, rodeada de varias figuras y de ramajes *(El Mundo,* 4 de noviembre de 2000). La composición es una copia del *Nacimiento de Venus,* de Botticelli, hasta en los mínimos detalles, obra de 1485[22].

---

[20] Sobre la iconografía clásica de Medusa, *LIMC,* VI.1-2, págs. 386-398, figs. 1-65.

[21] R. Hamper y E. Simon, *Un millenaire d'art grec 1600-600, op. cit.,* pág. 117, fig. 117; y J. Boardman, *Greek Art,* Londres, 1985, pág. 50, fig. 46.

[22] Generalmente a Venus naciendo se la coloca tumbada sobre la concha; véase A. Maiuri, *La peinture romaine, op. cit.,* pág. 7.

Mujer desnuda y águila

En el catálogo de la exposición de pinturas del artista sevillano Barreto, celebrada en febrero de 1997 en Salamanca, figura una mujer desnuda, tumbada sobre un águila volando, composición inspirada en el basamento de la columna de Antonio Pio, hoy conservada en el jardín de la Piña en el Vaticano.

Kore

Al escultor Andrés Alcántara se debe una *Kore del amanecer (El Punto de las Artes,* 1, 1999), que, por la forma esbelta del cuerpo y la cabellera ondulada caída sobre los hombros, está inspirada en las *korai,* exvotos ofrecidos por las muchachas atenienses a Atenea Pártenos en el Partenón; construido por los Pisistrátidas (561-510 a.C.) en la acrópolis de Atenas, destruido por los persas en 480 a.C.[23].

Centauro

Los centauros[24] eran seres mitológicos, mitad hombre mitad caballo. Habitaban los bosques y se alimentaban de carne cruda. Eran de costumbres brutales. A un robot con cuerpo de centauro se le ha dado este nombre *(El Mundo,* 1 de agosto de 1999).

Prometeo

Era hijo del Titán Jápeto y creó los primeros hombres modelándolos de arcilla[25]. En la *Teogonía* de Hesíodo es el bienhechor de la humanidad, pues sustrajo el fuego de la fragua de Hefesto y lo entregó a los mortales. En castigo, Zeus lo encadenó en el Cáucaso y envió un

---

[23] G. M. A. Richter, *Korai: Archaic Greek Maidens,* Londres, 1968.

[24] Representaciones de centauros en el arte arcaico griego en J. Boardman, *Greek Art, op. cit.,* nota 2, pág. 21.

[25] En un mosaico de Shahba Philippopolis de mediados del siglo III, Prometeo modela al hombre en arcilla (J. Balty, *Mosaïques Antiques de Syrie, op. cit.,* págs. 28-29).

águila que le devoraba el hígado que se regeneraba continuamente. *El Punto de las Artes,* 9 (2000) reprodujo el *Prometeo* del artista germano Lupertz, expuesto en el Museo Reina Sofía de Madrid.

PERSEO Y ANDRÓMEDA

Perseo, después de dar muerte a la Gorgona, rescató a Andrómeda[26], atada a una roca, para liberar Etiopía de un monstruo que asolaba la región. *El País. Cultura* (5 de marzo de 1999) reproduce *La roca del destino,* del simbolista inglés E. Burne-Jones (1833-1898), con este mito.

MITOS DE GUSTAVE MOREAU

Babelia, de *El País* (26 de diciembre de 1998), con ocasión de la conmemoración de la muerte del gran pintor simbolista Gustave Moreau (1826-1898), reproduce dos cuadros de temas mitológicos del artista, *Jasón y Medea,* 1865, y *Pasifae.*

Jasón fue a la Cólquida donde habitaba la maga Medea[27], a buscar el vellocino de oro. Pasifae era esposa de Minos y mantuvo amores con un toro, que reproduce la pintura.

EDIPO Y LA ESFINGE

Una saga inmortalizada en una tragedia del autor ateniense Sófocles (497/6-406/5 a.C.), pintada por G. Moreau, ilustra magníficamente las preguntas que sobre la vida se hacen los filósofos *(El País,* 13 de marzo de 1999).

Otros mitos clásicos cabe aún recordar. Uno de los grandes artistas españoles del momento, A. Delgado, ha hecho varias exposiciones de pintura sobre un tema muy clásico: *Eros y Tánatos (El Punto de las Artes,* 7, 1998; 12, 2000). Al escultor Alcántara se deben varias cabezas en piedra de Gerión[28], monstruo de tres cabezas cuya riqueza eran los bueyes

---

[26] Este mito es especialmente querido de los pintores pompeyanos. A. Maiuri, *op. cit.,* nota 20, págs. 28, 79, 81, 117.

[27] Este mito está frecuentemente representado en la pintura pompeyana; véase A. Maiuri, *op. cit.,* nota 21, págs. 81, 85-86, 91.

[28] Sobre la iconografía de este mito en la Antigüedad, *LIMC,* IV.1-2, págs. 186-190, figs. 1-25.

que robó a Heracles en Tartesos (*El Punto de las Artes*, 11, 1996; 1, 1998). Pilar Santos pintó en *Frente a las islas Sisargas* a una dama desnuda recostada sobre las olas con un espejo en la mano (*El País de las Tentaciones*, 14 de diciembre de 1977), tema de la *toilette* de Venus en los mosaicos africanos de Sétif, Cartago, Djemila y El Djem[29].

Los mitos y sagas clásicos, como se deduce de este muestreo, ilustran todavía los problemas del mundo actual a finales del siglo XX.

En resumen, los temas mitológicos son ampliamente utilizados por los diarios de gran tirada y por los medios de comunicación en general, y destaca el uso que de ellos hace la publicidad, en todas sus variantes, dado que la mitología siempre ha disfrutado de un gran predicamento entre las masas populares.

[29] J. M. Blázquez, «La Venus del espejo: un tema clásico del arte europeo procedente del arte antiguo», en *Tés philíes táde dóra: miscelánea léxica en memoria de Conchita Serrano*, Madrid, 1999, págs. 555-559.

Capítulo XVI

Mitos clásicos en los periódicos y revistas de Madrid a comienzos del tercer milenio. Representaciones en el teatro

Significado de los mitos

La palabra mito, para los griegos, significaba fábula, cuento o narración. El mito se contrapone al logos y a la historia. Homero y Hesíodo, hacia el 700 a.C. y poco antes, son los grandes creadores de mitos, que fueron rechazados por los filósofos jonios corno puras ficciones. Los intelectuales alejandrinos de época helenística criticaron los mitos, pero los mitos griegos han pervivido hasta el siglo XXI desde el Renacimiento, como lo prueba este trabajo. Los filósofos, desde la época helenística, desarrollaron la interpretación alegórica de los mitos de Homero. Para los griegos el mito es un modelo ejemplar, sea del mundo o de todos los ritos y actividades del hombre.

El mito griego para los modernos, es una manera de representar los problemas del hombre y de la sociedad actual. Se entiende por mito, en la actualidad, las representaciones y narraciones en las que se expresa la cultura arcaica de los griegos, los símbolos, los ritos y el culto en torno al origen y al significado del Universo, de la vida humana, de los ciclos de la naturaleza, de la muerte, de la guerra, de la violencia de los hombres y de los dioses y de la identidad masculina y femenina[1].

---

[1] J. M. Blázquez, «Mitos clásicos en los periódicos y revistas de Madrid de finales del siglo XX», art. cit. (cap. XV de esta edición).

En un trabajo nuestro anterior, estudiamos este tema a finales del segundo milenio[2]. En el presente, lo hacemos a comienzos del tercer milenio. Se toman fundamentalmente, como base, periódicos de Madrid, *El País*, *ABC*, y una revista, *El Punto de las Artes*. Se completa la visión general con algunos datos entresacados de las representaciones teatrales y de las películas de cine. No se pretende hacer un estudio exhaustivo. Los mitos representados son suficientes para conocer la panorámica general sobre el tema. Estos mitos representados, unas veces son de artistas anteriores al siglo XXI, del Renacimiento, del Barroco y de la Ilustración.

Lo importante para el contenido de este estudio es que, al informar sobre diferentes exposiciones de arte o sobre diversos acontecimientos artísticos, los periodistas hayan ilustrado el contenido de sus informaciones con escenas mitológicas.

A través de estas ilustraciones, el público moderno llega al conocimiento de los mitos clásicos y a su interpretación por los grandes artistas del pasado.

El nacimiento de Venus

En una época como la actual, de una gran libertad sexual, las imágenes de la diosa del amor gozan de una gran popularidad. Afrodita, diosa del amor griega, fue identificada en Italia con una diosa indígena llamada Venus.

El mundo clásico conocía dos versiones sobre su nacimiento. Según una, era hija de Zeus, el padre de los hombres y de los dioses, y de Dione. Según otra versión, era hija de Uranos, cuyos órganos sexuales, cortados por Cronos, cayeron al mar y engendraron a Afrodita, nacida de las olas.

Joel-Peter Witkin, fotógrafo nacido en Nueva York en 1939, expuso en el Círculo de Bellas Artes de Madrid una fotografía con *El nacimiento de Venus* colocada de pie. La originalidad de la obra radica en que Venus es hermafrodita y se encuentra entre tres hermafroditas, también de pie, que sostienen detrás de la diosa un gran paño. El pintor de Nueva York se sentía fascinado por lo monstruoso, por los enanos y por las personas defectuosas. En las fotografías intenta revivir sus propias fantasías. Una concepción totalmente diferente

[2] *ABC. El Cultural*, 12 de junio de 2003, pág. 51.

del *Nacimiento de Venus* es un óleo y *collage* sobre madera, 1927, obra de Joan Massanet (1899-1969), expuesto y propiedad del Museo Nacional Centro de Arte Reina Sofia de Madrid. Joan Massanet es un artista ampurdanés abierto al mar Mediterráneo, lo que queda muy bien expresado en este cuadro, con el mar al fondo, con una cabeza en el centro muy típica de Dalí[3]. La diosa, desnuda, está recostada sobre un lienzo blanco, mirando al mar. Joan Massanet ha expresado de una manera muy original el nacimiento de Venus del mar. Es un pintor surrealista. A partir del año 1960 el artista se interesó mucho en la técnica del *collage,* que era usada desde hacía muchos años por él[4].

El nacimiento de Venus sobre la concha con la larga cabellera ondeando al viento, con las manos tocando el pubis y el seno izquierdo, ocupa la portada de la revista *Quo.* Venus sigue, al pie de la letra, la iconografia de la Afrodita Médici y de Afrodita Capitolina, mencionadas ambas más adelante en este trabajo.

La primera composición es una copia libre de *El nacimiento de Venus* de Botticelli, obra fechada en torno a 1485, hoy conservada en la Galleria degli Uffizi de Florencia, en versión actual, pues Venus tiene dos sexos, al igual que los acompañantes. Una copia exacta de *El nacimiento de Venus* de Botticelli es el cartel de una película, titulada *Almejas y mejillones,* exhibida en un cine de Madrid en noviembre del 2000, con una pareja sobre la concha.

El gran escultor A. Rodin, hacia 1910, hizo una acuarela, en la actualidad en el Museo Rodin de París, con el mismo tema. Venus está sola y de pie, con las manos sobre la cabeza. Un *Nacimiento de Venus* muy original, muchachas desnudas dentro de una bañera, de pie, pintó en 1937 Paul Delvaux, en la actualidad guardado en la colección Stooshnoff Fine Art de Estocolmo, y una segunda, en 1947, con Venus desnuda, con manto caído sobre las espaldas, junto al mar, donde nadan tres muchachas desnudas. Se encuentra en una colección particular.

En la pintura romana, Venus está echada sobre una concha, entre dos amorcillos, en una pintura pompeyana. Todas estas representaciones siguen el mito griego que hace nacer a la diosa del mar, y simboliza el amor.

---

[3] R. Descharnes, *Salvador Dalí, op. cit.,* págs. 255-256, 279.

[4] *ABC. Guía de Madrid,* junio de 2005, pág. 56; *El Punto de las Artes,* 786 (2005), *passim.*

Los artistas se han interesado por representar a Venus sola. En octubre de 2003, Natalia Vodianova expuso en Nueva York una *Afrodita*. Es el busto de una mujer espléndida, de cabello corto y senos abultados dentro de un sujetador. El título indica que Natalia Vodianova es una *Venus* por su belleza[5].

El dibujante Mingote ha publicado una en sus dibujos geniales. La *Venus* es un galimatías difícil de comprender. Al parecer es una persona sentada que sostiene sobre la rodilla una moto, sobre un plinto en el que se lee «Venus», enmarcada en unos cortinones, como si estuviera en un teatro. El grupo está coronado por una paloma con las alas abiertas. Tres personajes atónitos contemplan a la diosa. El de la derecha es un joven escultor, a juzgar por los instrumentos de trabajo. Al fondo, un varón expresa estar asombrado, sin duda por no saber interpretar la figura. El de la izquierda también está perplejo. Seguramente Mingote se ríe con este dibujo de ciertas representaciones del arte moderno, que nadie comprende pero que todo el mundo dice admirar. Una Venus sin sexualidad no tiene razón de ser[6]. El ave posada en la parte superior es una paloma, atributo de la diosa del amor. Dos palomas están junto a Venus en el cuadro citado más adelante, de Annibale Carracci, titulado *Adonis y Cupido*. También se hallan en dos aguafuertes de Luigi Scaramuccio, datados en 1655, hoy guardados en el British Museum de Londres.

Dalí asombró al mundo con el *Sueño de Venus* en 1939. Pintó una mujer de pie, en jarras, con los pies y la cabeza de pez, con un collar de pequeñas estrellas. Está colocada de frente, con el cuerpo desnudo hasta las piernas, cubiertas por un pantalón negro, así como los brazos, con algunos rotos. Es una obra surrealista que asustó a los promotores de la exposición. Dalí, para defender su creación de las acometidas críticas, escribió el ensayo *Declaración de la independencia de la imaginación y de derechos del hombre a su propia locura*, donde postulaba una libertad absoluta de creación artística. Dalí entendía que el surrealismo debía ser provocador y engendrador de vida interior. Lo logró magnífica-

---

5 *La Razón. Publicidad*, 15 de septiembre de 2003, pág. 67.

6 *ABC. El Semanal*, octubre de 2003, pág. 18.

mente con esta Venus, colocada en una playa, las extremidades de cuyo cuerpo son de pescado[7].

Las representaciones de Venus de pie no son muy numerosas. El pintor alemán Lucas Cranach el Viejo pintó una en compañía de un amorcillo disparando el arco, en 1509, que hoy se encuentra en el Museo Ermitage de San Petersburgo.

El Museo de Bellas Artes de Bilbao, por donación del BBVA, posee el cuadro de Julio Romero de Torres titulado *Venus de la poesía.* Venus está recostada en un sofá, desnuda, con una cabellera que cuelga más larga que el cuerpo. Las piernas están encogidas. Venus mira al espectador. A la izquierda, un varón presenta una cuartilla donde está escrita la firma del pintor. Al fondo, el artista colocó una fuente y la Puerta del Puente renacentistas. Al fondo corre el Guadalquivir y se vislumbra la ciudad de Córdoba. La pintura está inspirada en un cuadro de Tiziano[8].

«Venus bruta»

En una exposición celebrada en septiembre del año 2002 en Madrid, que tenía por tema *El arte al desnudo* y reunió cuadros de Picasso, Dalí, Botero y Sorolla, se exhibió uno de los cuadros más revolucionarios que tiene a Venus por protagonista. Es obra de Miquel Barceló y se titula *Venus bruta.* Venus está desnuda, inclinada, como caminando a cuatro piernas. El rostro es de color oscuro y la cabeza carece de cabellera. Esta composición, al igual que la de Mingote, rompe todos los esquemas del arte de representar a la diosa del amor. Más bien es una figura repugnante. También el colorido del cuerpo es de gran novedad y muy revolucionario[9].

«Venus de Urbino»

El Museo de Bellas Artes Pushkin de Moscú ha exhibido la *Venus de Urbino* de Tiziano. La diosa se recuesta muellemente, pensativa, con la mano izquierda se toca el pubis. Es una de las pinturas más sexuales, no sólo de Tiziano, sino del Renacimiento y de todos los tiempos. Los

---

[7] *ABC. El Semanal,* 12 de enero de 2004, pág. 14.

[8] *Blanco y Negro,* 31 de enero de 2004, pág. 25.

[9] *El Punto de las Artes,* 20 (2003), pág. 19; *El País. Cultura,* 14 de enero de 2003, pág. 33.

artistas del Renacimiento acuden al mito clásico para pintar el desnudo femenino sin problemas[10].

«Venus recreándose en la música»

Este cuadro, también de Tiziano, fue expuesto en el Museo del Prado. Venus es una mujer algo entrada en carnes, desnuda, recostada en una cama o sofá sobre un paño de gran valor, que oye ensimismada la música de un pianista, que al mismo tiempo vuelve la cabeza hacia la diosa. En el cuadro destaca el colorido[11]. Todas estas representaciones de Venus simbolizan la importancia del amor.

«Venus y Cupido durmientes con sátiro»

En el Centro Cultural Conde Duque de Madrid, en 2004, se expuso un óleo sobre tela, obra de Luca Giordano (1635-1704). La escena es un canto a la belleza femenina. Venus es una mujer espléndida, durmiendo tumbada sobre una almohada, recostada sobre el brazo derecho. Cupido duerme echado sobre la cadera izquierda de la diosa. Un sátiro contempla a la pareja, fascinado. La escena se sitúa en una caverna. Toda la composición expresa una cierta sensualidad[12]. Este cuadro es un magnífico exponente de la pintura napolitana. El tema se repite en un óleo de Annibale Carracci, con dos amorcillos. En la actualidad se halla en la Galleria degli Uffizi de Florencia. El mito simboliza el amor salvaje del hombre hacia la mujer, representado en el sátiro.

Venus y Adonis

El mito de Adonis es de origen sirio. Es muy antiguo, pues a él alude el padre Hesíodo hacia el 700 a.C. Mirra, la hija del rey de Siria, Tías, tuvo un hijo de su padre, engañado, que la persiguió con intención de matarla. Buscando protección, Mirra acudió a los dioses, que la convirtieron en el árbol de la mirra, del que sale Adonis.

---

[10] *Metro Directo,* 24 de septiembre de 2002, pág. 12.

[11] *El País. Reportajes,* octubre de 2003, págs. 3, 10.

[12] *El País. Cultura,* 29 de junio de 2004, pág. 43. En esta exposición se encontraba el cuadro famoso de Sísifo y Ticio.

Afrodita se enamoró perdidamente de la belleza del niño, y lo entregó a Perséfone, diosa infernal, para que lo criara. Perséfone se enamoró a su vez del niño y se negó a devolverlo a Afrodita. Zeus zanjó la disputa entre las diosas sentenciando que Adonis viviría un tercio del año con Afrodita, otro con Perséfone y otro estaría donde prefiriera. Adonis se pasaba dos tercios del año junto a Afrodita y sólo uno al lado de Perséfone. Después, Artemis, enfurecida con Adonis por causas desconocidas, lanzó contra él un jabalí que le hirió mortalmente en una cacería. El mito es un símbolo de la vegetación anualmente renacida. El mito de Adonis se sitúa en el monte Idelio o en el Líbano. El río Adonis atravesaba el Líbano, río que todos los años se volvía rojo el día de la conmemoración de la muerte de Adonis, lo que se interpretaba como el llanto por la muerte del amante de Afrodita.

El origen mítico de la mirra y el color rojo de las aguas van unidos a la figura de Adonis. El mito de Adonis fue muy contado por los grandes líricos helenísticos Teócrito y Dión.

El mito ha sido muy representado por los artistas. Baste recordar la gran exposición del Museo del Prado[13] celebrada en abril del año 2005, dedicada a *Venus, Adonis y Cupido,* de los cuatro grandes pintores Annibale Carracci (1581-1588), Tiziano (1554), Veronés (hacia 1580) y Parmigianino, pintor que influyó mucho en Annibale Carracci. Los tres artistas primeros contextualizan *Las metamorfosis* de Ovidio. Los tres se fijan en momentos concretos del mito. Tiziano describe gráficamente la partida para la caza del jabalí de Calidón, en la que Adonis halló la muerte. Afrodita está sentada de espaldas, desnuda, y retiene a Adonis, que se empeña en partir a la cacería acompañado de sus perros. La escena se sitúa en el campo, junto a unos árboles. No presencia la escena Cupido, encargado de disparar las flechas amorosas para herir mortalmente a los mortales.

Veronés describe el reposo de los amantes. Afrodita está sentada, semidesnuda, y Adonis recostado sobre el cuerpo de ella, tumbado tranquilamente. Un perro descansa delante de la pareja. Cupido, en el lado izquierdo, en primera fila, se abraza a un perro, como tratando de impedir la partida a la caza.

Annibale Carracci pinta el momento de la partida, la despedida. Afrodita no ha conseguido retener a su amado. Afrodita, sentada y des-

---

[13] *ABC,* julio de 2005, pág. 34. En esta exposición se exhibió también *La bacanal* de Francesco Fracanzano.

nuda, se abraza a Cupido. Adonis se despide de ella levantando el brazo derecho, mientras sujeta dos perros de presa. Magníficamente expresó el artista la tristeza de la diosa, que sospecha que la próxima vez verá a su amante muerto.

Los tres cuadros expresan bien amor, erotismo y sexualidad.

El cuadro de Annibale Carracci fue adquirido por Felipe IV para su colección. Su compra fue criticada en su tiempo por considerarlo una expresión del amor carnal. Lo mismo se podría afirmar de los otros cuadros, pero la época de Felipe IV era más timorata en apariencia, al representar una hermosa mujer desnuda[14].

Un dibujo inspirado muy directamente en el cuadro de Tiziano es *Venus y Adonis*, de Ramón Ramírez, dibujante que frecuentemente acude a la mitología clásica como fuente de inspiración[15]. Waterhouse pintó un cuadro con el título *Despertando a Adonis*, que duerme. La diosa se aproxima a él sigilosamente[16]. El mito de Adonis simboliza la amante abandonada por el amado, que se entrega a otros placeres y la deja desolada.

«Venus y sátiro»

En Caja Duero de Salamanca se ha expuesto, en homenaje a la ciudad de Salamanca, un cuadro de Pacecco de Rosa en el que Venus está tumbada, durmiendo tranquilamente; tan sólo la extremidad de un lienzo cubre la parte superior de la cadera, que un sátiro con expresión lujuriosa se dispone a quitar. Un amorcillo, a su derecha, intenta impedirlo, mientras otro en el lado izquierdo se dirige a la diosa. El cuadro es un magnífico exponente de la pintura italiana del siglo XVII[17]. El mito simboliza el amor carnal hacia la mujer.

«Venus del espejo»

El Museo Thyssen-Bornemisza de Madrid exhibió en junio de 2003 el conocido cuadro de Tiziano, pintado en 1555, la *Venus del espejo*, hoy

---

14 A. Úbeda de los Cobos (ed.), *Annibale Carracci: Venus, Adonis y Cupido*, exposición celebrada en el Museo Nacional del Prado del 19 de abril al 17 de julio de 2005, Madrid, 2005.

15 *Hora*, 18 de abril de 2005, pág. 22; *ABC Cultural*, 19 de abril de 2005, pág. 61.

16 *El Punto de las Artes*, 8 (2003), pág. 10; *Mujer Hoy*, 110 (2005), pág. 25.

17 *El Punto de las Artes*, 8 (2003), I.

en la National Gallery of Art de Washington. Un amorcillo alado, sin duda Cupido, colocado delante de la diosa, sostiene un espejo rectangular en el que Venus contempla su fascinante belleza. La diosa está sentada, semidesnuda, con la cabeza vuelta hacia el espejo y con la mano izquierda apoyada en el pecho[18]. El cuadro de Tiziano es uno de los de mejor calidad salido de los pinceles del artista. Se supone que se inspiró en la famosa escultura de Praxíteles, la *Afrodita de Cnido*[19], que hizo famoso al escultor, obra realizada hacia el 375-370 a.C. Ya en la época helenística se habían realizado muchas adaptaciones[20].

Los artistas del Renacimiento y los actuales toman frecuentemente a Venus como tema de sus composiciones. En este punto se emparentan con los escultores de época helenística: muestran a Venus arreglándose sus cabellos[21], posiblemente del escultor Doidalsas, con pequeñas figuras de culto también arreglándose el pelo[22]; bañándose, igualmente de Doidalsas[23]; Afrodita Capitolina[24]; bañándose[25]; Afrodita de Capua, obra de Scopas *(c.* 370 a.C.-*c.* 330 a.C.)[26]; de Cirene[27]; del gran Altar de Zeus en Pérgamo, de la primera mitad del siglo II a.C.[28]; de arte alejandrino[29]; de Médici[30]; de Rodas, semivestida[31]; saliendo del mar, creación de Apeles[32] y sujetándose las sandalias[33].

En la exposición del cuadro de Tiziano, se exhibió la copia que de esta pintura realizó entre 1606-1611 Pedro Pablo Rubens, bajo el título *Venus y Cupido.* Rubens no copió fielmente el original, sino que introdujo algunas novedades. Quitó el amorcillo que, colocado en el lado izquierdo, le presentaba un espejo. Cubrió el centro del cuerpo de la

---

[18] *El Punto de las Artes,* 17, págs. 1, 3; *Metro Directo,* 24 de agosto de 2002, pág. 21. Se ve también el cuadro de Rubens.

[19] M. Bieber, *The Sculpture of the Helenistic Age, op. cit.,* págs. 15, 18, figs. 24-25.

[20] M. Bieber, *ídem,* págs. 20, 26.

[21] M. Bieber, *ídem,* pág. 83.

[22] M. Bieber, *ídem,* pág. 98.

[23] M. Bieber, *ídem,* págs. 82-83.

[24] M. Bieber, *ídem,* págs. 20-21, 26.

[25] M. Bieber, *ídem,* pág. 114.

[26] M. Bieber, *ídem,* págs. 26, 159.

[27] M. Bieber, *ídem,* pág. 98.

[28] M. Bieber, *ídem,* pág. 117.

[29] M. Bieber, *ídem,* pág. 98.

[30] M. Bieber, *ídem,* pág. 20.

[31] M. Bieber, *ídem,* pág. 133.

[32] M. Bieber, *ídem,* pág. 21.

[33] M. Bieber, *ídem,* págs. 99, 104.

diosa con un blanco vestido, que dejaba un seno —el derecho—, al descubierto. La diosa enseña la pierna izquierda. También cambió el color, aquí oscuro, en vez de a rayas blancas y oscuras, de la tela sobre la que está de pie Cupido sosteniendo el espejo rectangular. Estos cuadros son el precedente con los que hay que contar para la famosa *Venus del espejo* de Velázquez[34]. Una Venus de pie, desnuda, contemplándose en el espejo que le ofrece un amorcillo, es obra de Anne-Louis Girodet-Trioson, de 1798. El cuadro se exhibe en el Museum der Bildenden Künste de Leipzig. Venus contemplando el espejo tiene precedentes en el arte clásico. Baste recordar varios mosaicos del África Proconsular, la actual Túnez, con el *Triunfo de Venus* de Sétif, la antigua Sitigis, fechado en el último cuarto del siglo IV o a comienzos del siguiente[35]; de Cartago, de la misma fecha[36]; de Djemila, la antigua Cuicul, de idéntica fecha, y de El Djem, la antigua Thysdrus, datado entre los años 220 y 300[37]. El mito representa la vanidad de la mujer que se sabe bella y quiere confirmarlo.

El rapto de Europa

Es otro mito de origen fenicio. Europa era hija de Agenor y de Telefasa. Fue amada por Zeus, que se metamorfoseó en toro para raptarla cuando se encontraba con sus compañeras en la playa de Sidón, ciudad de la que su padre era rey. Europa se sentó sobre el animal, que se levantó y se echó al mar. El mito se representa ya en una metopa del templo de Selinunte, Sicilia, fechado en torno al año 600 a.C.[38]. El arte actual lo representa frecuentemente aludiendo, sin duda, a la situación por la que atraviesa Europa. Baste recordar dibujos publicados en la prensa madrileña desde el 2002, obra de Máximo[39]; del año 2003, aquí se trata de un hombre despedido por los aires, alusión a las incertidumbres de la nueva política agraria común[40]. El toro está cubierto por

---

[34] J. López-Rey, *Velázquez, el pintor de los pintores: la obra completa, op. cit.*, págs. 158-159.

[35] K. M. D. Dunbabin, *The Mosaics of Roman North Africa: Studies in Iconography and Patronage, op. cit.*, págs. 32, 186, lám. 149.

[36] K. M. D. Dunbabin, *op. cit.*, págs. 156-158, lám. 150.

[37] K. M. D. Dunbabin, *op. cit.*, pág. 170, lám. 153.

[38] K. Papaioannou, *Griechische Kunst, op. cit.*, fig. 221.

[39] *El Punto de las Artes*, 705 (2003), pág. 27; *ABC Cultural*, 26 de septiembre de 2002, pág. 17; *Metro Directo*, 24 de septiembre de 2002, pág. 21.

[40] *El País*, 12 de diciembre de 2002, pág. 13.

la bandera de Estados Unidos. Parece ser una pintura. Este mismo año se publica un dibujo de un *Rapto de la joven Europa.* Se debe a Enrius. La cabeza de Europa es un dibujo de la de Bush, que sujeta a Europa[41], representada por una mujer a la que rapta contra su voluntad. Entre las patas del animal hay un cañón, alusión a la guerra de Irak, a la que Bush intentó arrastrar a Europa[42]. Antonio Mingote es el dibujante de otro *Rapto de Europa.* Un árabe indica a Europa el camino que debe seguir. Simboliza que el árabe indica a Europa el camino, sin duda, por la inmigración islámica. Europa asustada pregunta si debe taparse con velo o con otra vestidura, y si el clítoris se salvará de una operación[43]. A Mingote se debe un segundo dibujo con el mismo tema. Un torero se dispone a clavar al toro unas banderillas, alusión a los problemas que plantea el nacionalismo. Europa asustada exclama: «Vaya, otro nacionalista». A Europa le da vueltas, como simboliza la rueda de estrellas que rodea sus hombros[44]. El rapto de Europa fue miro popular desde el Renacimiento[45].

En el año 2002 se reprodujo un *Rapto de Europa,* obra de Tiziano, pintado entre los años 1559 y 1562. Europa está echada sobre el toro agarrada a un cuerno. El animal se zambulle en el agua del mar. En la otra orilla, las compañeras contemplan el rapto. Encima de la composición vuelan dos amorcillos que sujetan el arco y la flecha, alusión al amor de Zeus por Europa[46]. En 1693, Rubens pintó este mito con gran originalidad, pues el toro con Europa tumbada sobre él, agarrada a un cuerno, bracea en el mar. El cuadro se encuentra en el Museo del Prado. El año 2005, Guillermo Pérez-Villalta expuso un óleo sobre cartón con *El rapto de Europa,* de gran originalidad. En una nave navega una doncella, en cuyas rodillas se sienta un Minotauro que sostiene en alto la Giralda de Sevilla[47]. El rapto de Europa decora una cerámica europea[48] de época barroca. El rapto de Europa es un mito muy representado en la actualidad. Baste recordar un cuadro de Ángel de Pedro, de 1997, o los dibujos de Gallego y Rey del año 2000, y de Enrius. El mito simboliza claramente el rapto de Europa por los Estados Unidos.

---

[41] *La Estrella,* 29 de junio de 2003, pág. 13.
[42] *El País,* 20 de abril de 2003, pág. 2.
[43] *ABC. Opinión,* 19 de julio de 2004, pág. 7.
[44] *ABC. Opinión,* 15 de enero de 2005, pág. 7.
[45] L. Passerini, *Il mito d'Europa: radici antiche per nuovi simboli, op. cit.*
[46] *ABC Cultural,* 17 de agosto de 2002, pág. 20.
[47] *El Punto de las Artes,* 773 (2005), pág. 2.
[48] *ABC,* 6 de diciembre de 2004, pág. 38.

El laberinto

Es un mito muy a propósito para simbolizar la situación de Europa y del mundo en el momento actual. Teseo es el héroe de Atenas que logró matar al Minotauro en su palacio, el Laberinto. Atenas debía pagar un tributo de siete hombres y siete doncellas, que debían ser arrojadas al Minotauro por imposición de Minos. Teseo marchó a Creta y logró matar al Minotauro, que era hijo de Pasifae, esposa de Minos, y de un toro. Asustado Minos del monstruo con cuerpo de hombre y cabeza de toro, mandó a un ateniense, Dédalo, construir un palacio, el Laberinto, cuya salida nadie conociera. Teseo, gracias a Ariadna, consiguió matar al Minotauro y encontrar la salida.

Tres artistas han representado en los últimos años el Laberinto: Alicia Martín[49], Josep María Subirachs[50] y Robert Morris[51], en fecha anterior (1974). Las obras de estos dos últimos autores son esculturas. Los laberintos representan tres variadas arquitecturas: el palacio de Alicia Martín es de paredes circulares y las de los otros dos, rectangulares. Josep María Subirachs representa un laberinto de planta cuadrangular, al que se entra por una escalera, como a una torre. El laberinto está muy representado en mosaicos hispanos, como los pavimentos de Itálica, de la Casa de Neptuno; de Conimbriga, Portugal; de Torre de Palma, Portugal; de Mérida, en la Casa del Anfiteatro; y en esculturas de Galicia, de época protohistórica. El mito simboliza las enormes dificultades del mundo actual para salir de su desastrosa situación económica y social.

Minotauro

Dos pinturas pompeyanas son unas magníficas representaciones del tema[52]. Ya Dalí[53] pintó al Minotauro, representando magníficamente la ferocidad de la lucha entre él y Teseo. El Minotauro fue tema

[49] *Blanco y Negro. Cultural*, 25 de enero de 2003, pág. 31.

[50] *Blanco y Negro*, 5 de abril de 2003, pág. 36.

[51] *El País*, 7 de septiembre de 2002, pág. 12.

[52] J. Charbonneaux, R. Martin y F. Villard, *Grecia helenística (330-50 a.C.), op. cit.*, págs. 144-145.

[53] R. Descharnes, *Salvador Dalí, op. cit.*, pág. 171.

preferido por Picasso[54]. Otras representaciones del Minotauro, todas fechadas a finales del segundo milenio son obras de Subirá-Puig, en roble y haya, con la cara tapada y vestido hasta los pies con túnica; de David Parquel, como un hombre desnudo con cabeza de toro bajo una bóveda; de Artur Heras, con una cabeza de toro y un desnudo masculino delante, y de Jacques Chessex, con una cabeza y otras muchas, entre un busto de varón y un esqueleto coronado por una cabeza de toro.

El mito del Minotauro es muy frecuente en el arte moderno. Baste recordar la veintena de esculturas y las veinticinco telas de Sandro Mercader expuestas en la Galería Zafira de París, etc. Un Minotauro con un espejo y el rostro de Ariadna en él reflejado fue reproducido en 1986 por el pintor italiano Alberto Abate. El mito del Minotauro es muy apropiado para el mundo moderno por su carácter sexual y de violencia.

Ha sido el artista murciano José Lucas quien, en ciento cincuenta obras, representa más frecuentemente en la actualidad el mito del Minotauro. Su obra se caracteriza por una gran fuerza de expresión y por un colorido intenso. Su arte parte del surrealismo que, en opinión de J. Lucas, es uno de los elementos fundamentales de la vida de las poblaciones del Levante. El *Minotauro* del artista murciano es la esencia de la virilidad del hombre. Su obra se ha reproducido mucho en los periódicos de Madrid[55]. El mito expresa soberbiamente, en opinión de Saura, la brutalidad del instinto sexual y de unos hombres contra otros.

ARIADNA

El ovillo que Ariadna entregó a Teseo para que saliera del Laberinto después de matar al Minotauro está representado en una escultura de bronce y acero, de trece metros de altura, obra de Manolo Valdés, colocada en el Parque Lineal del Manzanares[56]. El mito de Ariadna simboliza la liberación de la mujer de la esclavitud impuesta por la fuerza bruta del varón.

---

[54] *El País,* 2 de noviembre de 2002, pág. 6; P. Esteban Leal, *Picasso minotauro, op. cit.* Otro artista que pinta minotauros es F. Nourrissier, *Jacques Chessex: Minotauro,* Cuenca, 2002.

[55] *El País,* 1 de noviembre de 2004, pág. 47; *La Razón,* 8 de noviembre de 2004, página 25; *El Punto de las Artes,* 11 (2004), pág. 22; y 10, 2005, pág. 8; *Blanco y Negro. Cultural,* 4 de diciembre de 2004, pág. 30; *El Mundo,* 17 de octubre de 2005, pág. 14; *José Lucas: Minotauro,* exposición celebrada en el Centro de Arte Palacio Almudí y Sala Verónicas, Murcia, del 15 de octubre al 30 de noviembre de 2004, Murcia, 2004, y Madrid, 2006.

[56] *El País,* 2 de diciembre de 2003, pág. 1.

Las tres Gracias

Eran diosas de la belleza y esparcían la alegría en el corazón de los humanos. Se las representaba como tres jóvenes desnudas. Su padre era Zeus y su madre Eurínome, hija de Océano.

Ya los artistas pompeyanos pintaron las Tres Gracias, que tuvieron gran aceptación[57] entre los artistas del mundo clásico.

Las Tres Gracias se han representado frecuentemente en la prensa de Madrid. Baste recordar el dibujo de Máximo. Las Tres Gracias están dentro del mar y no se cogen de las manos[58]; el cuadro de Rubens, de 1639, en postura original, pues las Tres Gracias están de tres cuartos y no juntan las manos[59]; la pintura, 1904, con actitud novedosa de los brazos, al abrazarse[60], y los dos dibujos de Mingote de gran originalidad por las posturas y por las expresiones del rostro. Los carteles colocados sobre el cuerpo indican claramente lo que el genial dibujante quiere simbolizar[61].

Ya Sandro Botticelli hacia 1477-1478, en su cuadro titulado *La Primavera,* colocó tres Gracias vestidas. En torno a 1500, Rafael volvió a representar el mito, y en 1518, Antonio Correggio. El cuadro se encuentra en la Cámara di San Paolo, en Parma. Las *Tres Gracias* de Hans Baldung Grien, hoy en el Museo del Prado, son de gran originalidad. Dos están detrás de la que se coloca en primer lugar. Tres amorcillos las acompañan. En 1799, Antonio Canova representó a las Tres Gracias bailando y vestidas. Las dos de los extremos coronan a la del centro. Es de gran novedad esta pintura, hoy en la casa de Canova, en Possagno. Entre 1924 y 1927, Picabia se interesó por este mito, del que hizo una parodia. Marino Marini, en 1943, fundió un relieve en bronce con las Tres Gracias, con posturas originales, pues de las que están a los lados, una está de perfil y la otra de espaldas. En 1945 y en 1960 volvió a representarlo. Los expresionistas alemanes, como E. Kirchner en 1912 y

---

[57] F. Villard, *op. cit.,* págs. 153-154. Sobre este mito en la iconografía clásica, *LIMC,* III.1, págs. 191-210; III.2, págs. 152-167.

[58] *El País,* 23 de agosto de 2002, pág. 9.

[59] *El Punto de las Artes,* 683 (2003), pág. 2, y 20, 9 (2003), pág. 20; *Los Sábados del ABC,* 6 de marzo de 2004, pág. 182.

[60] *El País,* 2 de julio de 2005, pág. 16.

[61] *ABC,* 11 de abril de 2005, pág. 7.

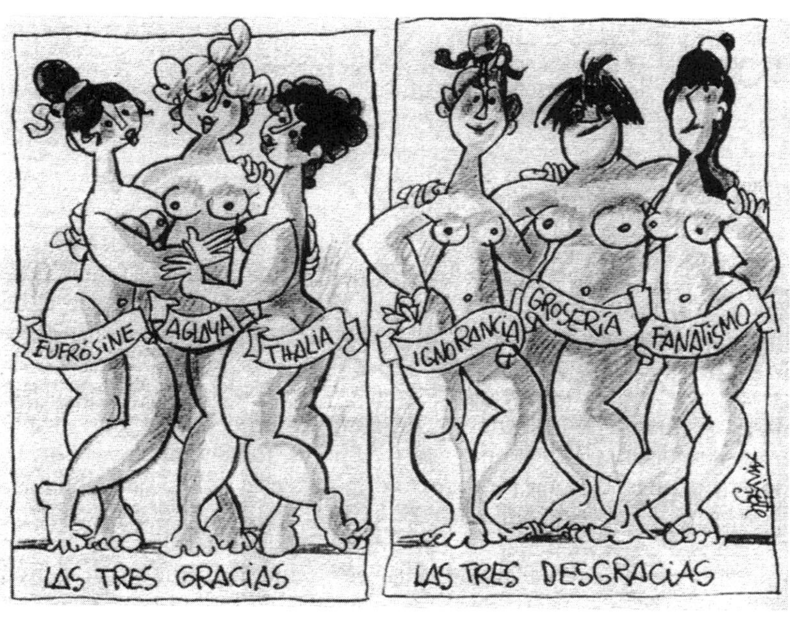

Mingote, *Las tres Gracias*, Madrid, *El País*.

F. K. Gotsch en 1956, también se ocupan del mito siguiendo la corriente artística a la que pertenecían, en dos óleos.

El mito de las Tres Gracias simboliza la belleza femenina, que reparte alegría a los hombres.

JUICIO DE PARIS

Según la leyenda, Paris debía decidir cuál de las tres diosas, Hera, Afrodita y Atenea, era la más bella. Zeus encargó a Hermes que condujera a las tres diosas al monte Ida para que Paris decidiera. La leyenda tuvo gran aceptación en el arte clásico y lo ha tenido en los diarios de Madrid. Un dibujo de Mingote es de gran interés, por la colocación de las diosas. Dos están colocadas de frente, y la del lado derecho, de espaldas. Las situadas en los extremos están en actitud de bailar, y la del centro se lleva los brazos a la nuca. Las tres son rechonchas. El fondo son árboles y plantas. Ningún prototipo existe para este dibujo de Mingote[62]. Paris es un hombre vestido a la moda actual, con sombrero y pajarita.

En el óleo sobre lienzo de Charles Bell, las tres diosas parecen unas muñecas modernas. Delante de ellas está sentado Cupido con el arco en las manos, en actitud de disparar las flechas del amor. Delante se sienta Paris, que es un mozalbete, con una gran manzana en la mano izquierda. Está semidesnudo, al igual que Hermes, que le echa el brazo por la espalda. El gorro alado que le cubre la cabeza es un casco de soldado. Es una versión moderna del juicio muy bien lograda[63].

Otro juicio de Paris reproducido en los diarios es el debido a Rubens. Las tres diosas intentan, con sus posturas y gestos, atraerse a Paris. Está presente el pastor del monte Ida. La escena se desarrolla en un bosque[64].

Marcantonio Raimondi, entre 1514 y 1518, hizo un grabado con *El juicio de Paris,* en la actualidad en el British Museum de Londres, en el que participan muchos personajes, varios colocados en el cielo. Entre 1517 y 1518, Niklaus Manuel pintó un *Juicio de Paris* con una diosa vestida, celebrado en un bosque, hoy conservado en el Kunstmuseum de Basel.

En 1530, Lucas Cranach el Viejo representó en un óleo sobre tabla, hoy en el Staatliche Kunsthalle de Karlsruhe, *El juicio de Paris,* de gran originalidad en la composición. Rubens, en 1669, se ocupó del mismo mito en una composición totalmente original.

---

[62] *ABC,* 9 de mayo de 2003, pág. 61.

[63] *ABC,* 14 de abril de 2004, pág. 58; *El Punto de las Artes,* 743 (2004), pág. 7. Sobre este mito en la iconografía clásica, *LIMC,* VIII.1, págs. 176-188; VIII.2, págs. 105-127.

[64] *ABC,* 26 de junio de 2005, pág. 74.

Los expresionistas alemanes también prestaron atención a este mito, como M. Beckmann, 1933, en una acuarela hoy en una colección privada de Bielefeld, y F. K. Gotsch, 1956. Ambas representaciones son de gran originalidad.

El mito simboliza la competición por la belleza de las mujeres.

Ícaro

Era hijo de Dédalo y de una esclava de Minos, de nombre Náucrate. Muerto el Minotauro por Teseo, Minos, enfadado, encerró en el Laberinto a Dédalo y a Ícaro. Dédalo fabricó unas alas de cera para él y para su hijo, para poder escapar del laberinto, y recomendó a su hijo que no volara ni muy alto ni muy bajo. Ícaro no obedeció. Voló alto y se acercó al sol. Las alas se derritieron e Ícaro se estrelló contra el mar.

Un dibujo de H. Matisse, realizado entre 1943 y 1944, expresa magníficamente la caída de Ícaro por el espacio, entre las estrellas[65]. De gran originalidad, pues Ícaro contempla unos barcos anclados a orillas del mar, es la obra de Sancho Pereg. Ningún artista ha realizado así el mito[66]. Yolanda Blanco es la autora de *Buscando a Ícaro,* de gran sencillez y novedad[67]. En 1998, el escultor José Luis Sánchez representó el mito de Ícaro como unos tubos dirigidos al cielo, con el que simboliza la exploración moderna del Universo.

El mito expresa bien la soberbia y las aspiraciones desmedidas del hombre moderno, que acaban en catástrofes.

Laoconte

Era el sacerdote de Apolo Tindareo, de Troya. Cuando los griegos simularon que volvían a su patria, los troyanos encargaron a Laoconte que ofreciera un sacrificio a Poseidón para que acumulase tempestades en la mar, en la ruta elegida por los griegos. Cuando el sacerdote se dis-

---

[65] *El Punto de las Artes,* 784 (2005), pág. 7. En el periódico italiano *Corriere della Sera,* 9 de octubre de 2005, pág. 37, se reproduce en color el cuadro *Dédalo e Ícaro,* de Simone Cantarini, apodado Pesaro (1612-1648), conservado en la Galleria Doria Pamphilj de Roma, que representa el momento en que Dédalo fabrica las alas de Ícaro. Sobre este mito en la iconografía clásica, *LIMC,* III.1, págs. 313-341; III.2, págs. 242-257.

[66] *El País,* 12 de octubre de 2002, pág. 8.

[67] *El Punto de las Artes,* 677 (2002), pág. 22.

ponía a sacrificar un toro gigantesco, dos enormes serpientes salieron del mar, estrangularon al sacerdote y a sus tres hijos. En Roma se encontró un grupo en la escena, obra cumbre del barroco helenístico, debido a los escultores Polidoro y Atenodoro de Rodas, que hoy se fecha con el grupo de esculturas de Capri, en época de Tiberio[68].

Últimamente se ha reproducido en la prensa de Madrid el famoso cuadro de El Greco, realizado en 1610, una de sus mejores pinturas de todo el Renacimiento, con Toledo al fondo[69].

Este mito ha sido utilizado por Mingote, 1997, y por El Roto, para simbolizar al País Vasco, estrangulado por ETA.

Caballo de Troya

La leyenda mitológica del caballo de Troya se vincula con la anterior. Los griegos lo dejaron lleno de guerreros cuando fingieron marcharse y abandonar la guerra de Troya. Imágenes de este caballo cargado de guerreros ya se representaron en el arte griego arcaico, siglo VII a.C., sobre un relieve de vaso[70], y en una pintura de carácter impresionista de Pompeya[71].

La prensa de Madrid ha publicado dos representaciones del caballo de Troya. Una se debe a Ajubel. Es un dibujo. Cabalga el caballo un jinete de pie sobre los estribos, con una espada que representa a los soldados ocultos en el interior del animal[72]. El autor de la segunda es Javier Aguilar. El caballo es arrastrado por una multitud. Parece aludir a la guerra de Irak[73]. La construcción del gigantesco caballo de madera, a medio finalizar, aparece en el largometraje *Troya*, basado en la *Ilíada*, poema redactado hacia el 700 a.C., aunque puesto por escrito en época de los Pisistrátidas, en la segunda mitad del siglo VI a.C.[74].

La artista madrileña M.ª Luisa Campoy fundió un bronce que representa el *Caballo de Troya*. Ya en 1924, el expresionista Lovis Corinth pintó un *Caballo de Troya* junto al mar, rodeado de soldados, ante los

---

[68] M. Bieber, *op. cit.*, págs. 130-135, fig. 5, 530-533. Sobre este mito en la iconografía clásica, *LIMC*, VI.1, págs. 196-201; VI.2, págs. 94-95.

[69] *El País*, 30 de octubre de 2003, pág. 40; *Blanco y Negro. Cultural*, 6 de diciembre de 2003, pág. 32.

[70] J. Boardman, *Greek Art*, *op. cit.*, pág. 50, fig. 46.

[71] A. Maiuri, *La peinture romaine*, *op. cit.*, págs. 75-76.

[72] *El Mundo*, 3 de julio de 2004, pág. 5.

[73] *La Vanguardia*, 30 de mayo de 2005, pág. 23.

[74] *El Mundo*, 15 de mayo de 2004, pág. 12.

muros de Troya, hoy en la Neue Nationalgalerie de Berlín. Cristopher Malowe, en 1986 realizó una estructura de madera con una cabeza de caballo ante los muros de Troya, en la actualidad propiedad del artista en Milán. Un aguafuerte de Pérez Villalta, datado en 2001, representa al *Caballo de Troya* ante un guerrero. Junto a la muralla, los troyanos se asoman interesados sobre dicha muralla.

La leyenda mitológica del caballo de Troya simboliza los peligros de introducir en las ciudades, en los países o en las culturas, elementos incontrolables y sospechosos.

La loba y los gemelos

Esta leyenda mitológica referente a los orígenes de Roma es de origen etrusco. Se la encuentra esculpida en una estela de Bolonia fechada en el primer cuarto del siglo IV a.C.[75], y en el famosísimo bronce etrusco llamado *Loba Capitolina*[76], datado entre los años 450 y 430 a.C. El animal de la representación hispana es una copia del bronce etrusco; el mismo gesto feroz de la cara, las mismas arrugas sobre la paletilla delantera, las mismas costillas y la misma pata trasera.

Una loba y los gemelos añadieron Ludovico, Agostino y Annibale Carracci, en 1584, a los frescos de las *Historias de Jasón* para el Palazzo Fava de Bolonia. Una loba amamantando a los gemelos pintó el artista italiano Franco Angeli en 1961, sobre fondo negro, colocada sobre una peana.

La leyenda mitológica simboliza a los países de Europa chupando de la nueva Europa[77].

El sueño de Endimión

Era hijo de Etilo, hijo de Zeus y de Cálice. Una segunda leyenda le cree descendiente de Zeus. Selene, la luna, se enamoró perdidamente de este joven, que era muy bello, y se unió a él. Zeus, suegro de Sele-

---

75 W. Dräyer, M. Hurlimann y M. Pallotino, *Etruskische Kunst, op. cit.*, pág. 51, fig. 95.

76 M. Cristofani, *Bronzi degli etruschi*, Novara, 1985, págs. 290-291, fig. 114.

77 *El Mundo*, 14, 1 de junio de 2003, pág. 10.

ne, le prometió realizar sus deseos. Endimión pidió dormir eternamente y permanecer siempre joven y bello.

Girodet, en 1791, pintó un bello cuadro lleno de erotismo. Un rayo de luz enviado por Selene ilumina el pecho de Endimión, que duerme profundamente. El artista ha expresado con gran perfección el sueño eterno del hermoso muchacho, tumbado sobre una piel de pantera. Delante se encuentra un joven de pie[78]. Endimión se representa en un mosaico de Piazza Armerina (Sicilia).

El mito simboliza el deseo del hombre de permanecer siempre joven.

Diana y Calisto

El mito de Diana y Calisto es de origen arcadio. Calisto era una ninfa de los bosques, virgen, que vivía en los bosques en compañía de las muchachas de Artemis Diana. Zeus se enamoró de ella bajo la figura de Artemis y la dejó preñada. Según otra leyenda, se acercó bajo la figura de Apolo. Artemis descubrió el embarazo al bañarse la muchacha. Indignada, la despidió y la transformó en osa.

Rubens realizó una copia del cuadro de Tiziano, que es una de las pinturas más cargadas de amor carnal del barroco[79].

El mito simboliza el amor entre mujeres.

Hércules y el león de Nemea

La lucha de Hércules con el león de Nemea fue uno de los doce trabajos de Hércules.

Rubens hizo un dibujo de este mito, que expresa muy bien la ferocidad de la lucha del héroe dorio con la fiera[80].

El mito simboliza ya la lucha del hombre contra las fieras.

---

[78] *Le Monde,* 23 de octubre de 2005, pág. 26. Este mito en la iconografía clásica en *LIMC,* III.1, págs. 726-742; III.2, págs. 551-561.

[79] *El País,* 4 de marzo de 2004, pág. 41. Sobre este mito en la iconografía clásica, *LIMC,* II.1, págs. 730-731; II.2, pág. 560, y *LIMC,* V.1, págs. 1-16, 30; V.2, págs. 33-52.

[80] *El País,* 4 de marzo de 2004, pág. 41.

La «Orestiada»

El primero de los grandes trágicos griegos, Esquilo (525-456 a.C.), es el autor de la *Orestiada*. Orestes era hijo de Agamenón y de Clitemnestra. En Homero, Orestes aparece como el vengador de su padre, y se ignora la muerte de Clitemnestra por parte del hijo. Esquilo le convierte en su *Orestiada* en una figura de primera fila.

El gran artista Bacon reinterpreta con su peculiar estilo en un tríptico, la *Orestiada* de Esquilo[81], en el que rompe con todos los esquemas artísticos y con todos los cánones establecidos en el arte con anterioridad.

Cupido

Es el joven que dispara las flechas para herir de amores a los hombres y a los dioses. Es el dios del amor entre los romanos, identificado con el Eros de los griegos.

Giovanni Battista Caracciolo le representó durmiendo plácidamente, desprevenido de todo, sobre un lienzo de color granate[82]. A Justo Barboza se debe un dibujo de Cupido disparando el arco[83].

A Rafael se debe una pintura, realizada entre 1517 y 1519, con las *Tres Gracias* en posturas totalmente diferentes, pues dos están sentadas entre las nubes, acompañadas de Cupido, lo que es una gran novedad. La pintura se encuentra en la Villa della Farnesina de Roma. Tiziano, entre 1544 y 1546, representó a Dafne desnuda, recostada, y a Cupido, con arco, delante de ella. El cuadro se halla en el Museo Nacional de Capodimonte, en Nápoles. Caravaggio, en 1602-1603, pintó un Cupido joven, armado con flechas, junto a varios instrumentos musicales. El cuadro está hoy en los Staatliche Museen de Berlín. Al mismo artista se debe un Cupido durmiendo, en la actualidad en el Palazzo Pitti de Florencia.

---

[81] *Blanco y Negro*, 20 de diciembre de 2003, pág. 35; *El País*, 6 de octubre de 2003, pág. 14.

[82] *El País*, 13 de diciembre de 2003, pág. 3.

[83] *El País*, 13 de diciembre de 2003, pág. 3.

Eros

Eros con el arco en las manos se representa en una estatua de Lisipo (siglo IV a.C.) de comienzos del helenismo[84]. Es parecida al dibujo citado de Barboza.

Eros disparando flechas de amor fue representado ya por los artistas del Renacimiento, como en los citados cuadros de Botticelli con las *Tres Gracias,* de Lucas Cranach y de Tiziano, en 1518, con la *Ofrenda de Venus,* hoy en el Museo del Prado, y con cuatro erotes volando y disparando flechas desde el cielo, en el *Triunfo de Galatea,* de 1502, del mismo pintor, en la actualidad en el British Museum de Londres. Al mismo artista se debe el cuadro de *Júpiter y Antíope,* obra realizada entre 1535 y 1540, con Eros disparando flechas, subido a un árbol. Actualmente la pintura se encuentra en el Museo del Louvre.

El mito de Eros simboliza las heridas del amor en los hombres y en las mujeres.

Júpiter y Antíope

Antíope, según una leyenda, era hija del dios-río Asopo, y según otra, del tebano Nicteo. Fue amada por Zeus, enamorado de su extraordinaria belleza.

Van der Steen realizó un grabado de este mito. Antíope está tumbada, desnuda, y Júpiter quita la punta del lienzo que cubre la pierna, para contemplarla en toda su fascinante belleza[85].

El mito simboliza el amor intenso humano.

Edipo y la Esfinge

Edipo interrogando a la Esfinge es un tema que ha inspirado frecuentemente a los artistas.

En 1826, Ingres pintó un cuadro. La Esfinge se sienta entre rocas y el joven Edipo, desnudo, colocado de perfil, la interroga. La postura de Edipo, con la pierna apoyada en una roca, colocado de perfil, es la

---

[84] M. Bieber, *op. cit.,* pág. 36, fig. 81.

[85] *El País,* 6 de octubre de 2003, pág. 15.

misma que la del joven en una estatua de bronce hallada en Herculano que representa a Demetrio Poliorcetes (336-283 a.C.), atribuida a Tisícrates, de comienzos del Helenismo[86]. El mismo tema ocupó en 1983 a Bacon. El artista inglés coloca la escena en el interior de una vivienda[87].

El mito simboliza las graves preguntas que se plantea el hombre durante la vida.

Esfinge

Una imagen de una Esfinge, que indica las nuevas tendencias vanguardistas del arte, se ha expuesto en la Feria de las Tentaciones. La cabeza es de hombre, con pechos de mujer y todo el cuerpo de color azul, lleno de estrellas amarillas[88].

Max Beckmann pintó un óleo en 1995, en la Staatliche Kunsthalle de Karlsruhe, que representa el transporte de dos esfinges en carro. Pérez Villalta es el autor de un acrílico realizado en 1997-1998, con una Esfinge con doble cabeza, de hombre y de mujer.

Hércules y Anteo

Anteo es un gigante, hijo del dios del mar y de Gea, la tierra. Habitaba en Marruecos y obligaba a los viajeros a luchar contra él. Cuando los había matado, adornaba con sus despojos el templo de su padre. Anteo era invencible mientras tocase la tierra. Hércules, en viaje al jardín de las Hespérides, que se situaba enfrente del Atlas en el Océano (Plinio, *Hist. nat.*, 6.29.1), le venció levantándole[89]. Es el momento elegido por el artista en el cuadro, atribuido a Hans Baldung Grien, obra fechada en 1530. Un bronce helenístico hallado en Marruecos representa esta lucha.

El mito simboliza la violencia que el hombre desarrolla en ocasiones a lo largo de su vida.

---

[86] M. Bieber, *op. cit.*, pág. 50, fig. 149.

[87] *El País*, 16 de octubre de 2003, pág. 44.

[88] *Metro Directo*, 2 de octubre de 2002, pág. 22. Este mito en la iconografía clásica, *LIMC*, VIII.1, págs. 1151-1174; VIII.2, págs. 792-817.

[89] *El País*, 4 de enero de 2003, pág. 16.

Pandora

Pandora es la primera mujer creada por Hefesto y Atenea por mandato de Zeus. Hefesto modeló un cuerpo a imagen de las diosas inmortales. Era bella, graciosa y persuasiva. Hermes la volvió mentirosa. Los dioses entregaron a los hombres a Pandora para castigarlos ocasionándoles toda clase de desgracias. Zeus estaba furioso, porque Prometeo había entregado a los mortales el fuego.

Una fotografía de Tonia Trujillo presenta sólo el bello cuerpo de Pandora, desnudo[90]. El mito simboliza la mujer como causa de todos los males del hombre.

Morfeo

Es hijo del Sueño. Se aparece a las personas durante el sueño, momento que representó en un óleo sobre tablero Aldo Bahamonde, en el año 2000. Un joven semidesnudo duerme tranquilamente. Delante se encuentra Morfeo, sentado. Es un bello adolescente que contempla al durmiente[91]. El mito simboliza el placer del sueño.

Sirenas

Eran genios marinos, mitad humanos, mitad pez. Eran hijas de la musa Melpómene y del dios-río Aqueloo.

Mingote ha realizado un bello dibujo en el que participan varias Sirenas saliendo del mar, alrededor de la Sirena sentada sobre una roca del puerto de Copenhague, símbolo de la ciudad[92]. Un Sileno sentado simboliza el río de la Plata, 2002. Es un joven con la mitad del cuerpo de pez[93]. Una Sirena recostada en una lata de conserva de pescado, imagen de que la bolsa pierde «sex-appeal», es obra de Gabriela Rubio[94].

---

[90] *El Punto de las Artes,* 807 (2005), pág. 24.

[91] *El País,* 6 de octubre de 2005, pág. 24.

[92] *ABC,* 23 de agosto de 2002, pág. 9.

[93] *ABC Cultural,* 12 de junio de 2003, pág. 50.

[94] *La Vanguardia,* 10 de agosto de 2003, pág. 1.

En Coney Island, en las afueras de Nueva York, se fotografió Kate Dale disfrazada de Sirena, acompañada de otras Sirenas, junto a un cartel, con una bella Sirena pintada en él[95]. Sirenas junto a una fuente se representan en un mosaico de Hadrumetum, Túnez.

El mito simboliza la alegría que produce la naturaleza.

Narciso

Era un bello joven que despreciaba el amor. Un día, al ver su imagen reflejada en el agua de una fuente, quedó extasiado de su hermosura e intentó abrazar su figura.

Un cuadro, de autor desconocido, le representa en el momento en que se enamora de su imagen[96]. Caravaggio, hacia 1600, representó a Narciso inclinado sobre una fuente, contemplando absorto su figura en el agua. Se encuentra el cuadro en el Palazzo Barberini de Roma. El mito de Narciso interesó a los grabadores renacentistas, como Antonio Fantuzzi da Trento, 1530. Alik Cavaliere, en 1988, pintó *Le riflessione di Narciso,* que es un espacio con bustos y lleno de muebles.

El mito simboliza la autoestima desmedida del hombre.

Baco

El dios del vino y del desenfreno sexual no podía estar ausente del arte moderno. Paul Rebeyrolle, que murió en 2005 en su residencia de Borgoña, fue un artista muy influido al principio de su labor por Picasso, en su lucha contra la injusticia, contra el intelectualismo, contra la explotación y contra el academicismo. Jean-Paul Sartre le considera un existencialista. Su Baco está rodeado de frutos de la naturaleza, de copas y de una jarra de vino, con una expresión salvaje en el rostro, de placer[97], por darse un banquetazo.

Un Baco joven coronado de pámpanos y con un racimo de uvas fue pintado por Caravaggio entre 1591 y 1593, conservado en la Galleria Borghese de Roma. Un segundo busto de Baco, también corona-

---

[95] *El Mundo,* 23 de junio de 2003, pág. 48.

[96] *Mujer Hoy,* 12 de febrero de 2005, pág. 46. Este mito en la iconografía clásica, *LIMC,* VI.1, págs. 703-711; VI.2, págs. 415-420.

[97] *El País,* 9 de febrero de 2005, pág. 45.

do por pámpanos, bebiendo ante un cesto de frutas, es obra del mismo artista, fechada en torno a 1595, hoy en la Galleria degli Uffizi de Florencia.

Este mito representa gráficamente los placeres del vino.

BACANTE

Participaban en el cortejo de Baco. Manolo Hugué, en 1934, esculpió una Bacante tumbada en el suelo, con las piernas encogidas y comiendo un racimo de uvas, que levanta y se lleva a la boca[98]. El mito de las Bacantes simboliza los placeres de la danza, de la comida y los sexuales.

BACANAL

Este cuadro, buen exponente del arte y del gusto de Tigra, no se expuso en el Museo del Prado[99]. El mito de la Bacanal se representó con frecuencia en el Renacimiento. Baste recordar la *Bacanal* de Tiziano, 1519-1520, hoy en el Museo del Prado de Madrid.

El mito simboliza la alegría de la naturaleza, el placer del vino y de las mujeres.

JUNO Y ARGOS

Juno era la diosa itálica asimilada a Hera, la esposa de Zeus. Se conocen varios Argos en la mitología griega. El más famoso libró a Arcadia de un toro que asolaba el país. También mató a un sátiro que arrasaba la región, y a Equidno, que se apoderaba de los viajeros. Tenía muchos ojos y podía ver todo.

Rubens pintó a Juno acompañada por doncellas, que descubrió a Argos tumbado, desnudo. En la escena intervienen dos pavos reales y dos amorcillos[100].

El mito simboliza los celos entre mujeres.

---

[98] *El Punto de las Artes,* 717 (2003), pág. 13.

[99] *El Punto de las Artes,* 703 (2003), pág. 13.

[100] *El País,* 30 de mayo de 2004, pág. 30. Sobre este mito en la iconografía clásica, *LIMC,* V, pág. 666.

Pigmalión

El mito de Pigmalión es de origen semita. Según este mito, Pigmalión se enamoró de una estatua de mujer. Pidió a Afrodita que le proporcionara una esposa parecida a la estatua, a la que encontró en su casa.

Antonio Requejo, que es un artista que en su obra mezcla la arquitectura y la escultura, pintó un Pigmalión abrazado a la escultura femenina[101]. Paul Devaux en 1939 pintó un lienzo, hoy en los Musées Royaux des Beaux Arts de Bruselas, Bélgica, con Pigmalión, que es una mujer desnuda, abrazada a una escultura de varón desnudo. Los sexos de los dos personajes están invertidos[102].

El mito simboliza el amor profundo por la belleza femenina.

Artemis

En Roma se la identificaba con la Diana latina. Era hija de Zeus y Leto, y hermana gemela de Apolo. Permaneció virgen. Se dedicó a la caza, armada con un arco. Era vengativa. En un pendiente fechado en el siglo IV a.C., hallado en la ciudad de Kerch, en Crimea, cabalga una gacela. Un gran rosetón corona la cabeza[103]. Es un buen ejemplo del influjo del arte griego en el de los pueblos periféricos de la cultura griega.

En un grabado del siglo XVI Diana es una mujer desnuda, colocada de espaldas, que camina entre las nubes. Una media luna corona su cabeza[104]. G. O. W. Apperley pintó en 1999 una Artemis desnuda, colocada de tres cuartos, en actitud de disparar el arco, pintó en 1999 G. O. W. Apperley.

El mito simboliza el amor a la naturaleza y los placeres que ella conlleva.

Diana

Una *Diana en un paisaje* es obra del pintor Louis Michel Van Loo, obra de 1739. Diana es una espléndida matrona en postura relajada con el brazo derecho alargado y apoyado en una roca, y el izquierdo, doblado y tocándose el cuello. Duerme a la sombra de un

---

101 *El País,* 17 de febrero de 2004, pág. 2.

102 *El Punto de las Artes,* 747 (2004), pág. 11.

103 *El Punto de las Artes,* 683 (2003), pág. 28.

104 *El País,* 3 de julio de 2005, pág. 47.

árbol. Está magníficamente vestida y una piel de pantera cubre parte de su cuerpo[105]. La Escuela de Fontainebleau pintó hacia 1550 una Diana cazadora acompañada de su perro. Se conserva en el Museo del Louvre.

El mito de Diana cazadora simboliza los placeres del campo, alejados de las ocupaciones habituales de la vida cotidiana, y del amor, a los que se entregan los hombres frecuentemente.

Triunfo de las Amazonas

Las Amazonas eran hijas de Ares, dios de la guerra, y de la ninfa Harmonía. Habitaban las laderas del Cáucaso. Gobernaban ellas solas su reino, sin participación de varones. En la guerra de Troya favorecen a los troyanos. Diversos héroes griegos, como Belerofonte, Heracles y Teseo, luchan contra las Amazonas[106].

Un vaso oval de Gio Ponti, obra de 1928, representa el *Triunfo de las Amazonas.* Una amazona vestida con un traje muy moderno cabalga un caballo que marcha a la carrera, y levanta el brazo en actitud de victoria.

El mito de las Amazonas fue muy popular en Grecia. Se las representa luchando en los vasos griegos, con frecuencia después de las Guerras Médicas, 478 a.C.; en los frisos del templo de Bassai, finales del siglo v a.C.; en el templo de Asclepio en Epidauro, en torno al 380 a.C.; en el friso del Mausoleo de Halicarnaso, hacia el 350 a.C., y en un sarcófago romano del Museo de Salónica, en Grecia.

En 1842, August Kiss fundió un bronce de una amazona luchando a caballo, hoy en el Altes Museum de Berlín, y en 1912 el expresionista alemán Christian Rohlfs, pintó una amazona cabalgando a la carrera, en la actualidad en el Museum Folkwang de Essen.

El mito de las amazonas simboliza la total emancipación de la mujer, que en el gobierno y en la guerra prescinde del varón.

Hércules, Minerva y Marte

Minerva es la diosa romana identificada con la Atenea griega. Aparece en Etruria y formaba parte, con Júpiter y Juno de la Triada Capitolina. Marte es el dios de la guerra, y Hércules, el héroe dorio por antonomasia.

---

105 *Blanco y Negro. Cultural,* 26 de octubre de 2002, pág. 26.

106 *Blanco y Negro,* 9 de abril de 2005, pág. 36. Este mito en la iconografía clásica en *LIMC,* I, págs. 586-662; II, págs. 440-532.

Un dibujo de Rubens, del Museo Metropolitano de Nueva York, representa la lucha de los dos primeros contra Marte. El encuentro feroz está muy bien conseguido[107]. El mito simboliza la guerra.

Centauros

Eran seres monstruosos, mitad caballo y mitad hombre. Habitaban los montes y los bosques. Tenían costumbres brutales. Eran hijos de Ixión y de una nube. Lucharon contra Heracles y contra los lapitas, pueblo de Tesalia, bajo la dirección de Teseo y Piritoo, mito inmortalizado por Fidias en las metopas del Partenón de Atenas (447-438 a.C.). Los centauros de mejor calidad artística del arte griego, son los hallados en la Villa Adriana obras firmadas por Aristeas y Papias de Afrodisias, hoy en el Museo Capitolino de Roma, y el centauro con Eros, del Museo del Louvre en París.

Rodin, en 1887, esculpió un centauro, con el que expresó magníficamente el carácter de estos seres monstruosos[108].

El mito simboliza la lucha feroz del hombre contra las fuerzas salvajes que le asaltan.

Dafne

Fue una ninfa amada por Apolo, que la persiguió, y se metamorfoseó en laurel, la planta amada por Apolo.

Mingote eligió este momento, en el que un hombre contempla atónito la metamorfosis[109]. Una Dafne con las manos ya convertidas en arbustos fue modelada en arcilla en 1985 por el artista italiano G. Spagnolo. El mito interesó pronto a los artistas del Renacimiento. Agostino dei Musi, en 1515, realizó un grabado con Apolo armado de arco y flechas junto a Dafne, con las manos ya convertidas en arbustos. Tres copias se deben a Barthel Beham y a Jacob Binck, lo que indica que el mito interesaba en el norte de Europa. El grabador Hieronymus Cock, en 1558 representa el mismo mito. Dafne huye de Apolo con las manos convertidas en ramos.

El mito simboliza la persecución de la mujer por el hombre.

---

107 *El País,* 3 de febrero de 2005, pág. 12.

108 *Blanco y Negro,* 6 de noviembre de 2004, pág. 32. Sobre este mito en la iconografía clásica, *LIMC,* VIII.1, págs. 671-627; VIII.2, págs. 416-493.

109 *ABC Semanal,* 23 de marzo de 2003, pág. 14. Este mito en la iconografía clásica en *LIMC,* III.1 (1986), págs. 344-348; III.2, págs. 255-260.

ATENEA

Era la diosa protectora de Atenas. Nació de la cabeza de Zeus. En el Círculo de Bellas Artes de Madrid, con motivo de los 125 años de historia, se exhibió un cuadro de Atenea, inspirado en la estatua crisoelefantina de Fidias, colocada en el Partenón. Difiere en la forma del escudo[110]. Una Atenea estilizada, fechada en el año 2000, es obra del escultor Alcántara. El mito representa la protección divina sobre la ciudad, y en el Altar de Pérgamo, la lucha contra peligros gigantescos, representados por los gigantes.

PERSEO Y ANDRÓMEDA

Perseo es un héroe argivo, hijo de Zeus, que, volviendo de Etiopía, se encontró a Andrómeda, hija de Cefeo, rey del país, y de Casiopea. Se enamoró de ella, que estaba atada a una roca expiando el castigo por las palabras injuriosas de su madre Casiopea. Prometió a su padre liberarla si le permitía casarse con ella.

Antonio Rafael Mengs pintó un cuadro en el que hablan amigablemente Perseo, que agarra la brida de su caballo, y Andrómeda. Delante se encuentra Cupido[111].

El mito simboliza la liberación de la mujer por parte del hombre enamorado.

MEDUSA

Era una de las tres Gorgonas. Las otras dos eran Esteno y Euriale. Eran hijas de las divinidades marinas Forcis y Ceto. Medusa era mortal. Las otras dos, inmortales. Habitaban en Occidente. Su cabeza estaba rodeada de serpientes. Su mirada, penetrante, convertía en piedra a aquel que la mirase.

---

[110] *El Punto de las Artes,* 779 (2005), pág. 27. Este mito en la iconografía clásica en *LIMC,* I, págs. 969-974; II, págs. 716-723.

[111] *El Punto de las Artes,* 698 (2003), pág. 1. Sobre este mito en la iconografía clásica, *LIMC,* VII.1, pág. 342; VII.2, pág. 303, y *LIMC,* VI.1, págs. 338-391; VI.2, págs. 195-197.

Caravaggio pintó, entre 1596 y 1598, un escudo ceremonial decorado con una Medusa[112]. Una *Medusa Marinara,* 1998, se exhibió en una exposición dedicada a Vik Muniz en Madrid[113]. El mito de la cabeza de la Medusa es de carácter apotropaico. La cabeza de Medusa alejaba los peligros, por esta razón la colocaban los griegos sobre los escudos o las corazas, como sobre la Atenea que los colonos de Atenas establecidos en Lemnos dedicaron hacia 450 a.C. en la Acrópolis de Atenas, o sobre la Atenea del Partenón, fechada poco después, obras ambas de Fidias, o sobre la Atenea del Altar de Pérgamo. El pintor italiano Alberto Abate, pintó en 1984 una aterradora Medusa dentro de un escudo, contemplada atónita por una muchacha.

MEDEA

Era hija de Eetes, rey de la Cólquida. Era hechicera. Gracias a su ayuda, Jasón, que había ido a la Cólquida a buscar el vellocino de oro capitaneando a los argonautas, obtuvo el vellocino. Jasón y Medea se casaron. Medea huyó con él y se refugiaron en Corinto. Después, Jasón se enamoró de Glauca, hija del rey Creonte. En venganza, Medea asesinó a los hijos tenidos con Jasón. La escena del infanticidio la representó Valérie Dreville[114] de una manera muy original: Medea está desnuda, sentada en un podio de madera a la orilla del mar, con los brazos abiertos y sosteniendo a los dos hijos. Una Medea en el acto de apuñalar a sus hijos fue pintada también por Delacroix[115].

El mito simboliza la venganza de la mujer abandonada.

JÚPITER Y JUNO

Juno era la versión latina de Hera, esposa de Zeus. James Barry representó sus amores. Dos cabezas besándose. Zeus es un hombre barbudo[116]. El mito representa el amor de los esposos.

---

[112] *El Mundo,* 24 de mayo de 2004, pág. 47.
[113] *20 Minutos,* 17 de septiembre de 2004, pág. 4.
[114] *ABC Cultural,* 18 de marzo de 2004, pág. 40.
[115] *El País,* 16 de noviembre de 2002, pág. 14.
[116] *Mujer Hoy,* 7, 13 (2002), pág. 29.

NINFA DEL AGUA

Es una espléndida muchacha con alas, desnuda, colocada de frente con los brazos extendidos, dentro de un torrente y bañada por un chorro de agua. Se encuentra en un paisaje de rocas y árboles. Así la representa E. Vedder[117]. Hay Ninfas representadas en un mosaico de Althiburos (Túnez) de mediados del siglo III.

Cuatro páginas dedicadas a la literatura homosexual se ilustran recientemente, como símbolo, con el rapto de Ganímedes, bello pastor del que se enamoró Zeus y se lo llevó al Olimpo de copero[118], interpretado ya por Miguel Ángel.

Estas representaciones indican claramente que los mitos griegos están todavía vivos y que siguen simbolizando los grandes problemas eternos del hombre moderno y de todas las culturas al igual que en la Antigüedad clásica. Son eternos.

El mito representa la alegría de la vida.

HÉROES DE LA ANTIGÜEDAD CLÁSICA

Este interés por lo clásico se confirma con otras imágenes reproducidas en la prensa. Como el interés por los grandes héroes del mundo clásico: Aquiles (boceto de Rubens, de Aquiles entre las hijas de Licomedes, entre las que se encontraba el héroe griego disfrazado de mujer)[119]; Escipión (la contingencia demostrada por el general romano ante una bella prisionera en la toma de Cartago Nova, 209 a.C., obra de Hendrik Clerk)[120]; Mesalina (en brazos del gladiador, 1886, de Sorolla)[121]; Ulises (y las sirenas, de Walcott)[122]; Alejandro Magno (batalla de Issos, copia de un mosaico pompeyano)[123]; Elena y Paris (cuadro de Jacques Louis David)[124]; Héctor (muerto, cuadro de Jaques Louis

---

117 *Mujer Hoy,* 27 de octubre de 2002, pág. 37.

118 *ABC Dominical,* 8 de enero de 2006, pág. 49.

119 *El País,* 10 de octubre de 2003, págs. 28, 34. Pintura de la Domus Aurea neroniana en Roma, *El País,* 31 de marzo 2003, págs. 1, 7.

120 *ABC Cultural,* 11 de diciembre de 2003, pág. 35.

121 *El Punto de las Artes,* 701 (2003), pág. 16.

122 *Corrière della Sera,* 14 de julio de 2005, pág. 27.

123 *El País,* 3 de mayo de 2003, pág. 1.

124 *Mujer Hoy,* 26 de octubre de 2002, pág. 31.

David)[125]; Helena (cuadro de Henri Fantin Latour, 1982)[126]; Safo (cuadro de Gustave Moreau)[127]; la muerte de Sócrates (cuadro de Jacques Louis David)[128]; el triunfo de Agamenón (tapiz flamenco del cartonista Jordaens, discípulo de Rubens)[129].

Se puede afirmar que las historias de los héroes de la Grecia Clásica están relativamente bien representadas, confirmando el interés por el Mundo Clásico que se desprende, igualmente, de las representaciones de vasos griegos publicados en la prensa de Madrid.

Vasos griegos

Basten unos ejemplos: vaso griego, del pintor de Penélope, con la llegada de Ulises, al palacio de Ítaca[130]; jarra ática con procesión de jinetes[131]; Aquiles dando muerte a Pentesilea, reina de las amazonas (copia ática del segundo cuarto del siglo v a.C.)[132]; sítula de Apulia, fechada entre los años 350 y 330 a.C., decorada con un banquete en el que participan Dionisio, Hermes, Apolo y Pan[133], y lecánide apulia, datada entre los años 330 y 320 a.C., con Artemis en un carro tirado por un ciervo y una pantera[134] y crátera del pintor Eufronios (*c.* 520-505 a.C.) con el sueño y la muerte llevándose a Sarpendón[135].

Esculturas clásicas

Este interés por lo clásico en la actualidad se confirma nuevamente por las esculturas clásicas reproducidas en los diarios, como el *Discóbolo* de Mirón (460-450 a.C.)[136] o el torso de Venus, que recuerda al

---

125 *El País,* 30 de abril de 2005, pág. 18. Arrastrado su cadáver por el carro de Aquiles en *Blanco y Negro,* 15, 5, 2004, pág. 10.

126 *Alfa y Omega,* 21 de octubre de 2004, pág. 16.

127 *El País,* 4 de septiembre de 2004, pág. 9.

128 *El País,* 10 de agosto de 2004, pág. 12.

129 *El País,* 26 de noviembre de 2002, pág. 24.

130 *ABC,* 23 de noviembre de 2005, pág. 12.

131 *ABC,* 23 de noviembre de 2005, pág. 61.

132 *El País,* 16 de julio de 2005, pág. 8.

133 *El Punto de las Artes,* 713 (2003), pág. 1.

134 *El Punto de las Artes,* 717 (2003), pág. 13.

135 *ABC Cultural,* 17 de diciembre de 2005, pág. 57.

136 *La Vanguardia. Cultura,* 16 de febrero de 2005, pág. 16.

cuerpo de la *Afrodita* de Praxíteles (*c.* 370-*c.* 330 a.C.)[137]; o la copia de la *Afrodita* de Doidalsas de Bitinia; copias de la Musa sedente de la antigua colección de Mengs; o del *Fauno* rojo procedente de Villa Adriana[138]; la *Victoria de Samotracia*[139], obra de Pitócrito de Rodas, de comienzos del barroco helenístico, fechada en el siglo II a.C., que en origen estaba en la proa de la nave del santuario de los Cabiros en Samotracia, copia expuesta en el Salón Inmobiliario de Madrid; el clípeo adornado con la cabeza de Zeus Ammón, procedente de Tarraco[140]; o la escultura de Ascanio, hijo de Eneas y de Creúsa, del Museo Arqueológico Nacional de Madrid[141]; una cabeza dionisíaca en paradero desconocido adornada con un racimo de uvas, muy del gusto del arte de Alejandría, como la cabeza con atributos de Isis, conservada en el Museo del Louvre[142]; la máscara de Sátiro del siglo II, expuesta en Barcelona[143], o la cabeza de Heracles, datada a mediados del siglo II, procedente de Skudnova, cubierta con la piel del león de Nemea[144]. Recientemente ha aparecido en Madrid —y se ha reproducido en un periódico— la copia del *Gladiador Borghese* que Velázquez trajo de Italia para Felipe IV[145]. El original es obra de Agasias de Éfeso, fechada en torno al año 100 a.C.[146].

Cibeles

En la prensa de Madrid se representa muy frecuentemente la estatua de Cibeles, llevada en un carro tirado por leones, emblema de Madrid[147]. Se le añadió a Neptuno en una campaña contra el ruido, llevándose el dedo a la boca[148]. Incluso los actores se disfrazan de Nep-

---

137 *El Punto de las Artes,* 707 (2003), pág. 3.

138 *El Punto de las Artes,* 808 (2005), pág. 19.

139 *El Mundo,* 18 de junio de 2004, pág. 9.

140 *El Punto de las Artes,* 767 (2004), pág. 17.

141 *El Punto de las Artes,* 767 (2004), pág. 17.

142 *El Punto de las Artes,* 793 (2005), pág. 45.

143 *El Punto de las Artes,* 745 (2004), pág. 12.

144 *El Punto de las Artes,* 671 (2002), pág. 3. Aquiles inspiró siempre a los artistas. Baste recordar a Rubens (F. Lammertse y A. Vergara, *Pedro Pablo Rubens: la historia de Aquiles,* Rotterdam/Madrid, 2003).

145 *ABC,* 12 de enero de 2006, pág. 5.

146 M. Bieber, *op. cit.,* págs. 62-163, figs. 688-689.

147 *El País,* 16 de julio de 2005, pág. 8; *El País,* 6 de octubre de 2002, pág. 12.

148 *ABC,* 14 de septiembre de 2002, pág. 49; *El Mundo,* 26 de octubre de 2002, pág. 8.

tuno y de Cibeles sentada en un carro[149]. El último dibujo de Cibeles se debe a Mingote, y es de finales del 2005. El rey Carlos III ofrece a Cibeles una plaza en la capital de España y la devoción de sus habitantes[150]. Sin embargo, hay diferencias importantes, entre las imágenes de tema clásico publicadas en España y las de otros países europeos. Cibeles sobre un carro tirado por leones o cabalgando estas fieras fue muy representada en el arte griego. Baste recordar en Delfos el Tesoro de los Sifnios, datado en el año 525 a.C.; el Altar de Pérgamo, obra ejecutada entre 180-160 a.C.; y una estela votiva tardorromana de Frigia (Turquía). El impresionista Palmero, a comienzos del siglo XX, pintó dos excelentes Cibeles.

Ni en los diarios de Madrid ni en los del resto del país se exhiben bellas mujeres semidesnudas, afirmando que son Dafne, la diosa de las aguas[151], la bella Helena[152] o la explosiva Atenea, guardiana de Olimpia, como en la prensa alemana.

El mito simboliza la Gran Madre Naturaleza, protectora de los animales y de los hombres.

Representaciones teatrales

Esta atracción hacia la mitología clásica en los comienzos del tercer milenio en la prensa de Madrid queda confirmada por el interés por el teatro, los conciertos o el cine, por las representaciones de obras de autores griegos o de tema clásico, o por informar sobre estas representaciones. Baste recordar *Pentesilea,* representada por Peter Stein, a partir de la obra de H. von Kleist, en Madrid[153]; *Edipo,* de L. Pasqual, representada en Madrid, partiendo de los textos de los trágicos griegos, Esquilo, Sófocles, Eurípides, y de Jean Genet[154]; la ópera *Orfeo* de Monteverdi, representada en el Liceo de Barcelona[155]; la ópera *Edipo* del compositor rumano George Enescu (1881-1955), representada en el Liceo de Barcelona[156];

149 *El País,* 20 de marzo de 2003, pág. 24.
150 *ABC Semanal,* 18 de diciembre de 2005, pág. 16.
151 *Bild,* 18 de agosto de 2004, pág. 1.
152 *Bild,* 24 de agosto de 2004, pág. 1.
153 *El País,* 17 de agosto de 2002, pág. 13.
154 *El País,* 20 de octubre de 2002, pág. 43.
155 *El País,* 7 de diciembre de 2002, pág. 20.
156 *El País,* 31 de mayo de 2003, pág. 27.

Lisístrata de Aristófanes, en el teatro de Mérida[157]. Además de esta última obra en el festival de teatro de Mérida, que es el teatro más importante de España junto con el de Sagunto, se representaron en el año 2000 obras de autores griegos: *La paz,* de Aristófanes; *Electra,* de Sófocles; el ballet *Espartaco,* del compositor ruso Aram Khachaturian[158]; *Antígona,* de Sófocles; *Las suplicantes*[159]; *Orfeo,* versión escénica de la ópera de Gluck, en San Sebastián[160]; *Troilo y Cresidia,* de William Shakespeare, representada en Madrid; *Medea,* de Eurípides, en el festival de Mérida[161]; *Proserpina,* con textos de Homero, Brad Goch y Maita di Niscemi, en Mérida[162]; *Orestiada,* de Esquilo, en Barcelona[163], en Madrid y en Sagunto[164].

En 2002: *Troya: siglo XXI; El sueño del Minotauro* (ballet); *Medea,* de Eurípides; *Edipo XXI; Pentesilea,* de Eurípides; *Agripina: una de romanos.*

En 2004: *Yo, Claudio* (danza); *Medea a la extranjera, Proserpina; Prometeo, del fuego a la luz; La clemencia de Tito* y *Orestiada* en el teatro de Segóbriga (Cuenca). En este año se representaron veintitrés obras de autores griegos. En el teatro de Sagunto se han representado en 2004: la *Orestiada,* de Esquilo y la *Medea,* de Eurípides.

En 2005: *Antígona,* de Sófocles; *Los persas,* de Esquilo; *Los Acarnianos,* de Aristófanes; *Helena,* de Eurípides; *Pluto,* de Aristófanes; *Las Bacantes,* de Eurípides; *Aulularia,* de Plauto, e *Ifigenia en Áulide,* de Eurípides.

Esta relación de teatro clásico griego confirma, una vez más, que la mitología y los temas tratados por los grandes trágicos griegos son aún de actualidad en el mundo moderno, que ve en ellas reflejados los problemas de actualidad. Están vivos.

Los temas clásicos en el cine o en la televisión son frecuentes. Recientemente se proyectó en las pantallas de Madrid *Troya,* basada en la obra de Homero, o *Roma,* la vida en la Roma de la época de César.

Para Goethe, los dioses griegos estaban vivos. Para el mundo moderno lo está la mitología clásica.

---

157 *El País,* 19 de julio de 2003, pág. 34.

158 *El Festival de Teatro Clásico de Mérida: setenta años, 1933-2003. Programa. ABC,* 12 de julio de 2003, pág. 57.

159 *El País,* 15 de agosto de 2003, pág. 26.

160 *El País,* 11 de junio de 2004, pág. 49.

161 *El País,* 18 de julio de 2004, pág. 39.

162 *El País,* 24 de julio de 2004, pág. 35.

163 *El País,* 14 de agosto de 2004, pág. 31.

164 *El País,* 2 de septiembre de 2004, pág. 28.

Bibliografía

Al tema de la mitología clásica en el arte hemos dedicado varios trabajos:

Blázquez, J. M., «Temas del mundo clásico en el arte del siglo xx», *Revista de la Universidad Complutense,* XXI, 23 (1972), págs. 1-21.

— «El mundo clásico en Picasso», *Discursos y ponencias del IV Congreso Español de Estudios Clásicos,* Madrid, 1973, págs. 141-155.

— «Temas del mundo clásico en las pinturas de Kokoschka y Braque», *Miscelánea de arte,* Madrid, 1982, págs. 262-274.

— «Mujeres de la mitología griega en el arte español del siglo xx», *La mujer en el arte español,* Madrid, 1997, págs. 571-581.

— «Mujeres de la mitología clásica en la pintura de Max Beckmann», *Anales de Hirtoria del Arte,* 7 (1997), págs. 257-269.

— «El mundo clásico en Dalí», *Goya,* 265-266 (1998), págs. 238-249.

— «Temas de la mitología clásica en las pinturas de la Corte de Felipe II», *El arte en las Cortes de Carlos V,* Madrid, 1999, págs. 255-333.

— «El mito de Leda en mosaicos hispanos del Bajo Imperio y en la pintura europea», *Sautola,* VI (1999), págs. 555-565.

— «Mitos clásicos en la pintura moderna», *Anales de Historia del Arte,* 10 (2000), págs. 247-281.

En general

Ruiz de Elvira, A., *Mitología clásica y música occidental,* Alcalá de Henares, 1997.

Moormann, E. M. y Uitterhoeve, W., *De Acteón a Zeus: temas de mitología clásica en literatura, música, artes plásticas y teatro,* Torrejón de Ardoz, 1997.

— *De Adriano a Zenobia: temas de historia clásica en la literatura, música, artes plásticas y teatro,* Tres Cantos, 1998.

Bueno, A., *Mitología en los cielos de Madrid,* Madrid, 1998.

López Torrijos, R., *Mitología e historia en las obras maestras del Prado,* Madrid, 1998.

Dommermuth-Gudrich, G., *50 klassiker Mythen: die bekanntesten Mythen der griechischen Antike,* Hildesheim, 2002.

Sanguineti, C. (coord.), *Il mito e il classico nell'arte contemporanea italiana, 1960-1990,* Milán, 1995.

Westheider, U. *et al., Picasso und die Mythen,* Bremen, 2002.

Thimme, J., *Picasso und die Antike: mythologische Darstellungen, Zeichnungen, Aquarelle, Guaschen, Druckgraphik, Keramik, Kleinplastik,* Karlsruhe, 1974.

Bataille, G., *Las lágrimas de Eros,* Barcelona, 1997.

Estos mitos están reproducidos en los mosaicos hispanos romanos:

BLÁZQUEZ, J. M., *Mosaicos romanos de España,* Madrid, 1999, págs. 107-128, 275-444, 541-550.

En el Oriente

BLÁZQUEZ, J. M. *et al.,* «Representaciones mitológicas, leyendas de héroes y retratos de escritores en los mosaicos de época imperial de Siria Fenicia, Palestina, Arabia, Chipre, Grecia y Asia Menor», *Antigüedad y Cristianismo,* XXI (2004), págs. 277-371.

Para el empleo de la mitología en el arte, es fundamental

REID, J. D., *The Oxford Guide to Classical Mythology in the Arts 1300-1990s,* Oxford, 1993.

Agradezco la ayuda de las profesoras M. Cruz Villalón, de la Universidad de Extremadura, y P. Serrano, de la Universidad Complutense de Madrid.

Capítulo XVII

Grandes artistas españoles de finales del segundo milenio y el arte religioso

Desde hace un par de siglos, por lo menos, se observa la decadencia de la religión en Occidente, posiblemente debido a que la religión no ofrece nada que sea atractivo al hombre moderno. Está anclada en el pasado remoto. El catolicismo es un choque frontal contra los valores de la Revolución Francesa, aunque aparecen en el cristianismo primitivo y pervivieron durante muchos siglos, y de la Ilustración, de los que deriva el mundo moderno. La jerarquía está al margen de los fieles, y desprestigiada. Cabe otra explicación: Occidente está inmerso en lo que Vogt, uno de los grandes estudiosos de la Roma antigua, llama la metamorfosis de la cultura, que se dio en el paso del Paleolítico al Neolítico; del Neolítico a la aparición de la ciudad-Estado y de las grandes teocracias, y al final de la Antigüedad. ¿Qué tiene que ver Altamira, un santuario lleno de bisontes, desde el punto de vista religioso, con Alaka Höyük, lleno de toros y de diosas de la fecundidad, fechado unos siete mil quinientos años después? Nada. La religiosidad había cambiado radicalmente, al igual que la sociedad, en sus más variados aspectos. Seguramente, nos encontramos en un cambio radical y todo desaparece. Llega otra escala de valores en lo político, en lo económico, en lo social, en lo artístico y en lo religioso. Muy probablemente, tenía razón Dalí, que tuvo gran interés por el arte religioso[1], cuando en 1952 afirmó:

---

[1] J. M. Blázquez, «Arte religioso español del siglo XX: Picasso, Gutiérrez Solana y Dalí», art. cit. (cap. X de esta edición); *ídem*, «La pintura religiosa de Gutiérrez Sola-

En esta época de decadencia de la pintura religiosa [...] el genio sin fe es más valioso que el creyente desprovisto de genio [...]. Estamos convencidos de que los ateos, y aún los miembros del Partido Comunista (como por ejemplo Picasso), los artistas geniales estarían en condiciones, si así lo desearan, de crear grandes obras religiosas [...]. Naturalmente, también veré el peligro demoníaco que amenaza el arte religioso si se sirve de los servicios de artistas ateos. Lo ideal sería que el arte religioso fuera ejecutado, como ocurría en época del divino Renacimiento, por artistas de genio tan profundo como su fe, como fue el caso, por ejemplo, de Zurbarán, El Greco, Leonardo da Vinci, Rafael [...]. Es innegable que el arte moderno representa en sí mismo las consecuencias últimas y fatales del materialismo [...]. Los artistas llamados abstractos son fundamentalmente artistas que no creen en nada [...] Estoy convencido del próximo fin del materialismo [...]. Veo venir un fabuloso renacimiento de la pintura moderna, que por reacción contra el materialismo actual será nuevamente figurativo y representativo de una nueva cosmogonía religiosa.

Cabe también, y ello se observa en muchos autores, la posibilidad de que los grandes artistas utilicen los temas religiosos para representar los grandes problemas del mundo moderno. Algún artista, como se verá en el trabajo, lo ha afirmado expresamente.

En este trabajo se eligen unos cuantos artistas españoles, muertos y vivos, cuya obra artística se data a finales del segundo milenio. Podían haberse elegido otros. Tampoco se pretende hacer un estudio exhaustivo de su obra religiosa, sino seleccionar unas cuantas obras significativas.

Antonio Saura

El primer gran artista hispano del siglo XX que debe considerarse para el contenido del presente estudio es Antonio Saura, ya difunto,

---

na y la iconografía de la muerte en la pintura contemporánea», art. cit. (cap. XIV de esta edición). El tema religioso ha estado presente en los artistas del siglo XX. Baste recordar los expresionistas alemanes (J. M. Blázquez, «La pintura religiosa en los expresionistas alemanes», art. cit. [cap. VIII de esta edición]); *ídem*, «El arte religioso de Emil Nolde», Discurso de ingreso en la Real Academia de Bellas Artes de Santa Isabel de Hungría, *Boletín de Bellas Artes*, 2.ª época, XXXI (2003). Agradezco a las Fundaciones Chillida y Oteiza, a la Dirección de la Sociedad Estatal para la Acción Cultural en el Exterior, a los profesores M. Villalón de la Universidad de Extremadura, a M. Cabañas del Consejo Superior de Investigaciones Científicas, a L. Ruiz y a F. Portela de la Universidad Complutense de Madrid, y a F. Marco de la Universidad de Zaragoza, así como a L. F. Humanes Sánchez, restauradora, la ayuda prestada en la elaboración del presente trabajo.

por el gran número de crucifixiones que pintó. Antonio Saura[2] comenzó su labor artística con una etapa surrealista. Las crucifixiones fueron el tema predilecto de Antonio Saura entre los años 1956 y 1996. El pintor manifestó varias veces el sentido que daba a sus crucifixiones. Rechazó que sus crucifixiones fueran pintura religiosa. En *Memoria del tiempo,* Murcia, 1992, Antonio Saura recuerda a sus predecesores en el arte, su obsesión por la *Crucifixión* de Velázquez del Museo del Prado y por las tallas sangrantes de los imagineros. Menciona la serie de crucifixiones negruzcas de El Greco, de Alonso Cano, Pacheco, Tristán, Murillo, Zurbarán, Grünewald, que expresan el grito y la agonía del Universo estremecido. Puntualiza que ha convulsionado la imagen cargada de un viento de protesta. Intenta en la imagen del crucificado reflejar su situación de hombre a solas en un universo amenazado, frente al que sólo cabe la posibilidad de un grito. Está interesado en la tragedia del hombre y no de un dios. Refleja la presencia intemporal del sufrimiento y prescinde de todo trasfondo crítico religioso.

Con las crucifixiones expresó soberbiamente toda la brutalidad del siglo XX. Los colores utilizados son el blanco, el negro y el gris. Las técnicas utilizadas por Antonio Saura son: mina de plomo sobre papel, fieltro sobre papel, tinta china sobre papel y *collage,* óleo sobre lienzo y técnica mixta sobre papel. Las crucifixiones tienen un carácter terriblemente violento. Son lo contrario del Cristo de Velázquez, que expresa una gran tranquilidad y serenidad, o del de Dalí, que no manifiesta sufrimiento alguno. Antonio Saura era lector asiduo de Kafka y llevó el mundo de Kafka a los lienzos. También influyeron en él las crucifixiones de Picasso. A las crucifixiones de Antonio Saura se pueden aplicar las frases que, en 1940, Renato Guttuso, creador también de terroríficas crucifixiones, escribió y que recuerda Nicolás Surlapierre:

> En una época de guerras y de masacres: Abysinia, gas, horcas, decapitaciones, en España, en otros lugares, quiero pintar ese suplicio de Cristo como una escena de hoy. No en el sentido en que Cris-

[2] R. Chiappini (coord.), *Antonio Saura,* Milán, 1994. El capítulo dedicado a las crucifixiones se debe a G. Scarpetta, págs. 41-54, 106-107, 120-121, 132, núms. 19-21; pág. 136, núm. 30; pág. 147, núms. 60-61; pág. 150, núm. 70. Se exponen también dos pinturas del sudario y un *Ecce Homo:* E. Guigon (dir.), *Antonio Saura: Crucifixions/Crucifixiones,* Madrid, 2002. N. Surlapierre estudia las crucifixiones (págs. 43-55). Unas páginas del propio Antonio Saura (págs. 57-64) expresan el sentido que hay que darles. Se reproducen sesenta y cinco crucifixiones diferentes en las págs. 69-155.

> to muere todos los días en la cruz para expiar nuestros pecados, sino como símbolo de todos aquellos humillados, encarcelados y ajusticiados a causa de sus ideas.

Estas frases explican bien el sentido que debe darse a las crucifixiones de Antonio Saura. Los cuerpos los representa el artista en actitudes duras. Son terroríficos y descarnados, en posturas violentas, y aterran al espectador. Expresan magníficamente un cuerpo machacado por el sufrimiento, al igual que muchos hombres por las calamidades y sufrimientos que han pasado. Antonio Saura no pudo encontrar mejor manera de expresar el sufrimiento corporal y espiritual de muchos hombres del siglo XX, aplastados por los acontecimientos adversos, que pintar Cristos con las características que los pintó. Los Cristos no son esqueletos, son cuerpos vivos. El artista actual que más se aproxima a Antonio Saura en sus crucifixiones, es Bacon con las suyas. Al mismo tiempo están en la línea de Grünewald. Se comprende perfectamente que las crucifixiones de Antonio Saura fueran consideradas blasfemas.

Llama la atención que en Antonio Saura la mitología clásica esté casi totalmente ausente, que también sirvió a muchos artistas para expresar la problemática del hombre moderno[3]. También pintó unas tentaciones de san Antonio[4], tema que ha captado la atención de muchos artistas del mundo moderno.

Las crucifixiones de Picasso y de otros autores, expuestas en el Museo Picasso de París entre 1992 y 1993, y en el Musée des Beaux Arts de Montreal, 1993, con cuadros de Picasso, Bacon, Dix, De Kooning, Guttuso y Sutherland[5], con seguridad influyeron mucho en las cruci-

[3] J. M. Blázquez, «Temas del mundo clásico en el arte del siglo XX», art. cit. (cap. XIII de esta edición);); *ídem,* «Temas del mundo clásico en las pinturas de Kokoschka y Braque», art. cit. (cap. IX de esta edición); *ídem,* «Mujeres de la mitología clásica en la pintura de Max Beckmann», art. cit.; *ídem,* «Mujeres de la mitología clásica en el arte español del siglo XX», art. cit.; *ídem,* «El mundo clásico en Dalí», art. cit. (cap. XIX de esta edición); *ídem,* « El mito griego de Leda y el cisne en los mosaicos hispanos del Bajo Imperio y en la pintura europea», art. cit. (cap. III de esta edición); *ídem,* «Temas de la mitología clásica en las pinturas de la corte de Felipe II», art. cit. (cap. I de esta edición); «Mitos clásicos en la pintura moderna», art. cit. (cap. IV de esta edición); *ídem,* «Mitos griegos en la pintura expresionista», art. cit. (cap. V de esta edición); J. M. Blázquez y P. García Gelabert, «Temas del mundo clásico en el arte moderno español», art. cit., págs. 403-415.

[4] J. M. Blázquez, «Las tentaciones de san Antonio en el arte contemporáneo», *Norba-Arte,* XXIV (2004), págs. 165-187 (cap. VI de esta edición); J. Ríos, *Las tentaciones de Antonio Saura, op. cit.* Reproduce ocho crucifixiones y otros muchos cuadros suyos.

[5] G. Regnier *et al., Corps crucifiés, op. cit.*

fixiones de Saura, pero no la tendencia de Picasso a pintar mitos griegos y representar con ellos la alegría del vivir o el instinto sexual[6].

Álvaro Delgado

Es otro de los grandes colosos españoles de finales del segundo milenio. Su temática pictórica es muy variable. Se ha dedicado a retratar con gran fuerza de expresión a un gran número de personajes cumbres vivientes de la cultura y de la política[7]. No ha olvidado los mitos clásicos[8], los paisajes y los bodegones[9]. Ha llevado al lienzo personajes de gran actualidad, como los judíos, 2001-2002[10], los talibán, 2002, y Bin Laden[11].

A Álvaro Delgado también se debe una buena colección de retratos de mendigos[12] y de los más antiguos reyes de España de la Edad Media[13]. Sin embargo, las composiciones religiosas ocupan un lugar destacado en su producción pictórica. A Álvaro Delgado le preocupan los problemas de la existencia humana, que lleva al lienzo.

El artista no encuentra una solución satisfactoria a las grandes lacras del mundo moderno, como las feroces guerras que matan a tantos inocentes, la violencia asesina, la pobreza que mata de hambre a tantas masas, la marginación social de extensos grupos de población, el ansia desmedida de los políticos y la inmoralidad y el enriquecimien-

---

[6] J. M. Blázquez, «El mundo clásico en Picasso», art. cit. (cap. XI de esta edición); S. Laursen, O. Westheider *et al.*, *Picasso und die Mythen*, *op. cit.;* J. Thimme, *Picasso und die Antike*, *op. cit.;* M. Alvar, *Picasso: los mitos y otras páginas sobre pintores*, *op. cit.*, págs. 11-43.

[7] F. Umbral, *Álvaro Delgado: Iconografía de la memoria,* catálogo de la exposición celebrada en la Asamblea de Madrid, Madrid, 1999; M. de Andrés (coord.), *Álvaro Delgado*, *op. cit.*; *Álvaro Delgado: Extremos,* exposición celebrada en el Centro Cultural Conde Duque, del 8 de octubre de 2002 al 5 de enero de 2003, Madrid, 2002, págs. 84-113.

[8] M. de Andrés (coord.), *Álvaro Delgado: ¿Por qué?,* Madrid, 2003, pág. 87; M. de Andrés (coord.), *Álvaro Delgado*, *op. cit.*, págs. 66-79; *Eros y Thánatos: pinturas de Álvaro Delgado; con poemas de Antonio Gamoneda*, *op. cit.*, págs. 19-20, 24-29, 31-35, 37; y M. Acebes, *Álvaro Delgado: gesto y color,* Bilbao, 2005, págs. 326-327, 329-331, 336.

[9] M. de Andrés (coord.), *Álvaro Delgado*, *op. cit.*, págs. 40-44; y M. Acebes, *op. cit.*, págs. 217-236.

[10] M. Acebes, *op. cit.*, págs. 330-331; y M. de Andrés (coord.), *Álvaro Delgado*, *op. cit.*, págs. 102-103.

[11] M. Acebes, *op. cit.*, págs. 312-331; y M. de Andrés (coord.), *Álvaro Delgado*, *op. cit.*, págs. 106-115.

[12] M. Acebes, *op. cit.*, págs. 262-269.

[13] A. Caso y J. Barón, *Álvaro Delgado: Crónica astur,* Oviedo, 1999, págs. 38, 40-48; M. Acebes, *op. cit.*, págs. 292-295.

to rápido y desmesurado. El artista traslada al Cristo sufriente los problemas personales, que agotan su espíritu. Cristo es el símbolo del sufrimiento humano. De ahí que tome como tema de sus óleos al Cristo sufriente, que se siente abandonado por su Padre. En la producción pictórica de Álvaro Delgado están ausentes la infancia, los milagros de Jesús y los episodios alegres de su vida.

En 1942 pintó *El beso de Judas* y *La oración del huerto,* que expresan magníficamente la traición y el miedo ante el sufrimiento. Cristo está solo, abandonado de sus discípulos y del Padre, al igual que el hombre moderno.

De 1964 data el primer *Apostolado* de estilo expresionista. En él reprodujo una galería de retratos, tomados del natural, de la gente humilde del pueblo. Son de un realismo y una variedad asombrosos. En este primer *Apostolado,* fechado en 1964, representa a doce mendigos, con rostros duros y repulsivos. Los modelos del *Apostolado* de 1974 son pastores, muleros y segadores. Todos son toscos y las caras están curtidas por el sol. En 1977, por vez primera, pintó el artista personajes del Antiguo Testamento, como Moisés, su hermano Aarón, Susana y los viejos, Absalón, símbolo de la violencia.

Álvaro Delgado es heterodoxo en la representación de Cristo. En 1974 pintó el *Cristo azul* y el *Cristo de La Olmeda,* 1972, envuelto este último en luz y tinieblas. El *Cristo de Navia II* recuerda a la *Crucifixión* de Grünewald, en la que Cristo da un grito desgarrado. Los Cristos de Álvaro Delgado son una explosión de color. Son desgarradores y aterradores. Expresan magníficamente la cumbre del dolor humano; el dolor sin esperanza; el abandono total del hombre moderno. Admiten la comparación, sin desmerecer, con el Cristo de la *Crucifixión* de Grünewald, y están en la larga tradición de los Cristos sufrientes de la gran imaginería española. Realizó el artista otros temas religiosos, como el Ecce Homo, La Santa Faz, El Calvario y La Piedad, a comienzos de la década de los ochenta. Una novedad grande de la temática de Álvaro Delgado es la representación en varias ocasiones del demonio, príncipe de este siglo[14]. Álvaro Delgado prestó, igualmente, especial interés al tema del amor y de la muerte, muy tratado por los artistas de todas las épocas[15].

---

14 M. de Andrés (coord.), *Álvaro Delgado: ¿Por qué?, op. cit.,* págs. 85-86; *Eros y Thánatos, op. cit.,* pág. 47; y *Álvaro Delgado: Extremos, op. cit.,* págs. 142-143.

15 E. de Santiago Páez, P. Gómez Bedate e I. Gómez de Liaño, *Del amor y la muerte: dibujos y grabados de la Biblioteca Nacional,* exposición celebrada en la Fundació Caixa Catalunya, La Pedrera, de julio a octubre de 2001, y en la Biblioteca Nacional de febrero a abril de 2002, Barcelona, 2001.

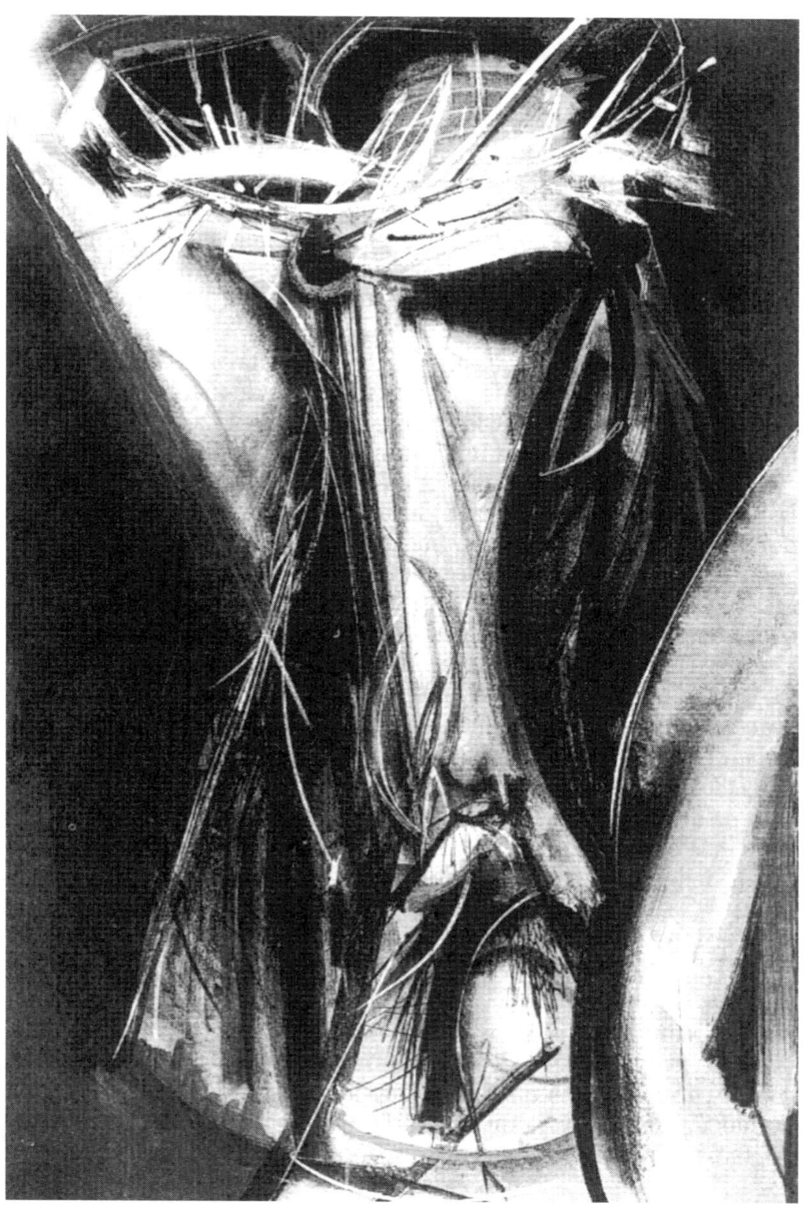

Álvaro Delgado, *El rostro de Cristo,* colección particular.

Subirachs

Es uno de los grandes representantes del arte religioso de España. Su primera etapa artística sería expresionista, iniciada en torno a 1950, con esculturas como *Moisés*. Su expresionismo deriva hacia una abstracción personal a partir de 1956, alejada de lo figurativo. A finales de los años cincuenta ha logrado un estilo personal. Empieza a interesarse por el hierro y utiliza la técnica de la soldadura. Acepta una esquematización formal. Utiliza en esta época otros materiales, como hormigón, madera, gres, cerámica, bronce y terracota. A veces, en algunas obras, incorpora bloques de piedra, estructuras de madera y de hierro. En estos años de finales de la década de los sesenta, trabajó en el santuario de la Virgen del Camino, donde realiza las altas figuras de los Apóstoles de la fachada. En las puertas se representan la Anunciación, la Visitación, el Nacimiento de Cristo, la Presentación y Jesús ante los doctores. La inspiración de Subirachs es libre, menos atada a la iconografía tradicional, y de una riquísima plasticidad. En la puerta de San Froilán está grabado el plano de la catedral de León. Una puerta está dedicada a san Pablo, y la tercera al pastor al que se le apareció la Virgen del Camino. A Subirachs se deben también el sagrario, el Cristo, los candelabros, el púlpito, el altar, las lámparas y la pila bautismal. De todo el conjunto, sobresalen las trece figuras de los Apóstoles y de la Virgen con las llamas sobre la cabeza. Los Apóstoles son hieráticos y espigados. Miden casi seis metros de altura. La Virgen es fina, con la paloma del Espíritu Santo posada en la mano. Este conjunto de esculturas es la culminación del periodo expresionista. Subirachs abandonó el arte religioso durante muchos años después de esta monumental obra.

Desde 1986 trabaja en la fachada de la Pasión del templo de la Sagrada Familia, en Barcelona. Subirachs representa escenas de los últimos días de Jesús, en estilo expresionista, acentuando el patetismo. Al mismo tiempo esculpe otras figuras en estilo abstracto, con estructuras de forma geométrica. El artista barcelonés se define como un artista cerebral. Últimamente utiliza un componente simbólico. Concede importancia a la idea de la muerte, en lo que se asemeja a Álvaro Delgado, tema muy presente en el arte español contemporáneo[16].

[16] F. Huici, *Postrimerías: alegorías de la muerte en el arte español contemporáneo, op. cit.*

En este esquema evolutivo y cronológico del arte de Subirachs hay que colocar su obra artística, que es la siguiente: esculturas de carácter religioso: *Piedad,* 1951; *Moisés,* 1953; *Mujer de Lot,* 1947-1949; *Santuario de Nuestra Señora del Camino,* 1959-1961; *Cruz,* 1961; *Cruz de san Miguel,* 1962; *Santa Ágata,* 1969; esculturas de la Sagrada Familia de Barcelona, 1987-1988[17].

Los materiales utilizados en la composición de estas piezas son muy variados: bronce, madera, piedra, cemento, gres, hierro y arcilla.

Miquel Barceló

Es el artista actual, que se declara agnóstico, que se ha hecho más famoso por la decoración interior de la seo de Palma de Mallorca. La terminación ha llevado más de siete años. Barceló ha indicado su estilo el día de la presentación de su trabajo, éste ha estado marcado por la improvisación diaria y se ha realizado sin un proyecto predeterminado. La superficie cerámica cubierta tiene más de 300 m^2, con cinco vitrales que representan el pasaje bíblico de la multiplicación de los panes y los peces. Esta piel cerámica, según la califica el artista, la logró a golpes y puñetazos. Es un verdadero puzzle, instalado en la pared, a partir de las grietas naturales. Barceló ha trabajado con la técnica de la grisalla. El artista dibuja las figuras con los dedos. El resultado es la imitación del fondo marino. Las calaveras próximas al altar son la alegoría de la vida y de la muerte. Los frutos esparcidos a lo largo de la superficie simbolizan el espíritu mediterráneo, tan querido por el artista. En la ejecución de los pulpos se utilizó la técnica del *dripping*. Los arrecifes simbolizan la transición entre la iconografía marina y la vegetal. El volumen lo logró Barceló desde ambas caras del muro, a base de puñetazos, palos, etc. El color, modelada la pieza, lo logra con las manos y con palos. La superficie del mural, antes de su cocción, se esmaltó para que penetraran los pigmentos. La figura del Cristo es el retrato simbólico del artista. Carece de cruz, por representar ya a Cristo resucitado. El mural cubre la capilla del fondo de la catedral.

---

[17] D. Giralt-Miracle, *Subirachs,* Madrid, 1973, págs. 23-57; J. Corredor Matheos, *Subirachs,* Barcelona, 1975, pág. 24, núm. 27; págs. 31-33, núm. 41; pág. 36, núms. 47 a 49; págs. 70-71, núms. 97 y 99; págs. 136-137, núm. 182: págs. 142 y 144, núm. 195; J. Iriarte, *Subirachs: Sagrada Familia,* Barcelona, 1989; M. Mayer, *Subirachs: 50 anys de dibuixos,* Barcelona, 2003, págs. 8, 12, 24; y J. Subirachs, *Subirachs: Retrospectiva, 1953-2003,* Madrid, 2003, págs. 4, II, 20-21.

Por la técnica y por las figuras, es la obra moderna de mayor novedad religiosa que se ha realizado, y carece de paralelos en todas las épocas[18].

Barceló también pintó en 1998 un Cristo de raíces, tumbado sobre el suelo, todo él en negro, con los brazos extendidos y las piernas terminadas en raíces. Igualmente, es una figura de gran originalidad que indica una imaginación creadora[19].

Abelló

Este artista impresiona por los derroches de color. Algunos de sus cuadros, bodegones o pinturas, recuerdan a Van Gogh, a Nolde, a Kokoschka, a Ensor o a Soutine. Por poco tiempo acusó el influjo del expresionismo abstracto, del cubismo o de los informalistas. Sus colores preferidos fueron los grises, el rosa frambuesa, los azules, los verdes y los violetas. Algunas de sus figuras alargadas se parecen algo a las de El Greco o a las de Rouault. Algunos cuadros acusan, directamente, el influjo de Solana.

Abelló expresó magníficamente sus sentimientos a través de la pintura. Sus cuadros religiosos son: *La última cena,* 1952; *La flagelación,* del mismo año, cuyas caras de campesinos recuerdan a las pintadas por Solana; *Jesucristo,* 1955; *Oración en el huerto,* de 1966. Pintó cuatro templos: la Sagrada Familia (1967), la ermita de San Pablo de Sant Pol de Mar (1961) y Notre Dâme de París (1980). En 1974 se fecha la catedral de Amberes, igualmente óleo sobre tela.

Al igual que Solana, reprodujo varios esqueletos, lo que indica su preocupación por la brevedad y variedad de la vida, como *Requiescant in pace,* 1975; *Homenaje al señor Ti,* 1976; *Genio y figura,* 1978, e *Historia trágica de la época que me ha tocado vivir,* 1981[20].

Antoni Tàpies

Es uno de los artistas españoles de más proyección en el exterior y el que más vende. Es el mayor representante en España del informalismo. Siente especial atracción por el pensamiento oriental. La razón de su éxito se ha encontrado en que Tàpies

---

18 M. Barceló, *La catedral bajo el mar,* Barcelona, 2005.

19 J. M. del Moral, *Barceló: detrás del espejo,* Madrid, 2004, pág. 174.

20 J. F. Bentz, *Abelló,* Sabadell, 1998, págs. 216-217, 225, 246, 282, 284-285, 289, 295, 298-299.

Antoni Tàpies, *Cristo,* colección particular.

> abre y ofrece una gran posibilidad, la de la abstracta expresión trágica, y en ella el artista se entronca, de un lado, con una constante universal e histórica en la pintura española y, de otro, con un peculiar acento y sabor trágico que define la actual existencia del hombre contemporáneo. En la unión de estas dos constantes son muchos los artistas sobre los que influye, no tanto la técnica y la manera de hacer de Tàpies, como su concepción.
>
> Tàpies trae a la pintura una amarga visión de la existencia, una interpretación que se ordena en el horizonte trágico que define e integra nuestra cultura y que inspira a lo largo de los siglos algunas de las mejores creaciones de nuestro arte; pero tampoco puede hablarse de un magisterio de Tàpies, porque su personalidad y un cierto e inmoderado narcisismo de su obra la quitan todo carácter modélico, y evita el planteamiento de una corriente de comunicación clara entre el pintor y otros artistas contemporáneos (R. Chávarri).

La obra artística de Tàpies se caracteriza por una gran fantasía y simplificación. Se ha comparado el arte de Tàpies con el arte primitivo, ante el cual siente una fascinación mágica, que queda bien patente en sus *Cruces,* que son muchas y los únicos temas religiosos que ha tratado[21].

Venancio Blanco

Es uno de los mayores creadores del arte contemporáneo religioso español[22]. Combina magníficamente la escultura tradicional con las técnicas vanguardistas más actuales. Trabajó indistintamente el bronce, la piedra y la madera. Se interesó por los temas taurinos[23], por los caballos[24]. Venancio Blanco ha trabajado fundamentalmente temas religiosos. En la actualidad es el artista español más volcado en este género. Su arte religioso rompe con las tradicionales tendencias tan generalizadas de un arte religioso de carácter dulzón y uniforme. Sus obras religiosas responden a las corrientes vanguardistas, con lo que ha dignificado el arte religioso español. Ya en 1964, en la Bienal

---

[21] A. Agustí (dir.), *Tàpies: obra completa,* vol. 8: *1998-2004,* Barcelona, 2005, pág. 215, núm. 7432; pág. 236, núm. 7532; pág. 284, núm. 7564; etc.

[22] G. Díaz Quirós y N. Urbano (coords.), *Hacerse preguntas, dibujar respuestas: Venancio Blanco, escultura religiosa,* Madrid, 2005.

[23] *Tauromaquia,* Salamanca, 2004.

[24] A. M. Campoy, *Venancio Blanco: El caballo, bronces y dibujos,* Madrid, 2005.

Venancio Blanco, *Cabeza de Cristo,* colección del artista.

de Arte Sacro de Salzburgo, obtuvo un éxito rotundo con *San Francisco,* de profunda espiritualidad, y con el *Nazareno,* realizado con láminas de bronce y de hierro. Fundió cinco figuras de san Francisco, santo al que el artista tenía especial afecto. El artista había afirmado: «Tengo un sentido religioso de la vida. Me interesa dar con temas trascendentales.» Entiende la religión como una necesidad del hombre. También impregna de sentido místico sus esculturas de cantantes, bailaores, músicos y escenas de toros. Este carácter de actitud mística está muy bien expresado ya en algunas obras tempranas en su producción, como en *San Francisco,* de 1943, en barro cocido, y en otra imagen del mismo santo de 1947, en madera de fresno. La Virgen del Rosario de 1944, en barro cocido, muestra una dulce expresión tradicional.

En algunas piezas, como los *Santiago* o *San Pablo* de 1957, reproduce figuras a la usanza antigua con gran maestría técnica. En otras, como en *San Francisco* de 1950, *San José* de 1950 y en el de 1952, un *Ecce Homo,* en *San Sebastián* de 1950, o en el *San Francisco* de granito de 1953, se aparta sensiblemente de las formas académicas y expresa una plasticidad nueva. En 1959, en las cabezas de Pedro y Pablo, y en el *San Pablo* de cuerpo entero, utiliza el cemento. Son cabezas de rostro enjuto y expresión pensativa. El perfil de los rostros es afilado. En cemento rojo está fabricado el relieve de *La huida a Egipto,* 1960, con geometrización de las formas. A esta década de los sesenta pertenece una serie de figuras importantes, como *San Francisco,* 1961, en bronce fundido a la cera perdida; *San Pedro de Alcántara,* 1962, en la misma técnica, que, como *San Francisco,* se caracteriza por la cabeza pequeña, la verticalidad de los cuerpos y la estilización de las formas. Se puede contemplar desde todos los ángulos. El citado *Nazareno,* 1963, en chapa de hierro y bronce fundido, de una gran tranquilidad en la expresión del rostro, que contrasta con la corona de espinas. *Mártir,* 1963, de miembros estilizados, también de bronce fundido a la cera perdida; *Cristo en la cruz,* 1960, para el templo de Pedro Abad, 1969, en la misma técnica, y el *Sagrario,* 1970, en la misma técnica. El artista demuestra un gran dominio en fundir las planchas de cera.

De esta década y de la siguiente data una serie de cabezas de Cristo realizadas en 1961, 1965 y 1975. Todas se caracterizan por los ojos hundidos, por el perfil anguloso y por una terrible corona de espinas. Todas son bronces fundidos a la cera. En esta década, Venancio Blanco realizó unos Cristos yacentes, 1962 y 1963, de cabeza pequeña y echada hacia atrás y miembros enjutos, con la misma técnica. En el primero, el vientre está vaciado, con lo que el efecto en el espectador es sobrecogedor. El artista vuelve al tema en una figura de 1993, con la misma técnica, pero con algunas diferencias. La cabeza es de mayor tamaño, al igual que el cuerpo.

De 1991 data un Cristo yacente en madera, al que Venancio Blanco tiene una gran estima y es una de sus obras maestras, que puede competir, sin desmerecer, con las mejores tallas de los imagineros. La escultura era comprometida y difícil de ejecutar. Eligió el momento en que Jesús vuelve a la vida, lo que es una gran novedad. Representa magníficamente el artista el paso de la muerte a la vida. La escultura está sin policromar, para no perder la belleza natural de la madera. Venancio Blanco considera que con esta pieza se abre y se cierra un paréntesis en su producción artística. En ella ha vertido las experiencias acumuladas durante veinte años de experimentación con formas nuevas. En 1994 representa el *Resucitado,* bronce fundido a la cera perdida. La cabeza es pequeña. La mirada se dirige a lo alto. Hay un excelente movimiento de los brazos y del vestido. Venancio Blanco, en varios Cristos en la cruz, de 1990, dos, y en uno de 1999, vuelve a la verticalidad. Los Cristos reflejan soberbiamente el dolor del crucificado. El estudio del cuerpo se centra en el pecho.

Otras obras deben recordarse, como las dos *Magdalenas* y *El profeta.* Este último de gran novedad por la expresión y el movimiento de los paños; *Domingo de Ramos,* 1974, igualmente con una expresión muy bien lograda en la postura de los brazos y en el manto al viento. El asno vuelve la cabeza a Cristo. De 1974 datan dos Cristos-hombre agarrados a la cruz, uno de ellos cayéndose. El cuerpo de uno es un tubo; en el segundo, está vaciado. Las características de los cuerpos de Cristo ha llevado al artista a la *Piedad,* obra de 1974. Las piernas son placas angulosas y el busto de la Virgen está envuelto en un manto. En la *Resurrección* de 1974 el artista ha expresado magníficamente el triunfo del crucificado sobre la muerte. El vestido ondea al viento. La cabeza es muy pequeña con respecto al cuerpo, todo plano y de forma casi rectangular. Del mismo año data *Santa Teresa,* con un ropaje hecho de placas, de gran originalidad. La gran novedad creadora del arte de Venancio Blanco queda bien patente en su *Espíritu Santo,* que es una serie de placas abombadas y rectangulares sujetas a un vástago. El tema fue tratado también por Oteiza y es muy raro en arte.

Cabe recordar otras figuras de sentido religioso, como las cinco *Navidad,* 2001, realizadas con barras de colores sobre cartón; dos estudios para el monumento a Juan Pablo II, 2003; *Custodia,* 1970; *Sagrada Familia,* 1960; *Piedad,* 1974 y 2004; *Magdalena la Grande,* 1980; *Virgen de la Luz,* 1987; *Confesión,* 1974; *Hombre-Cristo,* 1974; *San Agus-*

tín, 1974; *Virgen con el Niño,* 1960; *Anunciación,* 1960, etc., todos en bronce fundido a la cera perdida, etc.

Este breve bosquejo de la obra de Venancio Blanco quedaría incompleto si no se aludiera a sus varias piezas que representan *La última cena*[25], que datan de 1996, 1999, 2004 y una cuarta de 2001. Esta última en carboncillo, barra Conté y tizas sobre el papel. La quinta, de 1999, con la misma técnica, y la sexta, de 1998, realizada con la técnica del grafito y barra Conté de colores sobre el papel. Todos los Apóstoles están dialogando entre sí. Los rostros, de hombres maduros, son de gran dignidad.

La afición del artista a la música[26], bien patente en las piezas que fundió, le llevó a esculpir dos ángeles músicos. Uno toca el acordeón y el segundo la guitarra. Visten túnicas hasta los pies, con alas dirigidas hacia arriba y cabezas pequeñas.

Venancio Blanco es, pues, el mayor escultor español de arte sacro del momento. El que ha renovado más el arte sagrado, un tanto fosilizado y rutinario con anterioridad a él.

Jorge Oteiza

Es, con Chillida, el más grande escultor vasco de finales del segundo milenio, ambos desaparecidos ya. Fue un excelente escultor y teórico. Ha prestado especial interés a los vacíos y al análisis espacial en sus composiciones, realizadas mediante poliedros y cubos unidos de muy diferentes maneras. Sus primeras obras, de poco antes de la guerra civil, acusan influjos cubistas y expresionistas. En 1948 realiza las esculturas de la nueva basílica de Aránzazu. Esculpió un *Apostolado* caracterizado por los vacíos y por la verticalidad, de contornos redondeados. Fue rechazado en 1954 por demasiado vanguardista.

Utilizó el mármol, el acero, el hierro o una combinación de los tres. Igualmente, Oteiza planeó integrar la escultura monumental en la arquitectura, y dar a sus esculturas sensación de movimiento. Dentro de esta tendencia artística hay que encuadrar sus obras de carácter religioso. En 1969, Oteiza moldeó una *Piedad* para Aránzazu. La postura es de gran novedad. La Virgen está sentada y dirige el rostro a lo alto. La cabeza es pequeña. A sus pies yace el cuerpo de Cristo, con la ca-

---

[25] G. Díaz Quirós y N. Urbano, *op. cit.,* págs. 60-63, 66-69, 156-157, 164-165, 170-171, 194-195, 198-199, 208-209, 212-215, 218-219, 222-223, 230-231.

[26] G. Díaz Quirós y N. Urbano, *op. cit.,* págs. 80-109.

Jorge Oteiza, *Retrato del Espíritu Santo,* colección particular.

beza torcida. Llaman la atención los grandes vacíos en el cuerpo de Cristo y de su madre, que serán una de las características más acusadas de las esculturas del gran artista vasco.

En 1951 fundió la escultura de *San Jorge,* de clara tendencia a la verticalidad. De 1953 a 1954 datan tres cabezas de apóstol, de ojos altos y profundos, de labios gruesos y barba rectangular saliente. En 1953, Oteiza utilizó el aluminio en los ángeles con escuadrilla. Años antes, en 1949 fundió la *Mujer de Lot* realizada en zinc, en la que se acusan ya algunas características incipientes, que después serán la esencia de la importancia concedida al vasco. En su *Apostolado* de la basílica de Aránzazu, las figuras son verticales, las cabezas pequeñas y los cuerpos presentan vacíos. El *Tú eres Pedro,* en mármol, se fecha en 1956-1957, es una figura geométrica[27].

De Oteiza cabe recordar otras esculturas de tema religioso, como *San José y María encinta,* en madera, 1935; *Virgen medieval,* yeso pintado, 1931; *Cristo en el Jordán,* yeso, 1933; *Tobías y el ángel,* yeso pintado, 1950; *Visitación de la Virgen a santa Isabel,* aluminio, 1949; *Cuatro Evangelistas,* bronce, 1949; *San Jorge,* piedra, 1951; *San Sebastián,* zinc, 1950; *Elías y su carro de fuego,* piedra, 1961; *San Cristóbal,* piedra roja, 1950; *Virgen de Kukuarri,* yeso, 1953; *San Francisco,* piedra, 1953; *San Isidro,* yeso, 1954; *Aparición de la Virgen a santo Domingo,* aluminio, 1954; *San Antonio,* tres, aluminio, bronce y piedra, 1954 y 1956; *Apóstol,* cuatro, 1953-1954, bronce y yeso; *Piedad,* hierro, 1955, etc. La producción religiosa de Oteiza es, pues, abundante[28]. El retrato del *Espíritu Santo*[29], en hierro dorado, pertenece al conjunto de varias cajas metafísicas, en hierro, 1958-1959.

Eduardo Chillida

Fue el artista más premiado en vida. Sus obras plantean un problema espacial, que intenta solucionar con el material utilizado, que es muy variado: hierro, madera, alabastro, hormigón armado y el yeso al comienzo de su vida artística.

---

[27] M. Rowell *et al., Oteiza, mito y modernidad,* Bilbao, 2004, pág. 115, fig. 12; págs. 122-123, fig. 19; págs. 142-143, 146-147, figs. 35-36, 39-40; pág. 148, figs. 42-43; pág. 149, fig. 44; pág. 150, fig. 45; pág. 151, fig. 46; pág. 157, fig. 50.

[28] A. Chinarro y C. Gómez, *Oteiza: propósito experimental,* Madrid, 1988, págs. 70, 72-73, 80, 84, 86, 111, 116, 118.

[29] A. Chinarro y C. Gómez, *op. cit.,* pág. 202.

Eduardo Chillida, *Calvario,* colección particular.

De 1954 datan los *Cuatro jinetes* de la basílica de Aránzazu, en hierro. Dominan las líneas curvas, verticales y horizontales. Chillida siempre estuvo experimentando nuevas formas artísticas.

La producción religiosa de Chillida, buen creyente, fue abundante. La Fundación Chillida ha tenido la amabilidad, que mucho agradezco, de enviarme las fotografías y los datos de dieciocho cruces, realizadas en hierro, alabastro, acero, granito, aguafuerte, litografía y serigrafía con relieve, de 1968, 1969, 1974, 1975 (dos), 1979, 1983, 1990, 1994 y 2000 (tres). Se puede decir que la cruz fue un tema religioso constante a lo largo de la actividad artística del escultor vasco. Unas veces se representa una cruz, otras, varias. A veces, dentro de un bloque cuadrangular, para los que se presta muy bien el alabastro, la cruz está grabada dentro del bloque en vacío, otras resaltada. Un *Calvario* corona un bloque rectangular de acero. También, sólo una, corona el bloque rectangular de acero. Tres cruces de anchos brazos, independientes unas de otras, se tallaron en granito. En un bloque rectangular de alabastro se incrustó una cruz. En los aguafuertes, la cruz es de brazos anchos. Otras cruces son de formas caprichosas. Algunas creaciones son de gran originalidad y fantasía.

En el año 2005, Chillida realizó una serie de trabajos en honor de san Juan de la Cruz. El escultor vasco pronto se interesó por la poesía del gran místico castellano. En la abadía de Silos, Chillida hizo una exposición de obras suyas dedicadas a san Juan de la Cruz. La exposición de las obras de Chillida es variada. Se exhiben medallas de forma rectangular (1991-1992), cruces (1992) y obras en papel[30].

Para entender bien el carácter de la producción artística de Chillida, hay que tener bien presente lo que el propio escultor escribió en 1988: «Yo soy un hombre religioso. Las cuestiones de la fe y mis problemas como artista están muy vinculados. Naturalmente, mi concepción del espacio tiene una dimensión espiritual, igual que también tiene una dimensión filosófica. Mi continua rebelión contra las leyes de la gravedad tiene un aspecto religioso.»

Pablo Serrano

Es el tercero de los grandes escultores españoles. Se encuentra entre el expresionismo figurativo y el constructivismo abstracto. Igualmente se ocupó de temas religiosos. De 1963 data su *Cabeza de apóstol,*

---

[30] *Cántico espiritual: Chillida en Silos,* exposición celebrada en la abadía de Santo Domingo de Silos del 11 de mayo al 24 de julio de 2005, Madrid, 2005.

de facciones enjutas, labios abultados y ojos redondos y grandes[31]. En 1960 fundió un Cristo para México, en una postura originalísima, sentado en el suelo con las piernas recogidas y con los brazos extendidos. Famosas son las esculturas de la Virgen, colocadas en la fachada de la basílica del Pilar de Zaragoza, y del Cristo del convento de los Dominicos, en Alcobendas.

Otros artistas y referencias

Otros artistas han realizado cuadros de tema religioso, como Benito Prieto, con un Cristo en pintura, de un realismo brutal y muy original en su postura, ya muerto y derrumbado[32], o el *Crucificado* de Manolo Valdés, 1988, colgado de la cruz sentado en el caballete. Un sorprendente *Ecce Homo* es obra de C. Moreno Toledo, en hierro. La cabeza es de perfil triangular, la boca redonda y toda la cabeza está llena de púas[33]. Carbonell es el autor de una *Pasión de Cristo,* óleos que rompen todos los cánones tradicionales en este tipo de composiciones. Las figuras son grandes manchas de un solo color, con un gran realismo. Ortega Bru[34] es un imaginero en una línea tradicional. F. Jesús[35] fundió una serie de medallones de buen arte y de gran originalidad, sobre escenas del Apocalipsis de san Juan.

El arte religioso, pues, está presente en los grandes artistas españoles de finales del segundo milenio. Todos han roto con los cánones tradicionales del arte religioso del siglo XIX y de comienzos del XX. Reflejan las grandes corrientes artísticas, que incorporan a su arte. El arte religioso español de finales del segundo milenio es diferente del italiano[36] y del norteamericano[37], por ejemplo.

En un mundo tan secularizado como el actual, interesa la figura de Cristo, como lo demuestran las frecuentes películas sobre su vida. Baste recordar unos cuantos títulos: *El evangelio según san Mateo,* de Pier Paolo Pasolini; *Rey de reyes,* de Nicholas Ray; *La historia más grande jamás contada,* de George Stevens; el musical *Jesucristo Superstar,* del

[31] Fundación Museo Pablo Serrano, *Pablo Serrano,* exposición, Madrid, 1994.

[32] *Primera Bienal Hispano Americana de Arte,* Madrid, 1951, fig. 97.

[33] *El punto de las artes,* XI (2001), pág. 11.

[34] B. Rodríguez, *Luis Ortega Bru: biografía y obra,* Sevilla, 1995.

[35] *Fernando Jesús: Apocalipsis, op. cit.*

[36] C. de Carli, *Gli artisti e la chiesa della contemporaneità, op. cit.;* S. Baviera y J. Bentini, *Mistero e immagine: l'Eucaristia nell'arte del Novecento,* Milán, 1997.

[37] S. Bramly y B. Rheims, *I.N.R.I., op. cit.*

director Norman Jewison; *Jesús de Nazaret,* de Franco Zeffirelli; *La última tentación de Cristo,* de Martin Scorsese; *La pasión de Cristo,* de Mel Gibson; etc.

Incluso hay un arte calificado de blasfemo, que toma a Cristo como tema, como la «Última cena» en *Yo Mamma's Last Supper,* una dama desnuda de Renée Cox; Madonna como Cristo crucificado en Cardiff; la última cena del cartel publicitario de la firma de modas François Girbaud, con mujeres en vez de Apóstoles; *Strip-tease,* con un Cristo sobre el cuello de una botella, del artista catalán Carlos Pazos; *WWJD?,* del estadounidense Ethan Acres, con Cristo crucificado desnudo, de espaldas, suspendido en el aire, y san Francisco de Asís en el suelo contemplando aterrado de rodillas el crucificado. Cristo está presente en el arte aunque sea para blasfemar de él.

Los ejemplos se pueden multiplicar en la literatura. Cristo se convierte en un *best-seller.* Hay un revisionismo de símbolos cristianos[38].

---

[38] W. Manrique, «Dios se convierte en "best-seller"», *El País,* 20 de febrero de 2006, pág. 40, con multitud de obras del cine, literatura, etc. En la revista de reciente creación *Memoria. La Historia de Cerca,* 4 (2007), págs. 23-68, se dedican varios artículos a la crucifixión de Jesús.

Capítulo XVIII

Mitos clásicos y naturaleza en la pintura y dibujos de Carlos Franco

Carlos Franco es en la actualidad uno de los pintores de más categoría y prestigio con los que cuenta España. Su pintura es de gran originalidad dentro de las corrientes artísticas de los siglos XX y XXI. Los mitos clásicos situados en la naturaleza ocupan un lugar preferente en su temática artística. A lo largo de su vida ha sido un trabajador infatigable. En el presente trabajo sólo se recogen los principales mitos clásicos que el artista ha tratado, siempre colocados en la naturaleza.

A Carlos Franco se le ha encasillado en la nueva figuración madrileña. Se le ha adscrito a uno de los movimientos más renovadores de la pintura española, y a una de las tendencias internacionales más vivas de los años setenta, coincidiendo con los grandes artistas españoles del momento, como Luis Gordillo, Miquel Navarro, Carlos Alcolea, Herminio Molero, Chema Cobo, Pérez Villalta o Manuel Quejido (Mariano Navarro). Fernando Castro Flórez encasilla la pintura de Carlos Franco en el manierismo, que insiste en las particularidades. En algunas de sus obras se detectan referencias a los grandes artistas del pasado, como Giorgione, Tiziano, Goya, Ensor, Van Gogh o Miró, sin que Carlos Franco haga una reinterpretación de pinturas concretas. Mariano Navarro ha indicado que en sus pinturas hay una fusión de abstracción y figuración, que procede de Brasil y de sus cultos religiosos. Carlos Franco mira al mundo, ni totalmente abstracto ni totalmente figurativo. El artista da pruebas de un espíritu sincrético, que le ha llevado a interesarse por la mitología y por la magia. Francisco Calvo Serraller ha señalado que los mitos de Occidente en los cuadros de los ochenta, bailan al son de las caligrafías orientales, de las elegantes manchas acuareladas, de los paisajes chinos, de los dorados tonos pastel —brillantes y sedosos— de la pintura japonesa. Carlos Franco se entrega a los detalles y manifiesta en sus cuadros un *horror vacui*. En la pincelada acusa cierto influjo de la caligrafía oriental. La pintura de Carlos Franco se puede relacionar con lo alegórico.

Carlos Franco es el creador del término *mesticismo*, su sentido, con sus propias palabras, pronunciadas en la exposición *Ollos*, de los años 1990-1997, celebrada en Santiago de Compostela en julio de 1998:

> 1. Dejar patente una construcción donde lo sagrado y lo profano se desparraman en todo y no son algo separado. Cada punto de energía irradia y atraviesa o convive, al no ocupar lugar, con todos los demás.
> 2. Recordar a las artes primitivas y reconocer directamente su influencia brutal en el arte occidental, al que, indudablemente, han cambiado.
> 3. Con este reconocimiento, quitar algo de ese regusto racista del sabio que se cree superior por ser francés, por ejemplo, a cualquier chamán africano que no es francés ni europeo.
> 4. Dar a entender que mi paisaje interior está formado con las formas diversas con las que he visto cada elemento y que lo homogéneo es esa interioridad, no el carácter expresivo con el que comunica su mensaje. Comunicación que se realiza a través de energía, traducida a formas particularísimas de cada ser, de cada vida anecdótica.

En lo tocante al color, el mismo artista ha señalado que, situando o el negro o el blanco como metáfora de máxima luz y de máxima oscuridad, intenta incluir tres paletas:

—La clásica o antigua. Los colores terrosos.

—La impresionista. Con índice de refracción mayor en su propia materialidad.

—La fluorescente. Con una refracción mayor y en movimiento, que en realidad es más rápida.

Fernando Castro Flórez ha señalado el tratamiento lírico que da a la mitología el artista, que convierte el arte en una práctica ritual, en una ofrenda que, simbólicamente, trata de captar la atención de los dioses o de sus emisarios. Ideas que hay que tener muy presentes al enjuiciar las representaciones mitológicas de Carlos Franco. Muy acertadas son las frases de Fernando Castro Flórez para conocer el verdadero sentido que ha querido dar a los mitos clásicos.

Este artista encelado por los clásicos convierte la pintura en un intenso proceso de conocimiento, un territorio en el que está sedimentado el deseo de conocer la realidad.

En la década de los cincuenta, uno de los mejores críticos de arte del momento, el doctor Gaya Nuño, dio en Toledo una conferencia en la que afirmó que la mitología clásica estaba acabada, y que no inspiraba a los artistas. Se equivocó totalmente. La obra artística de Carlos Franco, en la que la mitología clásica ocupa un lugar destacado, prueba lo contrario. Hemos publicado dos trabajos sobre mitos clásicos en tres periódicos y en una revista de Madrid de finales del segundo milenio y de comienzos del tercero. Los mitos clásicos inspiran continuamente a los periodistas, que se valen de los mitos clásicos para simbolizar los graves problemas del mundo moderno.

Los mitos clásicos en el arte son una constante en el arte europeo desde el Renacimiento[1].

En el mayor coloso del arte moderno, Pablo Picasso, los mitos ocupan un lugar muy destacado[2]. El mito del Minotauro, tan querido de Picasso, ha encontrado un continuador en J. Lucas[3]. A la mitología clásica en el arte hemos dedicado varios trabajos[4].

---

[1] E. M. Moormann y W. Uitterhoeve, *De Acteón a Zeus: temas de mitología clásica en literatura, música, artes plásticas y teatro, op. cit.;* A. Ruiz de Elvira, *Mitología clásica y música occidental, op. cit.;* R. López Torrijos, *Mitología e historia en las obras maestras del Prado, op. cit.;* G. Dommermuth-Gudrich, *50 klassiker Mythen: die bekanntesten Mythen der griechischen Antike, op. cit.;* A. Prater, *Im Spiegel der Venus: Velázquez und die Kunst, einen Akt zu malen,* Múnich, 2002; J. Portius (coord.), *Fábulas de Velázquez: mitología e historia sagrada en el Siglo de Oro,* Madrid, 2007; F. Lammertse y A. Vergara, *Pedro Pablo Rubens: la historia de Aquiles, op. cit.* El mito del rapto de Europa es uno de los más representados: L. Passerini, *Il mito d'Europa: radici antiche per nuovi simboli, op. cit.;* C. Acidini y E. Capretti (dirs.), *Il mito di Europa: da fanciulla rapita a continente, op. cit.*

[2] J. Thimme, *Picasso und die Antike, op. cit.;* J. Clair, *Picasso: sous le soleil de Mithra, op. cit;* S. Laursen, O. Westheider *et al., Picasso und die Mythen, op. cit.;* M. Alvar, *Picasso: los mitos y otras páginas sobre pintores, op. cit.* En 1995, Carlos Franco se ocupó del mito del Minotauro en un grafito sobre papel en el que el Minotauro está junto a un varón. Se trata de una composición totalmente original, si se la compara con los minotauros de Picasso y de J. Lucas. Véase *Carlos Franco, 1995-2000: harenes, comidas y paisajes,* exposición celebrada en el Centro Cultural del Conde Duque del 11 de febrero al 23 de abril de 2000, Madrid, 2000, fig. 22.

[3] *José Lucas: Minotauro, op. cit.,* exposición celebrada en Murcia en el año 2004 y en Madrid en el 2006.

[4] J. M. Blázquez, «Temas del mundo clásico en el arte del siglo XX», art. cit. (cap. XIII de esta edición); *ídem,* «El mundo clásico en Picasso», art. cit. (cap. XI de esta edición);

Hechas estas brevísimas consideraciones sobre la obra de Carlos Franco, se examinan también, brevemente, las principales pinturas de mitos clásicos del artista. Los mitos clásicos fueron tema continuo en la obra de Carlos Franco[5], como se verá a continuación.

Mitos clásicos en la fachada de la Real Casa de la Panadería

Aunque antes de 1998 Carlos Franco se había fijado en los clásicos como tema de su obra, las pinturas de la Real Casa de la Panadería, en la Plaza Mayor de Madrid, forman uno de los conjuntos más numerosos de pintura de tema clásico que ha realizado Carlos Franco. En 1988, el Ayuntamiento de Madrid convocó un concurso restringido para decorar la fachada de la Real Casa de la Panadería,

ídem, «Temas del mundo clásico en las pinturas de Kokoschka y Braque», art. cit. (cap. IX de esta edición); *ídem,* «Mujeres de la mitología clásica en el arte español del siglo XX», art. cit.; *ídem,* «El mundo clásico en Dalí», art. cit. (cap. XIX de esta edición);); *ídem,* « El mito griego de Leda y el cisne en los mosaicos hispanos del Bajo Imperio y en la pintura europea», art. cit. (cap. III de esta edición); *ídem,* «Temas de la mitología clásica en las pinturas de la corte de Felipe II», art. cit. (cap. I de esta edición); *ídem,* «Mitos clásicos en la pintura moderna», art. cit. (cap. IV de esta edición); *ídem,* «Mitos clásicos en los periódicos y revistas de Madrid de finales del siglo XX», art. cit (cap. XV de esta edición); *ídem,* «Mitos clásicos en los periódicos y revistas de Madrid a comienzos del tercer milenio. Representaciones en el teatro», *Norba-Arte,* 25 (2005), págs. 332-376 (cap. XVI de esta edición); *ídem,* «Mitos clásicos de la Gemäldegalerie Alte Meister de Kassel», art. cit. (cap. II de esta edición).

[5] J. M. Bonet *et al., Carlos Franco,* Madrid, 2004. Colaboran: J. M. Bonet, «Un siglo de arte español dentro y fuera de España», págs. 13-18; F. Castro Pérez, «La carne de la pintura: consideraciones sobre el *mesticismo* de Carlos Franco», págs. 25-37; L. César Santos, «De percepciones y sensaciones: harenes, comidas y paisajes de Carlos Franco», págs. 39-53; P. A. Cruz Sánchez, «Carlos Franco y la economía sensorial del consumo», págs. 55-63; J. C. Abad, «La pintura de Carlos Franco: la belleza de un mundo culpable», págs. 65-75; «Catálogo», págs. 76-137; F. Castro Flórez, «El (raro) placer de no verlo todo [notas rápidas en torno a una conversación con Carlos franco en el estudio de Barcelona en 2003]», págs. 138-169; «*Curriculum*», págs. 170-175; *Carlos Franco: óleos e debuxos, 1990-1997, op. cit.,* colaboraciones de C. Franco, «Algunas consideraciones acerca de miña obra», págs. 15-17; M. Escribano, «Viaxe a Citerea», págs. 19-22; M. Fernández Cid, «O ollo persiguindo a pintura», págs. 23-25; «Catálogo de obras», págs. 28-74; «Exposicións e bibliografía», págs. 76-84. La bibliografía sobre la obra de Carlos Franco es extensa. Para aligerar este trabajo se prescinde de citarla. Está toda recogida y comentada en los dos libros anteriores.

pues las pinturas que en 1914 había realizado Enrique Guijo estaban muy deterioradas. Al concurso fueron invitados los artistas Sigfrido Martín Begué, Carlos Franco y Guillermo Pérez Villalta, y resultó ganador Carlos Franco. En marzo del 2002, la Junta de Adquisición de Obras de Arte sancionó la adquisición del telón pintado por Carlos Franco. El tema elegido, de carácter mitológico, era muy querido por el artista. Junto con la entrega del lienzo, el artista regaló al Museo Municipal de Arte Contemporáneo sesenta y seis dibujos preparatorios de las figuras principales que decorarían la fachada, y que fueron expuestos en el Museo Municipal de Arte Contemporáneo de Madrid[6].

En el pórtico sobre el que se asienta la fachada de la Real Casa de la Panadería se alzan tres plantas flanqueadas por dos torres.

Carlos Franco contó con ochenta colaboradores para realizar su obra. Algunos temas están relacionados con la historia de Madrid y de la plaza. La fachada de tres pisos con las pinturas está dividida en el centro por el escudo de Madrid. En cada piso hay, a cada lado del escudo, tres cuadros.

En el piso superior, de izquierda a derecha, se encuentran los siguientes personajes mitológicos: cariátide, colocada de frente, desnuda, con la cabeza ladeada. El brazo derecho se dobla levantando una antorcha, mientras el izquierdo está extendido. Está colocada entre dos columnas. Se ha interpretado esta figura como representación de la noche, por el color oscuro del cuerpo y por la antorcha. La cariátide del centro, entre dos columnas, desnuda hasta las piernas, cubiertas por un lienzo, de perfil, levanta el brazo derecho con la palma de la mano extendida, vuelve la cara hacia el hombro derecho. La tercera dama es Proserpina, fácilmente reconocible por sostener en su mano derecha la granada, símbolo de la inmortalidad. Se la representa en una postura parecida, de perfil, con el brazo derecho doblado y levantado en alto. También está colocada entre dos columnas. En el lado derecho se repiten las mismas tres figuras. En la esquina se encuentra la cariátide que simboliza la noche. En el centro hay una cariátide en idéntica ac-

---

[6] *Carlos Franco: el telón de la Casa de la Panadería y los dibujos preparatorios*, Madrid, 2004. Han colaborado en esta obra: J. M. Bonet, «Carlos Franco, en su generación», págs. 11-19; A. Ponet, «Prodigios y maravillas de Madrid en las pinturas de Carlos Franco para la fachada de la Panadería en la Plaza Mayor», págs. 21-26; M. D. Gallardo, «La iconografía de la fachada de la Real Casa de la Panadería», págs. 27-32; E. Alaminos, «Los dibujos preparativos para el telón de la Casa de la Panadería de Carlos Franco», págs. 33-35; E. Alaminos, «Catálogo», págs. 43-109.

titud que la de las anteriores. El cuerpo de las cariátides es de color carnoso. El fondo es de tonalidades suaves, y alternan los colores marrón, azul y amarillo. Ha sido un acierto de Carlos Franco colocar las cariátides en el piso superior sosteniendo el tejado.

En los dibujos[7], el artista introdujo variantes pequeñas. Así, la cariátide del centro del lado izquierdo tiene todo el rostro descubierto y apoyado en el hombro. Está desnuda, pero un lienzo le cae por la parte posterior y le rodea las piernas. Presenta rasgos negroides. En algún dibujo se ha introducido un edificio con torre, que no aparece en la pintura. En otro dibujo se colocaron algunos edificios de una ciudad. Igualmente, varía en los detalles del peinado, pues algunas llevan una corona e incluso un alto gorro con medallón en el centro, adornado con una palmera. La postura de las cariátides desnudas y colocadas de perfil es de gran originalidad con respecto a sus lejanos prototipos griegos, que van vestidas con peplo y con largas caídas, como las cariátides del Erecteo de la Acrópolis de Atenas, obras del taller de Alcomenes, esculturas lechadas entre los años 420 y 406 a.C.[8].

En una lastra votiva de Locroi, datada entre 470 y 460 a.C., se representa a Hades y a Perséfone entronizados. Perséfone está vestida y velada[9]. En otras lastras del santuario de Locroi, Sicilia, de la misma fecha, Perséfone, entronizada o raptada por Hades, va siempre vestida[10]. Perséfone era la diosa de los infiernos, compañera de Hades. Era hija de Zeus, el padre de los hombres y de los dioses, y de Deméter. Hades se enamoró de ella y la raptó. Zeus mandó a Hades que la devolviera, pero ello no era posible, pues había comido granos de granada y quedaba para siempre en el infierno.

---

[7] E. Alaminos, «Los dibujos preparatorios para el telón de la Casa de la Panadería de Carlos Franco», art. cit., págs. 37-40. Los cuadros están hechos con acrílico y técnica mixta sobre lienzo: E. Alaminos, «Catálogo», art. cit., págs. 61-73. Los dibujos están realizados a lápiz, pluma y tinta negra sobre papel transparente.

[8] J. Charbonneaux, R. Martin y F. Villard, *La Grecia clásica, 480-330 a.C.*, Madrid, 1970, pág. 165, figs. 175-176; *ídem*, «La iconografía de los mitos en el arte antiguo», *LIMC*, I-VIII. En el arte occidental, véase *OCMA*. Estos mitos en mosaicos hispanos en J. M. Blázquez, *Mosaicos romanos de España, op. cit.*

[9] J. Charbonneaux, R. Martin y F. Villard, *La Grecia clásica, op. cit.*, pág. 123, fig. 129.

[10] G. Pugliese y P. E. Arias, «La scultura», en G. Pugliese (coord.), *Magna Grecia: arte e artigianato*, Milán, 1990, pág. 240. Un jarrón apulio representa magníficamente el reino de Hades, con Plutón y Proserpina en su palacio, rodeados de figuras de la mitología griega (A. Eliot, «Muerte y resurrección», en A. Eliot, *Mitos*, Barcelona, 1976, págs. 282-283).

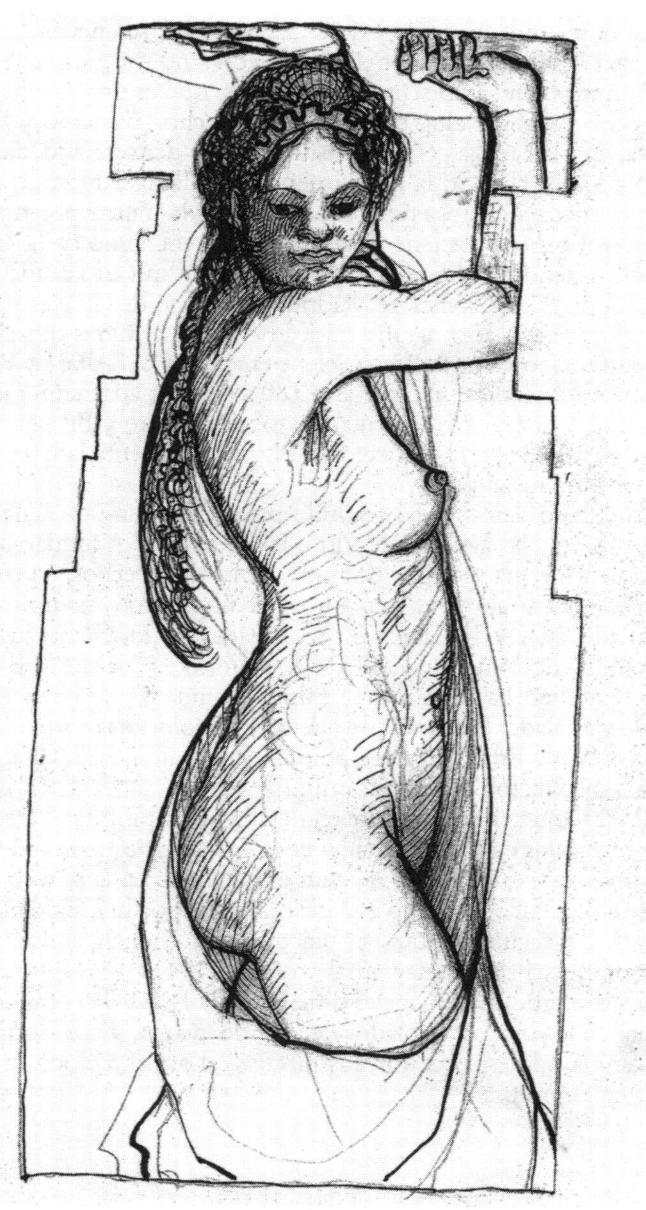

Carlos Franco, *Dibujo para cariátide*, colección particular.

En el segundo piso, de izquierda a derecha, se encuentran: Cupido, joven desnudo, colocado de frente, con amo y tupida cabellera, entre columnas, un sabio sentado, y Cibeles, que es una joven semidesnuda, con cabellera alta, con el brazo derecho levantado y la palma abierta, con la cabeza ceñida con una corona de torre almenada y mirando a la derecha. En la parte inferior se halla la cabeza de un león, fiera vinculada a la diosa de Asia Menor, con las fauces abiertas y amenazantes. La diosa sostiene entre sus brazos el cuerno de la abundancia. Es imagen muy diferente de la Cibeles en un carro tirado por leones de la plaza de Cibeles de Madrid. La imagen de Cibeles es de gran originalidad en la iconografía clásica de la diosa. Otras diosas griegas cabalgan un león, como Rea o Selene en el friso del Altar de Pérgamo, comenzó a esculpirse hacia el año 180 a.C. para conmemorar las victorias de Eumenes, rey de Pérgamo, sobre el Ponto y Bitinia, y la fundación del festival de las Niceforia. El friso representa la batalla de los dioses contra los gigantes.

En el lado derecho del segundo piso se encuentran Acuático, sin duda alusión a las aguas de Madrid; Isidra Mayo y Abundancia, representada como una matrona desnuda, con varios pechos, en compañía de un oso que se apoya en el madroño: ambos, oso y madroño, son de tonalidades suaves. La cabeza está coronada por dos cuernos y por una media luna. El fondo está cubierto de frutos. Los cuerpos son de color carne. También ha utilizado el artista tonalidades de color amarillo, granate y azulado. Las figuras se encuentran colocadas entre columnas, como siempre. Esta imagen responde bien al dibujo. Le faltan los elementos arquitectónicos de la pintura[11].

El dibujo de Cupido difiere en detalles de la pintura. Carece de las notas musicales colocadas encima de la cabeza, adornada con una piel de animal, que es una nota de gran originalidad en la pintura de Carlos Franco. El arco tampoco está decorado. La postura, sin embargo, es idéntica. Un segundo dibujo es prácticamente similar, sin notas musicales, aunque sí con pentagrama[12].

Los tres dibujos de Cibeles difieren de la figura de la pintura en la postura de los brazos, doblados delante del pecho, y por vestir una túnica ceñida a la espalda. En dos dibujos, el artista colocó frutos, ausentes en la pintura[13].

---

[11] E. Alaminos, «Catálogo», art. cit., págs. 45-46.

[12] E. Alaminos, «Catálogo», art. cit., págs. 77-78.

[13] E. Alaminos, «Catálogo», art. cit., págs. 71-76.

Abundancia, en el arte clásico, nunca se representa como la ha pintado Carlos Franco. Esta imagen corresponde a la iconografía de la Diana de los efesios, cubierta de pechos. Los artistas clásicos siempre representan a Abundancia como matrona vestida con un cuerno de la abundancia[14].

En el primer piso, de izquierda a derecha, se encuentran los siguientes cuadros: Dionisos joven, con cabeza coronada con pámpanos y racimos de uvas, desnudo, con tirso al hombro, del que cuelga un fruto de forma alargada, entre columnas. En la parte derecha, en el centro, se encuentra un joven tritoncillo, con rabo, levantando un pez sobre su cabeza y un crustáceo caminando delante de un estanque. Una carretera serpentea por los campos al fondo. El tritoncillo es un niño sonriente. El pez y el crustáceo simbolizan el carácter acuático del Tritón. La novedad consiste en representar al Tritón como un niño. Las tonalidades son parecidas a las anteriores.

Carlos Franco realizó varios dibujos con este tema[15]. Algunos presentan particularidades notables que no pasaron a la pintura. En un dibujo, el fondo está cubierto de frutos, hay dos cabezas femeninas, quizás alusión a las Ménades que acompañaban al cortejo del dios. También varía la colocación de las piernas. Una vez, la pierna izquierda se dobla debajo de la pierna derecha. Otra vez, está oculta. Igualmente se dobla la pierna izquierda sobre la derecha, también cabalga con las piernas caídas a ambos lados de la fiera. Una vez, Dionisos va adornado con un collar o guirnalda, ausente en la pintura. A veces, una pulsera ciñe la muñeca derecha. El dibujo de Tritón es muy parecido a la pintura.

La composición de Dionisos cabalgando una pantera tiene precedentes en el arte clásico. Ya en una fecha tan temprana como los años 330-300 a.C., se encontró en un mosaico de Pella, la capital de Macedonia. Dionisos es un joven desnudo, con pámpanos y racimos de uvas coronándole la cabeza, que lleva un largo tirso. Se abraza a la pantera, que salta[16]. Un segundo ejemplo se encuentra en un mosaico de Delos, en la Casa de las Máscaras, con Dionisos hombre, vestido lujosamente, visto de frente, sosteniendo un tirso y la cabeza coronada.

---

[14] G. López Monteagudo, «Personificaciones alegóricas en mosaicos del Oriente y de Hispania: la representación de conceptos abstractos», *Antigüedad y Cristianismo,* XIV (1997), pág. 360, figs. 35-36. Sobre Diana de los efesios, véase, A. Eliot, «Amantes y portadores de la divina semilla», en A. Eliot, *Mitos, op. cit.,* 1976, pág. 201.

[15] E. Alaminos, «Catálogo», *op. cit.,* págs. 48-49.

[16] J. J. Pollitt, *El arte helenístico, op. cit.,* pág. 340, fig. 225.

Levanta un pandero[17]. Es una postura totalmente diferente de la que Carlos Franco asigna al dios y a la pantera, que aquí camina hacia la derecha, y en la pintura y el mosaico de Pella, a la izquierda, pero siempre la pantera vuelve la cabeza y mira al dios. Dionisos niño cabalgando leones o panteras es un mito representado frecuentemente en mosaicos del norte de África, en tres mosaicos de El Djem, la antigua Thysdrus, dos de ellos hallados en la Casa de la Procesión Dionisíaca, fechados entre los años 140 y 165. En los dos mosaicos cabalga desnudo, al igual que en el tercero, del campo de Abdeljelel, de la segunda mitad del siglo II[18]. Representaciones de tritones también son muy frecuentes en mosaicos romanos de época imperial[19].

Dionisos, en época clásica, era el dios del vino, de la viña y de la inmortalidad para sus devotos, por esta razón, las escenas dionisíacas decoran muy frecuentemente los sarcófagos romanos[20]. Era hijo de Zeus y de Sémele. Dionisos es el descubridor de la vid y de su utilidad. Enloqueció y anduvo por Egipto, Siria y la India. En Tebas introdujo las fiestas de Dionisos. Bajó a los infiernos en busca de su madre. Era festejado con grandes fiestas de carácter licencioso y orgiástico. A él estaban dedicados la tragedia, la comedia y el drama satírico.

Tritón era hijo de Poseidón y de Anfitrite. Era un dios marino. Participó en la expedición de los Argonautas a la Cólquida en busca del vellocino de oro. Generalmente, los tritones tienen cola de pez y son hombres maduros. Son muy frecuentes en mosaicos africanos. Se les representa sosteniendo la concha donde se sienta Afrodita, como en pavimentos de Tingad, la antigua Thamugadi, siglo II; de Bulla Regia, de mitad del siglo III; de Setif, la antigua Sitifis, del último cuarto del siglo IV o de comienzos del siguiente; de Cartago, de la misma fecha; de Djemila, la antigua Cuicul, también de la misma fecha[21].

---

[17] J. Charbonneaux, R. Martin y F. Villard, *Grecia helenística (330-50 a.C.), op. cit.*, pág. 185, fig. 192.

[18] K. M. D. Dunbabin, *The Mosaics of Roman North Africa: Studies in Iconography and Patronage, op. cit.*, pág. 176, láms. 175-176; lám. 175; 176, lám. 177.

[19] K. M. D. Dunbabin, *op. cit.*, págs. 155-156, láms. 147-151; M. L. Neira, «Mosaico de los tritones de Itálica en el contexto iconográfico del thiasos marino de España», en *VI Coloquio Internacional sobre Mosaico Antiguo: Palencia-Mérida, octubre 1990*, Valladolid, 1994, págs. 359-367.

[20] R. Turcan, *Les sarcophagues romains à representations dionysiaques: essai de chronologie et d'histoire religieuse*, París, 1966; F. Matz, *Die dionysischen Sarkophagen*, 4 vols., Berlín, 1968-1969, 1975.

[21] K. M. D. Dunbabin, *op. cit.*, págs. 155-156, láms. 147-151.

Ha sido un gran acierto de Carlos Franco la elección de los temas. Pintó temas sacados de la mitología clásica junto a otros típicos de Madrid, como Cibeles, Acuático, majo, panaderico, lagunilla, toreros, niño y el toro. La Abundancia, con el oso y el madroño, desea la riqueza a la capital de España.

Esta colección de dibujos es importante, pues permite conocer el proceso seguido hasta la pintura y las variantes y detalles que el artista ha introducido. Para Carlos Franco, el dibujo fue una práctica constante en su quehacer artístico. Domina a la perfección la técnica del dibujo. Recrea las figuras. Usa todo tipo de técnicas gráficas y soportes, dibujos a lápiz, a pincel, a tinta. Creó soportes diversos, sobre fotocopias. Mediante los dibujos se puede seguir la creación artística hasta el resultado final de la pintura.

Mitos clásicos expuestos en América

Entre los años 1989 y 1996, Carlos Franco realizó un óleo sobre lienzo titulado *Isquia persiguiendo a Diana*[22]. Es un excelente paisaje con las montañas de color ceniciento al fondo, un edificio con torre en la falda de las montañas; un campo de árboles con Diana, que es una figura estilizada, en el centro, y un perro, atributo de la diosa de la caza, en primer plano. Diana es de color azulado y contrasta con su perro, que es negro. Diana cazadora es la diosa romana identificada con Artemis. El artista la sitúa en un bosque, ya que en Nemi, cerca de Roma, se la denominaba «Diana de los bosques». En el mito griego era virgen y se entretenía cazando, de aquí el perro del óleo de Carlos Franco.

De 1997 datan dos mitos clásicos: uno, un acrílico y silicato sobre aluminio, es el conocido mito de Dionisos y Ariadna[23]. El mito fue muy representado en el mundo antiguo. La pintura de Carlos Franco es de gran originalidad. En primer lugar, por el colorido, toda ella de un azul que contrasta con el cuerpo desnudo de Ariadna, que es blanco. La amada de Dionisos está sentada entre los brazos del dios, que es un viejo barbudo que la abraza. La escena se sitúa en el campo, como generalmente en la mitología clásica. Ariadna era la hija de Minos y Pasifae. Ayudó a Teseo a recorrer el Laberinto, prisión del Minotauro.

---

[22] F. Castro Flórez, «El (raro) placer de no verlo todo [notas rápidas en torno a una conversación con Carlos Franco en el estudio de Barcelona en 2003]», art. cit., pág. 31; *Carlos Franco: óleos e debuxos, op. cit.*, pág. 30.

[23] César Santos, *Carlos Franco: óleos e debuxos*, pág. 56.

Huyó con Teseo, que la abandonó en Naxos, donde la encontró Dionisos, que se casó con ella.

El segundo es un acrílico, óleo y silicato sobre pladur preparado. El mito de Narciso[24], inclinado sobre la fuente para contemplar su rostro, tiene precedentes en el arte europeo, pero la novedad de la escena de Carlos Franco son las diferentes tonalidades usadas por el artista. El agua es de color azulado: el reflejo del rostro es oscuro, rodeado de amarillo. La parte inferior del cuadro representa las ondas de color rojo. Los brazos de Narciso son blancos. El rostro es de tonos oscuros, al igual que los hombros. El pelo es de color amarillento, y el cuerpo amarillo, azul y verde. El fondo es de color azulado, con puntos. El adivino Tirenas había profetizado a sus padres que Narciso viviría muchos años si no se contemplaba a sí mismo. Narciso despreciaba el amor. Las doncellas y ninfas despechadas lograron de Némesis que un día muy caluroso contemplara su rostro en una fuente. Narciso murió enseguida.

En 1992, Carlos Franco realizó un acrílico y óleo sobre cartón, *Dionisos despojándose de la tiara*, composición de gran novedad en relación tanto con el arte antiguo, como con la pintura europea. En primer plano, una pantera de piel moteada en amarillo oscuro marcha hacia la derecha. Detrás de la fiera se encuentra un joven Dionisos, desnudo, echado hacia atrás, con la pierna derecha doblada encima de la pantera, que se quita la tiara de racimos de uvas. Delante del grupo, aletea una paloma blanca. Las tonalidades en el fondo de la composición son oscuras[25].

En 1993-1994, Carlos Franco pintó a Mercurio y a Apolo[26] cambiándose los trastos, en técnica mixta, óleo y acrílico. Ambos dioses están desnudos. Apolo se coloca de frente y Mercurio de lado. El estudio anatómico del cuerpo de ambos dioses es de calidad. Apolo sostiene un instrumento oval, la lira, y Mercurio un caduceo. La escena se sitúa en el campo. El cielo es de color azulado, las nubes de color granate y el campo de un amarillo oscuro. Delante de los dioses hay una calzada con las losas bien señaladas. Mercurio es el dios protector de los viajeros y de los comerciantes. Apolo era el dios de la música, de la poesía y del vaticinio.

En 1994 se fecha un óleo, acrílico y fluorescente sobre lienzo, sobre el que se representa un mito bien conocido de los artistas clásicos

---

[24] *Carlos Franco: óleos e debuxos, op. cit.*

[25] «Catálogo», en J. M. Bonet *et al., Carlos Franco, op. cit.,* pág. 78; *Carlos Franco: óleos e debuxos, op. cit.,* pág. 33.

[26] «Catálogo», en J. M. Bonet *et al., Carlos Franco, op. cit.,* pág. 79; *Carlos Franco: óleos e debuxos, op. cit.*

y europeos: las Tres Gracias. Las diosas están de pie. Son jóvenes. La del centro se coloca de espaldas y apoya las manos en los hombros de las otras dos. La del lado izquierdo está colocada de perfil y la de la derecha de tres cuartos, sujetando el brazo derecho de la Gracia del centro. Las Tres Gracias son diosas de la belleza y de la vegetación. Influyen sobre los trabajos del espíritu y en las obras de arte.

La composición de Carlos Franco ofrece grandes novedades con respecto a las representaciones del arte clásico y europeo, por la presencia de dos damas desnudas, al fondo, entre la Gracia colocada en el centro. La del lado izquierdo está sentada, con las piernas dobladas y con los brazos dirigidos hacia delante y doblados; y la derecha, de pie. La Gracia de la izquierda levanta el brazo, que dobla sobre la cabeza. Detrás parece estar colocada otra figura, que levanta el brazo izquierdo hasta tocar el brazo de la Gracia, y el derecho, caído, sujeta una bandera. Esta figura es de color verdoso y la Gracia de color oscuro. Sobre el hombro izquierdo y al fondo, sujetando el pecho de la Gracia del centro, se halla una cabeza masculina de perfil. El fondo de la composición está pintado a grandes bandas, alternando colores azules, amarillos y granates. La composición se sitúa en el campo[27]. Las Tres Gracias de Carlos Franco recuerdan una de las obras maestras del arte clásico: las Tres Gracias de Pompeya. Este parentesco no quiere decir que el artista español se inspirara en ellas[28].

De este mismo año data un mito representado en acrílico sobre lienzo, de una gran fantasía y originalidad, titulado *El mandado de Venus*. Venus está recostada. Lleva un ancho rodete sobre el oído y casco con perlas anchas sobre la cabeza. Está desnuda, cubierto el pecho con gasas de diferentes colores. Delante se encuentra una figura sentada, desnuda, con la cabeza ceñida con una cinta. Lleva un arco. A la derecha está el carcaj. Esta figura es alada, con alas de color rojo vivo. Detrás se encuentra una figura de color verdoso, con una flecha en su mano derecha. La escena se localiza en las nubes. En el lado inferior, un ave sale del huevo con las alas y revolotea entre plantas de grandes hojas. Hay una gran riqueza y variedad de colores[29]. Venus es una diosa antigua, protectora de los huertos. Se asimiló a Afrodita y se convirtió en diosa del amor.

---

27 «Catálogo», en J. M. Bonet *et al., Carlos Franco, op. cit.*, pág. 80; *Carlos Franco: óleos e debuxos, op. cit.*, pág. 57.

28 J. Charbonneaux, R. Martin y F. Villard, *Grecia helenística (330-50 a.C.), op. cit.*, frontispicio del volumen.

29 «Catálogo», en J. M. Bonet *et al., Carlos Franco, op. cit.*, pág. 81; *Carlos Franco: óleos e debuxos, op. cit.*, pág. 42.

En 1995, Carlos Franco realizó un acrílico y fluorescente sobre papel pegado a tabla que representa a *Mercurio sobrevolando el Leteo.* El cuerpo de Mercurio es de color negro. El Leteo está representado con líneas arqueadas que forman figuras de colores oscuros, amarillos y azulados. El artista ha logrado representar magníficamente el Leteo, el río del infierno, cuyas aguas bebían los muertos y les producían el olvido de todos los sucesos de la vida pasada[30].

Uno de los grupos escultóricos del arte helenístico es el Marsias suspendido de un árbol, y un escita en cuclillas delante de él, preparado para desollarlo, afilando el cuchillo contra el suelo. Marsias se había atrevido a competir en tocar la flauta con Apolo. Diferentes episodios del mito se representan frecuentemente en la pintura de los vasos griegos y en un relieve de la base de Praxíteles (392-330 a.C.) en Mantinea[31]. El grupo escultórico de mejor calidad artística es el conservado en el Museo del Louvre. Marsias ha perdido en él su carácter animalesco.

Carlos Franco, entre los años 1995 y 1996, representó este mito con ciertas novedades. Marsias está colgado de un árbol, boca abajo, desnudo, con los brazos caídos. Marsias es un viejo barbudo, con una melena que le rodea toda la cabeza. La barba es de color negro, y recortada cuadrada. El color de la barba hace juego con el de los ojos negros. Carlos Franco ha realizado un buen estudio anatómico del cuerpo de Marsias ya desollado. Los músculos de los brazos y de las costillas están perfectamente señalados. Marsias ya está desollado. Una gran novedad del artista es colocar el suplicio con un paisaje de árboles al fondo, donde, a la derecha, se encuentra una dama sentada, desnuda, salvo las piernas, junto a un extraño personaje. En el lado opuesto, camina desnudo, con los brazos levantados, un muchacho. Carlos Franco ha combinado bien los colores. El color sangriento del cuerpo desollado está en consonancia con el color de la parte inferior del cuerpo y con el vestido de la dama. El paisaje arbóreo es amarillento, salvo unos árboles en la parte superior izquierda, que hacen juego con el color sanguinolento del cuerpo de Marsias. El cuadro es una pintura Keim y silicato de potasa sobre madera preparada[32].

---

30 «Catálogo», en J. M. Bonet *et al., Carlos Franco, op. cit.,* pág. 86; *Carlos Franco: óleos e debuxos, op. cit.,* pág. 62.

31 J. Charbonneaux, R. Martin y F. Villard, *Grecia helenística (330-50 a.C.), op. cit.,* págs. 262-264, figs. 283-284; M. Bieber, *The Sculpture of The Hellenistic Age, op. cit.,* págs. 110-111, figs. 228-440. De la segunda mitad del siglo III a.C., del primer arte de Pérgamo.

32 «Catálogo», en J. M. Bonet *et al., Carlos Franco, op. cit.,* pág. 88; *Carlos Franco: óleos e debuxos, op. cit.,* s/p.

Entre los años 1997 y 2000, Carlos Franco realizó un cuadro de técnica mixta sobre lienzo de gran originalidad, titulado *Dionisos y Cupido arracimando Caos*, de una gran fantasía. Los tres personajes pertenecen a la mitología griega, que no los unió. Carlos Franco los representa banqueteando, con un paisaje al fondo de árboles y una alquería. Hay una explosión de colores. Los árboles son verdosos; la tierra blanca: el tejado de la alquería, rojo. En primer plano, Carlos Franco situó seis personajes sentados a la mesa, llena de frutos. Cada personaje contrasta con su vecino. Dionisos, de frente, caracterizado por un racimo de uvas en su mano derecha, es de color negro, al igual que el personaje colocado a su izquierda, que debe ser Caos, al que sigue uno de rostro blanco, igual que el situado enfrente. En la esquina hay dos personajes: uno, en el lado izquierdo, es joven y debe ser Cupido. En el lado derecho se encuentra una dama, que destaca por su tamaño[33]. Cupido es el dios del amor, equivalente a Eros. Caos es la personificación del vacío primordial anterior a la creación.

En el año 2000 el artista se fijó en el mito de Diana y Acteón realizado en técnica mixta sobre lienzo. El artista ha pintado un paisaje de fuerte colorido[34]. Igualmente de técnica mixta sobre madera es un *Mercurio protector*, fechado entre 2000 y 2001. En la escena participan tres personajes. A la izquierda se halla una dama desnuda, de perfil, de color carnoso. En el ángulo de la derecha se encuentra una niña, en cuclillas, de color verde, con una flor en la mano. En el centro está Mercurio, enfrente de la dama, con la cabeza tapada con un sombrero de ala ancha. En el centro está colocada una mesa con una fuente de uvas. La escena se sitúa en el campo, representado por un árbol. El fondo es, como siempre, de vivos colores[35]. La escena no responde a ningún mito concreto. Diana es la diosa de la caza y Acteón fue educado por el centauro Quirón, que le enseñó el arte de la caza. Cuando se bañaba, Acteón la contempló desnuda. La diosa azuzó a cincuenta perros contra Acteón, al que devoraron.

De la misma fecha es la *Ofrenda a Venus*, óleo sobre cartón. El mito es antiguo en el arte europeo. La escena se sitúa en el campo. Alrededor de la figura central se encuentra un grupo abigarrado de niños desnudos en diferentes actitudes, jugando. Los árboles son de varios tipos y colores. El campo es verde, pero las montañas del horizonte son de color azulado. Este cuadro, con respecto a los lejanos prototipos, es

---

[33] «Catálogo», en J. M. Bonet *et al.*, *Carlos Franco, op. cit.*, pág. 107.

[34] «Catálogo», en J. M. Bonet *et al.*, *Carlos Franco, op. cit.*, pág. 121.

[35] «Catálogo», en J. M. Bonet *et al.*, *Carlos Franco, op. cit.*, pág. 126.

de gran originalidad, tanto en la composición como en el juego de colores y en la representación del paisaje[36].

Cabe recordar un último mito: *Orfeo y Eurídice*, 2003-2004, ejecutado en técnica mixta sobre lienzo, que es un paisaje de gran originalidad por la composición y por el colorido. El artista no ha representado a los personajes. Ha dado el nombre de un mito a su cuadro[37]. Orfeo es de origen tracio. Es, en la mitología griega, rey de la región del Olimpo. Se le representaba cantando, rodeado de animales. Participó en la expedición de los Argonautas. Descendió a los infiernos a buscar a su esposa, la ninfa Eurídice. Los dioses infernales Hades y Perséfone accedieron a que volviese a la superficie, con la condición de que Orfeo no la mirara en el viaje de retorno, lo que no hizo, y Eurídice desapareció.

Mitos clásicos expuestos en la exposición de Casa da Parra

Además de los mitos clásicos, que llevó a Carlos Franco a las exposiciones de América ya señaladas, en la exposición de Santiago de Compostela, celebrada en 1998, presentó el mito clásico de Leda y el cisne, 1990, en técnica mixta sobre papel. El mito está bien representado en el arte clásico y europeo de todas las épocas. Leda era hija del rey de Etolia, Testio, y de Eurítemis. De sus amores con Zeus, que se metarmofoseó en cisne para unirse a ella, puso dos huevos, de los que nacieron las dos parejas: Pólux y Clitemnestra y Helena y Cástor. Carlos Franco ha representado a Leda como una espléndida mujer, desnuda, con la cabeza ladeada hacia la derecha, de piel color carne. Delante se encuentra el cisne con las alas extendidas y el pico abierto. El cisne es de plumaje blanco, y las plumas de las alas hacen juego con el color de la piel de Leda. Debajo del cisne están dos huevos. Un perro tumbado contempla la unión amorosa en la esquina inferior derecha. Las posturas de los dos protagonistas, los dos huevos y el perro, son detalles de gran novedad que ha introducido el artista y que no se encuentran en otros pintores a lo largo de los siglos. La unión se sitúa en el campo, a cielo abierto[38].

El segundo mito clásico, obra fechada dos años después, en 1992, es el de Baco y Ariadna, mito al que volverá, según se ha visto, en 1997.

---

36 «Catálogo», en J. M. Bonet *et al.*, *Carlos Franco, op. cit.*, pág. 131.

37 «Catálogo», en J. M. Bonet *et al.*, *Carlos Franco, op. cit.*, págs. 156-157.

38 *Carlos Franco: óleos e debuxos, op. cit.*, pág. 29.

Las posturas de los dos protagonistas son de gran originalidad. Tampoco ningún artista, ni clásico ni moderno, ha representado a los dos protagonistas en semejante actitud. En el lado izquierdo se encuentra Dionisos. Está simbolizado por una gran cabeza de varón con barba y bigote, que sostiene con las dos manos el cuerpo de Ariadna, echada, con el cuerpo al descubierto, tapadas sólo las rodillas con un paño azul. Ariadna, que es una espléndida mujer joven, inclina la cabeza. El pelo alborotado es de color rubio. Sobre la cabeza se posa una mano. Carlos Franco ha rodeado a Ariadna de cabezas, sin duda alusivas a las Ménades que acompañaban a Dionisos. Una, de dama, de pelo también rubio, se sienta sobre el pecho de Ariadna. Sobre el hombro izquierdo se asoma un rostro femenino, y debajo del cuerpo, en el ángulo inferior derecho, se encuentran otras dos cabezas, una de niño colocada de frente y otra de mujer, de perfil. Los colores que ha empleado el artista son, fundamentalmente, el azul y el rubio[39].

Un tercer mito de esta exposición compostelana es el de *Mercurio en el lago,* 1995, en acrílico y tinta china. En esta composición predominan las tonalidades oscuras. Es una composición de gran fantasía. El lago ocupa todo el centro de la composición. En la orilla crece una alameda. Un personaje muy estilizado, situado en el centro, podría ser el dios[40].

Mitos clásicos en la obra gráfica

En la abadía de Santo Domingo de Silos, Carlos Franco hizo una exposición de su obra gráfica, del 17 de mayo al 29 de julio de 2007, en la que los mitos clásicos son numerosos y de novedad dentro del resto de la producción del artista[41]. Recoge la exposición la producción gráfica de Carlos Franco desde 1979. En este año realizó una serigrafía con Apolo, Hermes y Dionisos. Los dioses están desnudos, colocados de perfil. El paisaje es verde y el cielo azul. Es curioso que Apolo sostenga dos pinceles en su mano derecha y que a sus pies esté la paleta con los colores[42]. De 1986 data *Cupido y Psique,* aguafuerte. Cupido, sentado, mira a Psique ensimismado y sostiene un corazón sangrando,

[39] *Carlos Franco: óleos e debuxos, op. cit.*, pág. 35.

[40] *Carlos Franco: óleos e debuxos, op. cit.*, pág. 69.

[41] *Carlos Franco en Silos: la obra gráfica,* exposición celebrada en la abadía de Santo Domingo de Silos del 17 de mayo al 29 de julio de 2007.

[42] *Carlos Franco en Silos, op.cit.*, pág. 52.

atravesado por una flecha. Psique va vestida con túnica negra. Detrás de ella se levanta un edificio de dos torres. El paisaje está representado por palmeras y por montañas de color ceniciento[43].

Dos años después grabó dos mitos clásicos: *Alecto y las Harpías* y *Compañero de Ulises.* El primero es un dibujo de una desbordante fantasía, realizado en blanco y negro, con Harpías volando o posadas sobre rocas, de cara terrorífica. Virgilio las situó a la entrada de la caverna, donde las coloca el artista. Abajo, en el infierno, varias personas están desnudas. El segundo dibujo es un templo dórico de seis columnas en la fachada, con una cabeza de Medusa en el frontón, que se apoya en dos columnas, entre las que se encuentran varios personajes[44]. Este templo dórico recuerda a los templos dóricos del siglo VI a.C. de Paestum, en Italia, y de Cirene.

En 1993 dibujó un joven Baco cabalgando la pantera, de piel moteada. Está Baco sentado, colocado de frente, con la pierna derecha doblada y la izquierda estirada. Lleva echado al hombro izquierdo el tirso. El fondo es un paisaje de árboles[45]. En 1993 Carlos Franco dibujó un mito que cuenta con una larga tradición en el arte clásico, cual es Venus mirándose en el espejo[46]. Fue mito muy del gusto de los musivarios africanos. Se le representa en los citados mosaicos de Setif, de Cartago y de Djemila, todos con el Triunfo de Venus. En todos ellos, Venus está sentada dentro de la concha. En los dos últimos va envuelta parcialmente en un manto que cuelga de los hombros y le cubre una pierna. En un mosaico de El Djem, la antigua Thysdrus, Venus Anadiomene sale, espléndida, del mar, flanqueada por erotes, uno de los cuales presenta el espejo. Este pavimento se fecha entre los años 280 y 300[47].

Carlos Franco representa a Venus, también sentada, desnuda, pero de perfil, con el espejo agarrado en su mano. En los mosaicos africanos se lo ofrecen erotes, salvo en el pavimento de Cartago, que lo levanta la diosa. Carlos Franco ha pintado a Venus mirándose en el espejo, en una pintura original, desnuda, sentada, doblada hacia delante y mirándose en el espejo. La escena no se representa en el mar, como en los mosaicos africanos, ni tumbada sobre el lecho, como la Venus del es-

---

[43] *Carlos Franco en Silos, op.cit.,* pág. 53.

[44] *Carlos Franco en Silos, op.cit.,* pág. 55.

[45] *Carlos Franco en Silos, op.cit.,* pág. 57.

[46] *Carlos Franco en Silos, op.cit.,* pág. 59.

[47] K. M. D. Dunbabin, *The Mosaics of Roman North Africa, op. cit.,* págs. 157-170, lám. 53; J. M. Blázquez, «La Venus del espejo: un tema clásico del arte europeo procedente del arte antiguo», art. cit., págs. 553-559.

pejo de Velázquez[48], sino en el campo. A la espalda de la diosa crecen cipreses. El tema de la Venus mirándose al espejo es muy frecuente en el arte europeo. Baste recordar la *Venus del espejo* de Pedro Pablo Rubens de 1614[49]; la copia de *Venus ante el espejo* de Tiziano, de 1614[50]; *La toilette* de Venus, de 1580, de Pablo Veronés[51]; la misma composición de Annibale Carraci, datada en 1590-1595[52]; las simples damas, como los cuadros de Guillaume Courtois y de M. De Fiori, de 1655[53]; de Bernardo Strozzi[54]; y de Goya, de 1797[55]. El grabado de Carlos Franco es de grandísima originalidad. Pinta el mito griego, pero el ambiente y los personajes son totalmente diferentes. Los mitos clásicos de Carlos Franco se sitúan en la naturaleza siempre.

De 2006 data el grabado *Mercurio y Venus*. Venus es una dama desnuda, con el manto enrollado en las piernas, pensativa. Mercurio cabalga un cisne negro, totalmente desnudo. El mito se sitúa en un verde bosque.

El artista expuso otros grabados de mitos y temas clásicos en la abadía de Santo Domingo de Silos, como *Danae*, 1986, litografía sobre plancha de aluminio y aguafuerte. En 1988 ilustró con veinticuatro aguafuertes la edición de la *Eneida* de Virgilio del doctor Gregorio Hernández de Velasco, publicada en 1555; *El mandado de Venus; Pirro priamicida; Huida de Troya; Dido y Eneas; El rey Aceste; Iris la mensajera de Alecto; Jano y Juno;* la *Gorgona; Ofrenda a Venus púdica; Niso y Euriato; Marte en la batalla; Queja de Venus; Troyanas huyendo de las Harpías; Eolo y los vientos*, 1988, aguafuerte; *Paris*, 1988, aguafuerte; *Hércules y Caco*, aguafuerte; *Jano*, aguafuerte y aguatinta; *Mercurio sobrevolando la batalla*, aguafuerte; *Neptuno y la tempestad*, datado en 1988; *Leda y el cisne*, 1992, aguafuerte y aguatinta; *Ariadna leyendo; Las Gracias*, 1996; aguafuerte. A las Tres Gracias se las representa frecuentemente, además de en el arte europeo, también en medallas, fechadas en épocas muy tempranas[56], como el medallón anónimo realizado para Pico della Mirandola, 1494, con Giovanna Tornabuoni, y el de Niccolò Fiorentino. Algún otro mito clásico cabe recordar en la obra de Carlos Franco.

---

[48] J. Brown, *La Edad de Oro de la pintura en España, op. cit.*, pág. 215, fig. 200.
[49] A. Prater, *Im Spiegel der Venus, op. cit.*, pág. 16.
[50] A. Prater, *Im Spiegel der Venus, op. cit.*, págs. 20-27.
[51] A. Prater, *Im Spiegel der Venus, op. cit.*, pág. 26.
[52] A. Prater, *Im Spiegel der Venus, op. cit.*, pág. 33.
[53] A. Prater, *Im Spiegel der Venus, op. cit.*, pág. 59.
[54] A. Prater, *Im Spiegel der Venus, op. cit.*, pág. 60.
[55] A. Prater, *Im Spiegel der Venus, op. cit.*, pág. 28.
[56] A. Prater, *Im Spiegel der Venus, op. cit.*, pág. 63.

En 2005 terminó Carlos Franco un lienzo de técnica mixta de gran originalidad, que lleva por título *Sirena hermafrodita*[57]. Ya el tema es único en el arte. La sirena está de rodillas, sobre una foca. Un varón, también de rodillas, la sujeta e inclina su cabeza sobre el cuello de la sirena. Contrasta el color marrón de la piel de la foca con el blanco de la sirena y el verde del varón. Los colores del paisaje son muy vivos. El cielo es de un azul intenso; siguen las montañas, de blanco, y de rojo intenso el campo. El paisaje detrás del grupo es blanco, con manchas de azul en la parte inferior. El tema del hermafrodita gozó de gran aceptación en el arte griego de época helenística. Se esculpió sólo el cuerpo tumbado, sin colocarlo en un paisaje, o la lucha de Sátiro y hermafrodita. El tipo se creó entre Pérgamo y Rodas, y se remonta al siglo III a.C.[58].

Carlos Franco se había fijado, años antes, en los hermafroditas como tema de sus obras artísticas. En 2001 realizó un acrílico y óleo sobre lienzo, titulado *Hermafrodita*[59], que es un joven semivestido, con senos de mujer, colocado de frente, con los brazos levantados. La mano izquierda sostiene un cerdo y la derecha un objeto, no de fácil identificación. El paisaje es montañoso, con una arboleda de árboles de dos tipos, delante de las montañas. Los colores empleados por el artista son fuertes y muy variados.

En la obra artística de Carlos Franco, los mitos clásicos están muy presentes durante toda su producción. Conoce bien la mitología clásica y los atributos de los dioses. Las composiciones son de gran novedad en la colocación de las figuras de los dioses. No se inspira directamente en el arte clásico ni europeo. Sus cuadros son de un fuerte y variado colorido.

La opinión de Gaya Nuño no se ha cumplido. Los mitos clásicos siguen siendo fuente de inspiración para todos los artistas. Los nombres se podrían multiplicar. En los últimos meses, el escultor polaco Igor Mitoraj ha expuesto en plazas y calles de Sevilla, Barcelona y Madrid unos veintiséis monumentales bronces de tema clásico.

---

57 P. Jiménez, *Carlos Franco: dos riberas, misma agua*, Madrid, 2006-2007.

58 M. Bieber, *op. cit.*, págs. 112, 124-125, 146-147, figs. 492, 623, 625-626.

59 «Catálogo», en J. M. Bonet *et al.*, *Carlos Franco, op. cit.*, pág. 127. Sobre la importancia de los mitos, véanse: S. Golowin, M. Eliade y J. Campbell, *Die grossen Mythen der Menschheit*, Múnich, 2002; A. Eliot, *Mitos, op. cit.*; G. Cheers, *Mitología: todos los mitos y leyendas del mundo*, Barcelona, 2005. Sobre los mitos en la Italia moderna: *Il mito e il classico nell'arte contemporanea italiana, 1960-1990, op. cit.*; U. Wieczorek, *«Götter wandelten einst»: antiker Mythos im Spiegel alter Meister aus den Sammlungen des Fürsten von Liechtenstein, op. cit.*

Capítulo XIX

El mundo clásico en Dalí

Los dos grandes colosos de la pintura moderna española, Picasso y Dalí, siempre encontraron, como otros muchos artistas, una continua fuente de inspiración en la mitología clásica. Los ciclos mitológicos de Grecia y Roma plantean problemas eternos y los artistas de nuestro siglo los han utilizado para reflejar, directa o metafóricamente, problemas actuales y estados de ánimo o coyunturas espirituales vitales de los artistas. En trabajos anteriores hemos estudiado la influencia de la mitología clásica en artistas contemporáneos españoles y extranjeros; ahora nos detendremos en la obra de Salvador Dalí, quien no sólo se inspira en relatos de la mitología clásica, sino que algunas de sus obras tienen clara inspiración en obras de arte antiguas. En la medida de lo posible seguiremos en nuestra exposición un orden mixto, cronológico y temático, con el fin de observar la evolución y las preferencias «clásicas» del artista en cada momento.

Imágenes de Venus y cupidos

Ya en una época temprana de su carrera, en 1925, encontramos una obra de evocación clásica titulada *Venus y cupidos,* en la que Dalí demuestra una maestría sorprendente en el uso del color, evidente en la gama de los azules del mar que contrastan con los ocres de los peñascos. En estos años el artista se muestra entusiasmado con una serie de pinturas cuyo motivo principal es la imagen femenina desnuda ante las rocas de Cadaqués, y el acervo mítico griego le ofrece la posibilidad de tratar libremente un tema clásico.

Venus y marinero

En la obra de Dalí, como en la de Picasso, son frecuentes las escenas amorosas. También de 1925 es el tema *Venus y marinero,* que muestra a los dos amantes en un paso de danza, y en un segundo cuadro con el mismo título vemos al marinero sujetando por detrás a la diosa del amor, composición ésta que repitió con alguna variante ese mismo año con el marinero echado sobre el cuerpo de Venus, que es en este caso una joven robusta.

Nacimiento de Venus

Los artistas romanos representaron muchas veces el nacimiento de Venus. Así, en una pintura pompeyana en la que Venus aparece recostada sobre la concha; y también en mosaicos romanos hispanos de Itálica, Murcia y Marbella. En 1960 Dalí pintó un *Nacimiento de una divinidad,* que corresponde indudablemente a Venus. La escena es de gran originalidad: en un paisaje marino de tonos suaves, con colinas al fondo, y sobre una roca que emerge del mar se yergue la silueta de un busto femenino, joven de labios carnosos y gesto pensativo. En 1977 retorna el mismo mito, pero con una composición y ejecución muy diferentes. Ahora el artista levanta la piel del mar Mediterráneo para mostrar a Gala el *Nacimiento de Venus.*

Mito de Andrómeda

En un dibujo de 1930 Dalí trató el tema del mito de Andrómeda, hija de Cefeo, rey de Etiopía, y de Casiopea, que pretendía ser más hermosa que todas las Nereidas juntas. La composición está magníficamente representada en un mosaico de Palmira, fechado a finales del siglo III o comienzos del siguiente. Las Nereidas acudieron al dios del mar, Poseidón, para que las vengara. El dios envió entonces un monstruo para que asolara las tierras de Cefeo. Para liberarse de esta plaga, el oráculo de Amón predijo que Etiopía se vería libre si la hija de Casiopea era entregada como víctima propiciatoria. Este preciso momento del episodio es el elegido por Dalí para realizar su dibujo. Casiopea está colocada sobre el borde de una pared.

Esfinge

En 1931 Dalí trató por primera vez un tema que luego reaparecería varias veces en su producción pictórica: el de la Esfinge, monstruo femenino al que se atribuía en la Antigüedad rostro de mujer, cuerpo y garras de león y alas de ave rapaz. La Esfinge aparece en los ciclos mitológicos tebanos, concretamente con la figura de Edipo, así como en la *Teogonía* de Hesíodo, hacia el año 700 a.C. Hera, esposa de Zeus, envió a este monstruo femenino a la ciudad de Tebas para castigarla por el crimen de Layo, que amó al hijo de Pélope. El monstruo se aposentó en una montaña próxima a Tebas, y desde allí asolaba el país y devoraba a los hombres que se acercaban. Planteaba enigmas y mataba a los que no eran capaces de resolverlos satisfactoriamente. Sólo Edipo logró descifrarlos, hecho que provocó el despeñamiento y la muerte del monstruo. Dalí toma algunos elementos de este mito: la cabeza femenina, las rocas, la actitud pensativa con la frente apoyada sobre la mano derecha y la sombra del busto.

En cambio, prescinde de los detalles repulsivos, como son el cuerpo, las garras y la cola de león. Las tonalidades del cuadro son algo sombrías, entorno que conviene a un monstruo devorador de hombres. El título que Dalí puso a esta obra, *Remordimiento o esfinges,* esclarece perfectamente el significado que el artista confiere al mito griego.

Como hemos indicado, Dalí volvería varias veces sobre el tema de la Esfinge. En 1933 realiza una composición muy parecida a la anterior, obra titulada la *Esfinge del azúcar,* en la que el cuerpo femenino viste traje tableado multicolor y falda roja. Es una escena al aire libre; en un segundo plano pueden verse una carretilla y unos cipreses.

En una tercera pintura representa al monstruo con todos sus atributos horripilantes. Es una obra de 1939, titulada *Shirley Temple, el más joven monstruo sagrado del cine de su tiempo.* La Esfinge está tumbada en una playa; tiene rostro de muchacha triste, con un murciélago con las alas desplegadas posado sobre la cabeza. El cuerpo y las garras son de león de piel roja, indudable alusión al carácter sanguinario del monstruo, que está rodeado de huesos humanos, clara referencia a sus víctimas. Una calavera se encuentra entre sus garras delanteras, y otra está abandonada a sus espaldas. El monstruo yace tumbado en una playa de tono azul pálido, a la expectativa de una posible nueva presa. Junto a la orilla se ve el armazón de una embarcación, y en el horizonte, unos peñascos. El cielo está teñido de nubarrones de color rojo. En este cuadro, Dalí captó magníficamente el papel alegórico de la Esfinge en los prolegómenos de la Segunda Guerra Mundial, y simboliza la voracidad de la guerra. El pintor Guillermo Pérez Villalta colocó una Esfinge de tipología y carácter muy diferentes en un cuadro suyo titulado *Creación,* de 1995. Aquí, la Esfinge alada está sentada en el suelo, y recuerda la postura de la Esfinge griega de Naxos, hallada en Delfos, obra fechada hacia el 575 a.C. Todavía en 1947 el mito de la Esfinge sería tratado de nuevo por Dalí en *Las tres esfinges de Bikini:* tres cabezas vistas de espaldas situadas en un paisaje desértico, de suaves colinas azuladas. La segunda es de gran originalidad, formada por dos árboles de tronco nudoso. La cabeza sin rostro simboliza los enigmas que planteaba la Esfinge a los mortales. La representación de seres monstruosos era uno de los preferidos por el Dalí de esta época, como lo prueban *La invención de los monstruos* y *Formación de los monstruos,* cuadros de 1937que presagian la catástrofe que se avecinaba.

La conquista de lo irracional. La Venus de Milo

A la etapa que va desde el año 1936 a 1939 pertenecen tres obras geniales del pintor español: la *Venus de Milo,* el *Minotauro* y la *Metamorfosis de Narciso.* En 1936 Dalí se muestra obsesionado por la vigente teoría psicoanalítica del subconsciente freudiano. Es la época de la vida del artista en la que los personajes, según sus propias palabras, «eran una especie de alegorías destinadas a ilustrar una cierta benevolencia, a aspirar los innumerables perfumes narcisistas que emanan de cada uno de nuestros cajones». Estas ideas explican las figuras dalinianas formadas por cajones. Luego añade: «La única diferencia entre la Grecia inmortal y la época contemporánea es Sigmund Freud, quien descubrió que el cuerpo humano, puramente platónico en la época de los griegos, está lleno de cajones secretos que sólo el psicoanálisis está en condición de abrir.» Gilles Néret, uno de los principales estudiosos del artista catalán, considera que los personajes-mueble del italiano Gian Battista Bracelli, que trabajó en el siglo XVIII, influyeron en la obra de Dalí. Para Bracelli, los cajones eran únicamente juego espacial y ordenamiento geométrico, que en Dalí se transforma en una representación obsesiva de gran fuerza, con la pretensión de explicar y conocer quiénes somos. Los personajes-cajones son bien conocidos en la obra de Dalí. Una de estas pinturas es la *Venus de Milo con cajones,* donde la célebre escultura griega muestra en su cuerpo cajones superpuestos sobre el pecho y en los senos. La escultura clásica de la *Venus de Milo* es un buen exponente en el mundo antiguo de la difusión fuera de Grecia de los modelos clásicos. Se atribuye a un escultor de Antioquía de nombre Agesandro o Alejandro, que se inspiró en la *Afrodita de Capua* de Lisipo, que acentúa, como indica A. Blanco, el naturalismo de su torso y adapta su composición al gusto por la forma abierta que revelan las estatuas de la última mitad del siglo II d.C. Esta escultura era especialmente admirada por Dalí, pues la incluiría como tema principal de varias obras: en 1968, en la pintura titulada *El torero alucinógeno,* una de sus obras maestras; en 1970-1972, una Venus de Milo forma parte de los decorados del ballet *Laberinto;* y hacia 1982-1983 el genial Dalí talló una *Venus de Milo* en cristal, puro producto de su fantasía artística.

MINOTAURO

La segunda obra de esta época y de tendencia psicoanalítica es su figura del *Minotauro,* del que se conserva un boceto que muestra pocas diferencias con la imagen que aparece en la portada de la revista *Minotaure,* número 8: del pecho del monstruo salen cajones abiertos, y dentro del cuerpo hay colocados otros cajones, y añade otros elementos simbólicos, por ejemplo, un gran cangrejo colgado del vientre, una botella y un vaso con cuchara y una llave dentro de las piernas. Es una manera personal de expresión surrealista que tanto impacto tuvo en los círculos artísticos parisinos. El Minotauro es también tema preferido por Picasso. Este monstruo mítico tenía cabeza de toro y cuerpo de hombre. Era hijo de Pasifae, esposa de Minos, y de un toro regalado a éste por Poseidón. Minos, aterrado por el nacimiento de este monstruo, ordenó a Dédalo que construyera un Laberinto lleno de salas y de corredores complicadísimos del que nadie pudiera salir, excepto el propio Dédalo. En aquel lugar encerró al monstruo, y cada año le entregaba como alimento varias muchachas que la ciudad de Atenas pagaba como tributo. Los musivarios romanos tenían en sus repertorios escenas alusivas al Minotauro, generalmente en lucha con Teseo, que logró liberar a Ariadna (una de las doncellas entregadas al Minotauro), composición que cautivó a Dalí. El tema del Minotauro en los mosaicos ha sido bien estudiado por W. A. Daszewski, que ha realizado también un catálogo de los mismos. En la Península Ibérica han aparecido en Conimbriga, y en la Villa de Torre de Palma, ambos lugares en Portugal; en Itálica (Sevilla), de época constantiniana, en Córdoba y en Pamplona, estos dos últimos del siglo II. La escena mejor es la que decora una villa chipriota, del siglo III, con una representación de Teseo y el Minotauro. Generalmente, del Minotauro dentro del Laberinto sólo se representaba un busto o bien en combate con Teseo. Dalí, en su Minotauro, ha logrado una composición vigorosa y original: el monstruo aparece solo, de cuerpo entero, y con una horripilante cabeza de toro, que de no ser por los cuernos parecería más bien de lobo. La fila de dientes y la lengua caída entre las mandíbulas aluden probablemente a que se trata de un monstruo devorador de muchachas. En 1942 Dalí volvió a retomar el mito del Minotauro con motivo de realizar los decorados del ballet *Laberinto* en un montaje artístico de una compañía de baile rusa de Monte Carlo en la Metropolitan Opera House de Nueva York. El pintor expresó magníficamente la lucha entre Teseo y el Minotauro, en actitudes violentas, con una tensión dramática extraordinaria. Escribe a propósito Peyton Boswell: «Dalí ha conseguido, mejor que ningún otro artista, crear una expresión adecuada de nuestra época». Como escribió el propio Dalí en su *Vida secreta:*

> Quiero ser escuchado en el mundo entero, soy la encarnación más representativa de la Europa de posguerra, tras haber vivido todas sus aventuras, experiencias y dramas. Como guerrillero de la revolución surrealista, he conocido, día a día, los mínimos incidentes y repercusiones intelectuales de la evolución del materialismo dialéctico y las doctrinas pseudo filosóficas que fundaban sus mitos de la sangre y de la raza en el nombre del nacionalsocialismo. Incluso la teología no tiene secretos para mí. Mi espíritu está deseoso de ser el primero de todos, aunque para sus extraordinarios descubrimientos debe pagar el precio de mi sudor más intenso y mi pasión más exaltada.

Dalí no sólo diseñó el vestuario y los decorados, sino que él mismo escribió el libreto inspirándose en la saga de Teseo y Ariadna.

Metamorfosis de Narciso

De especial interés es el cuadro *Metamorfosis de Narciso,* de 1937, que es la primera obra daliniana que seguía el método «crítico-paranoico» explicado por André Bretón y por el propio Dalí. El primero escribió:

> Dalí ha dotado al surrealismo, bajo figura del método paranoico-crítico, de un instrumento de primer rango que él está en condiciones de aplicar indiferentemente a la pintura, a la poesía, al cine, a la construcción de típicos objetos surrealistas, a la moda, a la escultura, al arte, y aún, si viene al caso, a toda especie de exégesis.

Dalí, por su parte, afirma:

> Si se mira durante algún tiempo con cierto alejamiento y una cierta fijeza distraída la figura hipnóticamente inmóvil de Narciso, ésta desaparece progresivamente hasta volverse absolutamente invisible. La metamorfosis del mito tiene lugar en ese preciso momento, pues la imagen de Narciso se transforma súbitamente en la imagen de una mano que surge de su propio reflejo. Esa mano sostiene con la punta de los dedos un huevo, una semilla, la cebolla donde nacerá el nuevo Narciso: la flor. Al lado, podemos observar la escultura calcárea de la mano, una mano fósil en el agua que sostiene la flor abierta. Por primera vez, un cuadro y un poema surrealista comportan objetivamente la interpretación coherente de un tema irracional. El método paranoico-crítico comienza a constituir el conglomerado indestructible de los «detalles exactos» que reclamaba Stendhal para la descripción de la arquitectura de San Pedro en Roma, y ello en el campo de la poesía surrealista más paralizadora. El lirismo de las imágenes poéticas sólo adquiere una importancia filosófica cuando alcanza en su acción la misma exactitud que las matemáticas en la suya. Antes que nada, el poeta debe probar lo que afirma. El Primer Pescador de Port Lligat: «¿Qué es lo que tiene ese muchacho, que se mira todo el día en su espejo?» Segundo Pescador: «Si quieres que te lo diga (bajando la voz), pues bien, tiene una cebolla en la cabeza.» En catalán, «cebolla en la cabeza» corresponde exactamente a la noción psicoanalítica de «complejo». «Si tiene una cebolla en la cabeza, ésta puede florecer en cualquier momento, en Narciso.»

Dalí continúa con su poema, auténtico eco del cuadro, para terminar con estas palabras:

> Narciso, ¿lo comprendes? La simetría, hipnosis divina de la geometría del espíritu, llena ya tu cabeza de ese sueño incurable, vegetal atávico y lento que seca el cerebro de la sustancia apergaminada del núcleo de tu próxima metamorfosis. La semilla de tu cabeza ha caído en el agua. El hombre retorna a lo vegetal por el pesado sueño de la fatiga, y los dioses por la hipnosis transparente de sus pasiones. Narciso, eres tan inmóvil que se diría que estás dormido. Si se tratara del Hércules rugoso y moreno, nosotros diríamos «duerme como

> un tronco en la postura de un roble hercúleo». Pero tú, Narciso, formado por las tímidas eclosiones perfumadas de la adolescencia transparente, tú duermes como una flor acuática. Ahora que se aproxima el gran misterio, que tendrá lugar la gran metamorfosis, Narciso se hará invisible en su inmovilidad, absorbido por su reflejo con la lentitud digestiva de las plantas carnívoras. No resta de él otra cosa que el óvalo alucinante de blancura de su cabeza, su cabeza que recupera la ternura, su cabeza, crisálida de segundas intenciones biológicas, su cabeza sostenida por la punta de los dedos del agua, por la punta de los dedos de la mano insensata, de la mano terrible, de la mano coprófaga, de la mano mortal de su propio reflejo. Cuando esa cabeza se agriete, cuando esa cabeza se resquebraje, cuando esa cabeza florezca, surgirá la flor, el nuevo Narciso, Gala, mi Narciso.

Este texto del artista es de suma importancia, pues explica claramente lo que quiere expresar en la pintura, como el caso del Minotauro, obra de la que se conserva un estudio previo y se puede seguir perfectamente la evolución del pensamiento daliniano. En las *Metamorfosis* de Ovidio se puede leer la versión más conocida del mito de Narciso, hijo del dios del Céfiso y de la ninfa Liríope. Al nacer, el adivino Tiresias profetizó a sus padres que el niño alcanzaría la vejez si no se contemplaba a sí mismo. De joven, Narciso rechazó el amor de muchas doncellas. Un día muy caluroso, después de una cacería, Narciso se inclinó sobre una fuente para beber. Contempló la belleza de su rostro, se enamoró de sí mismo y se dejó morir. Una pintura pompeyana retrata magníficamente a Narciso semidesnudo recostado sobre una roca, que, fatigado, contempla su rostro en el agua.

Las Tres Gracias

El tema de las Tres Gracias gozó de gran aceptación en el arte de todos los tiempos. La primera pintura importante con este asunto es una obra pompeyana de excelente calidad. Las Tres Gracias, diosas de la belleza, reparten alegría por naturaleza; habitaban en el Olimpo en compañía de las Musas y del dios de la música, Apolo, y ejercían una influencia positiva sobre las creaciones artísticas. Un mosaico hispano, hallado en Barcelona, de fines del siglo III o de comienzos del IV, sigue la tradición pictórica por la disposición de las Gracias, similar a una pintura mural de Catania y a un mosaico del Museo Nacional de Nápoles, de composición distinta a la de los mosaicos de Cherchel, en África, y de Narbi Kuyen, en Cilicia, Turquía. Las Tres Gracias es un

Salvador Dalí, *El juicio de Paris*, colección particular.

tema tratado por los artistas del Renacimiento: podemos citar un medallón realizado para Pico della Mirandola, con Giovanna Tornabuoni en el anverso y en el reverso las Tres Gracias como símbolo de la Castitas, de la Pulchritudo y del Amor; y en el de María Poliziana, como símbolos de la Constantia y la Concordia. A estos ejemplos hay que sumar *Las Tres Gracias* de Correggio, en la Cámara de San Pablo, en Parma; las de Piero Valeriano en sus *Hieroglyphica;* las que aparecen en un detalle del cuadro de Tarocchi; en un estuco de las Logias de Rafael, en el Vaticano; las de Botticelli o las de Rafael en el Museo Condé, Chantilly; y luego la magnífica obra de Rubens, en el Museo del Prado. En el arte español del siglo XIX el tema de las Tres Gracias es tratado por M. Colmeiro, J. Obiols (1930) y A. Alfaro. El cuadro de Dalí, de 1938, es de tonos suaves y de gran originalidad en las posturas de las damas, separadas unas de otras, que van caminando y vestidas con trajes ligeros.

«FAMILIA DE CENTAUROS MARSUPIALES»

En plena Segunda Guerra Mundial, 1940-1941, el pintor español realizó dos obras tituladas *Familia de centauros marsupiales* en las que refleja magníficamente la crudeza de la lucha tanto en la posición de los cuerpos, en escorzos extremos, como en la actitud temerosa de las crías. De nuevo, los colores oscuros son el trasfondo adecuado de escenas violentas. Ningún otro tema pudo ser elegido con mayor acierto por el artista para hacerse eco del clímax de lucha feroz que tenía lugar en toda Europa durante aquellos años. La finalidad de estos cuadros está en línea con la de otros del pintor de Cadaqués, como *El rostro de la guerra,* con ojos y boca llenos de cadáveres; *Bailarina-Calavera, Cráneo humano compuesto de siete cuerpos femeninos, El rostro de la guerra* y *Escena de café,* con varias personas sentadas a la mesa componiendo la forma de un cráneo. Los artistas de élite saben captar en sus obras la espiritualidad y la problemática ética de su época, que muchas veces es terriblemente amarga. Con las composiciones de centauros vuelve Dalí a los relatos mitológicos protagonizados por seres monstruosos. Los Centauros vivían en los montes, se alimentaban de carne cruda y sus costumbres eran brutales. Intervienen en diferentes episodios: lucharon contra Heracles cuando éste fue a la caza del jabalí de Erimanto; lucharon contra los Lapitas, gobernados por Pirítoo, quien los invitó, por ser parientes suyos, a una boda en la que se emborracharon y uno de ellos intentó raptar a Hypodamia, la prometida de Pirítoo, lo que ocasionó una gran matanza. La lucha de Centauros y Lapitas quedó inmortalizada en las metopas del Partenón de Atenas, de Fidias y su escuela, a partir del 447 a.C. Dalí encontró en los combates encarnizados entre Centauros y Lapitas el motivo alegórico de origen clásico más apropiado para reflejar el difícil momento político y el ambiente de guerra total que vivía la Europa de entonces. Estos centauros nada tienen que ver con aquellos de rostro venerable y aspecto relajado que vemos en las épocas finales del arte helenístico; por ejemplo, las dos esculturas de centauro con rostro de anciano que es cabalgado por Eros, o el centauro joven con piel de cabrito colgada del brazo, que indican una concepción diametralmente opuesta a las de las metopas del Partenón, donde la fuerza bruta e irracional de los monstruos adquiere su máxima expresión como un ataque contra la civilización, del mismo modo que la Guerra Mundial es un ataque contra la civilización y los derechos de los hombres. La época helenística cambió totalmente los papeles de los Centauros. A comienzos del siglo IV a.C., Zeuxis pintó una escena idílica con Centauros, donde la hembra tumbada en el suelo amamantaba a sus crías mientras el Centauro macho, en segundo plano de la composición, traía como trofeo de caza un cachorro de león. Estos Centauros fueron copiados en piedra gris oscura en el siglo II d.C. por Aristeas y Papias de Afrodisias para decorar la Villa de Adriano en Tívoli.

Los mitos que trató Dalí en sus obras están también presentes en la producción artística de pintores y escultores actuales, como alegorías de nuestra época. G. Pérez Villalta, en su obra que lleva por título *Creación,* pintó tres centauros y otras figuras que tienen por modelo el arte griego clásico. Así, el caso de los centauros con manos en las extremidades delanteras tiene paralelos en los dos centauros que rodean a Ceneo en un bronce de Olimpia de mediados del siglo VII a.C. Por su parte, B. Lobo esculpió en 1969 un grupo de *Centauro y mujer* con los cuerpos entrelazados formando una unidad. Delia Piccirilli es autora de un cuadro, de 1989, titulado *El rapto de Hypodamia o Lapitas y Centauros,* que refleja significativamente la idea de lucha, en tonos amarillos.

«Leda atómica»

En 1947 comenzó el artista los primeros estudios para su obra *Leda atómica.* La primera versión, inacabada, data de 1948. La *Leda atómica* es una de las obras maestras del genio de Dalí. Como escribe Jean Louis Perrier,

> fueron los grabados eróticos del siglo XVIII y los *graffiti* los que dieron la clave del mito de Leda; Zeus se transformó en un falo alado para seducir mejor a la esposa de Tíndaro. Este es el sentido latente del mito que permanece oculto a través de toda la pintura tradicional. Pero Dalí en su *Leda atómica* lo transforma en lo contrario, pues el estado de levitación en el que se encuentran la mujer y el cisne en el cuadro expresa la fuerza y la sublimación. En este sentido *Leda atómica* abre el periodo de los cuadros religiosos de Dalí...

El mito de Leda se repite prácticamente sin modificaciones sustanciales en toda la pintura de Occidente hasta Poussin y Moreau. En la pintura de Moreau el cisne apoya la cabeza sobre el cráneo de Leda, ocupa el sitio reservado tradicionalmente a la paloma del Espíritu Santo. Como Dalí, Moreau tiene una noción iniciática y psicoanalítica del mito de Leda. Al tema de Leda y el cisne vuelve Dalí en 1961 con una escena del acto amoroso de gran novedad y colorido. El mito de Leda amada por Zeus metamorfoseado en cisne tiene una gran tradición en el arte clásico. La Leda y el cisne más famosa que nos ha legado la Antigüedad en una obra de arte es la *Leda* del Museo Capitolino de Roma, en posición corporal distinta de las anteriormente descritas. En esta ocasión, la protagonista protege al cisne del águila hacia el que dirige la mirada anhelante. Es obra de Timoteo, que trabajó en la primera mitad del siglo IV a.C. En España el mito de Leda ha sido representado en mosaicos, fechados en época bajoimperial, descubiertos en Alcalá de Henares, la antigua Complutum, y en la villa palentina de Quintanilla de la Cueza. Miguel Ángel pintó una Leda, hoy conservada en la Gemäldegalerie de Dresde; y también Leonardo da Vinci.

INFLUJOS DE LA ESCULTURA GRIEGA

En 1955 Dalí se inspiró en una escultura del Partenón donde se representa al río Ilisos, para un cuadro que sigue muy de cerca el original clásico: *Figura rinocerόntica del «Ilisos» de Fidias*. El estudio anatómico del cuadro daliniano es de gran vigor. En el fondo se ve el mar, que evoca al Ilisos. Dalí demuestra en muchas de sus obras un excelente conocimiento del arte clásico, que no plagia servilmente, sino que lo medita, lo asimila y lo transforma con toques de gran originalidad y valor artístico indiscutible.

Hércules y Venus

El genio pictórico de Dalí tiene magnífica expresión en una obra de 1963, inspirada en la mitología clásica, con la figura de Hércules que levanta la piel del mar y pide a Venus que espere un momento antes de despertar al Amor dormido. Las relaciones amorosas adúlteras de Hércules y Venus son bien conocidas por los artistas clásicos. Baste recordar una terracota helenística en la que ambos amantes se recuestan sobre una *kliné* y son atrapados por una red que cayó improvisadamente sobre ellos. Dalí parte de un mito griego, pero lo presenta de una forma totalmente nueva: Afrodita-Venus, desnuda, arrodillada de frente, se dispone a despertar al Amor, niño que duerme tranquilamente sobre una roca sobre la que se sienta Hércules al tiempo que levanta la piel del mar. Todos los colores muestran tonos oscuros, y se alternan con los cenicientos y los ocres del paisaje, el azul oscuro del mar y el verdoso manchado de los cuerpos.

Juicio de Paris

Dalí realizó dos dibujos basados en un mito griego que tuvo mucha aceptación en la Antigüedad y del que quedan numerosas manifestaciones literarias y artísticas: por poner un ejemplo próximo, el mosaico de época bajoimperial de Casariche (Sevilla). Nos referimos al relato del juicio de Paris. En la boda de Tetis y de Peleo, Eride (la Discordia) arrojó en medio de la pareja una manzana de oro diciendo que debía ser otorgada a la más hermosa de las tres diosas: Atenea, Hera y Afrodita. Zeus encomendó a Hermes que condujera a las tres diosas al monte Ida para que Paris decidiera a cuál de las tres había que dar la manzana de oro. En el dibujo de Dalí de 1950 las tres diosas, desnudas, son unas coquetonas muchachas que muestran sin pudor sus encantos a Paris, sentado, con cara de jovencito, la cabeza cubierta por un gorro frigio, y, según las representaciones tópicas de la Antigüedad, les ofrece la manzana. En 1963 Dalí volvió al mismo tema, si bien ahora las tres diosas son tres jóvenes esbeltas, sin rasgos fisonómicos, colocadas de frente, una de las cuales está un poco girada y pasa el brazo por debajo de los senos de la figura femenina colocada en el centro. En el lado derecho del dibujo vemos a Paris que ofrece la manzana.

Varias obras de Dalí inspiradas en relatos y personajes míticos

Dalí continuó inspirándose en la mitología clásica durante toda su vida. Unas veces imita fielmente los temas y formas griegas; otras reelabora el tratamiento de los mitos a partir de las obras de otros artistas, ya sean antiguos o grandes genios como Velázquez o Miguel Ángel. La *Cabeza otorrinológica de Venus,* escultura de 1965, recuerda mucho, por el tipo de peinado y el ángulo de inclinación de la cabeza, a la Afrodita de Tegea, que muy bien puede ser la Higia del templo. Es el fragmento escultórico más fino que ha proporcionado la isla; pudo ser obra del escultor Escopas. En 1965 Dalí pintó un Laoconte, de medio cuerpo, copia del Laoconte conservado en el Museo Vaticano, cuyo original corresponde a tres artistas de una misma familia, Agesandro, Polidoro y Atenodoro. Laoconte era sacerdote de Apolo y sus dos hijos fueron atacados por serpientes sobre el altar por haber ofendido al dios. La obra se fecha hacia el año 50 a.C. La escena fue cantada por un poeta amigo del emperador Augusto, Virgilio, en el libro segundo de la *Eneida.* El estilo de esta escultura está en línea con el de los frisos del Altar de Pérgamo, caracterizado por un barroquismo extremo y un naturalismo mezclado con clasicismo. Recientemente A. Alfaro, otro artista que se inspira frecuentemente en el mundo clásico de Grecia y Roma, ha realizado una escultura en bronce de Laoconte. En 1966 colocó, enfrentadas, dos *Victorias de Samotracia* tocándose los cuerpos, pintadas en homenaje a R. Roussel, escritor que influyó mucho en los pintores surrealistas y más concretamente en Dalí. Esta Victoria procedía del santuario de Cabiros en Samotracia, datada en el año 190 a.C., obra atribuida con cierta probabilidad a Pitócrito de Rodas. Dalí conserva las características formales de esta famosa escultura: la torsión del cuerpo, envuelto en un fino chitón, en un manto azotado por el viento marino; y el rollo que forma el manto sobre el muslo derecho cayendo entre las piernas. En 1977, la *Victoria de Samotracia* inspiró nuevamente al artista de Cadaqués un cuadro de gran originalidad y colorido. El cuerpo, pintado de azul, está bañado de rayos luminosos. Hay más figuras de Dalí inspiradas directamente en el arte griego o en sus copias exactas de época romana. En 1967 pintó *La pesca del atún,* donde expresa magníficamente la lucha con estos peces, de aspecto monstruoso por su tamaño, contra los que se blanden arpones y grandes cuchillos en posturas violentas, en un mar abarrotado, de fuertes contrastes en los tonos azules, amarillos de diversas intensidades, y los colores tornasolados del mar agitado por los pescados. Dos figuras de pescadores están copiadas fielmente, y otra inspirada, en la lucha de los dioses olímpicos contra los Titanes del Altar de Pérgamo, imperio de Asia Menor salido de la desmembración del gran imperio de Alejandro Magno a su muerte en 323-322 a.C. El reino de Pérgamo alcanzó su punto culminante de riqueza y extensión en tiempos de Eumenes II (197-159 a.C.), gobierno que coincidió en el arte con el estilo artístico de un brillante barroco. Entre los años 180 y 160 a.C. Eumenes II mandó construir un gran altar dedicado a Zeus y Atenea Nikéforos, que es uno de los conjuntos escultóricos más asombrosos de toda la Antigüedad, mencionado incluso en las Sagradas Escrituras como «trono de Satán». En grandes relieves, que ocupaban frisos de unos ciento doce metros de longitud, se representó la lucha entre los dioses y los Gigantes, hijos de la Tierra (Gea). En un relieve se esculpió el combate de Atenea y de Alcioneo contra dos gigantes. Uno de ellos es exactamente igual (salvo el pequeño detalle de no estirar la pierna izquierda) que el colocado por el pintor en el lado izquierdo de su obra. En esta obra de Dalí, la figura femenina, a juzgar por el peinado, colocada de espaldas en primer plano, es muy semejante a la de uno de los Gigantes contra los que arremete Zeus (salvo en la diferencia obvia de que en la escultura griega tal Gigante es un varón barbado). Otro Gigante de este friso es muy similar a la figura central del cuadro de Dalí. El pintor español acertó al añadir a la escena de la pesca del atún algunas figuras de gigantes que transforman la escena de pesca en un combate mítico contra las fuerzas de la naturaleza. El cuadro del *Atleta cósmico,* fechado en 1968, está inspirado directamente en el *Discóbolo* de Mirón, broncista que trabajó en Atenas cuando el arte clásico evolucionaba hacia su madurez; en sus obras, las facciones humanas se aproximan al naturalismo. Un cuadro de Dalí, de 1977, representa a un *Hermafrodita,* con cajones saliendo del pecho y del vientre, con un Eros sentado sobre los hombros del personaje principal, joven de bello rostro que vuelve su mirada y sujeta al Eros por los pies. En el interior de la pierna izquierda, con la piel desgarrada, el artista ha colocado una botella, simbolismo que ya se ha encontrado en la obra daliniana. El interés de Dalí por el tema data de su primera época, pues ya en 1943 realizó un dibujo de *Hermafrodita.* Los escultores griegos de época helenística, y también los romanos, gustaban de este tipo de esculturas, ya de pie ya tumbados, a menudo con mantos que cubren parcialmente las piernas, como el *Hermafrodita* de un taller rodio, de la escuela o estilo de Praxíteles, fechado a comienzos del siglo III a.C. La *Mujer con huevo atravesada por flechas,* obra de 1977, es una copia exacta de la *Amazona herida,* copia a su vez de un original de bronce de Policleto que junto a otras tres estatuas debidas a Cresilas, Fidias y Fradmon, fue destinada al templo de Artemis en Éfeso. En 1981 pintó un *Hermes* caminando en el aire, símbolo tradicional de la rapidez, pues es mensajero de los dioses, y con sus atributos: caduceo, una pequeña alforja y alas en los pies. Su cuerpo desprende llamaradas de fuego de vivos colores. La escultura antigua más famosa de Hermes se debe a la mano de Praxíteles; se halló en el Heraion de Olimpia y se fecha en torno al año 330 a.C., pero esta obra maestra del gran escultor griego tiene poca relación formal con la pintura de Dalí, pues es un Hermes portador de Dionisos niño. En este mismo año 1981, Dalí realizó una pintura que representa el rostro de la Afrodita de Cnido, con un paisaje de lagunas y arbolado de suaves colores azules y amarillos. El original griego, de cuerpo entero, de pie y semidesnuda, obra cumbre de Praxíteles, era una estatua de culto colocada en el templo consagrado a la diosa en Cnido y se data entre los años 364 y 361 a.C., es decir, el momento más brillante de la producción artística del genial escultor griego. El rostro, tal como lo pintó Dalí, puede competir con las mejores obras del arte griego. En los primeros años de la década de 1980 la mitología clásica era fuente inagotable y preferida por Dalí. En este momento pinta *Argos,* «el de varios ojos», cualidad magníficamente expresada por Dalí; *Jasón apoderándose del Vellocino de Oro,* empresa mitológica en la que se había empeñado el héroe y los argonautas; *Mercurio y Argos,* inspirado en el cuadro (inacabado) de Velázquez, y *Jasón y el vellocino de oro.*

Mitología griega y bíblica en joyas

La mitología griega también inspiró a Dalí para la realización de algunas joyas. De 1959 data una pieza que representa el *Cisne de Leda;* está confeccionada en oro, esmeralda y alejandrita. El cisne despliega las alas e inclina la cabeza sobre el pecho. El cuerpo es de color dorado. Una gran piedra preciosa cuelga del cuello del cisne. Es una manera elegante y original de representar el ave de Zeus. Esta forma de representarlo no era una novedad en la obra de Dalí, pues la imagen del cisne con leves variantes en el color y en la postura de la cabeza aparece cinco veces en los dibujos realizados para el ballet *Bachanale,* en noviembre de 1939. No fue éste el único mito que Dalí trasladó a sus realizaciones de joyería. En un gran topacio de color *chartreuse,* de aproximadamente cuatro mil quilates, pintó una imagen de Dafne al óleo sobre oro. El topacio, rodeado de esmeraldas y brillantes montados sobre oro, está colocado sobre un soporte de madera petrificada de Palmera Real, fósil de más de diez millones de años. Dafne era una ninfa amada por Apolo; perseguida por el dios de la música, fue convertida en laurel, la planta predilecta de Apolo. Sobre esta pieza escribió Dalí:

> El ácido desoxirribonucleico es el símbolo de la única metamorfosis divina de los seres humanos en las gloriosas ramas del árbol *Dafne Laureola.* Por vez primera es ésta la única real combinación armoniosa de la máxima destreza en la pintura al óleo con la nueva Joya al estilo del Renacimiento.

La escena de Dafne huyendo de Apolo se repite en una segunda joya esculpida en oro. En otras dos joyas Dalí se inspiró en un tema bíblico que gozó de gran aceptación en Oriente, y que se remonta a mediados del tercer milenio a.C. en el Estandarte de Ur: el árbol de la vida. Una de las piezas es un collar esculpido en oro y brillantes, a la que, junto al brazalete con el mismo motivo oriental, se refirió el propio Dalí: «Inspiración antropomórfica, surrealística, hojas de oro suspenden la cara con ojos de zafiros: hojas vírgenes engarzadas con diamantes más allá de un intento temporal». Sobre otra joya Dalí coloca unos *Delfines y sirenas.* Las sirenas son de coral rojo de sangre oscuro; van adornadas con corona, collar y cinturón de diamantes incrustados en oro. El soporte es una piedra translúcida de tonalidad de llama iluminada por detrás. Las sirenas están montadas sobre una concha de oro esculpido, de la que cuelgan cinco hileras con trescientas setenta y dos aguamarinas ovales. En la concha están engarzados dos delfines de oro, con dientes de brillantes. Detrás de los delfines brotan tres chorros de agua, símbolos de la Fuente de la eterna juventud, que caen sobre las sirenas. Sobre el significado de esta joya, el mismo Dalí dijo:

> La Fuente de la Eterna Juventud. Los símbolos Dalinianos de la Fuente de la Juventud Eterna son las sirenas y los delfines: el mamífero más inteligente después del hombre. Son los catalizadores de la sangre de coral de las encinas, triunfo biológico de la ciencia en el año de Gracia de 1969.

Dalí retomó el tema de las sirenas en *El lago del cisne,* que describió el artista: «Sirena de oro esculpido con un cisne de brillante incrustado, que flota sobre un lago de zafiro. El lago y la roca costera son de crisoberilo; las olas que rompen sobre la sirena son de esmeraldas y de diamantes».

LAS SIETE MARAVILLAS DEL MUNDO

La actividad de Dalí era múltiple. Una variante de su obra pictórica fueron sus colaboraciones para decorados de algunos ballets rusos e incluso para el cine. En 1954 aportó seis diseños para una película titulada *Las Siete Maravillas del mundo. El Coloso de Rodas* es una escultura que muestra una figura masculina bien musculada, con un cielo azulado de fondo, mirando a lo alto y evitando con su mano a la altura de los ojos ser deslumbrado por la luz del sol. La estatua representa a Helios (el Sol), lo que explica los rayos que surgen de su cabeza. La escultura antigua del Coloso se atribuye a Cares de Lindos, discípulo del escultor Lisipo, y es un exponente del primer estilo barroco, que se originó en Rodas y maduró en Pérgamo. *El Faro de Alejandría* fue diseñado por Dalí en dos ocasiones. Estas obras tienen un carácter arquitectónico y monumental y siguen modelos frecuentes en el mundo antiguo en cerámicas y mosaicos, como uno hallado en Ostia, puerto de Roma, y en monedas de Alejandría acuñadas en época del emperador Domiciano, a fines del siglo I, y bajo los Antoninos, en el siglo II. Incluso una moneda de Alejandría de finales del siglo II muestra un barco que se aproxima al Faro, escena que Dalí traslada del mismo modo a su diseño. El pintor de Cadaqués no sólo estaba bien informado sobre los mitos clásicos, sino también sobre las obras de arte que en la Antigüedad trataban dichos mitos. El diseño de *Las murallas de Babilonia* está inspirado en la realidad. La puerta es la de Istar construida por Nabucodonosor II (605-562 a.C.), tal como se conserva en Berlín, pero el artista español introduce alguna variante en la colocación de los toros en la fachada. Las murallas con torres de sección rectangular son idénticas a las representadas en relieves asirios de la época de Tiglatpileser III (744-727 a.C.), conservados en el Museo Británico (Londres). Incluso en ellos se representan, como en el diseño daliniano, los arietes que golpean la muralla, aunque la estructura es diferente. El pintor español ha colocado sobre la muralla a los defensores, que lanzan armas, tal como aparecen en los relieves asirios. En el dibujo de Dalí únicamente faltan las escaleras apoyadas en los muros. En este caso, las torres del diseño daliniano son anacrónicas. El diseño de la *Estatua de Zeus Olímpico,* entronizado en el interior de la *cella* del templo, con la égida y una Nike en su mano derecha, tiene correspondencia con la obra antigua original en el templo de Zeus en Olimpia, levantado entre los años 468 y 460 por el arquitecto Libón de Élide en el terreno llano del bosque sagrado del Altis. El templo es de orden dórico y la *cella* estaba dividida en tres naves, tal como se ve también en el dibujo de Dalí. Fidias esculpió para este templo una colosal estatua de Zeus sedente, cuya monumentalidad (ocupaba un tercio del santuario) está bien interpretada por Dalí. Una vez más el pintor demuestra estar muy bien informado sobre los temas del arte clásico que utiliza para sus obras. Hasta aquí hemos realizado un muestreo de los mitos clásicos en la obra del genial Salvador Dalí, pero todavía sería posible añadir —y lo hacemos brevemente— otras piezas, como *Galatea de las esferas*, de 1952, que es una cabeza realizada con esferas. Esta ninfa tuvo amores con el cíclope Polifemo, tal como se ve en algunos cuadros parietales de Pompeya y en un mosaico de Córdoba, datado hacia el 200 d.C. e inspirado en una pintura griega del final del Helenismo. *Una Parca del Partenón* (1960) es tema que ya había tratado antes, en 1950, en una composición que se desvía de los modelos clásicos y de las figuras de los relieves arcaicos griegos que muestran a las Parcas con rostros horripilantes, o en las pinturas de los vasos protocorintios del siglo VII a.C. En esta obra de Dalí es una muchacha de rostro atractivo y alegre, con un huevo en la mano, siguiendo motivos de época helenística que, como ya hemos indicado antes, «suavizó» los rasgos terribles de algunos personajes míticos, como Medusa. También podemos referirnos a una cabeza de *Medusa* (1962), la principal de las Gorgonas, que es representada aquí como un pulpo con las extremidades extendidas; una *Minerva* (1968), ilustración para la *Memoria del surrealismo*, que muestra un rostro de perfiles clásicos, con un tocado o gorro sobre la cabeza con forma de lechuza y una mariposa en la frente. Queremos recordar también que mitos como el rapto de Europa, de tanta aceptación en el momento actual (Veiga, M. L. Campoy, Botero, Patricia Gala, A. de Pedro, etc.), no fue tratado nunca por Dalí. Pero a la vista de los datos que hemos aportado no cabe duda del importantísimo papel que tuvieron los mitos clásicos en su obra, que el artista no se limitaba a trasladar mecánicamente a sus lienzos o a sus esculturas, sino que formaban parte de la explicación vital de su persona, y también del mensaje trascendente que Dalí pretendía transmitirnos a través de su obra: un mensaje lleno de matices, que reflejan pasiones y estados de ánimo del artista, cuyos pensamientos lleva a la obra como una prolongación de su psique; pero que, sobre todas las cosas, son demostración de un *savoir faire* de auténtico maestro y traslucen una poesía de formas y colores que sólo unos pocos genios son capaces de lograr.

Bibliografía

Blázquez, J. M., «Temas del mundo clásico en el arte del siglo xx», *Revista de la Universidad Complutense,* XXI, 23 (1972), págs. 1-21.

— «El mundo clásico en Picasso», en *Discursos y ponencias del IV Congreso Español de Estudios Clásicos,* Madrid, 1973, págs. 141-155.

— «Temas del mundo clásico en las pinturas de Kokoschka y Braque», en *Miscelánea de Arte,* Madrid, 1982, págs. 269-274.

— «Mujeres de la mitología clásica en el arte español del siglo xx», en *La mujer en el arte español,* Madrid, 1997, págs. 571-581.

— «Mujeres de la mitología clásica en la pintura de Max Beckmann», *Anales de Historia del Arte,* 7 (1997), págs. 257-269.

Blázquez, J. M. y García Gelabert, M. P., «Temas del mundo clásico en el arte moderno español», en *La visión del mundo clásico en el arte español,* Madrid, 1993, págs. 403-415.

Descharnes, R., *Salvador Dalí,* Nueva York, 1993.

Descharnes, R. y Néret, G., *Salvador Dalí, 1904-1989: su obra pictórica,* Colonia, 1994.

Dalí de Drager, Barcelona, 1968.

Dalí: su arte en joyas, exposición de la Colección The Owen Cheatham Foundation, Madrid, 1973.

Procedencia de los artículos

I. Cristianismo y arte moderno

«Arte religioso español del siglo XX: Picasso, Gutiérrez Solana y Dalí», *AEA,* 279 (1997), págs. 229-240.
«La pintura religiosa de Gutiérrez Solana y la iconografía de la muerte en la pintura contemporánea», *Anales de Historia del Arte,* 9 (1999), págs. 295-313.
«El arte religioso de Emil Nolde», *Boletín de Bellas Artes,* 2.ª época, XXXI (2003).
«La pintura religiosa en los expresionistas alemanes», Goya, 289-290 (2002), págs. 254-266.

II. Mitos clásicos en el arte moderno

«Mitos clásicos en la Gemäldegalerie Alte Meister de Kassel», *Anales de Historia del Arte,* 17 (2007), págs. 193-221.
«El mito griego de Leda y el Cisne en mosaicos hispanos del Bajo Imperio y en la pintura europea», *Sautuola,* VI (1999), págs. 555-565.
«Mitos clásicos en la pintura moderna», *Anales de Historia del Arte,* 10 (2000), págs. 247-281.
«Mitos clásicos en los periódicos y revistas de Madrid a comienzos del tercer milenio. Representaciones en el teatro», *Norba-Arte, XXV* (2005), págs. 332-376.
«Mitos clásicos en los periódicos y revistas de Madrid de finales del siglo XX», en *El arte español del siglo XX, su perspectiva al final del milenio,* Madrid, 2001, págs. 275-295.
«Mitos griegos en la pintura expresionista», *Goya,* 281 (2001), págs. 113-123.
«El mundo clásico en Picasso», en *Discursos y ponencias del IV Congreso español de Estudios Clásicos,* Madrid, 1973, págs. 141-155.
«Temas de la mitología clásica en las pinturas de la corte de Felipe II», en *IX Jornadas de Arte: El arte en las cortes de Carlos V y Felipe II,* Madrid, 1999, págs. 321-330.

«Temas del mundo clásico en el arte del siglo XX», *Revista de la Universidad Complutense,* XXI, 23 (1972), págs. 1-21.
«Temas del mundo clásico en el arte moderno español», en *La visión del mundo clásico en el arte español,* Madrid, 1993, págs. 403-415.
«Temas del mundo clásico en las pinturas de Kokoschka y Braque», en *Miscelánea de arte,* Madrid, 1982, págs. 269-274.
«Las tentaciones de San Antonio en el arte contemporáneo», *Norba-Arte,* XXIV (2004), págs. 165-187.
« Mitos clásicos y naturaleza en la pintura y dibujos de Carlos Franco», en *Congreso Internacional «Imagines»: la Antigüedad en las artes escénicas y visuales,* Logroño, 2008.
«El mundo clásico en Dalí», *Goya,* 265-266 (1998), págs. 238-249.

COLECCIÓN HISTORIA

SERIE MENOR

ALVAR, Jaime (ed.), *Los enigmas de Tarteso,* 2.ª ed.

ALVAR, Jaime y BLÁZQUEZ, José M.ª (eds.), *Héroes y antihéroes en la Antigüedad clásica.*

ÁLVAREZ LÓPEZ, Ana, *La fabricación de un imaginario (Los embajadores de Luis XIV y España).*

ARANEGUI, Carmen (ed.), MATA, Consuelo y PÉREZ BALLESTER, José, *Damas y caballeros en la ciudad ibérica.* Las cerámicas decoradas de Llíria (Valencia).

BLÁZQUEZ, José M.ª, *Cristianismo y mitos clásicos en el arte moderno.*

BLÁZQUEZ, José M.ª, *Fenicios, griegos y cartagineses.*

BLÁZQUEZ, José M.ª, *Intelectuales, ascetas y demonios al final de la Antigüedad.*

BLÁZQUEZ, José M.ª, *Los pueblos de España y el Mediterráneo en la Antigüedad.* Estudios de Arqueología, Historia y Arte.

BLÁZQUEZ, José M.ª, *Religiones en la España Antigua.*

BLÁZQUEZ, José M.ª, ALVAR, J. y WAGNER, C. G., *Fenicios y cartagineses en el Mediterráneo.*

BOTTÉRO, Jean, *Mesopotamia.* La escritura, la razón y los dioses.

BRAUDEL, Fernand, *Memorias del Mediterráneo.* Prehistoria y Antigüedad.

BRYCE, Trevor, *El reino de los hititas.*

CANALES, Esteban, *La Europa napoleónica 1792-1815.*

CAPEL, R. M.ª, MARTÍNEZ, C., NASH, M., ORTEGA, M. y PASTOR, R., *Textos para la historia de las mujeres en España.*

CASTELS, I., ESPIGADO, G. Y ROMEO M.ª CRUZ (COORDS.), *Heroínas y patriotas. Mujeres de 1808.*

CHARTIER, Roger, *Entre poder y placer.* Cultura escrita y literatura en la Edad Moderna.

FERRO, Marc, *El conflicto del islam.*

FERRO, Marc, *El resentimiento en la Historia.* Comprender nuestra época.

FORNER MUÑOZ, Salvador (coord.), *Democracia, elecciones y modernización en Europa.* Siglos XIX y XX.

FOX, Inman, *La invención de España.* Nacionalismo liberal e identidad nacional, 2.ª ed.

GARCÍA GUIJARRO RAMOS, Luis, *Papado, cruzadas y órdenes militares.* Siglos XI-XIII.

GIL AMBRONA, ANTONIO, *Historia de la violencia contra las mujeres.* Misoginia y conflicto matrimonial en España.

GÓMEZ NAVARRO, José Luis, *El régimen de Primo de Rivera.*

HILDEBRAND, Klaus, *El Tercer Reich.*

HUSSON, Geneviève y VALBELLE, Dominique, *Instituciones de Egipto.* De los primeros faraones a los emperadores romanos.
LE GLAY, Marcel, *Grandeza y decadencia de la República romana.*
LE GLAY, Marcel, *Grandeza y caída del Imperio Romano.*
LOZANO NAVARRO, Julián J., *La Compañía de Jesús y el poder en la España de los Austrias.*
LUCENA, Manuel, *Breve historia de Latinoamérica.* De la independencia de Haití (1804) a los caminos de la socialdemocracia.
LUMLEY, Henry de, *El primer hombre.* Prehistoria, evolución, cultura.
MACKAY, Angus, *La España de la Edad Media,* 6.ª ed.
MANGAS, Julio, *Textos para la historia antigua de Grecia,* 6.ª ed.
MARGUERON, Jean-Claude, *Los mesopotámicos,* 2.ª ed.
MITRE, Emilio, *Historia y pensamiento histórico.* Estudio y antología.
MITRE, Emilio, *Ortodoxia y herejía entre la Antigüedad y el Medievo.*
MÖBERG, Carl-Axel, *Introducción a la arqueología,* 2.ª ed.
MORANT, Isabel, *Discursos de la vida buena.* Matrimonio, mujer y sexualidad en la literatura humanista.
MORANT, Isabel (dir.), QUEROL, M.ª A., MARTÍNEZ, C., MIRÓN, D., PASTOR, R., LAVRIN, A. y PÉREZ CANTÓ, P. (coords.), *Historia de las mujeres en España y América Latina.* Volumen I. De la Prehistoria a la Edad Media, 2.ª ed.
MORANT, Isabel (dir.), ORTEGA, M., LAVRIN, A., PÉREZ CANTÓ, P. (coords.), *Historia de las mujeres en España y América Latina.* Volumen II. El mundo moderno, 2.ª ed.
MORANT, Isabel (dir.), GÓMEZ-FERRER, G., CANO, G., BARRANCOS, D. y LAVRIN, A. (coords.), *Historia de las mujeres en España y América Latina.* Volumen III. Del siglo XIX a los umbrales del XX.
MORANT, Isabel (dir.), GÓMEZ-FERRER, G., CANO, G., BARRANCOS, D. y LAVRIN, A. (coords.), *Historia de las mujeres en España y América Latina.* Volumen IV. Del siglo XX a los umbrales del XXI.
MUCHEMBLED, Robert, *Historia del diablo.* Siglos XII-XX.
NUMHAUSER, Paulina, *Mujeres indias y señores de la coca.* Potosí y Cuzco en el siglo XVI.
OPLL, Ferdinand y RUDOLF, Karl, *España y Austria.*
PAUL, Jacques, *Historia intelectual del Occidente medieval.*
POMIAN, Krzysztof, *Sobre la historia.*
RABANAL, Manuel Abilio y LARA, Federico, *Comentario de textos históricos,* 2.ª ed.
RUDÉ, Georges, *Europa desde las guerras napoleónicas a la Revolución de 1848,* 2.ª ed.
SALVADOR, José Luis, *El deporte en Occidente.* Historia, cultura y política.
SALVADOR, José Luis, *El deporte en Occidente.* Grecia, Roma, Bizancio.
SANTOS YANGUAS, Narciso, *Textos para la historia antigua de Roma,* 5.ª ed.

SERRANO, José Miguel, *Textos para la historia antigua de Egipto.*
STRADLING, Robert, *La Armada de Flandes.*
STRADLING, Robert, *Felipe IV y el Gobierno de España.*
VAUCHEZ, André, *La espiritualidad del occidente medieval,* 3.ª ed.
VIDAL, César, *Textos para la historia del pueblo judío.*
VRIES, Jan de, *La economía de Europa en un período de crisis,* 6.ª ed.
ZUMTHOR, Paul, *La medida del mundo.*

SERIE MAYOR

ALVAR, BLÁZQUEZ, FERNÁNDEZ ARDANAZ, LÓPEZ MONTEAGUDO, LOZANO, MARTÍNEZ MAZA, PIÑERO, *Cristianismo primitivo y religiones mistéricas,* 2.ª ed.

BAHAMONDE, MARTÍNEZ, *Historia de España. Siglo XIX,* 4.ª ed.

BAHAMONDE, Ángel (coord.), *Historia de España. Siglo XX.* 1875-1939, 2.ª ed.

MARTÍNEZ, Jesús A. (coord.), *Historia de España. Siglo XX.* 1939-1996, 3.ª ed.

BLÁZQUEZ, José María, *España romana.*

BLÁZQUEZ, José María, *El Mediterráneo.* Historia, arqueología, religión, arte.

BLÁZQUEZ, José María, *Arte y religión en el Mediterráneo antiguo.*

BLÁZQUEZ, DÍEZ DE VELASCO, GARCÍA GELABERT, LÓPEZ MONTEAGUDO, MARCO SIMÓN, MARTÍNEZ-PINNA, MONTERO Y SAYAS, *Historia de las religiones de la Europa Antigua.*

BLÁZQUEZ, FERNÁNDEZ NIETO, LOMAS, PRESEDO, *Historia de España Antigua,* tomo I, Protohistoria, 6.ª ed.

BLÁZQUEZ, MONTENEGRO, ROLDÁN, MANGAS, TEJA SAYAS, IGLESIAS Y ARCE, *Historia de España Antigua,* tomo II, Hispania romana, 5.ª ed.

BLÁZQUEZ, LÓPEZ MELERO, SAYAS, *Historia de Grecia Antigua,* 2.ª ed.

BLÁZQUEZ, LÓPEZ MELERO, MARTÍNEZ-PINNA, PRESEDO, ALVAR, *Historia de Oriente Antiguo.*

BLÁZQUEZ, MARTÍNEZ-PINNA, MONTERO, *Historia de las religiones antiguas.* Oriente, Grecia y Roma, 2ª. ed.

CAUDET, Francisco, *El exilio republicano de 1939.*

CHEJNE, Anwar, *Historia de España musulmana,* 4.ª ed.

COLORADO CASTELLARY, Arturo, *Éxodo y exilio del arte.* La odisea del Museo del Prado durante la Guerra Civil.

CORTÉS COPETE, Juan Manuel (ed.), *Epigrafía griega.*

DUFOUR, GÉRARD, *Goya durante la Guerra de la Independencia.*

FERRO, Marc, *Historia de Francia.*

GARCÍA CÁRCEL, Ricardo (coord.), *Historia de España siglos XVI y XVII.* La España de los Austrias.

GARCÍA CÁRCEL, Ricardo (coord.), *Historia de España siglo XVIII.* La España de los Borbones.

GARCÍA MORENO, Luis, *Historia de España visigoda,* 2.ª ed.

IRADIEL, MORETA, SARASA, *Historia medieval de la España cristiana,* 3.ª ed.

JONES, M. A., *Historia de Estados Unidos, 1607-1992,* 2.ª ed.

LARA PEINADO, Federico, *Los etruscos,* Pórtico de la historia de Roma.

LUCENA, Manuel (coord.), *Historia de Iberoamérica, I,* Prehistoria y protohistoria, 2.ª ed.

LUCENA, Manuel (coord.), *Historia de Iberoamérica, II,* Historia moderna, 3.ª ed.

LUCENA, Manuel (coord.), *Historia de Iberoamérica, III,* Historia contemporánea, 3ª. ed.

MACKAY, Angus y DITCHBURN, David (eds.), *Atlas de Europa medieval,* 2.ª ed.

MITRE, Emilio, *Historia de la Edad Media en Occidente,* 3.ª ed.

NORWICH, John Julius, *Breve historia de Bizancio.*

NOUSCHI, Marc, *Historia del siglo XX.* Todos los mundos, el mundo, 2.ª ed.

NÚÑEZ, Luis, *Manual de paleografía.* Fundamentos e historia de la escritura latina hasta el siglo VIII.

ROLDÁN, José Manuel (coord.), *Historia de Roma, I: La República Romana,* 6.ª ed.

ROLDÁN, José Manuel (coord.), *Historia de Roma, II: El Imperio Romano,* 4.ª ed.

TAMAYO, Alberto, *Archivística, diplomática y sigilografía.*

TOPOLSKY, Jerzy, *Metodología de la Historia,* 3.ª ed.